#시험대비
#핵심정복

7일 끝
중간고사
기말고사

Chunjae
Makes
Chunjae

▼

개발총괄	김덕유
편집개발	이현아, 배은수, 이하은
조판	대진문화(구민범, 김성진)
제작	황성진, 조규영

발행일	2021년 3월 15일 초판 2021년 3월 15일 1쇄
발행인	(주)천재교육
주소	서울시 금천구 가산로9길 54
신고번호	제2001-000018호
고객센터	1577-0902
교재 내용문의	(02)3282-1718

7일 끝으로 끝내자!

7

고등 독서

BOOK 1
중간고사대비

이 책의 구성과 활용

일차별 시험 공부

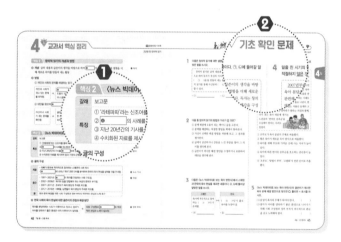

생각 열기

본격적인 공부에 앞서 만화를 살펴보며 학습할 내용을 가볍게 짚고 넘어갈 수 있습니다.

❶ 생각 열기 | 질문과 만화를 살펴보며 학습할 내용 떠올리기
❷ 배울 내용 | 단원에서 배울 중요한 학습 요소 확인하기

교과서 핵심 정리 + 기초 확인 문제

시험 전 꼭 알아야 할 교과서 핵심 내용과 이를 바탕으로 하여 구성한 기초 확인 문제를 통해 개념을 이해했는지 확인할 수 있습니다.

❶ 빈칸을 채우며 핵심 내용 체크하기
❷ 기초 확인 문제를 풀며 교과서 핵심 내용을 이해했는지 확인하기

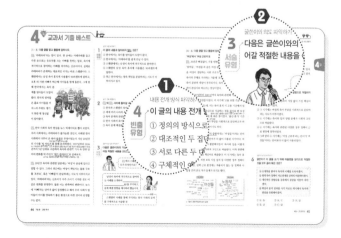

교과서 기출 베스트

기출문제를 분석하여 엄선한 빈출 유형의 문제를 집중적으로 풀며 기본 실력을 탄탄하게 다질 수 있습니다.

❶ 빈출 유형을 통해 출제 빈도가 높은 문제 유형 익히기
❷ 서술 유형을 통해 주관식 문제 대비하기

시험 공부 마무리 테스트

누구나 100점 테스트

아주 쉬운 예상 문제로 100점에 도전하여 내신 자신감을 키울 수 있습니다.

창의·융합·코딩 서술형 테스트

다양한 유형의 서술형 문제를 풀며 사고력과 서술형 문제에 대한 적응력을 높일 수 있습니다.

중간/기말고사 기본 테스트

실제 시험과 비슷한 예상 문제를 풀며 실전에 대비할 수 있습니다.

시험 직전까지 챙겨야 할 부록

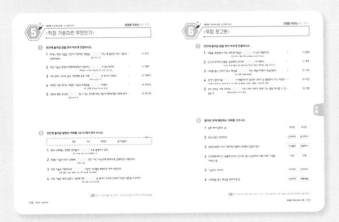

◈ 필수 어휘 모아 보기

제재별 필수 어휘의 의미와 쓰임을 간단한 문제를 통해 확인하며 어휘력을 기를 수 있습니다.

◈ 핵심 정리 총집합 카드

빈출 개념만을 모아 카드 형식으로 수록하였습니다. 쉽게 분리하여 이동할 때나 시험 직전에 활용할 수 있습니다.

 이 책의 **차례**

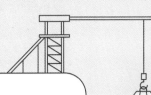

우리 학교 시험 범위 확인

교과서 단원		본 교재
1. 독서의 본질	(1) 독서 자료 선택하기	☐ BOOK 1 1일, 6일 1회, 7일
	(2) 주제 통합적 독서	☐ BOOK 1 1일, 6일 1회, 7일
2. 독서의 방법	(1) 사실적 읽기	☐ BOOK 1 2일, 6일 1회, 7일
	(2) 추론적 읽기	☐ BOOK 1 2일, 6일 1회, 7일
	(3) 비판적 읽기	☐ BOOK 1 3일, 6일 2회, 7일
	(4) 감상적 읽기	☐ BOOK 1 3일, 6일 2회, 7일
	(5) 창의적 읽기	☐ BOOK 1 4일, 6일 2회, 7일
3. 독서의 분야 Ⅰ	(1) 인문·예술 분야의 글 읽기	☐ BOOK 1 5일, 6일 2회, 7일
	(2) 사회·문화 분야의 글 읽기	☐ BOOK 2 1일, 6일 1회, 7일
	(3) 과학·기술 분야의 글 읽기	☐ BOOK 2 2일, 6일 1회, 7일
4. 독서의 분야 Ⅱ	(1) 시대의 특성을 고려한 글 읽기	☐ BOOK 2 3일, 6일 1회, 7일
	(2) 지역의 특성을 고려한 글 읽기	☐ BOOK 2 4일, 6일 2회, 7일
	(3) 매체의 특성을 고려한 글 읽기	☐ BOOK 2 4일, 6일 2회, 7일
5. 독서의 태도	(1) 자발적 독서의 계획과 실천	☐ BOOK 2 5일, 6일 2회, 7일
	(2) 독서 활동에 참여하기	☐ BOOK 2 5일, 6일 2회, 7일

1 일

(1) 독서 자료 선택하기
(2) 주제 통합적 독서

생각 열기 앨리스는 어떤 글을 읽어야 할까?

핵심 1   독서 자료의 선택

● **독서 자료의 개념:** 독서의 대상이 되는 글이나 책

● **독서 자료를 선택할 때 고려할 점**

① 독서의 **❶**

학업 독서	공부를 위한 독서
교양 독서	인간과 세계를 깊이 이해하여 정신적으로 성장하기 위한 독서
문제 해결 독서	개인과 사회의 문제를 **❷** 하고 대안을 찾기 위한 독서
여가 독서	정서적 안정이나 삶의 즐거움을 누리기 위한 독서
타인과의 관계 유지를 위한 독서	타인과의 관계 유지·발전을 위해 하는 공동체 내의 독서

❶ 목적

❷ 해결

② 글의 가치

> 읽을 만한 가치가 있는 글, 읽어서 도움이 되는 글, 읽고 문제 해결 방안을 찾을 수 있는 글을 고르는 것이 좋음. → 주로 '**❸** (古典)'이 권장됨.

❸ 고전

핵심 2   〈어떤 책을 읽을 것인가〉_ 정수복

갈래	수필, 평론	주제	자신의 삶을 변화시키는 독서의 **❹**
특징	① 다양한 예를 들어 설명하여 독자의 이해를 도움. ② 수험서, 실용서와 비교하여 좋은 책의 가치를 부각함.		

❹ 필요성

● **좋은 책의 기준**

좋은 책 ──
- **❺** 의 깊이를 더하고 세상을 밝게 보는 데 도움이 되는 책
- 올바른 판단과 결정에 도움이 되고, 마음을 푸근하게 만들면서 영혼까지 맑게 하는 책
- 가슴과 머리에 진한 흔적을 남겨 삶을 **❻** 시키는 책

❺ 인생

❻ 변화

● **'고전'의 개념과 가치**

고전의 개념
• 오랜 세월 동안 많은 사람에게 높이 **❼** 되고 애호된 저술
• 걸작과 명저 가운데서도 세월의 흐름을 견디어 살아남은 책
• 여러 세대에 걸쳐 끊임없이 읽히는 책
• 몇십 년에서 몇백 년의 시간 동안 계속 읽히는 책

→

고전의 가치
인간과 세상을 이해하는 데 도움이 되는 **❽** 를 담고 있어 인류 문명을 지속시키는 수단이 됨.

❼ 평가

❽ 지혜

1 독서 자료를 선택할 때 고려할 점 두 가지를 쓰시오.

2 다음 학생의 독서 목적으로 적절한 것은?

학교 급식 잔반이 너무 많아. 잔반을 줄일 수 있는 실천 방안이 담긴 글을 찾아 읽어 봐야겠어.

① 학업 독서
② 교양 독서
③ 여가 독서
④ 문제 해결 독서
⑤ 타인과의 관계 유지를 위한 독서

3 다음은 〈어떤 책을 읽을 것인가〉의 처음 부분이다. 이 글에 나타난 오늘날 학생들의 독서 경향으로 적절한 것은?

초등학교에서 대학교에 이르는 학창 시절이야말로 가장 왕성하게 독서할 수 있는 시기이다. 그러나 오늘날 학생들은 초등학교를 지나 중학교에 들어가면 교과서와 학습서, 수험서에 둘러싸여 교양 도서를 읽을 시간이 거의 없다. 시간이 생기면 인터넷이나 컴퓨터 게임을 하거나 만화책 읽기에 바쁘다. 그들이 읽는 문학 작품이나 교양 도서는 수능이나 입시 준비를 위한 것들이 대부분이다.

① 다양한 분야의 글을 균형 있게 읽는다.
② 정서적 안정을 주는 문학 작품을 주로 읽는다.
③ 타인과의 관계를 유지하기 위해 함께 책을 읽는다.
④ 문학 작품은 입시에 도움이 되는 것 위주로 읽는다.
⑤ 세계를 깊이 이해하기 위한 교양 도서를 주로 읽는다.

4 〈어떤 책을 읽을 것인가〉의 글쓴이가 제시한 좋은 책의 기준으로 적절하지 <u>않은</u> 것은?

좋은 책이란 인생의 깊이를 더하고 세상을 밝게 보는 데 도움이 되는 책이라고 할 수 있다.
세상을 살아가며 올바르게 판단하고 결정하는 데 도움이 되고, 마음을 푸근하게 만들면서 동시에 영혼까지 맑게 하는 책이 있다면 그런 책을 좋은 책이라고 할 수 있다. 가슴과 머리에 진한 흔적을 남겨 삶을 변화시키는 책이 바로 좋은 책이다.

① 올바르게 판단하고 결정하는 데 도움이 되는 책
② 마음을 푸근하게 만들면서 영혼까지 맑게 하는 책
③ 가슴과 머리에 진한 흔적을 남겨 삶을 변화시키는 책
④ 인생의 깊이를 더하고 세상을 밝게 보는 데 도움이 되는 책
⑤ 눈앞에 닥친 현실적 문제를 즉각적으로 해결하는 데 도움이 되는 책

5 〈어떤 책을 읽을 것인가〉에 나타난 '고전'에 대한 설명으로 맞으면 ○, 틀리면 × 표시를 하시오.
(1) 오래전부터 전해 온 모든 책을 '고전'이라고 부른다.
( )
(2) 인간과 세상을 이해하는 데 도움이 되는 지혜를 담고 있다.
( )
(3) 오랜 세월 동안 많은 사람에게 높이 평가되고 애호된 저술을 말한다.
( )

[1~4] 다음 글을 읽고 물음에 답하시오.

가 좋은 책은 어떤 책들을 말하는가? 〈중략〉 좋은 책이란 인생의 깊이를 더하고 세상을 밝게 보는 데 도움이 되는 책이라고 할 수 있다.

세상을 살아가며 올바르게 판단하고 결정하는 데 도움이 되고, 마음을 푸근하게 만들면서 동시에 영혼까지 맑게 하는 책이 있다면 그런 책을 좋은 책이라고 할 수 있다. 가슴과 머리에 진한 흔적을 남겨 삶을 변화시키는 책이 바로 좋은 책이다.

나 좋은 책의 목록에는 우선 시대와 국경을 뛰어넘어 보편적 가치를 획득한 고전(古典)이 들어가야 할 것이다. 〈중략〉 좁은 의미에서의 고전은 오랜 세월 동안 많은 사람에게 높이 평가되고 애호된 저술을 말한다. 걸작과 명저 가운데서도 세
<u>사랑하고 소중히 보호함.</u>   <u>글이나 책 따위를 씀. 또는 그 글이나 책</u>
월의 흐름을 견디어 살아남은 책, 여러 세대에 걸쳐서 끊임없이 읽히는 책, 최소한 몇십 년, 길게는 몇백 년의 시간 동안 계속 읽히는 책이 고전이다. 고전은 단지 오래된 책이 아니라 오랫동안 많은 사람이 계속해서 읽는 책을 말한다. 고전은 주어진 시대, 특정 문화권에 사는 사람들의 종교관과 세계관, 사상과 철학, 취향과 감성, 고뇌와 희망을 한 권의 책에 압축한 지적 산물의 최고봉이다. 그러므로 고전은 한 작가의 창작이기에 앞서 한 문명권과 인류 전체의 소중한 문화유산이라고 할 수 있다. 세월이 흘러도 여전히 인간과 세상을 이해하는 데 도움이 되는 지혜를 담고 있는 고전이야말로 인류 문명을 지속시키는 수단이다. 우리는 인류가 남긴 고전을 읽으면서 우리 역시 오랜 시간 문명을 발전시킨 인류의 고귀한 일원임을 느낄 수 있다. 인류가 문자로 생각을 기록하기 시작한 머나먼 과거에서 오늘에 이르기까지 동양과 서양에서 살아남은 고전 속에는 인간이 스스로를 들여다보고 새로운 세상을 만드는 데 필요한 온갖 사유와 지혜, 지식과 정보가 들어 있다. 동서고금의 고전들은 시공을 초월하여
<u>동양과 서양, 옛날과 지금을 통틀어 이르는 말</u>
㉠인류에게 빛을 밝혀 주는 등대와 같은 역할을 한다.

글의 주제 파악하기

1 이 글의 제목으로 가장 적절한 것은?
빈출
유형
① 어떤 책이 좋은 책인가?
② 어떤 고전을 읽어야 하는가?
③ 고전의 기준은 어떻게 변화하는가?
④ 고전은 어떤 방식으로 계승되는가?
⑤ 책을 많이 읽어야 하는 이유는 무엇인가?

글의 내용 파악하기

2 이 글에 나타난 '고전'에 대한 설명으로 적절하지 <u>않은</u> 것은?
① 인류 문명을 지속시키는 수단이다.
② 특정 지역의 사람들만이 즐겨 읽는 책이다.
③ 한 문명권과 인류 전체의 소중한 문화유산이다.
④ 인간과 세상을 이해하는 데 도움이 되는 지혜를 담고 있다.
⑤ 오랜 세월 동안 많은 사람에게 높이 평가되고 애호된 책이다.

구절의 의미 이해하기

3 등대의 사전적 의미를 참고하여 이 글에서 '고전'을 ㉠과
서술 같이 표현한 이유를 〈조건〉에 맞게 서술하시오.
유형

표준국어대사전	등대	찾기

등대⁶(燈臺)
「명사」 항로 표지의 하나. 바닷가나 섬 같은 곳에 탑 모양으로 높이 세워 밤에 다니는 배에 목표, 뱃길, 위험한 곳 따위를 알려 주려고 불을 켜 비추는 시설이다.

━━ 조건
'고전에는 ~이/가 들어 있어 ~ 때문이다.'의 문장 형식으로 서술할 것

감상의 적절성 평가하기

4 **다음은 이 글의 앞부분이다. 다음 글을 읽은 후의 반응으로 적절하지 않은 것은?**

> 먹고 싶은 음식만 먹는 편식이 비만, 콜레스테롤 수치 증가, 비타민 부족, 당뇨, 고혈압 등을 유발하듯이, 읽고 싶은 책만 읽는 편독도 정신적 성장과 건강의 불균형을 초래한다. 도서관이나 서점에 가서 제목만 들어 보고 읽지 못한 소설책, 역사책, 철학책, 사회 과학책, 종교와 예술에 관한 책들을 꺼내 들고 호기심을 자아내거나 마음을 움직이는 책을 찾아 읽는다면, 인생을 바라보는 새로운 시각과 세상을 넓게 보는 안목이 생길 것이다. 〈중략〉 어느 한 종류에 치우치지 않고 다양한 종류의 책을 균형 있게 읽는 것이 조화로운 정신 상태를 유지하는 길이다.

① 다양한 종류의 책을 균형 있게 읽어야겠어.

② 제목만 들어 본 책을 중심으로 읽을 책을 선정해야겠어.

③ 읽고 싶은 책만 읽으면 정신 상태를 조화롭게 유지하기 힘들겠구나.

④ 편독의 문제점을 편식의 문제점에 비유하여 더 잘 와닿는 것 같아.

⑤ 다양한 종류의 책을 읽으면 인생을 바라보는 새로운 시각과 세상을 넓게 보는 안목을 키울 수 있구나.

[5~6] 다음 글을 읽고 물음에 답하시오.

가 청구 기호가 '410,912 ㅈ794ㅅ'인 책이 필요하다면 먼저 410번대의 책이 있는 책장을 찾아야 한다. 〈중략〉 옆면에 400~413.8이라고 적힌 책장을 발견했다면 410.912에 해당

하는 책은 이 책장의 오른쪽에 있을 가능성이 높다. 왜냐하면 분류 기호가 낮은 책부터 왼쪽에서 오른쪽 방향으로 책을 꽂기 때문이다. 또 맨 위층에 있는 책일수록 분류 기호가 낮고 아래로 갈수록 커진다.

나 청구 기호에는 지금까지 설명한 것 외에 몇 가지 기호가 더 붙기도 한다. 대표적으로 분류 기호 앞에 한글이나 영어 알파벳이 붙어 있는 경우가 있는데 이것을 '별치 기호'라고 한다. 이는 책의 특성이나 이용 목적에 따라 별도의 장소에 _{특별히 따로 둠.} 책을 보관한다는 뜻이다. 〈중략〉

한 명의 저자가 같은 제목의 책을 연속물로 내는 경우는 '-' 기호를 써서 분류한다. 도서관에서 같은 책을 여러 권 보관한다면 '=' 기호를 써서 분류하기도 한다. '-1=2'라는 표시는 연속물의 제1권이며, 같은 책을 적어도 두 권을 보관하고 있는데 그중 둘째 책이라는 뜻이다.

글의 내용 파악하기

5 **이 글을 통해 확인할 수 있는 내용이 아닌 것은?**

(정답 2개)

① 분류 기호 앞에 붙은 별치 기호의 의미
② 분류 기호의 숫자에 따른 도서 배열 순서
③ 도서관의 인기 대출 도서를 확인하는 방법
④ 도서관에서 책의 이용 목적을 분류하는 이유
⑤ 도서관에서 청구 기호를 활용하여 책을 찾는 방법

구체적 사례나 상황에 적용하기

6 **다음 청구 기호의 ㉠이 의미하는 바를 〈조건〉에 맞게 서술하시오.**

> 어 410.8 ㄱ391ㅅ <u>㉠-2=2</u>

――― 조건 ―――
• '-' 기호와 '=' 기호의 의미를 모두 밝혀 서술할 것
• '~(이)라는 뜻이다.'의 문장 형식으로 서술할 것

핵심 1 　주제 통합적 독서

◉ **개념**: 같은 ❶ [　　　]를 다룬 여러 글을 읽고 화제에 대해 비판적·통합적으로 이해하여 의미를 재구성하는 것

❶ 화제

◉ **주제 통합적 독서의 장점**

① 편견에 빠지지 않고 올바른 가치관을 형성할 수 있음.

② 다양한 ❷ [　　　]을 종합하여 이해하는 과정에서 새롭고 창조적인 생각을 할 수 있음.

❷ 관점

③ 다양한 분야의 글을 읽음으로써 생각의 폭을 넓힐 수 있음.

④ 점점 더 많은 매체 자료가 제공되는 독서 환경에 잘 대처해 나갈 수 있음.

핵심 2 　걷기의 발견

◉ 〈**걸어서 곳 끝까지**〉_ 리베카 솔닛

갈래	수필	주제	걷기의 의미와 가치(몸과 마음과 세상이 이루는 조화로서의 걷기)
특징	걷는 행위를 깊이 있게 성찰하며 걷기의 의미와 ❸ [　　] 를 새롭게 제시함.		

❸ 가치

◉ 〈**걷기의 건강학**〉_ 박원하

갈래	설명문	주제	걷기 운동의 올바른 방법 및 유의 사항
특징	걷기 운동의 장점과 ❹ [　　]을 구체적으로 설명함.		

❹ 방법

◉ 〈**우리 동네는 얼마나 걷기 좋을까**〉_ 황진욱·강정은

갈래	논설문	주제	국내의 걷기 좋은 환경 조성을 위한 노력의 필요성
특징	미국의 '❺ [　　　]' 사례를 들어 국내의 보행 환경에 대한 데이터 구축 및 활용의 필요성을 주장함.		

❺ 워크 스코어

◉ **'걷기'라는 동일한 화제를 다룬 방법**

	〈걸어서 곳 끝까지〉	〈걷기의 건강학〉	〈우리 동네는 얼마나 걷기 좋을까〉
글의 분야	인문	생활·건강	사회
글의 성격	추상적·비유적	설명적	❻ [　　]
화제를 다루는 방식	개인적 ❼ [　　]을 바탕으로 하여 걷기의 의미를 다각도로 살펴봄.	걷기 운동에 대한 정보를 알려 주고 걷기 운동의 장점을 ❽ [　　]함.	외국의 사례를 제시하여 국내에서도 보행 환경을 개선하기 위해 노력해야 한다고 주장함.

❻ 설득적

❼ 체험

❽ 설명

1 주제 통합적 독서의 장점으로 적절하지 <u>않은</u> 것은?

① 생각의 폭을 넓힐 수 있다.

② 편견에 빠지지 않을 수 있다.

③ 새롭고 창조적인 생각을 할 수 있다.

④ 화제에 대한 기존의 생각을 굳게 다질 수 있다.

⑤ 다양한 매체 자료가 제공되는 독서 환경에 대처할 수 있다.

2 〈걸어서 곶 끝까지〉의 내용으로 맞으면 ○, 틀리면 × 표시를 하시오.

(1) 글쓴이는 불안을 떨치기 위해 걷기 시작했다.

(　　　)

(2) 글쓴이는 걷기를 마음의 풍경을 지나는 방법이라고 생각한다.

(　　　)

3 〈걷기의 건강학〉의 내용으로 맞으면 ○, 틀리면 × 표시를 하시오.

(1) 걷기 운동을 할 때에는 준비 운동이 필요하지 않다.

(　　　)

(2) 체중 조절을 위해서는 짧고 빠른 달리기보다 길고 느릿한 걷기가 효과적이다.

(　　　)

4 〈우리 동네는 얼마나 걷기 좋을까〉의 내용으로 맞으면 ○, 틀리면 × 표시를 하시오.

(1) 걷기는 일상 속에서 가장 손쉽게 접할 수 있는 운동이며 친환경적인 교통수단이다.

(　　　)

(2) 걷기 좋은 환경을 조성하기 위해서는 현재의 도로 환경을 분석하고 걷기 좋은 보도 환경과 관련된 데이터를 구축하려는 노력이 필요하다.

(　　　)

5 다음은 〈걷기의 건강학〉의 한 부분이다. '걷기'에 대한 글쓴이의 관점으로 적절한 것은?

> 걷기 운동은 생활 속에서 가장 안전하게 할 수 있는 유산소 운동이다. 걷기 운동은 허리, 무릎, 발 등 관절에 무리한 하중을 주지 않기 때문에 운동을 처음 시작하는 초보자뿐만 아니라 노약자, 심장병 환자, 비만자에게도 좋은 운동이다.

① 걷기를 부정적으로 바라본다.

② 걷기를 긍정적으로 바라본다.

③ 걷기의 효과가 과장되었다고 생각한다.

④ 걷기의 부작용을 주의해야 한다고 생각한다.

⑤ 걷기를 통해 내면을 성찰할 수 있다고 생각한다.

6 〈우리 동네는 얼마나 걷기 좋을까〉의 한 부분을 읽은 후 학생들이 주고받은 문자 메시지의 빈칸에 들어갈 알맞은 말을 쓰시오.

> 특수한 목적으로 조성한 산책로가 아닌, 우리의 일상생활에서 이루어지는 동네의 골목길이나 통근·통학로의 보행 환경에 대한 관심은 아직 미미한 듯하다. 반면에 외국에서는 자신이 사는 동네가 얼마나 걷기 좋은지 인터넷이나 스마트폰 응용 프로그램을 통해 손쉽게 알아볼 수 있고, 수치화된 데이터를 실제 도시 계획에 활용한 사례도 찾아볼 수 있다.

🛜 📶 100%

 글쓴이가 우리나라와 외국의 상황을 대조한 이유는 무엇일까?

일상 속 [　　　] 환경에 대한 관심이 부족한 우리나라의 상황을 강조하기 위해서야.

[1~3] 다음 글을 읽고 물음에 답하시오.

걸어서 곶 끝까지
바다 쪽으로, 부리 모양으로 뾰족하게 뻗은 육지

가 ㉠보행의 리듬은 생각의 리듬을 낳는다. 풍경 속을 지나가는 일은 생각 속을 지나가는 일의 메아리이면서 자극제이다. 마음의 보행과 두 발의 보행이 묘하게 어우러진다고 할까. 마음은 풍경이고, 보행은 마음의 풍경을 지나는 방법이라고 할까. 마음에 떠오른 생각은 마음이 지나는 풍경의 한 부분인지도 모르겠다. 생각하는 일은 뭔가를 만들어 내는 일이라기보다는 어딘가를 지나가는 일인지도 모르겠다. 보행의 역사가 생각의 역사를 구체화한 것이라고 할 수 있는 것도 그 때문이다. 마음의 움직임을 따라가는 것은 불가능하지만, 두 발의 움직임을 따라가는 것은 가능하지 않은가 말이다.

나 걷는 일은 곧 보는 일이라고 말할 수도 있다. 보면서 동시에 본 것에 대해서 생각할 수 있고, 새로운 것을 이미 알고 있는 것 속으로 흡수할 수 있다는 점에서 느긋한 관광이라고도 할 수 있다. 사색하는 사람에게 걷는 일이 특별히 유용한 이유도 그 때문일 것이다. 여행의 경이와 해방과 정화를 얻자면, 세계를 한 바퀴 돌아도 좋겠지만 한 구역을 걸어갔다 와도 좋다. 걷는다면 먼 여행도 좋고 가까운 여행도 좋다. 아니, 여행이 아니라 몸의 움직임이라고 해야 할 것이다. 제자리에서 걸을 수도 있고 안전띠에 묶인 채 전 세계를 돌 수도 있겠지만, 보행의 욕구를 만족시키자면 자동차나 배, 비행기의 움직임으로는 부족하다. 몸 자체의 움직임이 필요하다는 뜻이다. 마음속에서 일이 일어나려면 몸의 움직임과 눈의 볼거리가 필요하다. 걷는 일이 모호한 일이면서 동시에 무한히 풍부한 일인 것은 그 때문이다. 보행은 수단인 동시에 목적이며, 여행인 동시에 목적지이다.

글의 특징 파악하기

1 이 글에 대한 설명으로 적절한 것은?
빈출유형
① 걷기의 개념을 정의하고 있다.
② 걷기의 종류를 소개하고 있다.
③ 걷기의 장단점을 분석하고 있다.
④ 걷기의 의미와 가치를 성찰하고 있다.
⑤ 걷기를 생활화할 것을 촉구하고 있다.

글의 내용 파악하기

2 이 글의 내용과 일치하지 <u>않는</u> 것은?
빈출유형
① 걷기는 사색하는 사람에게 유용한 일이다.
② 보행의 역사는 생각의 역사를 구체화한 것이다.
③ 보행의 욕구를 만족시키려면 몸 자체의 움직임이 필요하다.
④ 몸의 움직임이 일어나려면 마음속에 생각이 떠올라야 한다.
⑤ 한 구역을 걸어갔다 오는 것만으로도 여행의 경이와 해방을 얻을 수 있다.

구절의 의미 이해하기

3 ㉠의 의미를 바르게 이해한 학생은?

① 걷기는 생각보다 어려운 일이라는 의미야.

② 일정한 리듬에 맞추어 걸어야 한다는 의미야.

③ 걷다 보면 마음속에 많은 생각이 떠오른다는 의미야.

④ 걷다 보면 생각과는 다른 일이 벌어지기도 한다는 의미야.

⑤ 걷기를 통해 생각의 리듬을 느리게 바꾸어야 한다는 의미야.

[4~5] 다음 글을 읽고 물음에 답하시오.

걷기의 건강학

가 모든 운동이 그렇듯이 걷기 운동도 하기 전에 항상 준비 운동을 철저히 해야 한다. 준비 운동은 발목, 무릎, 허리, 어깨, 목 등 관절 위주로 하고, 스트레칭과 같이 관절의 가동 범위를 늘려 주는 운동을 하는 것이 좋다. 연령이 높거나 체력 수준이 낮은 사람은 처음에는 느린 속도로 걷기 운동을 시작하고, 점차 속도를 빨리하고 시간을 늘리면서 운동 강도를 높여 나가는 것이 바람직하다. 걷기 운동이 끝나면 준비 운동과 마찬가지로 관절 위주로 정리 운동을 해 주어야 한다.

> 몸과 팔다리를 쭉 펴는 것

나 초기 운동 단계에서는 언덕길은 피하는 것이 좋다. 또 교통량이 많은 지역은 매연이 심하기 때문에 피하는 것이 좋다. 겨울에는 눈길이나 빙판길에서 운동하지 않도록 주의한다. 또한 시멘트나 아스팔트 위에서 걷기 운동을 하면 충격이 관절에 그대로 전달되므로 운동장을 이용하는 것이 바람직하다. 심장병이 있는 경우 겨울의 차가운 공기를 마시면 가슴에 통증을 느낄 수 있으므로 실내에서 러닝머신을 이용하여 걷기 운동을 하는 것이 좋다.

다 걷기 운동을 본격적으로 실시하기 전에 우선 자신의 몸 상태를 살펴야 한다. 심장이나 혈관에 이상이 있는 사람에게 무리한 속보 운동은 오히려 독이 될 수도 있기 때문이다. 따라서 평상시에 무릎, 허리를 비롯한 관절 부분에 통증이 있는지, 조금만 움직여도 숨이 많이 차는지, 운동할 때 가슴 주변에 통증이 있는지, 운동하다가 실신한 적이 있는지, 기타 질환이나 정형외과적인 문제가 있는지 등을 우선 살피고, 자신에게 적합한 강도로 운동한다.

글의 주제 파악하기

4 다음 중 이 글의 주제로 가장 적절한 것은?

빈출유형

① 걷기 운동의 종류
② 걷기 운동의 효과
③ 걷기 운동의 부작용
④ 걷기 운동에 적합한 날씨
⑤ 걷기 운동의 방법과 걷기 운동을 할 때 주의할 점

주제 통합적 독서의 방법 적용하기

5 〈보기〉를 읽고, 이 글과 〈보기〉를 비교한 내용을 〈조건〉에 맞게 서술하시오.

서술유형

> ● 보기 ●
>
> 걷기 좋은 동네 만들기는 국내에서도 최근 활발히 진행하고 있는 지속 가능한 도시 만들기, 도시 재생 사업 등에서 중요하게 다루어지는 주제이다. 이를 위해 현재의 도로 환경을 분석하고 걷기 좋은 보도 환경을 조성하기 위한 데이터 구축과 정보 제공은 매우 중요하다. 〈중략〉 국내에서도 외국에서와 같이 걷기 좋은 보도 환경을 조성하려면 우리가 지닌 기술력과 기반 시설을 바탕으로 하여 보도 환경에 관한 데이터를 구축하고 이를 도시 계획에 적극적으로 활용하도록 노력해야 할 것이다.

> ● 조건 ●
>
> • 이 글과 〈보기〉를 쓴 목적과 각 글의 중심 내용이 드러나도록 서술할 것
> • '설명'과 '주장'이라는 단어를 포함할 것
> • 각각 '이 글은/〈보기〉는 ~을/를 ~하기 위해 쓴 글이다.'의 문장 형식으로 서술할 것

[6~7] 다음 글을 읽고 물음에 답하시오.

우리 동네는 얼마나 걷기 좋을까

가 걷기는 우리가 일상 속에서 가장 손쉽게 접할 수 있는 운동이며 친환경적인 교통수단이다. 걷기의 긍정적 효과가 여러 매체를 통해 홍보되면서 '걷기 좋은 도시 만들기'는 도시 사업에서 빠지지 않는 연구 과제로 자리매김했다.

나 민간에서는 미국 시애틀에 본사를 둔 '⊙워크 스코어(Walk Score)'가 거리의 '걷기 좋은 정도'를 수치화하여 사용자에게 정보를 제공한다. 워크 스코어는 미국, 영국, 호주를 대상으로 하여 특정 주소지에서부터 도시 전체의 범위에 이르는 보행 환경을 0~100점 단위로 점수화하여 웹 사이트와 스마트폰 응용 프로그램을 통해 공개하고, 측정된 점수를 바탕으로 하여 매년 걷기 좋은 도시의 순위를 선정해 발표한다. 기본적으로 워크 스코어는 특정 지점과 주변에 위치한 학교, 식당, 상가 등 생활 편의 시설의 거리를 측정하고 이를 기준으로 하여 점수를 산출한다. 예를 들어, 해당 지점에서 도보 5분 거리(약 0.4킬로미터) 이내에 편의 시설이 많을수록 그 지점은 높은 점수를 받는다. 또한 인구 밀도, 구역 길이, 교차로 밀도와 같은 보행자 편의성도 점수에 반영한다. 지역의 점수는 해당 지역 내의 지점이 갖는 점수의 평균으로 환산한다. 이와 같은 방식으로 워크 스코어에서는 해당 지점이 얼마나 자전거를 타기에 좋은 환경인지에 대한 점수, 대중교통에 대한 접근성은 얼마나 좋은지에 대한 점수도 산출하여 제공한다.

다 국내에서도 외국에서와 같이 걷기 좋은 보도 환경을 조성하려면 우리가 지닌 기술력과 기반 시설을 바탕으로 하여 보도 환경에 관한 데이터를 구축하고 이를 도시 계획에 적극적으로 활용하도록 노력해야 할 것이다.

글쓴이의 관점 파악하기

6 '걷기'와 관련된 글쓴이의 생각으로 적절하지 <u>않은</u> 것은?

빈출
유형

① 걷기는 친환경적인 교통수단이다.
② 걷기 좋은 보도 환경을 조성해야 한다.
③ 걷기는 긍정적인 효과가 있는 운동이다.
④ 걷기는 일상에서 가장 손쉽게 접할 수 있는 운동이다.
⑤ '걷기 좋은 도시 만들기'는 도시 사업 중 가장 중요한 연구 과제이다.

글의 내용 파악하기

7 ⊙에 대한 설명으로 적절하지 <u>않은</u> 것은?

빈출
유형

① 보행 환경을 점수화하여 제공한다.
② 측정된 점수를 바탕으로 하여 걷기 좋은 도시의 순위를 발표한다.
③ 웹 사이트와 스마트폰 응용 프로그램을 활용하여 정보를 제공한다.
④ 해당 지점에서 가까운 거리에 편의 시설이 많을수록 낮은 점수를 부여한다.
⑤ 자전거를 타기 좋은 환경, 대중교통에 대한 접근성과 관련된 점수도 산출하여 제공한다.

[8~10] 다음 글을 읽고 물음에 답하시오.

가 1777년 겨울, 미국 독립 혁명군 총사령관 조지 워싱턴은 펜실베이니아주 밸리 포지(Valley Forge)에서 힘겨운 전투를 치르고 있었다. 〈중략〉

펜실베이니아주 정부는 현지에 주둔한 독립 혁명군을 돕기 위해 식량을 포함한 <u>군수 물자</u>의 가격을 통제하는 법을
전투 식량, 군복, 병기 따위의 군대에 필요한 물품이나 재료
제정하였다. 식량 등의 가격을 통제하여 군비 부담을 줄이고, 충분한 물자를 공급하여 전투력을 향상하기 위해서였다. 그러나 결과는 전혀 반대로 나타났다. 정부가 고시한 가격에 불만을 품은
일반 국민들을 대상으로 어떤 내용을 알림.

농부들은 식량을 시장에 내놓지 않았고 물자 가격은 급등하였다. 〈중략〉

시장과 정부는 경제라는 수레를 움직이는 두 바퀴와 같다. 때로는 서로 잘 맞물려 수레를 잘 굴러가게 하지만, 서로 갈등을 빚으며 좌충우돌하고 엉뚱한 결과를 가져오기도 한다. 그 이유는 대부분의 정책 당국자가 정부가 시장을 움직일 수 있다고 믿기 때문이다.

그러나 실제로는 전혀 그렇지 않다. 시장의 흐름과 상충되는 정책이 발표되면, 일시적으로는 효과가 있을지라도 결과적으로는 시장의 흐름이 정부보다 더 강력하게 작용한다. 성공하는 정책일수록 시장 친화적이어야 한다. ㉠정부의 '보이는 손'은 만병통치약이 아니다. 오히려 거의 모든 문제는 시장에서 해결되고, 정부의 역할은 제한적이다.

나 산업화에 성공한 국가 가운데 정부가 경제 발전에 강력하게 개입하지 않은 경우는 없었다. 〈중략〉 거의 모든 선진국은 사실상 정부의 강도 높은 개입이라는 '비(非)자연적 방법'을 통하여 발전해 왔다. 그러므로 시장을 인위적 개입이 없는 자연적 현상으로 바라보는 관점은 실제 사실이 아닌 희망 사항에 기반을 둔 것이다.

시장 제도가 모든 것보다 우선하는지는 한 나라의 경제 정책 설계에서 매우 중요한 문제이다. 이를테면 공산주의 국가에서 자본주의 국가로 '대대적인' 개혁을 하였던 많은 나라는 한동안 심각한 경제 위기를 겪었다. 이것은 '잘 작동하는' 정부 없이는 '잘 작동하는' 시장 경제를 건설할 수 없음을 명백하게 보여 준다. 신고전학파 경제학자들이 믿는 대로 시장이 '자연스럽게' 진화한다면, 옛 공산 국가들은 진작 그 같은 혼란에서 빠져나왔어야만 한다. 또한 수많은 개발 도상국이 겪어 온 발전의 위기는 자국의 경제 발전 문제를 해결하는 데 정부가 개입하지 못하게 막는 것이 얼마나 위험한 태도인지를 증명한다.

내용 전개 방식 파악하기

8 빈출 유형 **가 , 나 에 대한 설명으로 가장 적절한 것은?**
① 가 : 역사적인 사례를 들어 타당성을 높이고 있다.
② 가 : 반대되는 입장의 의견을 일부분 수용하고 있다.
③ 가 : 전문가의 견해를 인용하여 신뢰성을 높이고 있다.
④ 나 : 상반되는 사례를 나열하고 각각의 입장을 옹호하고 있다.
⑤ 나 : 현재 상황의 문제점을 제시하고 새로운 해결책을 모색하고 있다.

구절의 의미 이해하기

9 **㉠의 의미로 가장 적절한 것은?**
① 시장은 자연스럽게 진화하지 않는다.
② 정부가 시장에 개입하는 형태는 다양하다.
③ 시장과 정부는 서로 갈등을 빚으며 굴러간다.
④ 정부의 개입으로 시장의 문제를 완벽하게 해결할 수 없다.
⑤ 정부는 대체로 시장의 흐름과 상충되는 정책을 발표한다.

글쓴이의 관점 파악하기

10 서술 유형 **다음은 '정부의 시장 개입'에 대한 가 , 나 의 글쓴이의 관점을 정리한 표이다. ⓐ에 들어갈 내용을 〈조건〉에 맞게 서술하시오.**

가 의 글쓴이	정부의 시장 개입	나 의 글쓴이
정부의 시장 개입은 제한적으로 이루어져야 한다.	→ ←	ⓐ

──── 조건 ────
• '경제 발전 문제'라는 말을 포함할 것
• '정부의 시장 개입은 ~하기 위해 필요하다.'의 문장 형식으로 서술할 것

2일

(1) 사실적 읽기
(2) 추론적 읽기

생각열기 앨리스는 독서 여왕의 성으로 가는 길을 알아냈을까?

> 내가 내는 문제를 모두 맞히면 길을 알려 주지.

> 이봐, 고양이! 독서 여왕의 성으로 가는 길은 어느 쪽이지?

> 자, 내가 지난 10년간 연구한 결과를 정리한 글이야. 여기서 문제! 이 글의 중심 내용은?

> 고양이가 좁은 곳을 망설임 없이 통과할 수 있는 이유는 무엇일까? 고양이는 수염 끝에 물체가 살짝 닿기만 해도 물체의 상태를 알 수 있다. 고양이는 통과하려는 곳에 수염을 대 보아 자기 몸통의 굵기보다 크다고 판단하면 그곳을 망설임 없이 빠져나간다.

> 음, 이렇게 심오한 내용이……. 고양이는 망설임이 없다?

> 으하하, 땡!

> 독서왕이라더니!

> 고양이는 수염을 이용해서 공간의 크기를 확인한 뒤 좁은 공간을 망설임 없이 통과한다?

> 오호, 정답!

핵심 1 　사실적 읽기의 개념과 방법

⦿ **개념**: 글에 드러난 **❶　　　**　를 확인하면서 읽는 활동으로, 가장 기본적인 읽기 방법임.

⦿ **방법**

① 중심 내용과 주제 파악하기: 글의 제목을 주의 깊게 살펴보고, 내용을 요약해야 함.

중심 내용	글을 통해서 글쓴이가 나타내려고 하는 핵심적인 생각
❷	중심 내용을 더 압축한 것

② 글의 구조와 전개 방식 파악하기: 글의 구조를 파악하기 위해서는 글의 종류와 그에 따른 글 전체의 논리를, **❸　　　**　을 파악하기 위해서는 글의 화제나 내용, 글의 전개 방식을 알려 주는 담화 표지 등을 주의 깊게 살펴봐야 함.

글의 구조	글의 목적이나 글의 종류에 따라 달리 나타남. 예 ・설명문: 머리말 – 본문 – 맺음말　・논설문: 서론 – 본론 – 결론
글의 전개 방식	글의 세부 내용을 전개하는 방법 예 ・시간의 흐름에 따른 방법: 서사, 과정, 인과 등 　・시간의 흐름과 상관없는 방법: 정의, 예시, 비교・대조, 분석 등

핵심 2 　〈적정 기술이란 무엇인가〉_ 김정태・홍성욱

갈래	설명문	주제	적정 기술의 **❹** 과 특징
특징	현대 사회의 위기를 해결할 대안으로서 적정 기술을 소개하고 그 필요성을 부각함.		

⦿ **글의 구성**

머리말	적정 기술의 등장 배경(1문단)
본문	・적정 기술의 개념(2, 3문단)　・적정 기술이 갖추어야 하는 구체적 **❺** (4문단) ・현대 사회의 위기와 적정 기술의 필요성(5~7문단)
맺음말	한국형 적정 기술 개발에 대한 **❻** (8문단)

⦿ **글에 나타난 내용 전개 방식**

정의	바커와 미국 국립적정기술센터가 내린 적정 기술의 개념을 제시함.
열거	적정 기술이 갖추어야 할 여러 가지 조건을 나열하여 설명함.
예시	현대 사회에서 발생하는 다양한 위기의 구체적 사례를 제시함.
인과	최첨단 기술이 현대 사회의 위기 상황에 취약한 이유를 **❼** 과 결과의 방식으로 설명함.
대조	지속 가능성에 취약한 최첨단 기술과 지속 가능성이 높은 적정 기술의 **❽** 을 설명함.

❶ 정보

❷ 주제

❸ 전개 방식

❹ 개념

❺ 조건

❻ 기대

❼ 원인

❽ 차이점

개념 Catch

● 다양한 내용 전개 방식

정의	어떤 말이나 사물의 뜻을 명백히 밝혀 규정함.
열거	글의 내용을 첫째, 둘째, 셋째 등으로 나열하여 서술함.
예시	구체적인 사례를 들어 설명함.
인과	원인 또는 어떤 원인에 따른 현상(결과)을 중심으로 설명함.
비교・대조	둘 또는 그 이상의 대상을 견주어 공통점이나 차이점을 중심으로 전개함.
분류	어떤 대상들이나 생각들을 공통적인 특성에 근거하여 종류별로 묶어 전개함.
분석	어떤 대상이나 개념을 구성 요소나 부분들로 나누어 설명함.

● 담화 표지: 담화나 텍스트 내 정보 간의 관계를 알려 주는 단어
　예 ・'공통점은, 차이점은': 비교・대조
　　・'이것의 원인은, 그 결과로': 인과
　　・'첫째, 둘째': 열거

2일

1 사실적 읽기에 대한 설명으로 적절하지 <u>않은</u> 것은?

① 중심 내용과 주제를 파악하는 활동이다.

② 글을 이해하는 데 가장 기본적인 방법이다.

③ 글의 구조와 전개 방식을 파악하는 활동이다.

④ 글에 드러난 정보를 사실적으로 확인하며 읽는 활동이다.

⑤ 글의 배경이 되는 사회·문화적 이념을 판단하며 읽는 활동이다.

2 다음 설명이 맞으면 ○, 틀리면 × 표시를 하시오.

(1) 글의 구조는 글의 종류에 따라 달라질 수 있다.

( )

(2) 시간의 흐름에 따른 글의 전개 방식에는 정의, 예시 등이 있다.

( )

3 다음은 글의 중심 내용과 세부 내용의 관계를 빗대어 설명한 것이다. ㉠, ㉡에 들어갈 알맞은 말을 쓰시오.

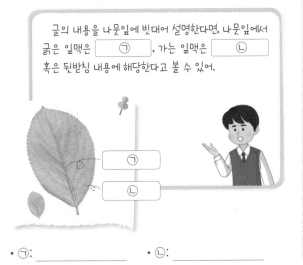

글의 내용을 나뭇잎에 빗대어 설명한다면, 나뭇잎에서 굵은 잎맥은 ㉠ 가는 잎맥은 ㉡ 혹은 뒷받침 내용에 해당한다고 볼 수 있어.

㉠

㉡

• ㉠: _____   • ㉡: _____

4 〈보기〉는 〈적정 기술이란 무엇인가〉의 중심 내용을 정리한 것이다. ㉠~㉤을 이 글의 구조에 맞게 구분하시오.

보기

㉠ 적정 기술의 개념

㉡ 적정 기술의 등장 배경

㉢ 적정 기술이 갖추어야 할 조건

㉣ 한국형 적정 기술 개발에 대한 기대

㉤ 현대 사회의 위기와 적정 기술의 필요성

머리말	
본문	
맺음말	

5 제시된 부분에 나타난 내용 전개 방식을 〈보기〉에서 골라 쓰시오.

보기

대조   열거   인과   정의

(1) 바커는 적정 기술을 '인간이 기본적인 생활을 영위하는 데 필요한 모든 기술'로 정의하였다.

➡ _____

(2) 첫째, 적정 기술에 드는 비용이 저렴해야 한다. 둘째, 가능하면 현지에서 나는 재료를 사용하는 것이 바람직하다. 셋째, 현지의 기술과 노동력을 활용하여 일자리를 창출해야 한다.

➡ _____

(3) 최첨단 기술이 위기 상황에 취약한 것은 '지속 가능성'에 취약하게 설계되었기 때문이다.

➡ _____

[1~3] 다음 글을 읽고 물음에 답하시오.

가 20세기 말까지만 해도 소수의 시민운동가나 대안 운동가에게만 관심의 대상이었던 적정 기술이 이제는 일반 대중에게도 큰 관심거리가 되었다. 〈중략〉 1960년대 중반에 개발 도상국의 경제적·기술적·사회적 문제들이 제기되자, 전통 사회의 기존 조건들과 기술적 발전이 조화를 이루면서 경제적 개선을 도모할 수 있는 방법을 개발하려는 노력이 시작되었다. 이러한 맥락에서 영국의 경제학자 슈마허는 개발 도상국의 필요에 적합한, 값싸고 소박한 기술 개념으로 '중간 기술'을 제안하였다. 오늘날 적정 기술 운동의 기초가 된 그의 제안은 종종 '대안 기술' 또는 '적정 기술'로 표현되었는데 지금은 후자의 표현을 선호하고 있다.

나 이후 적정 기술이 무엇인가에 대한 논의가 많이 있어 왔다. 대표적으로 바커는 적정 기술을 '인간이 기본적인 생활을 영위하는 데 필요한 모든 기술'로 정의하였다. 그는 의식주, 건강, 교육과 같은 인간의 기본적인 필요를 충족하여 주지 못하는 기술은 적정한 기술이라고 볼 수 없으며, 따라서 하위 20퍼센트의 사람들이 혜택을 받지 못하는 상태로 만든 경제 성장 전략과 이를 뒷받침하는 기술은 적정 기술이 될 수 없다고 주장하였다.

다 한편 미국의 국립적정기술센터는 적정 기술을 '활용되는 상황에 비추어 비용과 규모 면에서 적합한 도구 또는 전략'이라는 넓은 개념으로 정의하였다. 기술적 관점으로 볼 때 어떤 기술이 지역적·문화적·경제적 조건과 양립할 수 있고, 지역적으로 물질과 에너지원을 이용할 수 있으며, 그 지역 사람들이 그 도구와 과정들을 유지하고 작동할 수 있을 때, 그 기술을 적정한 것으로 볼 수 있다는 것이다.

▲ 적정 기술의 사례

글의 내용 파악하기

1 이 글의 내용과 일치하지 <u>않는</u> 것은?

빈출유형

① 적정 기술은 20세기 말까지 일반 대중에게 관심을 받지 못했다.
② 중간 기술은 개발 도상국의 필요에 적합한 값싸고 소박한 기술 개념이다.
③ 바커는 적정 기술을 인간이 기본적인 생활을 영위하는 데 필요한 모든 기술이라고 정의했다.
④ 1960년대 중반에 중간 기술은 개발 도상국의 경제적·기술적·사회적 문제들을 불러일으켰다.
⑤ 미국의 국립적정기술센터는 적정 기술을 활용되는 상황에 비추어 비용과 규모 면에서 적합한 도구 또는 전략이라고 정의했다.

글의 내용 파악하기

2 **가**~**다**의 중심 내용으로 적절한 것은?

빈출유형

① **가**: 적정 기술의 중요성
② **나**: 적정 기술의 문제점
③ **나**: 적정 기술에 대한 바커의 견해
④ **다**: 적정 기술을 유지하는 방법
⑤ **다**: 적정 기술에 대한 상반된 관점

글의 내용 파악하기

3 다음은 '바커'와의 가상 인터뷰이다. 괄호 안에 들어갈 적절한 내용을 〈조건〉에 맞게 서술하시오.

서술유형

'적정 기술'이 될 수 없는 기술에는 무엇이 있을까요?

 (   ), (   )은/는 적정 기술이 될 수 없습니다.

바커

─── 조건 ───
나를 바탕으로 하여 바커가 '적정 기술'로 여기지 않는 기술 두 가지를 각각 서술할 것

[4~6] 다음 글을 읽고 물음에 답하시오.

적정 기술이 갖추어야 할 조건에는 일반적으로 다음과 같은 내용이 꼽힌다. 첫째, 적정 기술에 드는 비용이 저렴해야 한다. 저렴한 비용은 현지인에게 적정 기술을 이용할 수 있게 하는 필수 조건이다. 둘째, 가능하면 현지에서 나는 재료를 사용하는 것이 바람직하다. 적정 기술 제품을 제작하기 위해 대부분의 재료를 수입해야 한다면 가격적인 측면에서 바람직하지 않고, 제품을 지속적으로 생산하고 이용하는 데 어려움이 생길 수 있다. 셋째, 현지의 기술과 노동력을 활용하여 일자리를 창출해야 한다. 적정 기술이 추구하는 궁극적인 목표는 적정 기술로 지역 주민의 역량을 강화하고 이를 통해 소득 창출과 삶의 질 개선을 꾀하는 데 있기 때문이다. 넷째, 적정 기술 제품의 크기가 적당하고 사용 방법은 간단해야 한다. 제품이 너무 크거나 구조가 복잡하고 사용 방법이 어렵다면 이용 횟수도 줄어들기 때문이다. 다섯째, 지역 주민이 제품을 스스로 만들어야 한다. 적정 기술은 원칙적으로 대량 생산이 아닌 대중에 의한 생산을 지향한다. 가급적 지역에 있는 생산 시설을 활용해서 제품을 생산하는 것이 좋다. 여섯째, 사람들의 협동 작업을 이끌어 내며 지역 사회 발전에 공헌해야 한다. 적정 기술의 사용은 개인과 지역 공동체의 역량을 증대하여 개인의 삶을 향상하고 지역 사회의 발전을 가져오는 방향으로 추진되는 것이 바람직하다. 일곱째, 상황에 맞게 변화할 수 있어야 한다. 어떤 지역과 시대에서 적정한 기술이 다른 지역과 시대에서는 적정하지 않을 수 있다. 적정 기술은 환경의 변화에 맞춰서 적응하는 유연성이 필수적이다. 〈중략〉 그런데 적정 기술이 이러한 조건들을 모두 갖추어야 한다는 것은 아니다. 비록 이 가운데 몇 가지를 만족시키지 못한다고 해도, 해당 적정 기술을 통해 지역 주민의 역량이 강화되거나 삶의 질이 향상되고 고용이 창출된다면 그것은 적정 기술의 자격을 갖춘 것으로 볼 수 있다.

2일

글의 주제 파악하기

4 이 글의 제목으로 가장 적절한 것은?
빈출유형
① 적정 기술의 개념
② 적정 기술의 조건
③ 적정 기술의 필요성
④ 최첨단 기술의 문제점과 적정 기술
⑤ 개발 도상국과 선진국의 적정 기술 활용 사례

내용 전개 방식 파악하기

5 다음 중 이 글의 내용 전개 방식을 바르게 이해한 학생은?
빈출유형

① 적정 기술의 장점과 단점을 비교하고 있어.

② 적정 기술의 조건을 차례대로 나열하고 있어.

③ 적정 기술의 구체적인 사례를 제시하고 있어.

④ 시간적 순서에 따라 적정 기술의 변천 과정을 설명하고 있어.

⑤ 친숙한 소재에 비유하여 적정 기술에 대한 이해를 돕고 있어.

글의 내용 파악하기

6 이 글에서 적정 기술의 자격을 갖추기 위한 핵심 조건을 찾아 〈조건〉에 맞게 서술하시오.
서술유형

─● 조건 ●─
• 세 가지 조건을 찾아 서술할 것
• 각각 '~야 한다.'의 문장 형식으로 서술할 것

[7~9] 다음 글을 읽고 물음에 답하시오.

가 오늘날 적정 기술의 필요성은 개발 도상국과 선진국 모두에서 점점 강조되고 있다. 이는 현대 사회의 문제점과 관련된다. 현대 사회에는 강력한 위기들이 동시다발적으로 발생하고 있다. 기후 변화, 지진과 같은 자연재해, 성장 위주 경제 발전의 부작용, 석유와 같은 원자재 가격 변동 등은 이제 항시적인 위기가 되었다. 그리고 이러한 각종 위기는 최
_{언제나 늘 있는 것}
첨단 기술의 문제점을 부각하였다.

나 최첨단 기술이 위기 상황에 취약한 것은 '지속 가능성'에 취약하게 설계되었기 때문이다. 최첨단 기술은 중앙 집중적이고 거대한 시스템의 구축이 필요하다. 그리고 이런 시스템을 지속하려면 과도한 에너지 소비와 인위적인 관리가 필요하다. 〈중략〉 중앙 집중적이고 기술 집약적인 최첨단 기술은
_{하나로 모아서 뭉뚱그리는 것}
그것을 사용하는 사람들의 기술에 대한 의존도를 높인다.

다 반면에 적정 기술은 기본적으로 지속 가능한 시스템을 배경으로 하여 작동한다. 적정 기술은 노동력이 풍부한 곳에서는 노동력을 활용하는 방법을 모색하고, 재생 에너지가 풍
_{계속 써도 무한에 가깝도록 다시 공급되는 에너지. 태양열, 수력, 풍력 따위와 같이 자연계}
부한 곳에서는 재생 에너지를 활용하는 방법을 찾는다. 이를
_{에 존재하는 에너지를 이름.}
통해 중앙 집중식 기술에 대한 의존을 줄이고 소규모 단위의 자립적 생존을 도모한다. 이런 점에서 적정 기술은 위기 상황에 취약한 최첨단 기술을 보완할 수 있는 기술로서 그 유용성이 주목받고 있으며, 현대 사회의 각종 위기에 대한 해결 방안으로 그 필요성이 강조되고 있는 것이다.

라 서구 선진국과는 달리 우리나라의 적정 기술 관련 경험은 매우 부족하다. 또한 적정 기술이 기존의 방법이 해결하지 못한 모든 사회 문제를 단번에 해결해 줄 것이라고 기대하기도 하는데 이는 매우 위험한 생각이다. 적정 기술의 진정한 의미를 이해하고 선진국의 적정 기술 역사에서 교훈을 얻음으로써 인류의 행복 증진에 이바지할 수 있는 한국형 적정 기술이 마련되고 정착되기를 기대해 본다.

글의 내용 파악하기

7 **이 글의 내용으로 적절하지 않은 것은?**

빈출유형

① 현대 사회에는 항시적인 위기가 존재한다.

② 우리나라는 적정 기술 관련 경험이 매우 부족하다.

③ 적정 기술은 기존의 방법이 해결하지 못한 사회 문제를 단번에 해결할 수 있다.

④ 적정 기술은 중앙 집중식 기술에 대한 의존을 줄이고 소규모 단위의 자립적 생존을 도모한다.

⑤ 중앙 집중적이고 거대하게 구축된 시스템을 지속하려면 과도한 에너지 소비와 인위적 관리가 필요하다.

내용 전개 방식 파악하기

8 **다음 중 이 글에 사용된 내용 전개 방식을 모두 골라 바르게 묶은 것은?**

빈출유형

㉠ 대조	㉡ 정의	㉢ 예시	㉣ 인과

① ㉠, ㉡   ② ㉡, ㉢   ③ ㉠, ㉡, ㉢

④ ㉠, ㉢, ㉣   ⑤ ㉠, ㉡, ㉢, ㉣

글의 내용 파악하기

9 **나를 바탕으로 하여 빈칸에 들어갈 적절한 내용을 〈조건〉에 맞게 서술하시오.**

서술유형

♥ 팔랑팔랑

현대 사회에서 적정 기술의 필요성이 강조되는 이유는 무엇일까?

💬 댓글

야옹 강력하고 동시다발적으로 발생하는 각종 위기가 최첨단 기술의 문제점을 부각했기 때문이야.

낮달 _____

┌─────── 조건 ───────

• 최첨단 기술의 문제점 중 하나를 서술할 것

• '~ 때문이야.'의 문장 형식으로 서술할 것

[10~12] 다음 글을 읽고 물음에 답하시오.

가 다수의 학자들이 주장해 온 다문화주의를 정의해 본다면, 하나의 사회 내에서 다양한 문화적 특성을 지닌 집단 또는 계층이 존재하는 것을 구성원들이 인식하고 존중하며, 이들 집단의 사회적·문화적 차이를 인정하고, 모든 구성원들에게 동등한 권리가 보장되는 포용적 맥락에서 이들 집단이 사회를 위해 지속적으로 이바지하도록 장려하는 가치관과 행동의 체계라고 요약할 수 있다.

나 이 개념을 구체적으로 살펴보면 네 가지 요소로 논점을 제시할 수 있다. 이는 첫째, 문화의 다양성을 인식하고 존중하는 것, 둘째, 문화 간 차이를 인정하는 것, 셋째, 다른 문화가 사회에 이바지하도록 장려하는 것, 넷째, 앞의 세 가지 요소를 포용하는 가치관과 행동 체계로 정리할 수 있다.

다 이러한 요소를 더 구체적으로 풀어 본다면, 우선 다양성의 인식과 존중은 하나의 영토 안에서 복수의 인종 또는 민족이 존재하거나, 사회적 약자를 비롯한 다수의 계층이 공존하는 구조를 사회 구성원들이 받아들이고, 이와 관련된 일정한 규칙에 동의하고 지지함을 뜻한다.

라 다음으로 문화 간 차이의 인정은 다양성의 인식과 존중을 전제로 하여 단일 문화가 아닌 다양한 문화가 존재함으로써 그 사회가 더욱 발전하고 역동적으로 성장한다는 가치를 깨닫는 것이다.
<small>힘차고 활발하게 움직이는 것</small>

마 또한 타문화가 사회에 이바지하도록 장려하는 일은 사
<small>좋은 일에 힘쓰도록 북돋아 줌.</small>
회 구성원들이 열린 가치관을 소유하고 타문화에 대한 이해 정도가 높아져 있을 때 가능하다. 모든 문화는 고유의 특성과 색채를 띠고 있기 때문에 문화를 우월한 문화와 열등한 문화로 위계적 구분을 지을 수 없다.
<small>지위나 계층 따위의 등급</small>

바 끝으로 다문화주의는 이와 같은 요소를 포용하는 가치관과 실천하는 행동 체계가 갖추어질 때 비로소 완성된다고 설명할 수 있다. 동시에 이러한 네 가지 차원의 다문화주의

요소는 서로 단절된 의미로 구성되고 작용하는 것이 아니라 상호 유기적인 결합을 통해 총체적인 의미 작용을 하는 통합적인 관계로 이해해야 할 것이다.

<small>내용 전개 방식 파악하기</small>
10
<small>빈출유형</small>
가 에 대한 설명으로 가장 적절한 것은?
① 다문화주의의 개념을 정의하고 있다.
② 각 문화 사이의 차이점을 대조하고 있다.
③ 다문화주의가 나타난 원인을 서술하고 있다.
④ 다문화주의의 구체적 사례를 제시하고 있다.
⑤ 다문화주의에 대한 인식의 변천 과정을 규명하고 있다.

<small>글의 구조 파악하기</small>
11 **가**~**바**를 내용의 흐름에 따라 구분한 것으로 가장 적절한 것은?
① **가** / **나** / **다**, **라**, **마**, **바**
② **가** / **나**, **다** / **라**, **마**, **바**
③ **가** / **나**, **다**, **라** / **마**, **바**
④ **가**, **나** / **다**, **라**, **마** / **바**
⑤ **가**, **나**, **다** / **라**, **마** / **바**

<small>내용 전개 방식 파악하기</small>
12
<small>서술유형</small>
다음은 **나**~**바**에 나타난 내용 전개 방식을 정리한 학생의 노트이다. 빈칸에 공통적으로 들어갈 알맞은 말을 쓰시오.

1. 내용 전개 방식: ☐
2. ☐ 이란?
   어떤 대상이나 개념을 구성 요소나 부분들로 나누어 설명하는 방식
   ➡ **나**~**바**에서는 ☐ 의 방식을 사용하여 다문화주의의 개념을 구성하는 요소를 네 가지로 나누어 각각의 의미를 자세하게 설명하고 있음.

핵심 1 **추론적 읽기의 개념과 방법**

◎ **개념**: 글에 드러난 내용 이외의 것들을 ❶ ⬚ 하며 읽는 활동

◎ **방법**

① 생략된 내용 추론하기: 배경지식, 담화 표지, 글의 문맥 등을 종합적으로 활용하여 글에서 ❷ ⬚ 되거나 암시된 정보를 추론해야 함.

② 글쓴이의 의도나 목적 추론하기: 글 전체의 내용, 글이 쓰인 맥락 등을 고려하고 자신의 경험과 배경지식을 활용하여 글쓴이의 ❸ ⬚ 와 목적을 추론해야 함.

③ 숨겨진 주제 추론하기: 글쓴이가 여러 복합적인 상황을 고려하여 숨겨 놓은 주제를 추론해야 함.

❶ 추측

❷ 생략

❸ 의도

핵심 2 **〈무장 포고문〉**_ 전봉준·손화중·김개남

갈래	창의문, 포고문, 선언문	주제	보국안민을 내세워 봉기하는 뜻을 널리 알림.
특징	① 유교적 윤리를 바탕으로 하여 당시의 현실을 ❹ ⬚ 함. ② 중국 고사 속 인물의 말을 인용하여 글쓴이의 주장을 강화함. ③ 설의적 표현을 활용하여 말하고자 하는 바를 강조함.		

❹ 비판

◎ **글의 구성**

처음	군신과 부자의 인륜의 중요성
중간	• 간악한 신하들 때문에 무너져 내린 인륜 • 탐욕이 많고 포학한 벼슬아치들 때문에 고통받는 백성 • 보국안민의 중요성
끝	❺ ⬚ 을 위해 봉기하는 뜻을 밝힘.

❺ 보국안민

◎ **글쓴이가 관자의 말을 인용한 의도**

'관자가 말하기를 "사유(四維)가 베풀어지지 않으면 나라가 곧 멸망한다."라고 하였다. 바야흐로 지금의 형세는 예전보다 더욱 심각하다.'

↓

관리들의 가혹한 정치와 탐욕 때문에 나라를 다스리는 데 지켜야 할 네 가지 원칙인 사유를 펴지 못해 나라가 위태로운 상황에 놓였음을 ❻ ⬚ 함.

❻ 강조

❼ 포고문

❽ 동참

◎ **글쓴이가 이 글을 쓴 목적**

국난을 당하여 의병으로 일어나는 것을 알리는 창의문(❼ ⬚)을 발표함.	→	• 글쓴이가 의병으로 봉기하는 이유를 밝힘. • 백성에게 국가의 위기를 극복하고 보국안민을 이루기 위해 의병에 ❽ ⬚ 할 것을 권유함.

개념 Catch

• **창의문**: 의병으로 일어날 것을 널리 호소하는 글
• **포고문**: 널리 펴서 알리는 글

1 추론적 읽기에 대한 설명으로 적절하지 않은 것은?

① 글에서 생략된 정보를 추론하며 읽는 활동이다.

② 글쓴이가 글을 쓴 의도를 추론하며 읽는 활동이다.

③ 글쓴이가 숨겨 놓은 주제를 추론하며 읽는 활동이다.

④ 글의 구조와 내용 전개 방식을 파악하며 읽는 활동이다.

⑤ 글에 드러난 내용 이외의 것들을 추측하며 읽는 활동이다.

2 〈보기〉에서 다음 학생의 읽기 방법과 관련 깊은 추론적 읽기의 방법을 고르시오.

> 아침에 일어나니 온 세상이 또 하얗게 변해 있었다.

> 온 세상을 하얗게 변하게 하는 것은 눈이고, '또'는 반복되는 행위를 나타내는 표현이니, 이전에도 눈이 내린 적이 있겠군.

─ 보기 ─

㉠ 생략된 내용 추론하기

㉡ 숨겨진 주제 추론하기

㉢ 글쓴이의 의도나 목적 추론하기

3 〈무장 포고문〉에 나타난 글쓴이의 생각을 추론하여 괄호 안에 들어갈 알맞은 말을 쓰시오.

> 사람을 세상에서 가장 귀하게 여김은˙인륜이 있기 때문이며 군신과 부자를 가장 큰 인륜으로 꼽는다. 임금이 어질고 신하가 충직하며 아비가 자애롭고 아들이 효도를 한 뒤에야 국가를 이루어 끝없는 복록을 불러오게 된다.
>
> • 인륜: 군신·부자·형제·부부 따위에서 지켜야 할 도리.

➡ 군신과 부자의 (   )을/를 실천해야 국가에 복록이 따른다.

4 〈무장 포고문〉을 통해 알 수 있는 당시의 상황으로 맞으면 ○, 틀리면 × 표시를 하시오.

> 지금 신하가 된 자들은 나라에 보답하려는 생각을 아니하고 한갓 작록과 지위를 도둑질하여 임금의 총명을 가리고 아부를 일삼아 충성스러운 선비의 간언을 요사스러운 말이라 하고 정직한 사람을 비도라 한다. 그리하여 안으로는 나라를 돕는 인재가 없고 바깥으로는 백성을 갈취하는 벼슬아치만이 득실거린다. 인민의 마음은 날로 더욱 비틀어져서 들어와서는 생업을 즐길 수 없고 나와서는 몸을 보존할 대책도 없다. 학정은 날로 더해지고 원성은 줄을 이었다.

(1) 신하들이 임금에게 아부를 일삼고, 충성스럽고 정직한 신하를 모함하고 있다. (   )

(2) 백성이 관리들의 학정을 인식하지 못한 채 생업을 이어 나가고 있다. (   )

5 다음 글을 읽고 글쓴이가 '의로운 깃발'을 들고 일어나는 목적을 찾아 4음절로 쓰시오.

> 우리 무리는 비록 초야의 유민이나 임금의 토지를 갈아먹고 임금이 주는 옷을 입고 사니 어찌 나라가 망해 가는 꼴을 좌시할 수 있겠는가.
> 온 나라 사람이 마음을 함께 하고 수많은 백성이 뜻을 모아 지금 의로운 깃발을 들어 보국 안민을 생사의 맹세로 삼노라.

[1~4] 다음 글을 읽고 물음에 답하시오.

가 지금 신하가 된 자들은 나라에 보답하려는 생각을 아니하고 한갓 작록과 지위를 도둑질하여 임금의 총명을 가리고
(관작과 봉록을 아울러 이르는 말)
아부를 일삼아 충성스러운 선비의 간언을 요사스러운 말이
(웃어른이나 임금에게 옳지 못하거나 잘못된 일을 고치도록 하는 말)
라 하고 정직한 사람을 비도라 한다. 그리하여 안으로는 나라
(무기를 가지고 떼를 지어 다니면서 사람을 해치거나 재물을 빼앗는 무리)
를 돕는 인재가 없고 바깥으로는 백성을 갈취하는 벼슬아치
(남의 것을 강제로 빼앗음.)
만이 득실거린다. 인민의 마음은 날로 더욱 비틀어져서 들어와서는 생업을 즐길 수 없고 나와서는 몸을 보존할 대책도 없도다. 학정은 날로 더해지고 원성은 줄을 이었다. 군신의 의
(포학하고 가혹한 정치)
리와 부자의 윤리와 상하의 구분이 결국 남김없이 무너져 내렸다.

나 관자가 말하기를 "㉠사유(四維)가 베풀어지지 않으면
(중국 춘추 시대의 제나라 재상인 관중)
나라가 곧 멸망한다."라고 하였다. 바야흐로 지금의 형세는 예전보다 더욱 심하다. 위로는 공경대부(公卿大夫), 아래로
(삼공과 구경. 대부를 아울러 이르는 말)
는 방백 수령에 이르기까지 국가의 위태로움은 생각지 아니하고 거의 자기 몸을 살찌우고 집을 윤택하게 하는 계책에만 몰두하여 벼슬아치를 뽑는 문을 재물 모으는 길로 만들고 과거 보는 장소를 사고파는 장터로 만들고 있다. 그래서 허다한 재물이나 뇌물을 국고에 들이지 않고 도리어 사사로운 창고에 채운다. 나라에는 빚이 쌓여 있는데도 갚으려는 생각은 아니하고 교만과 사치와 음탕과 안일로 나날을 지새워 두려
(진구렁에 빠지고 숯불에 탄다는 뜻으로, 몹시 곤궁하여 고통스러운 지경을 이르는 말)
움과 거리낌이 없어서 온 나라는 어육이 되고 만백성은 도탄
(짓밟고 으깨어 아주 결딴낸 상태를 비유적으로 이르는 말)
에 빠졌다. 진실로 수령들의 탐학 때문이다. 어찌 백성이 곤궁치 않으랴.

다 백성은 나라의 근본이다. 근본이 깎이면 나라가 잔약해지는 것은 뻔한 일이다. 그런데도 보국안민(輔國安民)의 계책은 염두에 두지 않고 바깥으로는 고향 집을 화려하게 지어 제 살길에만 골몰하면서 녹위만을 도둑질하니 어찌 옳은 일
(녹봉과 벼슬자리를 아울러 이르는 말)
이라 하겠는가?

글쓴이의 관점 파악하기

1 이 글에 나타난 글쓴이의 생각으로 적절하지 않은 것은?
빈출유형

① 신하들이 본분을 다하지 않고 있다.
② 백성이 편안해야 나라가 바로 설 수 있다.
③ 임금이 신하들의 잘못을 눈감아 주고 있다.
④ 백성이 도탄에 빠진 원인은 수령들의 탐학 때문이다.
⑤ 임금과 신하, 부모와 자식 간에는 지켜야 할 도리가 있다.

글에 나타난 사회적 상황 파악하기

2 이 글을 통해 알 수 있는 당시의 상황으로 적절하지 않은 것은?
빈출유형

① 벼슬을 사고파는 행위가 만연했다.
② 관리들은 자신의 욕심을 채우기에 급급했다.
③ 임금을 돕는 충성스럽고 정직한 신하가 많았다.
④ 백성이 고통스럽고 곤궁한 상황에 빠져 있었다.
⑤ 관리들의 학정이 극심해지면서 백성의 불만이 끊이지 않았다.

글쓴이의 의도 파악하기

3 다음은 ㉠의 사전적 의미이다. 다음을 참고할 때, 글쓴이가 '관자'의 말을 인용한 의도로 적절한 것은?

표준국어대사전	사유	찾기

사유(四維)
「명사」 나라를 다스리는 데 지켜야 할 네 가지 원칙. 곧 예(禮)·의(義)·염(廉)·치(恥)를 이른다.

① 백성에게 올바른 가치관을 가르치기 위해서
② 사치를 일삼는 관리들을 임금에게 고발하기 위해서
③ 나라를 바르게 다스리지 못하는 임금을 비판하기 위해서
④ 나라를 다스리는 원칙을 새로 만들어야 함을 주장하기 위해서
⑤ 관리들의 탐욕으로 나라를 다스리는 원칙이 무너진 위태로운 상황을 강조하기 위해서

글의 목적 추론하기

4 다음에 제시된 이 글의 마지막 부분을 읽고, 〈보기〉를 참
고하여 밑줄 친 부분에 들어갈 적절한 내용을 서술하시오.

> 우리 무리는 비록 초야의 유민이나 임금의 토지를
> 갈아먹고 임금이 주는 옷을 입고 사니 어찌 나라가 망
> 해 가는 꼴을 좌시할 수 있겠는가. 온 나라 사람이 마
> 음을 함께하고 수많은 백성이 뜻을 모아 지금 의로운
> 깃발을 들어 보국안민을 생사의 맹세로 삼노라. 오늘
> 의 광경이 비록 놀랄 일이겠으나 결코 두려워하지 말
> 고 각기 생업에 편안히 종사하면서 함께 태평세월을
> 빌고 모두 임금의 교화를 누리면 천만다행이겠노라.

> ──────────── ▶ 보기
> 이 글의 제목 '무장 포고문'은 '무장 창의문'이라고도
> 한다. 창의문이란 국난을 당하여 의병으로 일어날 것
> 을 널리 호소하는 글을 가리킨다.

 저는 ＿＿＿＿＿＿＿＿＿＿을/를
밝히고, 우리와 뜻을 함께하여 ＿＿＿＿
＿＿＿＿＿＿ 하기 위해 이 글을 썼습
니다.

[5~6] 다음 글을 읽고 물음에 답하시오.

가 허구가 개입된 역사 영상물은 역사를 대중에게 효과적
으로 이해시킬 수 있는 교육적 매개체인가, 아니면 대중이
소비하는 영상 자료들 가운데 실화 혹은 실존 인물의 이야기
라는 점에서 매력적인 오락 품목의 하나인가? 이러한 질문
은 역사와 대중을 만나게 해 주는 매개체인 극화된 역사 영
상물에 대한 두 가지 차원의 접근을 대변한다. 하나는 '역사
대중화'의 차원이고, 다른 하나는 '역사의 대중문화화'라는

차원이다. 양측 모두 '쉬운 역사'를 지향한다는 점에서는 공
통점이 있으나, 전자가 '역사의 의미'를 추구한다면 후자는
'역사의 재미'에 더 큰 비중을 둔다는 점에서 차이가 있다.

나 그러나 역사 영화는 이러한 두 가지 접근법이 공유하는
사유의 공간이 될 수 있다. 역사적 사실과 해석을 중요시하
<small>대상을 두루 생각하는 일</small>
며 이를 대중에게 쉽게 전달하는 방식으로서 역사 영상물을
바라보는 것과, 역사를 의미와 재미를 동시에 갖춘 소재이자
자원으로 소비하는 방식으로서 역사 영상물을 바라보는 것,
이 둘 사이에 존재하는 간극은 역사 영화를 대화의 접점으로
<small>두 가지 사건, 두 가지 현상 사이의 틈</small>
삼아 좁힐 수 있다. 왜냐하면 역사 영화는 이 두 가지를 모두
충족할 가능성이 있기 때문이다.

글의 주제 파악하기

5 이 글을 통해 글쓴이가 전달하고자 한 바로 가장 적절한
것은?

① 역사 영화는 역사 교육에 아무런 효과가 없다.
② '역사의 의미'보다 '역사의 재미'를 더 중시해야 한다.
③ 역사 대중화와 역사의 대중문화화는 양립할 수 없다.
④ 허구가 개입된 역사 영상물은 오락의 수단일 뿐이다.
⑤ 역사 영화를 통해 역사 대중화와 역사의 대중문화
　화의 조화를 도모할 수 있다.

글의 내용 파악하기

6 다음은 이 글에 나타난 역사 영상물에 대한 두 가지 입장
을 정리한 표이다. ㉠, ㉡에 들어갈 알맞은 말을 쓰시오.

	역사 대중화	역사의 대중문화화
차이점	역사의 의미, 역사적 사실과 해석을 중시함.	역사의 (㉠)에 더 큰 비중을 둠.
공통점	(㉡)을/를 지향함.	

3일

(3) 비판적 읽기
(4) 감상적 읽기

생각 열기 이상한 책 나라는 왜 눈물바다가 되었을까?

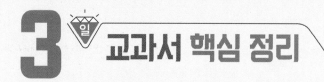

핵심 1 비판적 읽기의 개념과 방법

◉ **개념**: 글의 내용과 표현 방법, 글쓴이의 관점, 글의 배경이 되는 사회·문화적 이념 등을 독자가 ❶ [   ]하며 읽는 활동

❶ 판단

◉ **방법**

① 글쓴이의 관점과 글의 내용 판단하기: 내용의 타당성과 공정성, 신뢰성과 자료의 적절성을 판단하며 읽어야 함.

• 타당성: 주장이나 의견과 그 근거가 합리적이고 일관성을 갖추었는가?

• 공정성: 글의 주제나 내용이 어느 한쪽에 치우치지 않았는가?

• 신뢰성: 제시된 정보나 자료가 믿을 만한가? 과장되거나 왜곡된 부분은 없는가?

② 글의 표현 방법 판단하기: 글에 쓰인 표현 방법이 글의 ❷ [   ]과 내용, 글이 쓰인 상황에 비추어 적절하고 효과적인지 판단하며 읽어야 함.

❷ 목적

③ 숨겨진 의도나 사회·문화적 이념 판단하기: 글에 숨겨진 ❸ [   ], 글에 전제되거나 글쓴이가 의도적으로 반영한 사회·문화적 이념을 판단하며 읽어야 함.

❸ 의도

핵심 2 〈의견 양극화와 생산적 논쟁〉_ 박성희

갈래	논설문	주제	우리 사회의 의견 스펙트럼의 다양화를 위한 토론과 논쟁의 필요성
특징			① 현실의 문제를 비판적으로 분석하고 그 해결 방안을 제시함.
			② 대조, 비유, 인용, 예시, 질문 등의 방법을 통해 독자의 이해를 돕고 ❹ [ ]의 효과를 높임.

❹ 설득

◉ **글쓴이의 주장과 관점**

우리 사회의 문제	논쟁과 토론의 부재로 의견의 집단 편향과 ❺ [ ]가 나타남.
문제의 원인	토론 부재와 논쟁 불능 사회의 부작용을 제대로 인식하지 못함.
문제 해결 방안	• 반대 의견을 내면서 생산적 논쟁에 적극적으로 나서야 함. • 의견 스펙트럼의 ❻ [ ]을 두껍게 만들어야 함.

❺ 양극화

❻ 중간층

◉ **주요 표현 방법 및 그 효과**

표현 방법	효과
논쟁에 대한 한국인과 서구인의 시각을 대조함.	한국 사회의 문제점을 분명하게 제시함.
좋은 논쟁의 특징을 장수들의 겨룸에 비유함.	논점이 팽팽하게 부딪치는 좋은 ❼ [ ]의 특징을 효과적으로 표현함.
밀과 선스타인의 견해를 ❽ [ ]함.	전문가의 견해를 인용하여 주장을 뒷받침함.
질문을 던지는 방식으로 글을 마무리함.	한국 사회의 문제점과 그에 따른 폐해에 대한 경각심을 불러일으킴.

❼ 논쟁

❽ 인용

3일

1 비판적 읽기에 대한 설명으로 적절하지 않은 것은?

① 글에 사용된 자료가 글의 내용에 적합한지 판단하며 읽어야 한다.

② 글쓴이의 관점이 독자 자신의 관점과 일치하는지 확인하며 읽어야 한다.

③ 글의 주제나 내용이 어느 한쪽으로 치우치지 않았는지 판단하며 읽어야 한다.

④ 글쓴이가 글에 의도적으로 반영한 사회·문화적 이념을 판단하며 읽어야 한다.

⑤ 글에 사용된 표현 방법이 글의 목적과 내용에 비추어 효과적인지 판단하며 읽어야 한다.

3 〈의견 양극화와 생산적 논쟁〉에 나타난 글쓴이의 관점으로 맞으면 ○, 틀리면 × 표시를 하시오.

(1) 한국인과 서구인은 논쟁을 바라보는 시각이 동일하다. ( )

(2) 우리 사회에서는 치열하게 논쟁하는 모습을 보기 어렵다. ( )

(3) 갈등을 해결하기 위해서는 되도록 집단의 의견에 동조하는 태도가 필요하다. ( )

2 다음은 〈의견 양극화와 생산적 논쟁〉의 한 부분이다. 다음 글의 소제목으로 적절한 것은?

> 좋은 논쟁이란 '상호 부딪침'이 있는 논쟁을 뜻한다. 그러자면 논점이 팽팽하게 부딪쳐야 한다. 서로의 의견이 갈리는 부분에서 만나 마치 싸움터에서 장수들이 겨루듯 자신의 논리로 상대와 맞서 싸워야 한다.
>
> 논쟁이 생산적일 수 있는 이유는 바로 이 '만남'과 '부딪침'에 있다. 서로의 생각이 얼마나 다른지, 어느 부분이 어떻게 다른지는 서로 견주어 봐야 알 수 있는 일이다. 그런 이유로 논쟁은 싸움 같지만 사실은 상호 이해의 장이요, 청중들에게는 즐거움과 교육의 장이다.

① 토론과 논쟁 부재의 위험

② 의견의 집단 편향과 양극화

③ 논쟁에 대한 우리 사회의 시각

④ 갈등 해소를 위한 만남과 부딪침

⑤ 의견 스펙트럼의 중간층이 두꺼운 사회

4 다음은 〈의견 양극화와 생산적 논쟁〉의 끝부분이다. 다음 글에 나타난 표현 방법을 고려하여 괄호 안에 들어갈 알맞은 말을 〈보기〉에서 고르시오.

> 논쟁이 활발한 사회는 의견 스펙트럼의 중간층이 두껍다. 의견 양극화와 쏠림 현상이 두드러진 곳에서는 집단들 간에 공유되지 않는 정보가 많아지고 소수자들은 침묵하게 된다. 그래서 사람들이 의견을 잘 내지 않는 사회가 되기 쉽다. 그런 곳에서는 의견의 양극단만 보이고 중간이 보이지 않는다. 중간 의견이 반영되지 않는 극단의 결정이 횡행하게 된다. 오늘날의 한국 사회는 과연 어떠한가?

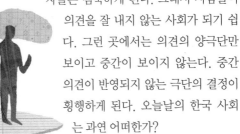

글쓴이는 ( )의 방식으로 글을 마무리하여 독자 스스로 한국 사회의 문제점을 성찰해 보도록 하고 있어.

┌─── **보기** ───
│ 대조   질문   비유   인용   예시
└──────────

교과서 기출 베스트

[1 ~ 3] 다음 글을 읽고 물음에 답하시오.

가 한국인들은 대체로 논쟁을 좋아하지 않는다. 자신과 생각이 다른 사람과 부딪치는 것은 바람직하지 않고 반대 의견을 내면 갈등을 조장한다고 생각하는 사람이 적지 않다. 갈등을 품고 삭이고 드러내지 않아야 그릇이 크다고 여긴다.

우리와 달리 미국이나 유럽 같은 서구인들에게 논쟁은 학습의 도구이자 삶의 방식이다. 고대 그리스에서 소크라테스와 고르기아스가 격렬한 논쟁을 통해 수사학의 정체성을 탐색했고, 소크라테스는 '산파법'이라고 불리는 변증법적 대화 <u>질문과 대답에 의해 진리에 도달하는 방법</u> <u>질문과 대답을 통해 상대 스스로의 힘으로 참되고 바른 개념을 이끌어 내도록 하는 방법</u> 를 통해 진리를 탐구했다.

나 좋은 논쟁이란 '상호 부딪침'이 있는 논쟁을 뜻한다. 그러자면 논점이 팽팽하게 부딪쳐야 한다. 서로의 의견이 갈리 <u>논쟁의 중심이 되는 문제점</u> 는 부분에서 만나 마치 싸움터에서 장수들이 겨루듯 자신의 논리로 상대와 맞서 싸워야 한다.

다 이러한 접점에서 만나지 않는 사람들, 즉 다른 의견을 듣지 않는 사람들은 마치 메아리 방에서 살 듯 자신의 소리만 듣고 살 가능성이 크다. 아니면 비슷한 생각을 가진 사람끼리 만나 동종 교배 하듯 서로 동의하며 기존의 입장을 기형적으로 견고하게 다질지도 모른다. 서로 다른 의견을 가진 사람들 각각의 집단 편향(집단 극화)이나 쏠림 현상이 강화되는 것이다.

[A] 이러한 현상은 인터넷 시대에 들어서 더욱 심화되고 있다. 최근의 각종 연구 결과에 따르면, 이전과는 다르게 사람들은 소수의 여론 주도자에게 끌려다니지 않고 자신과 비슷한 생각을 가진 사람들에게 동조하면서 기존의 의견과 입장을 더욱더 강화하는 경향을 보이고 있다. 이에 따라 사람들의 의견이 극단적으로 나뉘는 현상마저 발생하고 있다.

내용 전개 방식 파악하기

1 이 글에 대한 설명으로 적절하지 **않은** 것은?

① 우리 사회의 문제를 비판적으로 분석하고 있다.
② 좋은 논쟁의 특징을 장수들의 겨룸에 비유하고 있다.
③ 논쟁에 대한 한국인과 서구인의 태도를 대조하고 있다.
④ 질문의 형식으로 글을 시작하여 독자의 호기심을 유발하고 있다.
⑤ 구체적인 예를 들어 논쟁이 학습의 도구가 될 수 있음을 설명하고 있다.

비판적 읽기의 방법 적용하기

2 **빈출유형** 다음 기준에 따라 [A]를 비판적으로 이해한 내용으로 가장 적절한 것은?

- 신뢰성: 제시된 정보나 자료가 믿을 만한가?

① 주장에 대한 근거가 타당하지 않아.
② 사회적으로 받아들이기 어려운 내용이야.
③ 자료가 왜곡되었다는 점에서 신뢰성이 떨어져.
④ 글의 주제에서 벗어나는 내용이라 일관성이 부족해.
⑤ 연구 결과의 출처를 밝히지 않아서 신뢰성이 떨어져.

글의 내용 파악하기

3 **서술유형** 이 글에 나타난 우리 사회의 문제와 관련하여, 다음 밑줄 친 부분에 들어갈 적절한 내용을 〈조건〉에 맞게 서술하시오.

 가는 ＿＿＿＿＿＿＿＿＿＿＿＿＿＿ 을/를 문제 상황으로 제시하고 있어.

다는 ＿＿＿＿＿＿＿＿＿＿＿＿＿＿ 을/를 문제 상황으로 제시하고 있어.

┌─ 조건 ─
- **가**에 나타난 문제 상황을 '한국인들'이라는 단어를 포함하여 서술할 것
- **다**에 나타난 문제 상황을 '극단적'이라는 단어를 포함하여 서술할 것

[4~5] 다음 글을 읽고 물음에 답하시오.

가 우리 사회가 토론과 논쟁에 서툴다는 것을 대부분의 사람은 알고 있다. 그러나 토론 부재와 논쟁 불능 사회가 가져오는 부작용이 얼마나 큰지는 제대로 인식하지 못하는 것 같다. 밀은 "사회에서 널리 통용되는 의견이나 감정이 부리는 횡포 그리고 그런 통설과 다른 생각과 습관을 가진 이견 제시자에게 사회가 법률적 제재 이외의 방법으로 윽박지르면서 통설을 행동 지침으로 받아들이도록 강요하는 경향에 대해서도 대비를 해야 한다."라고 했다. 이는 다수의 의견을 모든 사회 구성원에게 강요하고 조금이라도 다른 의견은 묵살해 버리는 사회의 위험성과 폭력성을 경계하는 말이다.

> 어떠한 의견에 대한 다른 의견 또는 서로 다른 의견
> 세상에 널리 알려지거나 일반적으로 인정되고 있는 설

나 미국의 법학자 선스타인은 "나는 네 의견에 동의하지 않는다."라고 말하지 않는 사람들은 집단의 의견에 동조하거나 강화된 자기 의견 속에 안주한다고 했다. 그렇게 되면 자기 합리화와 상호 비방만 있게 된다. 반대 의견을 내고 기꺼이 논쟁하는 사람들이 이러한 상황을 흔들 수 있는 생산적 논쟁에 나서야 한다. 치열하게 논쟁을 한다면 우리 사회의 의견 스펙트럼이 지금보다는 다양해질 것이다.

> 어떤 현상이 나타나거나 활동이 일어난 범위를 비유적으로 이르는 말

논쟁이 활발한 사회는 의견 스펙트럼의 중간층이 두껍다. 의견 양극화와 쏠림 현상이 두드러진 곳에서는 집단들 간에 공유되지 않는 정보가 많아지고 소수자들은 침묵하게 된다.

4
서술 유형
가 와 **나** 에 사용된 표현 방법과 그 효과를 다음과 같이 정리할 때, ㉠, ㉡에 들어갈 알맞은 말을 각각 쓰시오.

> **가** 와 **나** 에서는 전문가의 견해를 (㉠)하여
> (㉡)이/가 필요하다는 글쓴이의 주장을 뒷받침하고 있다.

5
빈출 유형
이 글에 나타난 글쓴이의 관점으로 적절하지 <u>않은</u> 것은?

① 우리 사회는 토론과 논쟁에 서툴다.
② 강화된 자기 의견 속에 안주해서는 안 된다.
③ 빠른 의사 결정을 위해 다수의 의견을 따라야 한다.
④ 치열한 논쟁을 통해 의견 스펙트럼의 중간층을 두껍게 해야 한다.
⑤ 우리는 토론 부재와 논쟁 불능 사회의 부작용을 인식하지 못하고 있다.

6
빈출 유형
다음 글의 글쓴이의 동물원에 대한 관점으로 가장 적절한 것은?

> 동물의 입장에서 본 동물원은 어떨까? 마치 나치 독일의 유대인 수용소 아우슈비츠 같은 장소로 여기지는 않을까? 전문가들은 수 킬로미터에서 수십 킬로미터에 달하는 야생에서의 행동반경에 비해 턱없이 좁은 우리, 관람객들의 눈에 그대로 노출되며 받는 스트레스, 놀잇감도 없이 멍하니 시간을 보내야 하는 환경은 동물들을 미치게 만든다고 입을 모은다. 〈중략〉
>
> 만약 동물원에 가게 된다면 동물들이 얼마나 나쁜 환경에서 살아가고 있는지 천천히 살펴보는 것은 어떨까? 동물원 동물들이 겪는 고통을 생각해 보고, 동물원이 과연 필요한 것인지도 생각해 볼 필요가 있다.

우리 안에서 머리나 앞발을 흔드는 곰

우리 안을 끊임없이 왔다 갔다 하는 늑대

▲ 동물들의 정형 행동

① 멸종 위기 동물을 보호하는 공간이다.
② 동물에게 극심한 고통을 주는 공간이다.
③ 자연 생태계를 관찰할 수 있는 공간이다.
④ 아우슈비츠 수용소보다 환경이 열악한 공간이다.
⑤ 동물이 본성에 따라 자유롭게 생활하는 공간이다.

핵심 1 **감상적 읽기의 개념과 방법**

◉ **개념**: 글에 대해 ❶[   ]으로 반응하며 읽는 활동

❶ 정서적

◉ **방법**

① 공감하거나 감동을 느낀 부분 찾기: 자신의 정서적 반응에 유의하며 글에서 공감하거나
❷[   ]을 느낀 부분을 찾아 그 의미를 생각하며 읽어야 함.

❷ 감동

② 깨달음이나 즐거움 얻기: 독서를 통해 삶의 교훈과 깨달음, 재미나 즐거움, 새로운 정보
나 지식을 얻으며 읽어야 함.

③ 글을 독자 자신의 것으로 받아들이기: 공감하거나 감동을 느낀 부분을 중심으로 하여 자
신에게 ❸[   ] 있다고 여기는 것을 수용하며 읽어야 함.

❸ 의미

핵심 2 **〈꽃 출석부 1〉**_ 박완서

갈래	수필	주제	어려움을 이겨 내고 때를 지켜 피어나는 꽃들을 기억하고 기다림.
특징			① 마당에서 꽃을 기르는 글쓴이의 경험을 소재로 함. ② 글쓴이의 세심한 ❹[ ]과 섬세한 감정이 드러남.

❹ 관찰력

◉ **글의 구성**

처음	작년 가을 ❺[ ]를 심었으나 곧 잊어버림.
중간	• 올해 3월 복수초가 꽃을 피우고 큰 눈 속에서도 죽지 않음. • 올해 초 제일 먼저 꽃을 피운 복수초를 1번으로 하여 100번이 넘는 꽃 ❻[ ]를 만듦.
끝	• 꽃들이 전원 출석하기를 기다리며 뿌듯한 행복감을 느낌. • 꽃들이 피기를 기쁜 마음으로 기다림.

❺ 복수초

❻ 출석부

◉ **복수초에 대한 글쓴이의 생각 변화**

작년 가을	• 볼품없는 모습에 잡초 같다는 느낌을 받음. • 눈 속에서 핀다는 복수초가 맞는지 의심함.
올해 3월	황량한 마당에 샛노란 꽃을 피워 낸 모습이 생뚱스럽다고 생각함.
큰 눈이 내린 뒤	• 눈을 이겨 내고 살아남은 복수초의 ❼[ ]에 감탄함. • 손님들에게 복수초를 자랑하고 싶어 함.

❼ 생명력

◉ **이 글에 나타난 글쓴이의 태도**

• 백 가지가 넘는 꽃의 이름과 피는 시기를 알고 있음. • 꽃의 뿌리와 씨가 잠든 땅을 함부로 밟지 않음. • 꽃 때문에 마음 놓고 여행을 못 할 것이라고 함.	→	• 섬세한 관찰력을 지님. • ❽[ ]을 소중히 여김. • 꽃과 함께하는 생활에 기쁨을 느낌.

❽ 꽃

1 다음은 감상적 읽기에 대한 설명이다. ㉠, ㉡에 들어갈 알맞은 말을 쓰시오.

> 감상적 읽기란 글을 읽으며 다양한 (㉠)을/를 경험하거나 삶의 교훈이나 (㉡)을/를 얻는 등 글에 대해 정서적으로 반응하며 읽는 활동이다. 감상적 읽기는 감정을 정화하고 삶을 성숙하게 하는 데 큰 역할을 한다.

• ㉠: _____   • ㉡: _____

2 감상적 읽기의 방법으로 적절하지 **않은** 것은?

① 자신의 정서적 반응에 유의하며 읽는다.
② 글에 드러난 정보를 객관적으로 확인하며 읽는다.
③ 글에서 자신에게 의미 있는 내용을 받아들이며 읽는다.
④ 글을 통해 새롭고 재미있는 정보와 지식을 얻으며 읽는다.
⑤ 글에서 공감하거나 감동을 느낀 부분을 찾아 그 의미를 생각하며 읽는다.

3 다음은 〈꽃 출석부 1〉의 내용을 정리한 것이다. 맞으면 ○, 틀리면 × 표시를 하시오.

(1) 글쓴이는 이웃이 나누어 준 복수초를 처음 봤을 때 잡초 같다고 생각했다. ( )
(2) 글쓴이는 마당에 복수초를 심은 뒤 복수초가 어서 꽃을 피우기만을 기다렸다. ( )
(3) 글쓴이의 집에 온 손님들은 복수초의 생명력에 감탄했다. ( )

4 다음 글의 출석부에 대한 설명으로 적절하지 **않은** 것은?

> 올해는 복수초가 1번이 되었지만 작년까지만 해도 산수유가 1번이었다. 곧 4월이 되면 목련, 매화, 살구, 자두, 앵두, 조팝나무 등이 다투어 꽃을 피우겠지만 그래도 조금씩 날짜를 달리해 순서대로 피면서 그 그늘에 제비꽃이나 민들레, 은방울꽃을 거느린다. 꽃이 제일 먼저 핀 것은 복수초이지만 잎이 제일 먼저 흙을 뚫고 모습을 드러낸 것은 상사초이고 그다음이 수선화이다. 〈중략〉 이렇게 그것을 기다리고 마중하다 보니 내 머릿속에 출석부가 생기게 되고, 출석부란 원래 이름과 함께 번호를 매기게 되어 있는지라 백 번이 넘는다는 걸 알게 되었다.

① 꽃에 대한 글쓴이의 관심이 담겨 있다.
② 꽃이 피는 순서에 따라 번호를 매긴다.
③ 글쓴이의 머릿속에 자연스럽게 생겨난 것이다.
④ 마당에 핀 꽃의 이름과 함께 번호를 매긴 출석부이다.
⑤ 출석부에 실리는 꽃의 번호는 해가 지나도 바뀌지 않는다.

5 다음 글에서 〈보기〉의 설명에 알맞은 단어를 찾아 2어절로 쓰시오.

> 그것들은 출석할 때마다 내 가슴을 기쁨으로 뛰놀게 했다. 백 식구는 대식구이다. 나에게 그것들을 부양할 마당이 있다는 걸 생각만 해도 뿌듯한 행복감을 느낀다.

┌─ 보기 ─
• 백 가지의 꽃을 의인화한 표현임.
• 꽃을 소중하게 여기는 글쓴이의 태도가 드러남.
└

[1~2] 다음 글을 읽고 물음에 답하시오.

가 작년 가을에 이웃집에서 복수초를 나누어 받았다. 뿌리는 구근이 아니라 흑갈색 잔뿌리와 검은 흙이 한데 엉겨 있고, 키는 땅에 닿을 듯이 작은데 잎도 새의 깃털처럼 잘게 갈라져 있어서 전체적으로 부피감이 느껴지지 않아 하찮은 잡초처럼 보였다. 그전에 나는 복수초라는 화초를 사진으로 본 적은 있지만 실물을 본 적은 없기 때문에 그게 과연 눈 속에서 핀다는 그 복수초인지 잘 믿기지 않았다. 생각해서 나누어 준 분 앞이라 당장 양지바른 곳에 심기는 했지만 곧 가을이 깊어지니 워낙 시원치 않아 보이던 이파리들은 자취도 없어지고 나 역시 그게 있던 자리조차 기억 못 하게 되었다.

> 알뿌리. 식물체의 뿌리나 줄기 또는 잎 따위가 달걀 모양으로 비대하여 양분을 저장한 것

나 아마 3월이 되자마자였을 것이다. 샛노란 꽃 두 송이가 땅에 닿게 피어 있었다. 하도 키가 작아서 하마터면 밟을 뻔했다. 그러나 빛깔은 진한 황금색이어서 아직 아무것도 싹트지 않은 황량한 마당에 몹시 생뚱스러워 보였다. 그리고 곧 큰 눈이 왔다. 아무리 눈 속에서도 피는 꽃이라고 알려져 있어도 그 작은 키로 견디기에는 너무 많은 눈이었다. 〈중략〉 대문 밖의 눈은 치워 주었지만 마당의 눈은 그대로 방치해 두었기 때문에 녹아 없어지는 데 며칠 걸렸다. 놀랍게도 제일 먼저 녹은 데가 복수초 언저리였다. 고 작은 풀꽃의 머리칼 같은 뿌리가 땅속 어드메서 따뜻한 지열을 길어 올렸기에 복수초는 그 두터운 눈을 녹이고 더욱 샛노랗게 더욱 싱싱하게 해를 보고 있었다. 온종일 그렇게 피어 있다가 해 질 무렵에는 타원형으로 오므라든다. 그러다가 아주 시들어 버릴 줄 알았는데 다음 날 해만 뜨면 다시 활짝 핀다. 그러나 마냥 그럴 수는 없는 일이다. 곧 안 깨어나고 져 버리는 날이 있겠기에 그게 피어 있는 동안만이라도 누구에겐가 보여 주고 자랑하고 싶어서 나는 집에 손님만 오면 그걸 구경시킨다.

▲ 복수초

1
빈출
유형
이 글의 내용과 일치하지 않는 것은?

① 복수초의 꽃 색깔은 진한 황금빛이다.
② 글쓴이는 복수초를 덮은 눈을 치워 주었다.
③ 글쓴이는 작년 가을에 마당에 복수초를 심었다.
④ 글쓴이는 집에 온 손님에게 복수초를 구경시킨다.
⑤ 복수초는 저녁에는 타원형으로 오므라들었다가 다음 날 다시 핀다.

2
서술
유형
다음은 복수초에 대한 글쓴이의 생각 변화를 정리한 내용이다. 괄호 안에 들어갈 알맞은 말을 쓰시오.

> 볼품없는 겉모습을 보고 복수초가 맞는지 의심함.

↓

> 3월에 황량한 마당에 핀 샛노란 꽃 두 송이가 (   ) 보인다고 생각함.

↓

> 큰 눈을 이겨 낸 복수초의 생명력에 감탄함.

[3~4] 다음 글을 읽고 물음에 답하시오.

가 올해는 복수초가 1번이 되었지만 작년까지만 해도 산수유가 1번이었다. 곧 4월이 되면 목련, 매화, 살구, 자두, 앵두, 조팝나무 등이 다투어 꽃을 피우겠지만 그래도 조금씩 날짜를 달리해 순서대로 피면서 그 그늘에 제비꽃이나 민들레, 은방울꽃을 거느린다. 꽃이 제일 먼저 핀 것은 복수초이

지만 잎이 제일 먼저 흙을 뚫고 모습을 드러낸 것은 상사초이고 그다음이 수선화이다. 수선화는 벚꽃이 필 무렵에나 필 것 같고 상사초는 잎이 시들어 지상에서 사라지고 나서도 한참이나 더 있다가 꽃대를 밀어 올릴 것이다. 이렇게 그것을 기다리고 마중하다 보니 내 머릿속에 출석부가 생기게 되고, 출석부란 원래 이름과 함께 번호를 매기게 되어 있는지라 백 번이 넘는다는 걸 알게 되었다. 이름을 모르면 백 번이라는 숫자도 나오지 않았을 것이다. 그것들이 순서를 지키지 않고 멋대로 피고 지면 이름이 궁금하지 않았을지도 모른다.

나 내가 출석을 부르지 않아도 그것들은 올 것이다. 그래도 나는 그것들이 올해도 하나도 결석하지 않고 전원 출석하기를 바라기 때문에 그것들이 뿌리로, 씨로 잠든 땅을 함부로 밟지 못한다. 그것들이 왕성하게 자랄 여름에는 그것들이 목마를까 봐 마음 놓고 어디 여행도 못 할 것이다. 그것들은 출석할 때마다 내 가슴을 기쁨으로 뛰놀게 했다. 백 식구는 대식구이다. 나에게 그것들을 부양할 마당이 있다는 걸 생각만 해도 뿌듯한 행복감을 느낀다. 내가 이렇게 사치를 해도 되는 것일까. 괜히 송구스러울 때도 있다.

글쓴이의 태도와 정서 파악하기

3 이 글의 글쓴이에 대한 설명으로 적절하지 <u>않은</u> 것은?
빈출유형
① 마당에 핀 꽃들을 섬세하게 관찰한다.
② 사치스러운 지난 삶을 반성하고 있다.
③ 꽃들을 가족처럼 소중히 여기며 돌본다.
④ 꽃들과 함께하는 생활에서 기쁨을 느낀다.
⑤ 마당에 있는 꽃들의 이름과 꽃들이 피는 시기를 알고 있다.

감상의 적절성 평가하기

4 이 글을 읽고 보인 반응으로 적절하지 <u>않은</u> 것은?
① 자연물을 보호하기 위해 여행을 멀리해야겠어.
② 생명이 있는 모든 것을 조심스럽게 대해야겠어.
③ 주변의 존재들을 소중하게 여기는 마음을 갖고 싶어.
④ 꽃을 보면 무심히 지나치지 말고 세심히 관찰해 봐야겠어.
⑤ 글쓴이처럼 작고 소박한 것에서도 큰 기쁨을 느끼는 사람이 되고 싶어.

글쓴이의 상황과 정서 파악하기

5 다음 글의 글쓴이에 대한 설명으로 적절하지 <u>않은</u> 것은?

내 사랑하는, 날마다 보고 싶은 태성이

잘 있었니? 아빠가 있는 서울은 서늘해서 그림 그리기에 아주 알맞고 좋단다. 모두 사이좋게, 그리고 튼튼하게, 용감하게 하고 싶은 것을 열심히 해 주기 바란다.

이제 얼마 안 있으면 아빠가 너희들이 있는 미슈쿠로 갈 테니…… 태현이 형하고 사이좋게 기다려 다오.

아빠는 태현이와 태성이가 게와 물고기와 놀고 있는 그림을 또 그렸단다.

아빠 ㅈㅜㅇㅅㅓㅂ

▲ 이중섭, 〈두 아이와 물고기와 게〉

① 아이들을 격려하고 있다.
② 가족과 떨어져 지내고 있다.
③ 아이들에게 그리움을 느끼고 있다.
④ 아이들이 사이좋게 지내기를 바라고 있다.
⑤ 아이들을 만나지 못할까 봐 걱정하고 있다.

4_일 (5) 창의적 읽기

생각열기 앨리스는 글을 읽고 어떤 해결 방안을 생각해 냈을까?

4일 교과서 핵심 정리

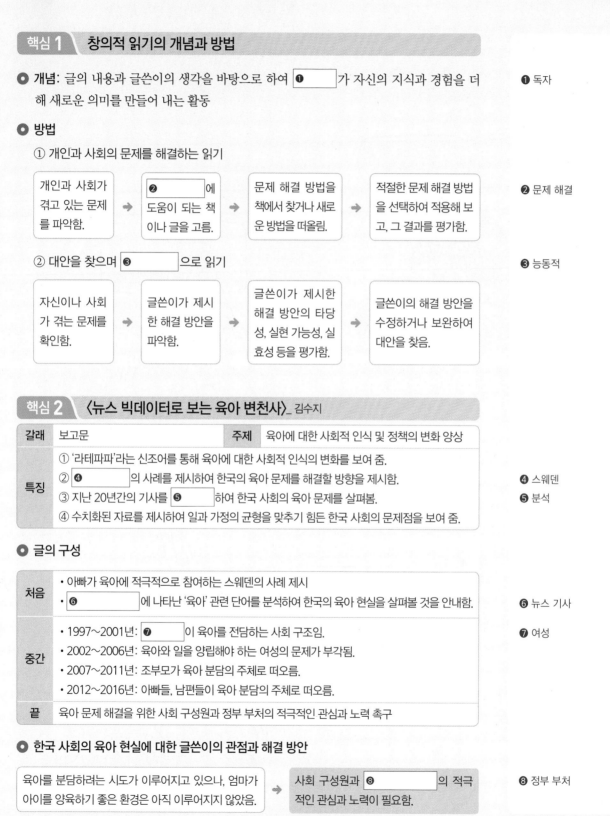

핵심 1 창의적 읽기의 개념과 방법

◉ **개념**: 글의 내용과 글쓴이의 생각을 바탕으로 하여 ❶   가 자신의 지식과 경험을 더해 새로운 의미를 만들어 내는 활동

❶ 독자

◉ **방법**

① 개인과 사회의 문제를 해결하는 읽기

| 개인과 사회가 겪고 있는 문제를 파악함. | → | ❷   에 도움이 되는 책이나 글을 고름. | → | 문제 해결 방법을 책에서 찾거나 새로운 방법을 떠올림. | → | 적절한 문제 해결 방법을 선택하여 적용해 보고, 그 결과를 평가함. |

❷ 문제 해결

② 대안을 찾으며 ❸   으로 읽기

❸ 능동적

| 자신이나 사회가 겪는 문제를 확인함. | → | 글쓴이가 제시한 해결 방안을 파악함. | → | 글쓴이가 제시한 해결 방안의 타당성, 실현 가능성, 실효성 등을 평가함. | → | 글쓴이의 해결 방안을 수정하거나 보완하여 대안을 찾음. |

핵심 2 〈뉴스 빅데이터로 보는 육아 변천사〉_ 김수지

갈래	보고문		주제	육아에 대한 사회적 인식 및 정책의 변화 양상
특징	① '라테파파'라는 신조어를 통해 육아에 대한 사회적 인식의 변화를 보여 줌. ② ❹ 의 사례를 제시하여 한국의 육아 문제를 해결할 방향을 제시함. ③ 지난 20년간의 기사를 ❺ 하여 한국 사회의 육아 문제를 살펴봄. ④ 수치화된 자료를 제시하여 일과 가정의 균형을 맞추기 힘든 한국 사회의 문제점을 보여 줌.			

❹ 스웨덴

❺ 분석

◉ **글의 구성**

처음	• 아빠가 육아에 적극적으로 참여하는 스웨덴의 사례 제시 • ❻ 에 나타난 '육아' 관련 단어를 분석하여 한국의 육아 현실을 살펴볼 것을 안내함.
중간	• 1997~2001년: ❼ 이 육아를 전담하는 사회 구조임. • 2002~2006년: 육아와 일을 양립해야 하는 여성의 문제가 부각됨. • 2007~2011년: 조부모가 육아 분담의 주체로 떠오름. • 2012~2016년: 아빠들, 남편들이 육아 분담의 주체로 떠오름.
끝	육아 문제 해결을 위한 사회 구성원과 정부 부처의 적극적인 관심과 노력 촉구

❻ 뉴스 기사

❼ 여성

◉ **한국 사회의 육아 현실에 대한 글쓴이의 관점과 해결 방안**

| 육아를 분담하려는 시도가 이루어지고 있으나, 엄마가 아이를 양육하기 좋은 환경은 아직 이루어지지 않았음. | → | 사회 구성원과 ❽   의 적극적인 관심과 노력이 필요함. |

❽ 정부 부처

4일

1 다음은 창의적 읽기에 대한 설명이다. ㉠, ㉡에 들어갈 알맞은 말을 쓰시오.

> 창의적 읽기란 글의 내용과 글쓴이의 생각을 바탕으로 하여 독자가 자신의 지식과 경험을 더해 새로운 (㉠)을/를 만들어 내는 활동이다. 독자는 창의적 읽기를 통해 자신만의 (㉡)인 생각을 구성할 수 있다.

• ㉠: _____   • ㉡: _____

2 다음 중 창의적 읽기의 방법과 거리가 먼 것은?

① 문제 해결에 도움이 되는 책이나 글을 고른다.
② 문제를 해결하는 적절한 방법을 책에서 찾아본다.
③ 자신이 선택한 해결 방법을 적용해 보고, 그 결과를 평가한다.
④ 글에서 공감하거나 감동을 느낀 부분을 찾아 그 의미를 생각해 본다.
⑤ 글쓴이가 제시한 해결 방안을 수정하거나 보완하여 대안을 생각해 낸다.

3 다음은 〈뉴스 빅데이터로 보는 육아 변천사〉에서 스웨덴과 한국의 육아 현실을 대조한 내용이다. ⓐ, ⓑ에 들어갈 알맞은 말을 쓰시오.

스웨덴		한국
육아에 적극적으로 참여하는 (ⓐ)이/가 존재함.	↔	(ⓑ)이/가 홀로 육아를 도맡아 옴.

• ⓐ: _____   • ⓑ: _____

4 밑줄 친 시기의 한국 사회의 육아 현실에 대한 설명으로 적절하지 <u>않은</u> 것은?

> <u>2007년부터 2011년까지</u> 특징적인 변화는 조부모가 육아 분담의 주체로 새로이 떠올랐다는 점이다. 이와 관련해 '조부모', '맞벌이 부부', '고령화' 같은 단어가 연관 단어로 함께 추출됐다. 맞벌이 부부가 늘어나면서 조부모가 아이를 돌보는 황혼 육아가 새로운 육아 방식으로 떠올랐다. 결혼한 자녀가 육아에 도움을 받으려고 부모 집과 가까운 곳에 살림을 꾸리는 사례도 늘었다. 황혼 육아를 바라보는 시각은 둘로 나뉜다. 한국 사회에서 빠르게 진행되고 있는 저출산 문제와 고령화 문제를 동시에 풀 실마리가 된다는 의견과 함께, 다시 겪는 육아 때문에 생기는 노년층의 '번아웃 증후군'을 조심해야 한다는 우려도 있었다.

① 조부모가 육아 분담의 주체로 떠올랐다.
② 황혼 육아가 새로운 육아 방식으로 떠올랐다.
③ 육아를 위해 부모와 가까운 곳에 사는 자녀가 늘어났다.
④ 육아에 따른 번아웃 증후군을 호소하는 중년층이 늘었다.
⑤ '조부모', '맞벌이 부부', '고령화'가 연관 단어로 추출됐다.

5 〈뉴스 빅데이터로 보는 육아 변천사〉의 글쓴이가 제시한 육아 문제 해결 방안으로 맞으면 ○, 틀리면 × 표시를 하시오.

(1) 남성이 육아의 주체가 되어야 한다. ( )
(2) 엄마가 아이를 양육하기 좋은 환경으로 나아가기 위해 사회 구성원과 정부 부처가 적극적으로 관심을 갖고 노력해야 한다. ( )

[1~3] 다음 글을 읽고 물음에 답하시오.

가 '라테파파'라는 말이 있다. 한 손에는 카페라테를 들고 다른 손으로는 유모차를 끄는 아빠를 뜻하는 말로, 육아에 적극적으로 참여하는 아빠를 의미하는 신조어이다. 실제로 라테파파가 존재하는 대표적인 국가는 바로 스웨덴이다. 스웨덴에서는 남성 육아 휴직제 사용률이 90퍼센트에 달하고, 오후 네 시면 아빠가 퇴근해 아이들을 함께 돌본다. 그에 반해 한국에서는 육아 문제를 엄마들이 도맡아 왔다. 한국의 엄마들은 홀로 아이들을 키우느라 주위도 챙기지 못한 채 정신없이 살아왔다.

나 한국 사회의 육아 현실을 뉴스 빅데이터로 뽑아 보았다. 우리 사회에서는 라테파파가 불가능한 것인지, 이때껏 한국 사회에서 다루어 온 육아 담론은 무엇이었는지 지난 20년간
_{이야기를 주고받으며 논의함.}
의 기사를 '빅 카인즈'를 통해 분석하였다. 1997년부터 2016
_{뉴스 빅데이터 분석 서비스. 뉴스 속 쟁점의 흐름, 핵심어 경향, 연관어 등을 살펴볼 수 있음.}
년까지 5년 단위로 구분하여 육아와 관련한 기사 속 연관 단어의 변화를 빅 카인즈 '워드 클라우드'로 살펴보자.
_{글 또는 자료에서 언급한 핵심 단어를 시각화하는 기법}

다 20년간 육아와 관련한 담론에는 '여성'이 중심에 있다고 말할 수 있다. 그러나 최근에는 여성이 책임지는 돌봄 구조를 '조부모', 혹은 '아빠들'이 분담하려는 시도가 이루어지고 있다. '라테파파'라는 신조어가 자주 쓰이기 시작한 것도 이같은 변화를 반영한다. 물론 이는 반쪽짜리 변화이다. 뉴스에 '아빠'라는 단어가 많이 등장했다고 해서 우리 사회가 엄마들이 아이를 양육하기 좋은 환경으로 바뀐 것이라 단정할 수는 없다.

글의 내용 파악하기

1 **이 글의 내용과 일치하지 않는 것은?**
빈출유형

① 한국에서는 육아를 엄마들이 도맡아 왔다.
② 한국에서는 '라테파파'를 쉽게 만날 수 있다.
③ 스웨덴에서는 남성이 육아에 적극적으로 참여한다.
④ 스웨덴의 남성 육아 휴직제 사용률은 90퍼센트에 달한다.
⑤ 최근 한국에서는 양육 책임을 분담하려는 시도가 이루어지고 있다.

글의 내용 추론하기

2 **나 와 다 사이에 들어갈 내용으로 가장 적절한 것은?**

① 한국과 스웨덴의 육아 현실
② 세계 여러 나라의 육아 문제
③ 육아 문제와 관련된 전문가의 조언
④ 한국 사회의 육아 현실과 그 변화 양상
⑤ 육아 문제 해결을 위해 정부가 맡은 역할

글쓴이의 의도 파악하기

3 다음은 글쓴이와의 가상 인터뷰이다. 밑줄 친 부분에 들어갈 적절한 내용을 〈조건〉에 맞게 서술하시오.
서술유형

> 가 에서 스웨덴의 사례를 소개한 의도가 무엇인가요?

> 남성이 육아에 적극적으로 참여하는 사례를 소개하여 _____ _____을/를 부각하고, 문제 해결 방향을 제시하려 했습니다.

> ┌─── 조건 ───
> 스웨덴의 사례를 통해 부각되는 한국 사회의 문제를 구체적으로 서술할 것

[4~6] 다음 글을 읽고 물음에 답하시오.

'여성'에서 '여성 근로자'로

가 20년간 빠짐없이, 가장 빈번하게 등장한 핵심어는 역시 '엄마들', '여성들'과 같은 여성 관련 단어였다. 육아와 돌봄을 여성이 전담하는 사회 구조가 반영된 결과이다. 여성이 육아의 주체로 자리하는 가운데 '조부모' 혹은 '아빠'와 같은 육아 분담의 대상이 부각되거나, 육아 보장 정책과 관련 기관이 관심사로 떠오르는 양상이었다.

나 ㉠1997년부터 2001년까지 육아와 관련해 가장 많이 쓰인 핵심어는 '여성들'이었다. 이 시기에 '고용 보험 기금'이라는 단어도 눈에 띄는데, 이는 육아 휴직 시 고용 기금에서 임금의 30퍼센트를 보조금으로 지급하는 것을 골자로 한 모성 보호법 개정안이 <u>의결</u>된 데 따른 것이었다. '출산 휴가' 기간

<small>말이나 일의 내용에서 중심이 되는 줄기를 이루는 것</small>
<small>의논하여 결정함. 또는 그런 결정</small>

을 늘리는 등 여성의 육아 부담을 사회적으로 분담하고자 하는 시도가 이루어진 시기이기도 하다.

다 ㉡2000년대 초반부터 중반까지는 '여성들'이라는 단어보다 '여성 근로자'라는 단어가 더 많이 사용된 시기이다. 여성의 경제 활동 참여가 활발해지면서 '육아와 일을 어떻게 <u>양립</u>할 것인가?'가 사회적 고민으로 떠올랐다. 이와 관련해

<small>두 가지가 동시에 따로 성립함.</small>

'노동부' 또한 주요 핵심어로 떠올랐다. 이 시기에는 육아 휴직 기간 확대, 직장 보육 시설 설치 등 다양한 정부 정책이 나왔지만, 실제 근로 환경에는 적용되지 않는 등 정책과 사업장 간의 온도 차가 문제가 되기도 했다.

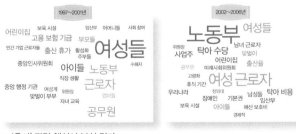

▲ '육아' 관련 핵심어 분석 결과

내용 전개 방식 파악하기

4
빈출
유형
이 글의 내용 전개 방식으로 가장 적절한 것은?

① 정의의 방식으로 화제를 제시하고 있다.
② 대조적인 두 집단의 특성을 비교하고 있다.
③ 서로 다른 두 대상의 공통점을 나열하고 있다.
④ 구체적인 예를 통해 일반적인 원리를 도출하고 있다.
⑤ 시간의 흐름에 따른 대상의 변화 양상을 살피고 있다.

글의 내용 파악하기

5
빈출
유형
㉠과 ㉡ 시기의 육아 현실과 관련된 설명으로 적절하지 않은 것은?

① ㉠ 시기에 육아와 관련하여 가장 많이 쓰인 핵심어는 '여성들'이었다.
② ㉠ 시기에는 여성의 육아 부담을 사회적으로 분담하려는 시도가 이루어졌다.
③ ㉡ 시기에는 육아와 일의 양립 문제가 사회적 고민으로 떠올랐다.
④ ㉡ 시기에는 육아와 관련된 다양한 정부 정책이 근로 현장에 정착되었다.
⑤ ㉠과 달리 ㉡ 시기에는 '여성 근로자'라는 단어가 '여성들'이라는 단어보다 더 많이 사용되었다.

글쓴이의 의도 파악하기

6
글쓴이가 이 글을 쓰기 위해 떠올렸을 생각으로 적절한 것을 모두 골라 묶은 것은?

ⓐ 소제목을 붙여서 독자의 이해를 도와야겠어.
ⓑ 현재 육아 정책이 지닌 한계를 강력히 비판해야겠어.
ⓒ 개인적인 경험담을 공유해서 공감을 이끌어 내야겠어.
ⓓ 핵심어 분석 결과를 시각 자료로 제시해서 독자의 관심을 유발해야겠어.

① ⓐ, ⓑ   ② ⓐ, ⓒ   ③ ⓐ, ⓓ
④ ⓑ, ⓓ   ⑤ ⓒ, ⓓ

[7~9] 다음 글을 읽고 물음에 답하시오.

가 2007년부터 2011년까지 특징적인 변화는 조부모가 육아 분담의 주체로 새로이 떠올랐다는 점이다. 이와 관련해 '조부모', '맞벌이 부부', '고령화' 같은 단어가 연관 단어로 함께 추출됐다. 맞벌이 부부가 늘어나면서 조부모가 아이를 돌보는 황혼 육아가 새로운 육아 방식으로 떠올랐다.

나 ㉠2012년에서 2016년에는 '아빠들'이 육아 분담의 주체로 떠올랐다. 아빠들이 육아에 참여하는 모습이 대대적으로 방송을 타기도 했다. 이와 관련해 '아빠들', '남편들' 같은 단어가 주요 연관 단어로 뽑혔다. 하지만 방송 속 모습과 달리, 아빠가 실제로 육아에 적극적으로 참여하기에는 여건이 한참이나 부족하다는 비판이 나온다. 한국의 연간 노동 시간은 2,113시간으로, 경제 협력 개발 기구(OECD) 회원국 중 2위이다(2015년 기준). 경제 협력 개발 기구의 평균 연간 노동 시간인 1,766시간보다 347시간이나 더 길다. 야근이 일상인 이 시대에 아빠들은 일과 가정의 균형을 맞출 수 없다고 하소연한다. 이러한 사회 구조적 문제와 맞물려 '고용노동부'와 '여성가족부' 등 관련 부처가 연관 단어로 뽑히기도 했다.

다 20년간 육아와 관련한 담론에는 '여성'이 중심에 있다고 말할 수 있다. 그러나 최근에는 여성이 책임지는 돌봄 구조를 '조부모', 혹은 '아빠들'이 분담하려는 시도가 이루어지고 있다. 〈중략〉 뉴스에 '아빠'라는 단어가 많이 등장했다고 해서 우리 사회가 엄마들이 아이를 양육하기 좋은 환경으로 바뀐 것이라 단정할 수는 없다. 다만 언론을 비롯한 사회의 관심이 엄마에게 육아의 모든 책임을 전가하는 게 아닌, 육아를 사회적으로 분담하는 쪽으로 바뀌고 있다는 정도로 맥락을 읽을 수 있을 것이다. 이 반쪽의 변화를 온전한 변화로 바꾸는 것은 사회 구성원과 정부 부처의 적극적인 관심과 노력일 것이다. 라테파파가 가능해질 그날을 기대해 본다.

글의 내용 파악하기

7 ㉠ 시기에 대한 설명으로 적절하지 <u>않은</u> 것은?

빈출유형

① 아빠들이 육아 분담의 주체로 떠올랐다.
② '아빠들', '남편들'이 주요 연관 단어로 뽑혔다.
③ 아빠들이 일과 가정의 균형을 맞추기 어려워했다.
④ 방송에 육아에 참여하는 아빠의 모습이 자주 나왔다.
⑤ 실제 가정에서도 아빠들이 육아에 적극적으로 참여했다.

감상의 적절성 평가하기

8 이 글을 읽고 떠올린 생각으로 적절하지 <u>않은</u> 것은?

① 남성들도 육아를 분담하기 위해 노력해야 해.
② 우리나라에서 육아의 주체는 오랫동안 여성이었군.
③ 남성의 육아 참여를 높이려면 노동 시간이 줄어야 할 것 같아.
④ 황혼 육아는 경제 활동을 하는 노년층의 증가라는 사회 구조적 변화와 관련 있군.
⑤ 개인의 노력만으로는 엄마가 육아를 전담해야 하는 상황을 해결하기 어려운 것 같아.

글쓴이의 관점 파악하기

9 **다** 의 내용을 다음과 같이 정리할 때, 괄호 안에 들어갈 적절한 내용을 〈조건〉에 맞게 서술하시오.

서술유형

현재 상황	육아를 사회적으로 분담하려는 인식과 분위기가 형성되었지만 실제 양육 환경이 좋아지지는 않았음.

↓

해결 방안	현재의 변화에 그치지 않고 실제로 아이를 양육하기 좋은 환경으로 변화하기 위해 ( )

┌─────── 조건 ───────
· **다** 의 내용을 바탕으로 하여 서술할 것
· '~해야 한다.'의 문장 형식으로 서술할 것

[10~12] 다음 글을 읽고 물음에 답하시오.

안전한 마을 만들기는 재난이나 사고가 발생하여 피해를 보았을 때 이를 해결하기 위한 대책을 마련하고 사업을 추진하는 일련의 과정, 즉 '발생 – 피해 – 사업 추진'의 각 단계에서 파악되어야 할 사항들을 중심으로 하여 유형화할 수 있다.

첫째, 안전한 마을 만들기는 재난 및 사고의 발생 측면에서 지역 사회를 위협하는 안전상의 위해 요인, 즉 재난 및 사고 유형에 따라 구분할 수 있다. 특정 재난이나 사고에 한정되지 않고 복수의 재난 및 사고 유형에 모두 적용될 수 있는 '공통형'을 비롯하여, '재난 안전형', '화재 안전형', '교통안전형', '생활 안전형', '범죄 예방형'으로 분류할 수 있다. 도식화하면 다음과 같다.

공통형	잠재적인 모든 재난 및 사고 유형에 적용됨.
재난 안전형	자연재해, 시설물 붕괴 등 인적 재난
화재 안전형	화재, 폭발 등
교통안전형	자동차 사고, 자전거 사고 등
생활 안전형	추락, 갇힘, 산악 사고, 음식물 사고 등
범죄 예방형	강력 범죄를 비롯한 생활 주변 범죄

둘째, 안전한 마을 만들기는 재난 및 사고에 따른 피해 측면에서 피해에 취약한 지역이나 인구 집단을 중심으로 하여 구분할 수 있다. 대상 지역의 특성에 따라서는 '주거지형'과 '중심지형'으로 나눌 수 있다. 대상 인구 집단에 따라서는 어린이, 청소년, 노인, 여성 등 특정 취약 인구 집단을 대상으로 하는 '취약 집단 중심형'과 불특정 지역 주민 전체에 걸쳐 안전을 도모하고자 하는 '지역 주민 일반형'으로 분류할 수 있다.

끝으로, 안전한 마을 만들기의 사업 추진은 기본적으로 주민들의 적극적인 참여를 전제로 하지만, 사업 추진 주체로서 누가 중심이 되는가에 따라 '주민 주도형'과 '민관 협력형'으로
_{민간과 관공(국가와 지방 공공 단체)을 아울러 이르는 말}
로 분류할 수 있다.

글의 주제 파악하기

10 이 글의 주제로 가장 적절한 것은?

① 안전한 마을 만들기의 개념
② 안전한 마을 만들기의 유형
③ 안전한 마을 만들기의 필요성
④ 안전한 마을 만들기의 사업 추진 주체
⑤ 마을에 재난이나 사고가 발생하는 이유

구체적 사례나 상황에 적용하기

11
빈출유형
'재난 및 사고의 발생 측면'을 고려할 때, 〈보기〉의 사례에 해당하는 안전한 마을 만들기의 유형은?

→ 보기 →

맑음마을에는 자전거 전용 도로가 중간에 끊어져 차도와 겹치는 구간이 있었다. 자전거를 타고 이 구간을 지나가다가 미처 차량을 발견하지 못하면 큰 사고가 발생할 수 있다는 점을 고려하여, 맑음마을은 해당 구간에 자전거 전용 도로를 만들어 자전거 전용 도로와 차도를 명확히 구분하는 공사를 시행했다.

① 재난 안전형   ② 화재 안전형
③ 교통안전형   ④ 생활 안전형
⑤ 범죄 예방형

글의 내용 파악하기

12
서술유형
다음 학생의 질문에 대한 답을 이 글에서 찾아 3어절로 쓰시오.

안전한 마을 만들기를 '주거지형'과 '중심지형'으로 나누는 기준은 대상 지역의 특성이구나. 그럼 '주민 주도형'과 '민관 협력형'으로 나누는 기준은 뭘까?

5 일 (1) 인문·예술 분야의 글 읽기

생각 열기 인문·예술 분야의 글에는 어떤 내용이 담겨 있을까?

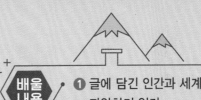

핵심 1 인문·예술 분야의 글 읽기

● 인문·예술 분야의 글의 특성과 이러한 글을 읽는 방법

인문·예술 분야의 글의 특성	인문·예술 분야의 글을 읽는 방법
• 인문학적 세계관, 예술과 삶의 문제를 대하는 인간의 태도, 인간에 대한 성찰 등이 담겨 있음. • 인간과 세계에 대한 글쓴이의 개성적인 관점과 시각이 드러나 있음.	글에 담긴 인간과 세계에 대한 **❶** 을 정확하게 파악해야 함.

❶ 관점

핵심 2 〈르누아르, 삶의 기쁨을 노래하다〉_ 박혜원

갈래	설명문		주제	르누아르의 그림과 낙관적인 예술 철학
특징	① 르누아르의 여러 작품을 예로 들어 설명하여 독자의 이해를 도움. ② 화가의 **❷** 과 작품 세계를 관련지어 설명함.			

❷ 삶

● 르누아르의 예술 철학

'그림은 영혼을 씻어 주는 환희의 선물'이어야 한다.	예술에 대한 열정과 **❹** 인 예술 철학으로 삶의 고통을 극복했기에 '진정한 행복'의 모습을 그릴 수 있었음.
• 그림은 언제나 **❸** 과 즐거움을 주어야 함. • 그림은 고통의 연속인 인간의 삶을 위로해 주어야 함.	

❸ 행복

❹ 낙관적

핵심 3 〈순자의 성악설〉_ 김교빈·이현구

갈래	설명문		주제	순자의 성악설에서 설명한 인간의 마음 작용
특징	① **❺** 인 관점을 지닌 맹자의 주장과 비교하여 차이점을 부각함. ② 구체적인 상황을 가정하여 예를 듦으로써 대상에 대한 독자의 이해를 도움.			

❺ 대조적

● 순자와 맹자의 주장 비교

	순자	맹자
공통점	인간의 본성을 **❻** 인 것으로 봄.	
차이점	인간의 본성은 악함.(성악설)	인간의 본성은 선함.(성선설)

❻ 선천적

● 순자가 주장한 '인간의 마음 작용'의 네 단계

성(性)	정(情)	려(慮)	위(僞)
생리적·감각적 본성	외부 사물과 만나서 생기는 **❼**	행위를 선택하려는 사고 작용	선택 후 실행해 나가는 의지적 **❽**

❼ 감정

❽ 실천

1 다음은 〈르누아르, 삶의 기쁨을 노래하다〉에 제시된 르누아르의 그림들이다. 각 그림에 대한 글쓴이의 감상을 〈보기〉에서 골라 괄호 안에 그 기호를 쓰시오.

(1)
▲ 〈기타를 연주하는 스페인 소녀〉
(   )

(2)
▲ 〈화병의 꽃〉
(   )

━━━ 보기 ━━━
㉠ 사랑스럽고 생기 넘치는 소녀의 존재 자체가 '생의 예찬'이다.
㉡ 밝은 색채에서는 삶의 기쁨이, 붉은 기가 도는 포동포동한 소녀에게서는 싱그러운 젊음이 느껴진다.
㉢ 비록 죽음의 순간이 올지라도 이 순간만은 아름다움과 매혹적인 향기로 기쁨과 희망을 안겨 주는 꽃에 대한 예찬이다.
㉣ 사랑하는 여인을 그리듯 애정 어린 붓 터치로 그린 꽃은 알록달록 채색한 솜사탕과 같고, 풍성하고 푹신한 느낌을 전해 준다.

2 다음은 르누아르의 예술 철학에 관한 설명이다. 밑줄 친 부분의 의미로 알맞은 것은?

'그림은 영혼을 씻어 주는 환희의 선물'이어야 한다는 그의 진지하고 낙관적인 예술 철학은 실로 깊은 감동을 준다.

① 그림은 인간의 실제 삶을 반영해야 한다.
② 그림은 인간의 꿈과 이상을 담고 있어야 한다.
③ 그림은 감상자에게 행복과 즐거움을 줘야 한다.
④ 그림의 가치는 작가가 겪은 고통이 클수록 높아진다.
⑤ 그림은 현실적 문제를 해결하는 데 도움이 되어야 한다.

3 인간의 본성에 대한 순자와 맹자의 철학으로 적절한 것은?

① 순자는 인간의 본성이 선하다고 보았다.
② 맹자는 인간의 본성이 악하다고 보았다.
③ 맹자는 노력을 통해 도덕성을 갖출 수 있다고 생각했다.
④ 순자와 맹자는 모두 인간의 본성을 선천적인 것으로 보았다.
⑤ 순자와 맹자는 모두 군자와 백성의 도덕성은 서로 다르지 않다고 생각했다.

4 순자가 주장한 인간의 마음 작용의 네 단계를 바르게 연결하시오.

(1) 성 •　　　• ㉠ 감정이 생긴 후 행위를 선택하려는 사고 작용

(2) 정 •　　　• ㉡ 삶의 자연스러운 본질이자 날 때부터 지닌 본성

(3) 려 •　　　• ㉢ 밖에 있는 사물들과 본성이 만나서 생기는 감정

(4) 위 •　　　• ㉣ 선택이 끝난 뒤 실행해 나가는 의지적인 실천

5 다음 상황이 순자가 주장한 인간의 마음 작용 중 어떤 단계에 해당하는지 각각 쓰시오.

(1) _____

(2) _____

[1~3] 다음 글을 읽고 물음에 답하시오.

가 19세기 중·후반 프랑스에서는 고전적인 엄격한 규율을 _{전통적이고 보수적인 입장을 고수하고자 하는 학풍이나 관료적인 학문 태도} 요구하는 사실주의 화풍의 아카데미즘을 벗어나 한층 더 자 _{일반적으로 현실을 있는 그대로 묘사·재현하려고 하는 창작 태도} 유로운 표현을 찾는 다양한 미술 운동이 일어났는데, 그중 하 나가 인상주의이다. 대표적인 인상주의 화가에는 피사로, 모 _{19세기 후반 프랑스에서 일어난 근대 미술의 한 경향} 네, 드가, 시슬레 그리고 르누아르가 있다. 르누아르(Renoir, Pierre-Auguste, 1841~1919)는 본차이나로 유명한 프랑스 _{도자기의 한 종류. 주로 실내 장식물로 많이 쓰이는 영국식 자기} 리모주의 가난한 집안 출신으로, 리모주 자기(瓷器) 화공으 _{진흙으로 빚어서 아주 높은 온도로 구운 그릇} 로 그림에 입문한 이후 평생 소박하고 성실한 장인 정신으로 작업에 임했으며 오로지 회화의 본질에 충실하고자 하였다. 나이 40세가 넘어 명성을 얻고 경제적 여유가 생긴 후에도 그는 규칙적이고 정돈된 삶을 살았다. 그는 카페, 공원, 거실, 무도회장 등 마치 골목길에서 마주칠 것 같은 일상생활과 사 람들의 모습을 화폭에 담아냈다.

나 ㉠〈피아노 치는 두 소녀〉는 프랑스 정부에서 파리 룩셈 부르크 미술관에 전시하기 위해 의뢰한 작품으로, 미완성작 인 이 그림에서 배경의 거친 붓 터치와 여백은 전경의 두 소 녀를 더욱 돋보이게 해 주고 화면에 생기를 불어넣어 주고 있다. 흰 드레스를 입은 긴 머리의 소녀는 오른손으로는 피 아노 건반을 치고, 왼손으로는 악보를 잡고 읽는 데 열중하 고 있다. 그녀 옆에는 오른손으로는 의자 등을 잡고, 왼쪽 팔 꿈치는 피아노에 기대고 손으로 턱을 괸 채 앞의 소녀와 함 께 악보를 읽고 있는 갈색 머리의 소 녀가 있다. 이 두 소녀의 정답고 사랑 스러운 모습은 우리의 마음을 사로잡 는다. 배경의 추상적인 붓 터치는 여 기 어여쁜 소녀들의 앞에 펼쳐질 미지 의 세계를 향한 순수한 꿈의 선율을 들려주고 있는 듯하다.

▲〈피아노 치는 두 소녀〉

1 이 글에 대한 설명으로 적절하지 **않은** 것은?
_{빈출유형}
① 르누아르가 그린 작품을 묘사하고 있다.
② 사실주의 화풍과 인상주의 화풍의 차이점을 밝히고 있다.
③ 인상주의 화풍이 나타나게 된 시대적 배경을 설명하고 있다.
④ 르누아르가 그린 작품에 대한 글쓴이의 주관적 감상을 드러내고 있다.
⑤ 전문가의 말을 인용하여 르누아르의 작품에 담긴 의미를 설명하고 있다.

글의 내용 파악하기

2 '르누아르'에 대한 설명으로 적절하지 **않은** 것은?
① 리모주의 자기 화공으로 그림에 입문했다.
② 명성을 얻은 뒤에도 규칙적이고 정돈된 삶을 살았다.
③ 피사로, 모네, 드가, 시슬레와 유사한 화풍의 그림을 그렸다.
④ 주변에서 쉽게 마주칠 수 있는 일상생활과 사람들의 모습을 표현했다.
⑤ 부유한 집안에서 태어났지만 평생 소박하고 성실한 태도로 그림을 그렸다.

글의 내용 파악하기

3 다음은 ㉠을 감상한 글쓴이의 메모이다. 이 글의 내용으로 보아 적절하지 **않은** 것은?
_{빈출유형}

> • 화면에서 생기가 느껴지는군. ·················· ①
> • 두 소녀의 모습이 정답고 사랑스럽군. ·············· ②
> • 배경의 거친 붓 터치와 여백이 두 소녀를 돋보이게 해 주는군. ·················· ③
> • 피아노 연주를 완성하기 위한 소녀들의 고뇌를 생생히 느낄 수 있군. ·················· ④
> • 배경의 추상적인 붓 터치는 미지의 세계를 향한 순수한 꿈의 선율을 들려주는 듯하군. ·············· ⑤

구절의 의미 이해하기

4 다음 글을 읽고 ㉠의 이유를 〈조건〉에 맞게 서술하시오.
서술
유형

> '그림은 영혼을 씻어 주는 환희의 선물'이어야 한다는 그의 진지하고 낙관적인 예술 철학은 실로 깊은 감동을 준다. 하지만 그가 밝고 행복한 그림들을 그릴 수 있었던 것은 이 세상에서의 고통을 체험하지 않아서가 아니라 자신이 처한 온갖 경제적, 육체적, 정신적 고통을 예술로 승화시켜 극복했기 때문이다. 그는 1890년도 초부터 류머티즘으로 손가락이 비틀어져 붓을 손목에 묶고 작업하였으며 그 후에는 퇴행성 류머티즘 증세가 심해져 다리가 마비되어 휠체어에 의존하면서도 손에서 붓을 놓지 않았다. 또한 그의 어린 두 아들이 제1차 세계 대전에서 부상을 입고 부인 알린이 당뇨병으로 사망하여 홀로 남게 된 순간에도 그가 고통을 극복할 수 있었던 것은, 그의 영원한 동반자이자 삶의 의미인 그림이 있었기 때문이다. 곧 그 자신이 가장 깊은 고통을 겪었기에 그는 ㉠'진정한 행복'의 모습을 그릴 수 있었다.

● 조건 ●
• 르누아르의 예술 철학을 포함하여 서술할 것
• '르누아르는 ~(이)기 때문에 진정한 행복의 모습을 그릴 수 있었다.'의 문장 형식으로 서술할 것

[5~6] 다음 글을 읽고 물음에 답하시오.

순자는 인간의 본성을 악하다고 했습니다. 그러면 무슨 근
중국 전국 시대 조나라의 사상가
거로 인간의 본성을 악하다고 한 것일까요? 순자도 맹자와
중국 전국 시대의 사상가로, 성선설을 주장했음.
마찬가지로 인간의 본성을 선천적인 것으로 규정합니다. 본
성이란 배우거나 노력해서 만들어지는 것이 아니라는 것입니다. 그렇지만 인간의 도덕적인 측면에 주목한 맹자와 달리
순자는 배고프면 먹고 싶고, 추우면 따뜻하게 하고 싶고, 피곤하면 쉬고 싶은 인간의 자연적이고 생리적인 욕구에 주목

했습니다. 이 욕구는 귀가 좋은 소리를 듣고 싶어 하고 눈이 좋은 빛깔을 보고 싶어 하는 것 같은, 감각 기관의 이기적 욕구와도 통합니다. 순자는 이러한 생리적 욕구를 바탕으로 한 이기심이 누구에게나 있다고 생각했습니다. 그리고 이 욕구대로 간다면 다툼이 생길 수밖에 없다는 것입니다.

순자가 볼 때 이러한 인간의 본성이 그대로 나타난 것이 춘추 전국 시대의 혼란이었습니다. 그래서 인간의 본성을 악하다고 한 것입니다. 그러나 실제로는 사람들이 악한 행위만 하는 것은 아닙니다. 오히려 그 반대로 행동하는 경우가 얼마든지 있습니다. 그렇다면 이처럼 스스로 자신의 악한 본성을 거스르는 착한 행위는 어디에서 오는 것일까요?

내용 전개 방식 파악하기

5 이 글에 대한 설명으로 가장 적절한 것은?
빈출
유형

① 서로 다른 두 대상의 공통점을 나열하고 있다.
② 시간의 흐름에 따른 대상의 변화를 설명하고 있다.
③ 묻고 답하는 방식을 사용하여 내용을 전개하고 있다.
④ 글쓴이의 개인적 경험을 제시하여 독자의 공감을 유도하고 있다.
⑤ 현실의 문제를 제시하고 이를 해결하기 위한 방법을 모색하고 있다.

글의 내용 파악하기

6 '순자'와 '맹자'의 관점을 다음과 같이 정리할 때, 괄호 안
서술 에 들어갈 알맞은 말을 이 글에서 찾아 2어절로 쓰시오.
유형

순자	공통적인 관점	맹자
인간의 생리적 욕구에 주목함.	인간의 본성은 (　　　)임.	인간의 도덕적 측면에 주목함.

교과서 기출 베스트

[7~10] 다음 글을 읽고 물음에 답하시오.

가 순자는 인간의 마음 작용을 성(性), 정(情), 려(慮), 위(僞) 의 네 부분으로 나누었습니다. 이 네 부분은 마음이 움직이는 순서이기도 합니다. 이 네 단계가 구체적으로 무엇이며, 어떻 게 작용하는지를 살펴봅시다.

첫 단계인 ㉠'성'은 사람의 가장 기본적인 부분으로서, 삶 의 자연스러운 본질이자 날 때부터 지닌 본성입니다. 앞에서 보았듯이 배고프면 먹고 싶고, 목마르면 마시고 싶고, 피곤 하면 쉬고 싶은 생리적 본성입니다. 둘째 단계인 ㉡'정'은 밖 에 있는 사물들과 만나서 생기는 감정입니다. 좋다, 나쁘다, 노엽다, 슬프다, 즐겁다 하는 것들이 여기에 해당합니다. 셋 째 단계인 ㉢'려'는 구체적인 감정이 생긴 뒤에 어떻게 할 것 인가를 선택하는 문제입니다. 사람의 사고 작용에 해당하는 셈입니다. 넷째 단계인 ㉣'위'는 선택이 끝난 뒤 실행해 나가 는 의지적인 실천입니다.

나 순자가 인간의 본성을 악하다고 보았다고 해서 본성대 로 살자고 한 것은 아닙니다. 그에게는 의지적 실천을 통해 본성이 가져올 악한 결과를 어떻게 변화시켜 나갈 것인가가 문제였습니다. 따라서 순자의 철학은 '위'에 그 가치가 있으 며, 그런 점에서 순자의 철학은 의지에 기초한 실천 철학이 라고 할 수 있습니다.

다 순자는 어떤 사람인가를 구분하지 않고 모든 사람의 본 성이 악하다고 합니다. 가장 훌륭한 사람의 표본이었던 요순
_{고대 중국의 요임금과 순임금을 아울러 이르는 말}
의 본성과 가장 악한 사람의 표본이었던 걸 임금이나 도척의
_{중국 하나라의 마지막 왕. 폭군의 전형으로 불림.} └ _{중국 춘추 시대의 큰 도적}
본성이 같다고 보았습니다. 순자가 같다고 본 본성은 당연히 생리적·감각적인 본성입니다. 그렇다면 도덕성은 본성 자체 에서 나오는 것이 아니므로 현실에서 이루어지는 노력의 결 과인 셈입니다.

글의 내용 파악하기

7
빈출유형
순자의 철학 에 대한 설명으로 적절한 것은?

① 본성을 거스르지 말아야 함을 주장했다.
② 의지적 실천을 통한 선의 실현을 강조했다.
③ 인간의 마음 작용 중 '성'에 큰 가치를 두었다.
④ 인간의 도덕성은 자연스럽게 발현된다고 생각했다.
⑤ 인간의 마음 작용을 다섯 부분으로 나누어 설명했다.

구체적 사례나 상황에 적용하기

8
빈출유형
㉠~㉣의 마음 작용에 해당하는 사례로 알맞은 것은?

① ㉠: 누군가 때문에 부당하게 음식을 먹지 못하게 되 면 화가 남.
② ㉡: 먹고 마시고 싶은 욕구가 끊임없이 생김.
③ ㉡: 자신보다 더 어려운 처지에 있는 아이에게 음식 을 나누어 줄지 고민함.
④ ㉢: 자신이 음식을 먹을 차례가 돌아오면 기쁜 감정 이 생김.
⑤ ㉣: 음식을 혼자 먹고 싶은 마음을 억누르고 자신이 가진 음식을 다른 사람들과 나눔.

글의 내용 파악하기

9
서술유형
다 에 나타난 '요순'과 '걸 임금'의 공통점과 차이점을 다 음과 같이 정리할 때, 밑줄 친 부분에 들어갈 적절한 내용 을 〈조건〉에 맞게 서술하시오.

공통점	요순과 걸 임금은 동일하게 _____
차이점	요순은 걸 임금과 달리 _____ _____

─── 조건 ───
• 공통점을 '본성이 ~(이)다.'의 문장 형식으로 서술할 것
• 차이점을 '~을/를 통해 ~을/를 발휘했다.'의 문장 형 식으로 서술할 것

구체적 사례나 상황에 적용하기

10
서술
유형

'순자'의 관점에서 다음 신문 기사에 나타난 '의인'의 행동을 〈조건〉에 맞게 서술하시오.

> 의인은 한밤중에 화재가 난 건물로 뛰어 들어가 집집마다 문을 두드리며 주민들을 깨워 대피시켰다. 그 덕분에 주민들은 모두 목숨을 건졌으나, 정작 의인 자신은 불길을 빠져나오지 못했다.

─────── 조건 ───────

- '본성'과 '의지적 실천'이라는 말을 포함할 것
- '본성'과 '의지적 실천'의 내용을 구체적으로 밝힐 것
- '의인의 행동은 ~한 결과이다.'의 문장 형식으로 서술할 것

[11 ~ 12] 다음 글을 읽고 물음에 답하시오.

가 주변 풍광이 빼어난 곳에 서원이 자리를 잡게 된 원인으로는 성리학자들이 자연 속에 은둔하여 심신을 수양하며 천
_{조선 시대에, 선비가 모여서 학문을 강론하고, 석학이나 충절로 죽은 사람을 제사 지내던 곳}
_{세상일을 피하여 숨음.}
인합일(天人合一)을 할 수 있는 곳을 찾았던 점을 들 수 있
_{유교에서, 하늘과 사람이 하나라는 말}
다. 성리학자들에게 천인합일 사상은 가장 중요한 유가적 관념으로, 자연과 인간이 하나가 되어 우주의 생명 전체가 융화하고 교섭할 수 있다는 인생의 최고 이상이었다.

이런 이유로 사대부들은 골짜기가 있어 물이 흐르고, 산이 있어 풍월(風月)을 가까이할 수 있는 자연에 서원을 건립하여 학문을 연마하고 후학을 양성하였다. 따라서 자연과 함께
_{학문에서의 후배}
하기에 가장 적합한 누정 형식의 건축을 서원 건축에 끌어와
_{누각과 정자를 아울러 이르는 말}
서 격렬한 논쟁도 하고 시회(詩會)도 열며 자연을 접하는 장
_{시를 짓거나 시에 대하여 토론·감상·연구하기 위하여 모인 모임}
소로 삼았다. 이러한 누(樓)는 주로 서원 진입부에 배치되
_{누각(사방을 바라볼 수 있도록 문과 벽이 없이 다락처럼 높이 지은 집)}
었다.

나 이때 건립된 서원의 입지와 배치의 특징을 살펴보면, 서원은 주로 앞이 낮고 뒤가 높은 경사면에 세워지며, 건물 배
_{향교, 서원 등에서 학생들에게 강의하거나 의식을 행하기 위하여 세운 건물}
치는 사당이 서원 영역 가장 뒤쪽에, 강당이 중간에 그리고
_{조상의 위패를 모셔 놓은 집}
동·서재로 구성된 재사(齋舍)가 강당 앞쪽에 서로 마주보며
_{조선 시대에, 성균관·서원·향교 등에서 유생들의 기숙사로 쓰던 건물}
위치한다. 제향 공간과 강학 공간은 둘레 담으로 싸여 각각
_{제사의 높임말} _{학문을 닦고 연구함.}
독자적인 영역을 확보하고 있는데, 강학이 이루어지는 곳은 활달하고 생동하는 공간으로, 제향이 이루어지는 곳은 존엄하고 정밀한 공간으로 조성되었다.

글의 내용 파악하기

11 '서원'에 대한 설명으로 적절하지 <u>않은</u> 것은?

① 자연을 가까이할 수 있는 곳에 지었다.
② 성리학자들이 심신을 수양하는 곳이었다.
③ 학문을 연마하고 후학을 양성하는 장소였다.
④ 일반적으로 누각을 서원의 한가운데에 배치했다.
⑤ 서원의 입지 선정에는 천인합일 사상이 반영되었다.

구체적 사례나 상황에 적용하기

12
빈출
유형

나를 바탕으로 하여 다음 그림을 이해한 내용으로 적절하지 <u>않은</u> 것은?

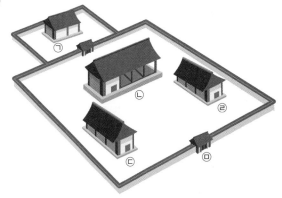

▲ 강당 앞에 동재와 서재가 있는 건물 배치

① ㉠은 존엄하고 정밀한 공간으로 조성되었다.
② ㉡은 강학이 이루어지는 곳이다.
③ ㉠과 ㉡이 있는 공간은 각각 독자적인 영역을 확보하고 있다.
④ ㉢과 ㉣은 유생들의 기숙사로 쓰던 건물이다.
⑤ ㉤은 주로 ㉠보다 높은 경사면에 위치한다.

[1~3] 다음 글을 읽고 물음에 답하시오.

가 초등학교에서 대학교에 이르는 학창 시절이야말로 가장 왕성하게 독서할 수 있는 시기이다. 그러나 오늘날 학생들은 초등학교를 지나 중학교에 들어가면 ㉠교과서와 학습서, 수험서에 둘러싸여 교양 도서를 읽을 시간이 거의 없다. 시간이 생기면 인터넷이나 컴퓨터 게임을 하거나 만화책 읽기에 바쁘다. 그들이 읽는 문학 작품이나 교양 도서는 수능이나 입시 준비를 위한 것들이 대부분이다.

나 성인도 사정이 크게 다르지 않다. 실용적인 책, 재미있는 책, 많이 팔리는 책 위주의 독서가 대세를 이루면서 ㉡개성 있는 교양인의 독서가 사라지고 있다. 요즘 성인들이 주로 읽는 책의 목록을 떠올려 보자. 거기에는 연애나 목돈 만들기 등 ㉢현실에서 부딪치는 문제를 해결하는 데 도움을 주는 책, 요리와 재산 관리, 여행, 취업과 생업 등에 도움을 주는 책이 포함되어 있을 것이다. 반면 당장에는 쓸모가 없어 보이지만 정신을 살아 있게 하고 성장하게 하는 책의 비중은 점점 줄어들고 있을 것이다.

다 진정 자신의 정신적 삶을 풍요롭게 하고 싶은 교양인이라면 잘 팔리는 인기 도서를 넘어, 실용 도서와 처세술의 책을 넘어, 자신의 내면적 삶에 변화를 가져와 다른 눈으로 세상을 보고 더 깊이 있는 삶을 살 수 있게 하는 책을 읽는 단계로 나아가야 한다. ㉣먹고 싶은 음식만 먹는 편식이 비만, 콜레스테롤 수치 증가, 비타민 부족, 당뇨, 고혈압 등을 유발하듯이, 읽고 싶은 책만 읽는 편독도 정신적 성장과 건강의 불균형을 초래한다. 도서관이나 서점에 가서 제목만 들어 보고 읽지 못한 소설책, 역사책, 철학책, 사회 과학책, 종교와 예술에 관한 책들을 꺼내 들고 호기심을 자아내거나 마음을 움직이는 책을 찾아 읽는다면, 인생을 바라보는 새로운 시각과 세상을 넓게 보는 안목이 생길 것이다. 그런 책들은 약으로 치면 ㉤몸 전체의 상태를 조화롭게 만들어 주는 보약과 같은

역할을 한다. 어느 한 종류에 치우치지 않고 다양한 종류의 책을 균형 있게 읽는 것이 조화로운 정신 상태를 유지하는 길이다.

1 이 글의 내용과 일치하지 <u>않는</u> 것은?
① 학창 시절은 가장 왕성하게 책을 읽을 수 있는 시기이다.
② 정신을 살아 있게 하고 성장하게 하는 책의 인기가 점점 높아지고 있다.
③ 성인들은 실용적인 책, 재미있는 책, 많이 팔리는 책 위주로 책을 읽는다.
④ 성인들은 현실에서 부딪치는 문제를 해결하는 데 도움이 되는 책을 주로 읽는다.
⑤ 학생들이 읽는 문학 작품이나 교양 도서는 수능이나 입시를 준비하기 위한 것들이 대부분이다.

2 **다** 의 중심 내용으로 가장 적절한 것은?
① 독서의 방법
② 학생과 성인의 독서 경향
③ 교양 독서를 하기에 적절한 시기
④ 다양한 분야의 교양 독서의 필요성
⑤ 교양 독서를 통해 현실의 문제를 해결하는 방법

3 ㉠~㉤에 대한 설명으로 적절하지 <u>않은</u> 것은?
① ㉠: 학창 시절에 주로 접하는 책들의 예이다.
② ㉡: 글쓴이가 긍정적으로 생각하는 독서이다.
③ ㉢: 당장은 쓸모없어 보이지만 정신을 성장하게 하는 책이다.
④ ㉣: 읽고 싶은 책만 읽는 편독을 비유한 표현이다.
⑤ ㉤: 인생을 바라보는 새로운 시각과 세상을 넓게 보는 안목을 생기게 하는 책을 비유한 표현이다.

[4~5] 다음 글을 읽고 물음에 답하시오.

가 이상적인 보행은 이런 것이다. 보행은 몸과 마음과 세상이 한편이 된 상태이다. 오랜 불화 끝에 대화를 시작한 세 사람처럼, 문득 화음을 들려주는 세 음표처럼, 걸을 때 우리는 육체와 세상에 시달리지 않으면서 육체와 세상 속에 머물 수 있다. 〈중략〉

보행의 리듬은 생각의 리듬을 낳는다. 풍경 속을 지나가는 일은 생각 속을 지나가는 일의 메아리이면서 자극제이다. 마음의 보행과 두 발의 보행이 묘하게 어우러진다고 할까. 마음은 풍경이고, 보행은 마음의 풍경을 지나는 방법이라고 할까.

나 걷기 운동을 본격적으로 실시하기 전에 우선 자신의 몸 상태를 살펴야 한다. 심장이나 혈관에 이상이 있는 사람에게 무리한 속보 운동은 오히려 독이 될 수도 있기 때문이다. 따라서 평상시에 무릎, 허리를 비롯한 관절 부분에 통증이 있는지, 조금만 움직여도 숨이 많이 차는지, 운동할 때 가슴 주변에 통증이 있는지, 운동하다가 실신한 적이 있는지, 기타 질환이나 정형외과적인 문제가 있는지 등을 우선 살피고, 자신에게 적합한 강도로 운동한다.

다 최근 몇 년 사이 민관이 협력하여 지역에 필요한 지리 정보를 제공하는 커뮤니티 매핑 서비스들을 다양하게 제공하였다. 대표적으로 '서울시 도시 시설물 관리 커뮤니티 맵'은 일반 시민들의 제보를 바탕으로 하여 시설물 관리에 대한 정보를 시에서 수집하고 문제에 대해 신속하게 조치함으로써 시민들에게 긍정적인 반응을 얻었다. 국내에서도 외국에서와 같이 걷기 좋은 보도 환경을 조성하려면 우리가 지닌 기술력과 기반 시설을 바탕으로 하여 보도 환경에 관한 데이터를 구축하고 이를 도시 계획에 적극적으로 활용하도록 노력해야 할 것이다.

4 **나**의 내용을 다음과 같이 정리할 때 적절하지 <u>않은</u> 것은?

> **걷기 운동을 하기 전에 점검해야 할 점**
> • 운동하다가 실신한 적이 있는가? ·············· ①
> • 조금만 움직여도 숨이 많이 차는가? ·········· ②
> • 운동할 때 가슴 주변에 통증이 있는가? ········ ③
> • 자신에게 적합한 강도로 걷기 운동을 했는가? ··· ④
> • 무릎, 허리를 비롯한 관절 부분에 통증이 있는가? ···································· ⑤

5 다음은 **가**~**다**를 비교한 표이다. ㉠~㉤에 들어갈 내용으로 적절하지 <u>않은</u> 것은?

	가	**나**	**다**
분야	인문	생활·건강	㉠
성격	㉡	㉢	설득적
화제를 다루는 방식	개인적 체험을 바탕으로 걷기의 의미를 살펴봄.	㉣	㉤

① ㉠: 사회
② ㉡: 객관적
③ ㉢: 설명적
④ ㉣: 걷기 운동에 대한 정보를 알려 줌.
⑤ ㉤: 우리나라도 보행 환경을 개선하기 위해 노력해야 한다고 주장함.

[6~8] 다음 글을 읽고 물음에 답하시오.

가 20세기 말까지만 해도 소수의 시민운동가나 대안 운동가에게만 관심의 대상이었던 적정 기술이 이제는 일반 대중에게도 큰 관심거리가 되었다. 하지만 흔히 생각하는 것과는 달리 적정 기술이 최근에 생겨난 것은 아니다. 1960년대 중반에 개발 도상국의 경제적·기술적·사회적 문제들이 제기되자, 전통 사회의 기존 조건들과 기술적 발전이 조화를 이루면서 경제적 개선을 도모할 수 있는 방법을 개발하려는 노력이 시작되었다. 이러한 맥락에서 영국의 경제학자 슈마허는 개발 도상국의 필요에 적합한, 값싸고 소박한 기술 개념으로 '중간 기술'을 제안하였다. 오늘날 적정 기술 운동의 기초가 된 그의 제안은 종종 '대안 기술' 또는 '적정 기술'로 표현되었는데 지금은 후자의 표현을 선호하고 있다.

나 적정 기술이 갖추어야 할 조건에는 일반적으로 다음과 같은 내용이 꼽힌다. 첫째, 적정 기술에 드는 비용이 저렴해야 한다. 저렴한 비용은 현지인에게 적정 기술을 이용할 수 있게 하는 필수 조건이다. 둘째, 가능하면 현지에서 나는 재료를 사용하는 것이 바람직하다. 적정 기술 제품을 제작하기 위해 대부분의 재료를 수입해야 한다면 가격적인 측면에서 바람직하지 않고, 제품을 지속적으로 생산하고 이용하는 데 어려움이 생길 수 있다. 셋째, 현지의 기술과 노동력을 활용하여 일자리를 창출해야 한다. 적정 기술이 추구하는 궁극적인 목표는 적정 기술로 지역 주민의 역량을 강화하고 이를 통해 소득 창출과 삶의 질 개선을 꾀하는 데 있기 때문이다. 넷째, 적정 기술 제품의 크기가 적당하고 사용 방법은 간단해야 한다. 제품이 너무 크거나 구조가 복잡하고 사용 방법이 어렵다면 이용 횟수도 줄어들기 때문이다.

6 이 글에서 **가**의 역할로 가장 적절한 것은?

① 글의 화제를 소개하고 있다.
② 독자에게 당부를 전하고 있다.
③ 글을 쓰는 목적을 밝히고 있다.
④ 글의 전체 내용을 정리하고 있다.
⑤ 질문을 통해 독자의 관심을 유도하고 있다.

7 **가**, **나**의 중심 내용을 바르게 짝지은 것은?

	가	**나**
①	적정 기술이 처음 등장한 배경	적정 기술의 개념
②	적정 기술이 처음 등장한 배경	적정 기술이 갖추어야 할 조건
③	적정 기술의 개념	한국형 적정 기술 정착에 대한 기대
④	적정 기술이 갖추어야 할 조건	한국형 적정 기술 정착에 대한 기대
⑤	최첨단 기술이 위기 상황에 취약한 이유	현대 사회의 위기 해결 방안으로서의 적정 기술

8
서술
유형
다음 학생의 말을 참고하여 **나**에 사용된 내용 전개 방식을 〈조건〉에 맞게 서술하시오.

글에 사용된 전개 방식을 알 수 있는 표현이 있네.

┌─ **조건** ─┐
• 전개 방식을 알 수 있는 표현을 모두 찾아 쓰고, 글의 내용 전개 방식을 밝힐 것
• '~(이)라는 표현으로 볼 때 ~의 방식이 사용되었다.'의 문장 형식으로 서술할 것

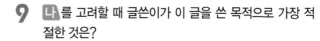

[9~10] 다음 글을 읽고 물음에 답하시오.

가 ㉠<u>관자가 말하기를 "사유(四維)가 베풀어지지 않으면 나라가 곧 멸망한다."라고 하였다.</u> 바야흐로 지금의 형세는 예전보다 더욱 심하다. 위로는 공경대부(公卿大夫), 아래로는 방백 수령에 이르기까지 국가의 위태로움은 생각지 아니하고 거의 자기 몸을 살찌우고 집을 윤택하게 하는 계책에만 몰두하여 벼슬아치를 뽑는 문을 재물 모으는 길로 만들고 과거 보는 장소를 사고파는 장터로 만들고 있다. 그래서 허다한 재물이나 뇌물을 국고에 들이지 않고 도리어 사사로운 창고에 채운다. 나라에는 빚이 쌓여 있는데도 갚으려는 생각은 아니하고 교만과 사치와 음탕과 안일로 나날을 지새워 두려움과 거리낌이 없어서 온 나라는 어육이 되고 만백성은 도탄에 빠졌다. 진실로 수령들의 탐학 때문이다. 어찌 백성이 곤궁치 않으랴.

백성은 나라의 근본이다. 근본이 깎이면 나라가 잔약해지는 것은 뻔한 일이다. 그런데도 보국안민(輔國安民)의 계책은 염두에 두지 않고 바깥으로는 고향 집을 화려하게 지어 제 살길에만 골몰하면서 녹위만을 도둑질하니 어찌 옳은 일이라 하겠는가?

나 우리 무리는 비록 초야의 유민이나 임금의 토지를 갈아먹고 임금이 주는 옷을 입고 사니 어찌 나라가 망해 가는 꼴을 좌시할 수 있겠는가. 온 나라 사람이 마음을 함께하고 수많은 백성이 뜻을 모아 지금 의로운 깃발을 들어 보국안민을 생사의 맹세로 삼노라. 오늘의 광경이 비록 놀랄 일이겠으나 결코 두려워하지 말고 각기 생업에 편안히 종사하면서 함께 태평세월을 빌고 모두 임금의 교화를 누리면 천만다행이겠노라.

9 **나**를 고려할 때 글쓴이가 이 글을 쓴 목적으로 가장 적절한 것은?

① 임금의 잘못을 지적하기 위해
② 임금을 잃은 슬픔을 극복하기 위해
③ 의병으로 봉기하는 이유를 밝히기 위해
④ 신분 제도에 대한 불만을 토로하기 위해
⑤ 나라가 잔약해진 원인이 관리와 백성 모두에게 있음을 비판하기 위해

6일

10
서술유형
다음 자료를 참고하여 글쓴이가 ㉠에서 '관자'의 말을 인용한 이유를 〈조건〉에 맞게 서술하시오.

관중이 제나라 재상이 되어 정치를 맡자 보잘것없는 제나라가 바닷가에 있는 이점을 살려 교역을 통해 재물을 쌓아 나라를 부유하게 하고 군대를 튼튼하게 만들었으며 백성과 더불어 좋고 나쁜 것을 나누었다. 그는 이렇게 말했다.

"창고에 물자가 풍부해야 예절을 알며, 먹고 입는 것이 풍족해야 명예와 치욕을 알게 된다. 임금이 법도를 실천하면 육친(아버지, 어머니, 형, 동생, 아내, 자식)이 굳게 결속하고, 사유(예, 의, 염, 치)가 펼쳐지지 못하면 나라는 멸망한다."

┌─ 조건 ─
• 조선의 상황을 '사유'와 관련지어 구체적으로 서술할 것
• '현재 조선에 ~지 못하여 ~ 상황임을 강조하기 위해서이다.'의 문장 형식으로 서술할 것

[1~3] 다음 글을 읽고 물음에 답하시오.

가 우리 사회가 토론과 논쟁에 서툴다는 것을 대부분의 사람은 알고 있다. 그러나 토론 부재와 논쟁 불능 사회가 가져오는 부작용이 얼마나 큰지는 제대로 인식하지 못하는 것 같다. 밀은 "사회에서 널리 통용되는 의견이나 감정이 부리는 횡포 그리고 그런 통설과 다른 생각과 습관을 가진 이견 제시자에게 사회가 법률적 제재 이외의 방법으로 옥박지르면서 통설을 행동 지침으로 받아들이도록 강요하는 경향에 대해서도 대비를 해야 한다."라고 했다. 이는 다수의 의견을 모든 사회 구성원에게 강요하고 조금이라도 다른 의견은 묵살해 버리는 사회의 위험성과 폭력성을 경계하는 말이다. 그런 사회에서는 소수의 권익도, 다수를 위한 합리적인 정책도 보장되기 어렵다.

나 미국의 법학자 선스타인은 "나는 네 의견에 동의하지 않는다."라고 말하지 않는 사람들은 집단의 의견에 동조하거나 강화된 자기 의견 속에 안주한다고 했다. 그렇게 되면 자기 합리화와 상호 비방만 있게 된다. 반대 의견을 내고 기꺼이 논쟁하는 사람들이 이러한 상황을 흔들 수 있는 생산적 논쟁에 나서야 한다. 치열하게 논쟁을 한다면 우리 사회의 의견 스펙트럼이 지금보다는 다양해질 것이다.

논쟁이 활발한 사회는 의견 스펙트럼의 중간층이 두껍다. 의견 양극화와 쏠림 현상이 두드러진 곳에서는 집단들 간에 공유되지 않는 정보가 많아지고 소수자들은 침묵하게 된다. 그래서 사람들이 의견을 잘 내지 않는 사회가 되기 쉽다. 그런 곳에서는 의견의 양극단만 보이고 중간이 보이지 않는다. 중간 의견이 반영되지 않는 극단의 결정이 횡행하게 된다. ㉠오늘날의 한국 사회는 과연 어떠한가?

1 이 글에 나타난 글쓴이의 생각으로 적절하지 <u>않은</u> 것은?

① 생산적 논쟁에 적극적으로 나서야 한다.
② 논쟁을 통해 의견 스펙트럼을 다양하게 해야 한다.
③ 다수의 의견을 모든 사회 구성원에게 강요해서는 안 된다.
④ 토론과 논쟁이 사라진 사회에서는 다수를 위한 합리적인 정책만이 보장된다.
⑤ 우리 사회는 토론 부재와 논쟁 불능 사회의 부작용을 잘 인식하지 못하고 있다.

2 **가**, **나** 의 소제목을 바르게 짝지은 것은?

	가	**나**
①	논쟁에 대한 우리 사회의 시각	갈등 해소를 위한 만남과 부딪침
②	의견 스펙트럼의 중간층이 두꺼운 사회	토론과 논쟁 부재의 위험
③	의견의 집단 편향과 양극화	논쟁에 대한 우리 사회의 시각
④	토론과 논쟁 부재의 위험	논쟁에 대한 우리 사회의 시각
⑤	토론과 논쟁 부재의 위험	의견 스펙트럼의 중간층이 두꺼운 사회

3
서술유형 ㉠에 사용된 표현 방법과 그 효과를 다음과 같이 정리할 때, ⓐ~ⓒ에 들어갈 알맞은 말을 각각 쓰시오.

표현 방법	(ⓐ) 형식으로 글을 마무리함.
효과	독자들이 (ⓑ)와/과 논쟁이 활발하지 않은 (ⓒ)의 모습에 대해 생각해 보도록 함.

[4~6] 다음 글을 읽고 물음에 답하시오.

가 내가 백 가지도 넘는다고 한 것은 복수초 다음으로 피어날 민들레나 제비꽃, 할미꽃까지 다 합친 수효이다. 올해는 복수초가 1번이 되었지만 작년까지만 해도 산수유가 1번이었다. 곧 4월이 되면 목련, 매화, 살구, 자두, 앵두, 조팝나무 등이 다투어 꽃을 피우겠지만 그래도 조금씩 날짜를 달리해 순서대로 피면서 그 그늘에 제비꽃이나 민들레, 은방울꽃을 거느린다. 꽃이 제일 먼저 핀 것은 복수초이지만 잎이 제일 먼저 흙을 뚫고 모습을 드러낸 것은 상사초이고 그다음이 수선화이다. 수선화는 벚꽃이 필 무렵에나 필 것 같고 상사초는 잎이 시들어 지상에서 사라지고 나서도 한참이나 더 있다가 꽃대를 밀어 올릴 것이다. 이렇게 그것을 기다리고 마중하다 보니 내 머릿속에 출석부가 생기게 되고, 출석부란 원래 이름과 함께 번호를 매기게 되어 있는지라 백 번이 넘는다는 걸 알게 되었다.

나 내가 출석을 부르지 않아도 그것들은 올 것이다. 그래도 나는 그것들이 올해도 하나도 결석하지 않고 전원 출석하기를 바라기 때문에 그것들이 뿌리로, 씨로 잠든 땅을 함부로 밟지 못한다. 그것들이 왕성하게 자랄 여름에는 그것들이 목마를까 봐 마음 놓고 어디 여행도 못 할 것이다. 그것들은 출석할 때마다 내 가슴을 기쁨으로 뛰놀게 했다. 백 식구는 대식구이다. 나에게 그것들을 부양할 마당이 있다는 걸 생각만 해도 뿌듯한 행복감을 느낀다. 내가 이렇게 사치를 해도 되는 것일까. 괜히 송구스러울 때도 있다.

그것들은 내가 기다리지 않아도 올 것이다. 그래도 나는 기다린다. 기다리는 기쁨 때문에 기다린다.

4 **이 글에 대한 설명으로 가장 적절한 것은?**

① 꽃의 이름이 지닌 유래를 설명하고 있다.
② 사치스럽게 살았던 과거를 반성하고 있다.
③ 꽃에 대한 글쓴이의 생각을 드러내고 있다.
④ 식구들과 함께 꽃을 가꾼 경험을 제시하고 있다.
⑤ 꽃을 기르는 일의 가치와 중요성을 주장하고 있다.

5 **이 글을 읽은 학생들의 반응으로 적절하지 않은 것은?**

① '백 식구'라는 표현에서 꽃을 가족처럼 여기는 글쓴이의 태도를 알 수 있어.

② 꽃이 피는 순서를 외운 모습에서 글쓴이의 계획적인 면모를 알 수 있어.

③ 꽃씨가 잠든 땅을 함부로 밟지 않는 모습에서 생명을 배려하는 글쓴이의 마음을 알 수 있어.

④ 꽃을 돌보기 위해서 마음 놓고 여행도 못 할 것이라는 말에서 꽃에 대한 글쓴이의 관심을 알 수 있어.

⑤ 꽃과 함께하는 생활을 '사치'라고 여기는 모습에서 작은 것에도 감사해하는 글쓴이의 태도를 알 수 있어.

6 **〈보기〉의 설명에 해당하는 단어를 가 에서 찾아 3음절로 쓰시오.**

서술
유형

─ 보기 ─
글쓴이가 꽃들의 이름과 꽃들이 피는 시기를 다 기억할 만큼 꽃에 애정이 있음을 보여 주는 소재이다.

[7~9] 다음 글을 읽고 물음에 답하시오.

가 '라테파파'라는 말이 있다. 한 손에는 카페라테를 들고 다른 손으로는 유모차를 끄는 아빠를 뜻하는 말로, 육아에 적극적으로 참여하는 아빠를 의미하는 신조어이다. 실제로 라테파파가 존재하는 대표적인 국가는 바로 스웨덴이다. 〈중략〉 그에 반해 한국에서는 육아 문제를 엄마들이 도맡아 왔다. 한국의 엄마들은 홀로 아이들을 키우느라 주위도 챙기지 못한 채 정신없이 살아왔다.

나 ㉠2012년에서 2016년에는 '아빠들'이 육아 분담의 주체로 떠올랐다. 아빠들이 육아에 참여하는 모습이 대대적으로 방송을 타기도 했다. 이와 관련해 '아빠들', '남편들' 같은 단어가 주요 연관 단어로 뽑혔다. 하지만 방송 속 모습과 달리, 아빠가 실제로 육아에 적극적으로 참여하기에는 여건이 한참이나 부족하다는 비판이 나온다. 한국의 연간 노동 시간은 2,113시간으로, 경제 협력 개발 기구(OECD) 회원국 중 2위이다(2015년 기준). 경제 협력 개발 기구의 평균 연간 노동 시간인 1,766시간보다 347시간이나 더 길다. 야근이 일상인 이 시대에 아빠들은 일과 가정의 균형을 맞출 수 없다고 하소연한다.

▲ '육아' 관련 핵심어 분석 결과 (2012~2016년)

다 최근에는 여성이 책임지는 돌봄 구조를 '조부모', 혹은 '아빠들'이 분담하려는 시도가 이루어지고 있다. 〈중략〉 뉴스에 '아빠'라는 단어가 많이 등장했다고 해서 우리 사회가 엄마들이 아이를 양육하기 좋은 환경으로 바뀐 것이라 단정할 수는 없다. 다만 언론을 비롯한 사회의 관심이 엄마에게 육아의 모든 책임을 전가하는 게 아닌, 육아를 사회적으로 분담하는 쪽으로 바뀌고 있다는 정도로 맥락을 읽을 수 있을 것이다. 이 반쪽의 변화를 온전한 변화로 바꾸는 것은 사회 구성원과 정부 부처의 적극적인 관심과 노력일 것이다.

7 이 글에 대한 설명으로 적절하지 않은 것은?

① 통계 자료를 제시하여 내용을 뒷받침하고 있다.

② '육아' 관련 핵심어 분석 결과를 시각 자료로 제시하고 있다.

③ 전문가의 견해를 인용하여 올바른 육아 방법을 설명하고 있다.

④ '라테파파'라는 신조어로 글을 시작하여 독자의 관심을 유발하고 있다.

⑤ 한국과 스웨덴의 상황을 대조하여 한국 사회의 육아 현실을 부각하고 있다.

8 ㉠ 시기의 육아 현실을 이해한 내용으로 적절하지 않은 것은?

① 아빠들이 육아 분담의 주체로 떠올랐다.

② 아빠들이 육아에 참여하는 모습이 대대적으로 방송에 노출되었다.

③ 아빠들은 일상적인 야근 때문에 일과 가정의 균형을 맞추기 어려웠다.

④ 방송과 달리 실제로는 아빠들이 육아에 적극적으로 참여하기가 어려웠다.

⑤ 아빠들의 육아 참여를 지원하는 사회적 제도가 마련되어 노동 현장에 정착되었다.

9 서술 유형 '육아 문제'에 대해 글쓴이가 제시한 해결 방안과 관련하여 ⓐ, ⓑ에 들어갈 적절한 내용을 〈조건〉에 맞게 서술하시오.

> 우리 사회가 (ⓐ)(으)로 바뀌기 위해서는 (ⓑ)이/가 필요합니다.

조건

• 다 를 바탕으로 하여 서술할 것
• ⓐ는 글쓴이가 지향하는 사회의 모습이, ⓑ는 글쓴이가 제시한 해결 방안이 드러나도록 서술할 것

[10~11] 다음 글을 읽고 물음에 답하시오.

가 〈화병의 꽃〉은 활기찬 '생의 찬미'가 연상되는 그림으로 유리 화병 안에는 온갖 화려한 꽃들이 만발하였다. 마치 사랑하는 여인을 그리듯 애정 어린 붓 터치로 그린 꽃은 알록달록 채색한 솜사탕과 같고, 풍성하고 푹신한 느낌을 전해 준다. 삶 속에서 항상 기쁨과 긍정을 찾으려 한 르누아르가 여기서 그려 낸 것은 수백 년간 유럽의 화가들이 즐겨 그려 온 '바니타스(vanitas)' 주제의 '인생무상' 즉, 아름답게 만발하였다가 곧 져 버릴 꽃의 덧없음이 아니라, 비록 비참한 죽음의 순간이 올지라도 이 순간만은 그 아름다움과 매혹적인 향기로 우리에게 기쁨과 희망을 안겨 주는 꽃에 대한 예찬이다.

▲ 〈화병의 꽃〉

나 순자는 인간의 본성을 악하다고 했습니다. 〈중략〉 그렇다면 이처럼 스스로 자신의 악한 본성을 거스르는 착한 행위는 어디에서 오는 것일까요?

순자는 인간의 마음 작용을 성(性), 정(情), 려(慮), 위(僞)의 네 부분으로 나누었습니다. 이 네 부분은 마음이 움직이는 순서이기도 합니다. 이 네 단계가 구체적으로 무엇이며, 어떻게 작용하는지를 살펴봅시다.

첫 단계인 '성'은 사람의 가장 기본적인 부분으로서, 삶의 자연스러운 본질이자 날 때부터 지닌 본성입니다. 앞에서 보았듯이 배고프면 먹고 싶고, 목마르면 마시고 싶고, 피곤하면 쉬고 싶은 생리적 본성입니다. 둘째 단계인 '정'은 밖에 있는 사물들과 만나서 생기는 감정입니다. 좋다, 나쁘다, 노엽다, 슬프다, 즐겁다 하는 것들이 여기에 해당합니다. 셋째 단계인 '려'는 구체적인 감정이 생긴 뒤에 어떻게 할 것인가를 선택하는 문제입니다. 사람의 사고 작용에 해당하는 셈입니다. 넷째 단계인 '위'는 선택이 끝난 뒤 실행해 나가는 의지적인 실천입니다.

10 **가** 의 '르누아르'에 대한 설명으로 적절하지 <u>않은</u> 것은?

① 삶 속에서 항상 기쁨과 긍정을 찾으려 했다.
② 다른 유럽의 화가들처럼 '바니타스'를 즐겨 그렸다.
③ 그의 작품 〈화병의 꽃〉에서는 활기찬 '생의 찬미'가 연상된다.
④ 온갖 화려한 꽃들이 만발한 모습을 애정 어린 붓 터치로 그려 냈다.
⑤ 비참한 죽음의 순간이 올지라도 이 순간만은 기쁨과 희망을 안겨 주는 꽃을 예찬했다.

11 **서술유형** 다음 신문 기사에 나타난 '의인'의 행동을 순자의 관점에 따라 정리할 때, 빈칸에 들어갈 적절한 내용을 〈조건〉에 맞게 서술하시오.

> 의인은 아래층에서 화재가 난 것을 알자마자 119에 신고하고 본능적으로 건물 밖으로 탈출했다. 그렇지만 그는 잠든 이웃을 깨우기 위해 연기가 자욱한 건물로 다시 들어갔다. 의인은 위험을 무릅쓰고 층층마다 주민들을 깨워 대피시켰다. 하지만 안타깝게도 의인 자신은 건물에서 빠져나오지 못했다.
>
> – 《○○일보》

성	본능적으로 건물 밖으로 탈출함.

▼

정	두려움을 느낌.

▼

려	건물 안에 있는 사람을 구해야 할지 고민함.

▼

위	

─●조건●─
• '의인'의 본성과 행위의 내용을 각각 구체적으로 서술할 것
• '~을/를 거스르고 ~는 행위를 함.'의 문장 형식으로 서술할 것

[1~2] 다음 글을 읽고 물음에 답하시오.

가 시장과 정부는 경제라는 수레를 움직이는 두 바퀴와 같다. 때로는 서로 잘 맞물려 수레를 잘 굴러가게 하지만, 서로 갈등을 빚으며 좌충우돌하고 엉뚱한 결과를 가져오기도 한다. 그 이유는 대부분의 정책 당국자가 정부가 시장을 움직일 수 있다고 믿기 때문이다.

그러나 실제로는 전혀 그렇지 않다. 시장의 흐름과 상충되는 정책이 발표되면, 일시적으로는 효과가 있을지라도 결과적으로는 시장의 흐름이 정부보다 더 강력하게 작용한다. 성공하는 정책일수록 시장 친화적이어야 한다. 정부의 '㉠보이는 손'은 만병통치약이 아니다. 오히려 거의 모든 문제는 시장에서 해결되고, 정부의 역할은 제한적이다. 시장에서 해결되어야 할 일에 정부가 개입하면 시장은 엉뚱하게 반응한다. 〈중략〉

엄격한 법령에 대해서도 시장은 입법 의도와 다르게 움직일 수 있다. 그래서 왜곡된 결과를 가져오거나 회복할 수 없는 부작용을 낳기도 한다. 따라서 정부의 개입은 항상 제한적으로 이루어져야 한다.

나 태초에 시장은 없었다는 것이 진실이다. 경제 사학자들에 따르면, 시장 체제는 인류의 경제생활에서 큰 비중을 차지하지 못했고, 발생 단계부터 거의 항상 국가의 개입에 의존해 왔다. 자본주의 초기 단계에서는 더욱 그랬다. 〈중략〉

공산주의 국가에서 자본주의 국가로 '대대적인' 개혁을 하였던 많은 나라는 한동안 심각한 경제 위기를 겪었다. 이것은 '잘 작동하는' 정부 없이는 '잘 작동하는' 시장 경제를 건설할 수 없음을 명백하게 보여 준다. 신고전학파 경제학자들이 믿는 대로 시장이 '자연스럽게' 진화한다면, 옛 공산 국가들은 진작 그 같은 혼란에서 빠져나왔어야만 한다. 또한 수많은 개발 도상국이 겪어 온 발전의 위기는 자국의 경제 발전 문제를 해결하는 데 정부가 개입하지 못하게 막는 것이 얼마나 위험한 태도인지를 증명한다.

1 이 글과 〈보기〉를 바탕으로 하여 ㉠의 의미를 서술하시오.

창의
융합

〈보기〉

'보이지 않는 손'은 18세기 애덤 스미스가 그의 저서인 《국부론》에서 사용한 비유로, 모든 것을 시장에 맡기면 시장이 가장 효율적인 길을 찾아간다는 것을 의미한다. 즉 이윤을 추구하는 소비자와 생산자가 정부의 개입 없이 시장 가격에 따라 합리적인 결정을 내리게 된다는 것이다. 이에 따르면 시장의 가격은 '보이지 않는 손'의 역할을 한다고 볼 수 있다.

〈조건〉

'㉠은 ~을/를 의미한다.'의 문장 형식으로 서술할 것

2 다음 순서도를 따라가며 **가**, **나**를 살펴보고, 밑줄 친 부분에 들어갈 적절한 내용을 서술하시오.

창의
코딩

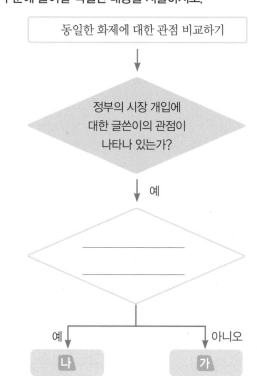

3 다음 글의 글쓴이가 추천할 만한 책을 아래에서 고르고, 그 이유를 〈조건〉에 맞게 서술하시오.

> 좋은 책의 목록에는 우선 시대와 국경을 뛰어넘어 보편적 가치를 획득한 고전(古典)이 들어가야 할 것이다. 〈중략〉 고전은 단지 오래된 책이 아니라 오랫동안 많은 사람이 계속해서 읽는 책을 말한다. 고전은 주어진 시대, 특정 문화권에 사는 사람들의 종교관과 세계관, 사상과 철학, 취향과 감성, 고뇌와 희망을 한 권의 책에 압축한 지적 산물의 최고봉이다. 그러므로 고전은 한 작가의 창작이기에 앞서 한 문명권과 인류 전체의 소중한 문화유산이라고 할 수 있다. 세월이 흘러도 여전히 인간과 세상을 이해하는 데 도움이 되는 지혜를 담고 있는 고전이야말로 인류 문명을 지속시키는 수단이다. 우리는 인류가 남긴 고전을 읽으면서 우리 역시 오랜 시간 문명을 발전시킨 인류의 고귀한 일원임을 느낄 수 있다. 인류가 문자로 생각을 기록하기 시작한 머나먼 과거에서 오늘에 이르기까지 동양과 서양에서 살아남은 고전 속에는 인간이 스스로를 들여다보고 새로운 세상을 만드는 데 필요한 온갖 사유와 지혜, 지식과 정보가 들어 있다.

─── 조건 ───
- 위의 책 목록에서 글쓴이가 추천할 만한 책의 제목을 쓸 것
- 글쓴이가 해당 책을 추천하는 이유 두 가지를 이 글에 제시된 고전의 가치와 관련지어 완결된 문장으로 서술할 것

- 글쓴이가 추천할 만한 책:
- 추천하는 이유:

4 다음 글을 바탕으로 하여 작성한 보고서의 ㉠, ㉡에 들어 갈 적절한 내용을 〈조건〉에 맞게 서술하시오.

> 최첨단 기술이 위기 상황에 취약한 것은 '지속 가능성'에 취약하게 설계되었기 때문이다. 최첨단 기술은 중앙 집중적이고 거대한 시스템의 구축이 필요하다. 그리고 이런 시스템을 지속하려면 과도한 에너지 소비와 인위적인 관리가 필요하다. 〈중략〉 이러한 중앙 집중적이고 기술 집약적인 최첨단 기술은 그것을 사용하는 사람들의 기술에 대한 의존도를 높인다.
>
> 반면에 적정 기술은 기본적으로 지속 가능한 시스템을 배경으로 하여 작동한다. 적정 기술은 노동력이 풍부한 곳에서는 노동력을 활용하는 방법을 모색하고, 재생 에너지가 풍부한 곳에서는 재생 에너지를 활용하는 방법을 찾는다. 이를 통해 중앙 집중식 기술에 대한 의존을 줄이고 소규모 단위의 자립적 생존을 도모한다. 이런 점에서 적정 기술은 위기 상황에 취약한 최첨단 기술을 보완할 수 있는 기술로서 그 유용성이 주목받고 있으며, 현대 사회의 각종 위기에 대한 해결 방안으로 그 필요성이 강조되고 있는 것이다.

─── 조건 ───
- ㉠: 최첨단 기술과 대조되는 적정 기술의 특징을 '~다.'의 문장 형식으로 서술할 것
- ㉡: 최첨단 기술의 취약점과 관련지어 '적정 기술이 ~(으)로 떠올랐기 때문이다.'의 문장 형식으로 서술할 것

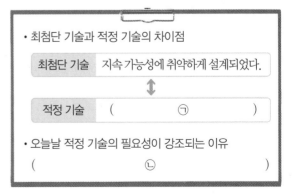

- 최첨단 기술과 적정 기술의 차이점

최첨단 기술	지속 가능성에 취약하게 설계되었다.
↕	
적정 기술	(㉠)

- 오늘날 적정 기술의 필요성이 강조되는 이유
(㉡)

5 창의 다음 글의 글쓴이를 인터뷰한다고 할 때, 밑줄 친 부분에 들어갈 글쓴이의 대답으로 적절한 내용을 〈조건〉에 맞게 서술하시오.

인간은 무리를 이루어 살아가는 존재이다. 무리 지어 사는 인간 사회에서 서로 다른 의견끼리 부딪치는 것은 자연스러운 현상이다. 따라서 갈등은 피하는 것이 능사가 아니다. 오히려 갈등을 잘 해결함으로써 그 사회가 나아갈 긍정적인 방향을 도출하여 사회가 발전할 수 있다. 이러한 갈등을 합리적으로 해결하려면 논쟁이라는 도구를 사용해야 한다.

그러나 한국인들은 대체로 논쟁을 좋아하지 않는다. 자신과 생각이 다른 사람과 부딪치는 것은 바람직하지 않고 반대 의견을 내면 갈등을 조장한다고 생각하는 사람이 적지 않다. 갈등을 품고 삭이고 드러내지 않아야 그릇이 크다고 여긴다.

──── 조건 ────
• 이 글의 내용을 바탕으로 하여 두 가지 이유를 서술할 것
• 각각 '~기 때문입니다.'의 문장 형식으로 서술할 것

한국인들이 논쟁을 싫어하는 이유가 무엇이라고 생각하시나요?

_____
_____

6 창의 융합 다음 글과 신문 기사를 읽고, 글에 나타난 문제 상황과 이를 해결하기 위한 방안을 〈조건〉에 맞게 서술하시오.

2012년에서 2016년에는 '아빠들'이 육아 분담의 주체로 떠올랐다. 아빠들이 육아에 참여하는 모습이 대대적으로 방송을 타기도 했다. 이와 관련해 '아빠들', '남편들' 같은 단어가 주요 연관 단어로 뽑혔다. 하지만 방송 속 모습과 달리, 아빠가 실제로 육아에 적극적으로 참여하기에는 여건이 한참이나 부족하다는 비판이 나온다. 〈중략〉 야근이 일상인 이 시대에 아빠들은 일과 가정의 균형을 맞출 수 없다고 하소연한다.

우리나라 취업자 1인당 연간 평균 노동 시간은 경제 협력 개발 기구(OECD) 회원국 중 세 번째로 긴 것으로 집계됐다.

경제 협력 개발 기구에서 발표한 자료에 따르면 2019년 기준 한국의 연간 1인당 평균 노동 시간은 1967시간으로 회원국 평균인 1726시간보다 241시간이 더 많았다.

이를 하루 법정 노동 시간인 8시간으로 나누면 한국의 취업자는 경제 협력 개발 기구 국가들의 취업자보다 약 30일을 더 일한 셈이 된다.

– 《○○일보》

──── 조건 ────
• 이 글에 나타난 문제 상황을 완결된 문장으로 서술할 것
• 신문 기사를 바탕으로 하여 문제 상황을 해결하기 위한 방안을 '~기 위해 ~야 한다.'의 문장 형식으로 서술할 것

• 문제 상황:

• 문제 상황을 해결하기 위한 방안:

7 다음 글과 〈보기〉를 읽고 밑줄 친 부분에 들어갈 적절한 내용을 〈조건〉에 맞게 서술하시오.
창의융합

르누아르는 본차이나로 유명한 프랑스 리모주의 가난한 집안 출신으로, 리모주 자기(瓷器) 화공으로 그림에 입문한 이후 평생 소박하고 성실한 장인 정신으로 작업에 임했으며 오로지 회화의 본질에 충실하고자 하였다. 나이 40세가 넘어 명성을 얻고 경제적 여유가 생긴 후에도 그는 규칙적이고 정돈된 삶을 살았다. 그는 카페, 공원, 거실, 무도회장 등 마치 골목길에서 마주칠 것 같은 일상생활과 사람들의 모습을 화폭에 담아냈다.

〈피아노 치는 두 소녀〉는 프랑스 정부에서 파리 룩셈부르크 미술관에 전시하기 위해 의뢰한 작품으로,

▲ 〈피아노 치는 두 소녀〉

미완성작인 이 그림에서 배경의 거친 붓 터치와 여백은 전경의 두 소녀를 더욱 돋보이게 해 주고 화면에 생기를 불어넣어 주고 있다. 〈중략〉 이 두 소녀의 정답고 사랑스러운 모습은 우리의 마음을 사로잡는다.

━━━ 보기 ━━━

김득신은 해학적이고 생동감 넘치는 묘사로 조선 후기 서민들의 삶의 현장을 생생하게 그려 냈다. 이는 서민들에 대한 애정이 없다면 나올 수 없는 그림이다.

▲ 김득신, 〈야장단련 – 대장장이의 쇠메질〉

━━━ 조건 ━━━

• 작품의 소재 및 그에 대한 작가의 시선을 중심으로 하여 '르누아르'와 '김득신'의 그림의 공통점을 서술할 것
• '시선'으로 끝나도록 서술할 것

르누아르와 김득신의 그림 모두 ＿＿＿＿＿＿＿＿＿
＿＿＿＿＿＿＿＿＿＿ 이/가 드러나 있다.

8 다음 글을 읽고 ㉠~㉣에 나타난 학생의 마음 작용을 '성, 정, 려, 위'의 순서에 따라 〈조건〉에 맞게 서술하시오.
창의융합

첫 단계인 '성'은 사람의 가장 기본적인 부분으로서, 삶의 자연스러운 본질이자 날 때부터 지닌 본성입니다. 앞에서 보았듯이 배고프면 먹고 싶고, 목마르면 마시고 싶고, 피곤하면 쉬고 싶은 생리적 본성입니다. 둘째 단계인 '정'은 밖에 있는 사물들과 만나서 생기는 감정입니다. 좋다, 나쁘다, 노엽다, 슬프다, 즐겁다 하는 것들이 여기에 해당합니다. 셋째 단계인 '려'는 구체적인 감정이 생긴 뒤에 어떻게 할 것인가를 선택하는 문제입니다. 사람의 사고 작용에 해당하는 셈입니다. 넷째 단계인 '위'는 선택이 끝난 뒤 실행해 나가는 의지적인 실천입니다.

━━━ 조건 ━━━

• 각 마음 작용의 단계에 해당하는 상황의 기호를 쓸 것
• ㉠~㉣의 상황이 각 마음 작용의 단계에 해당하는 이유를 '~이므로 ~에 해당한다.'의 문장 형식으로 서술할 것

㉠ 자리가 바로 났네.

㉡ 자리를 비켜 드려야 할까?

㉢ 졸려서 자고 싶어.

㉣ 할아버지, 여기 앉으세요.

단계	기호	이유
성		
정		
려		
위		

[1~2] 다음 글을 읽고 물음에 답하시오.

가 좋은 책은 어떤 책들을 말하는가? 신문과 잡지, 방송과 인터넷 등의 매체가 소개하는 좋은 책의 선정 기준은 무엇인가? 〈중략〉 물론 모든 책을 가늠할 수 있는, 어디에나 적용되는 보편적인 잣대로서의 절대적인 기준은 없다. 그렇지만 좋은 책의 조건을 제시한다면, 좋은 책이란 인생의 깊이를 더하고 세상을 밝게 보는 데 도움이 되는 책이라고 할 수 있다.

세상을 살아가며 올바르게 판단하고 결정하는 데 도움이 되고, 마음을 푸근하게 만들면서 동시에 영혼까지 맑게 하는 책이 있다면 그런 책을 좋은 책이라고 할 수 있다. 가슴과 머리에 진한 흔적을 남겨 삶을 변화시키는 책이 바로 좋은 책이다.

나 좋은 책의 목록에는 우선 시대와 국경을 뛰어넘어 보편적 가치를 획득한 고전(古典)이 들어가야 할 것이다. 넓은 의미에서 고전은 저술에서 시작해서 음악과 미술, 조각과 건축, 의상과 가구에 이르기까지 세월의 흐름을 초월해 다음 세대에 계승되어 전범으로 자리 잡은 모든 작품들을 이르는 말이다. 하지만 좁은 의미에서의 고전은 오랜 세월 동안 많은 사람에게 높이 평가되고 애호된 저술을 말한다. 〈중략〉 고전은 주어진 시대, 특정 문화권에 사는 사람들의 종교관과 세계관, 사상과 철학, 취향과 감성, 고뇌와 희망을 한 권의 책에 압축한 ㉠지적 산물의 최고봉이다. 그러므로 고전은 한 작가의 창작이기에 앞서 ㉡한 문명권과 인류 전체의 소중한 문화유산이라고 할 수 있다. 세월이 흘러도 여전히 인간과 세상을 이해하는 데 도움이 되는 지혜를 담고 있는 고전이야말로 ㉢인류 문명을 지속시키는 수단이다. 우리는 인류가 남긴 고전을 읽으면서 우리 역시 오랜 시간 문명을 발전시킨 ㉣인류의 고귀한 일원임을 느낄 수 있다. 인류가 문자로 생각을 기록하기 시작한 머나먼 과거에서 오늘에 이르기까지 동양과 서양에서 살아남은 고전 속에는 인간이 스스로를 들여다보고 새로운 세상을 만드는 데 필요한 온갖 사유와 지혜, 지식과 정보가 들어 있다. 동서고금의 고전들은 시공을 초월하여 ㉤인류에게 빛을 밝혀 주는 등대와 같은 역할을 한다.

1 이 글의 내용과 일치하지 <u>않는</u> 것은?
① 좋은 책은 인생의 깊이를 더하고 세상을 밝게 보는 데 도움을 준다.
② 좋은 책은 가슴과 머리에 진한 흔적을 남겨 독자의 삶을 변화시킨다.
③ 좋은 책의 목록에는 신문과 방송에서 소개하는 책이 포함되어야 한다.
④ 고전에는 인간과 세상을 이해하는 데 도움이 되는 지혜가 담겨 있다.
⑤ 고전은 오랜 세월 동안 많은 사람에게 높이 평가되고 애호된 저술을 말한다.

2 ㉠~㉤ 중, 의미하는 바가 <u>다른</u> 하나는?
① ㉠　　② ㉡　　③ ㉢　　④ ㉣　　⑤ ㉤

[3~4] 다음 글을 읽고 물음에 답하시오.

가 걷기는 우리가 일상 속에서 가장 손쉽게 접할 수 있는 운동이며 친환경적인 교통수단이다. 걷기의 긍정적 효과가 여러 매체를 통해 홍보되면서 '걷기 좋은 도시 만들기'는 도시 사업에서 빠지지 않는 연구 과제로 자리매김했다. 이에 따라 국내에서도 건강 도시를 목표로 삼아 전국의 여러 도시가 앞다투어 올레길이나 둘레길 같은 산책로를 조성하고 걷기 대회를 개최하며, 걷기 좋은 경로를 소개하는 서비스도 다양하게 제공하고 있다.

그러나 특수한 목적으로 조성한 산책로가 아닌, 우리의 일상생활이 이루어지는 동네의 골목길이나 통근·통학로의 보행 환경에 대한 관심은 아직 미미한 듯하다.

나 걷기 운동은 생활 속에서 가장 안전하게 할 수 있는 유산소 운동이다. 걷기 운동은 허리, 무릎, 발 등 관절에 무리한 하중을 주지 않기 때문에 운동을 처음 시작하는 초보자뿐만 아니라 노약자, 심장병 환자, 비만자에게도 좋은 운동이다. 또한 장소나 시간, 경제적 여건에 영향을 크게 받지 않으며, 특별한 기구가 없어도 누구나 할 수 있다. 그러나 누구나 할 수 있다고 해서 아무렇게나 해도 되는 것은 아니다. 걷기 운동은 간단하고 쉬워 보이지만 그 나름의 방법과 유의 사항이 있으므로, 이를 잘 숙지하고 운동해야 한다.

걸을 때에는 허리를 곧게 펴고 머리를 세운 자세를 유지하며 팔에 무리한 힘을 주지 않고 가볍게 흔들면서 걷는다. 발을 내디딜 때 발뒤꿈치가 먼저 땅에 닿게 하고 발바닥으로 지면을 차듯이 전진하는 것을 반복한다.

3 **가**, **나**에 대한 설명으로 적절하지 않은 것은?

① **가**와 **나** 모두 '걷기'를 화제로 삼고 있다.

② **가**와 **나** 모두 '걷기'를 긍정적인 관점에서 바라보고 있다.

③ **가**는 일상적인 보행 환경에 대한 관심이 부족하다는 문제 상황을 제시하고 있다.

④ **나**는 걷기와 관련된 개인적 체험을 바탕으로 한 글이다.

⑤ **나**는 걷기 운동의 장점과 올바른 방법을 설명하고 있다.

4 **나**를 바탕으로 하여 ㉠에 들어갈 적절한 내용을 〈조건〉에 맞게 서술하시오.

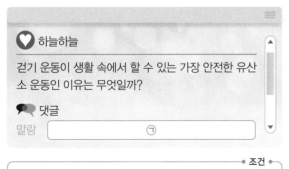

〈조건〉
'걷기 운동은 ~ 때문이야.'의 문장 형식으로 서술할 것

[5~7] 다음 글을 읽고 물음에 답하시오.

㉠적정 기술이 갖추어야 할 조건에는 일반적으로 다음과 같은 내용이 꼽힌다. 첫째, 적정 기술에 드는 비용이 저렴해야 한다. 저렴한 비용은 현지인에게 적정 기술을 이용할 수 있게 하는 필수 조건이다. 둘째, 가능하면 현지에서 나는 재료를 사용하는 것이 바람직하다. 적정 기술 제품을 제작하기 위해 대부분의 재료를 수입해야 한다면 가격적인 측면에서 바람직하지 않고, 제품을 지속적으로 생산하고 이용하는 데 어려움이 생길 수 있다. 셋째, 현지의 기술과 노동력을 활용하여 일자리를 창출해야 한다. 적정 기술이 추구하는 궁극적인 목표는 적정 기술로 지역 주민의 역량을 강화하고 이를 통해 소득 창출과 삶의 질 개선을 꾀하는 데 있기 때문이다. 넷째, 적정 기술 제품의 크기가 적당하고 사용 방법은 간단해야 한다. 제품이 너무 크거나 구조가 복잡하고 사용 방법이 어렵다면 이용 횟수도 줄어들기 때문이다. 다섯째, 지역 주민이 제품을 스스로 만들어야 한다. 적정 기술은 원칙적으로 대량 생산이 아닌 대중에 의한 생산을 지향한다. 가급적 지역에 있는 생산 시설을 활용해서 제품을 생산하는 것이 좋다. 여섯째, 사람들의 협동 작업을 이끌어 내며 지역 사회 발전에 공헌해야 한다. 적정 기술의 사용은 개인과 지역 공동체의 역량을 증대하여 개인의 삶을 향상하고 지역 사회의 발전을 가져오는 방향으로 추진되는 것이 바람직하다. 일곱째, 상황에 맞게 변화할 수 있어야 한다. 어떤 지역과 시대에서 적정한 기술이 다른 지역과 시대에서는 적정하지 않을 수 있다. 적정 기술은 환경의 변화에 맞춰서 적응하는 유연성이 필수적이다. 이외에도 적정 기술이 갖추어야 할 조건은 추가될 수 있다. 그런데 적정 기술이 이러한 조건들을 모두 갖추어야 한다는 것은 아니다. 비록 이 가운데 몇 가지를 만족시키지 못한다고 해도, 해당 적정 기술을 통해 지역 주민의 역량이 강화되거나 삶의 질이 향상되고 고용이 창출된다면 그것은 적정 기술의 자격을 갖춘 것으로 볼 수 있다.

5 이 글에 대한 설명으로 가장 적절한 것은?

① 적정 기술이 적용된 사례를 제시하고 있다.

② 적정 기술을 구성하는 요소를 분석하고 있다.

③ 적정 기술을 그와 유사한 다른 대상과 비교하고 있다.

④ 적정 기술이 갖추어야 할 여러 가지 조건을 나열하고 있다.

⑤ 적정 기술의 변화 양상을 시간의 흐름에 따라 설명하고 있다.

6 ㉠에 대한 학생들의 이해로 적절하지 <u>않은</u> 것은?

① 적정 기술에 드는 비용은 저렴해야 하는군.

② 적정 기술 제품의 사용 방법은 쉽고 간단해야 하는군.

③ 적정 기술은 대량 생산이 아닌 대중에 의한 생산을 지향하는군.

④ 적정 기술은 지역 및 시대의 변화와 상관없이 일관성을 유지해야 하는군.

⑤ 적정 기술 제품은 현지에서 구할 수 있는 재료로 만드는 것이 바람직하군.

7 이 글에서 적정 기술이 갖추어야 할 가장 기본적인 조건을 찾아 〈조건〉에 맞게 서술하시오.

> ● 조건 ●
> • 세 가지 조건이 모두 드러나도록 서술할 것
> • '해당 적정 기술을 통해 ~야 한다.'의 문장 형식으로 서술할 것

[8~9] 다음 글을 읽고 물음에 답하시오.

가 사람을 세상에서 가장 귀하게 여김은 인륜이 있기 때문이며 군신과 부자를 가장 큰 인륜으로 꼽는다. ㉠임금이 어질고 신하가 충직하며 아비가 자애롭고 아들이 효도를 한 뒤에야 국가를 이루어 끝없는 복록을 불러오게 된다.

나 관자가 말하기를 "사유(四維)가 베풀어지지 않으면 나라가 곧 멸망한다."라고 하였다. 바야흐로 ㉡지금의 형세는 예전보다 더욱 심하다. 위로는 공경대부(公卿大夫), 아래로는 방백 수령에 이르기까지 국가의 위태로움은 생각지 아니하고 거의 자기 몸을 살찌우고 집을 윤택하게 하는 계책에만 몰두하여 벼슬아치를 뽑는 문을 재물 모으는 길로 만들고 과거 보는 장소를 사고파는 장터로 만들고 있다. 그래서 허다한 재물이나 뇌물을 국고에 들이지 않고 도리어 사사로운 창고에 채운다. 나라에는 빚이 쌓여 있는데도 갚으려는 생각은 아니하고 교만과 사치와 음탕과 안일로 나날을 지새워 두려움과 거리낌이 없어서 온 나라는 어육이 되고 만백성은 도탄에 빠졌다. ㉢진실로 수령들의 탐학 때문이다. 어찌 백성이 곤궁치 않으랴.

백성은 나라의 근본이다. ㉣근본이 깎이면 나라가 잔약해지는 것은 뻔한 일이다. 그런데도 보국안민(輔國安民)의 계책은 염두에 두지 않고 바깥으로는 고향 집을 화려하게 지어 제 살길에만 골몰하면서 녹위만을 도둑질하니 어찌 옳은 일이라 하겠는가?

다 ㉤우리 무리는 비록 초야의 유민이나 임금의 토지를 갈아먹고 임금이 주는 옷을 입고 사니 어찌 나라가 망해 가는 꼴을 좌시할 수 있겠는가. 온 나라 사람이 마음을 함께하고 수많은 백성이 뜻을 모아 지금 의로운 깃발을 들어 보국안민 을 생사의 맹세로 삼노라. 오늘 광경이 비록 놀랄 일이겠으나 결코 두려워하지 말고 각기 생업에 편안히 종사하면서 함께 태평세월을 빌고 모두 임금의 교화를 누리면 천만다행이겠노라.

8 ㉠~㉤에 담긴 글쓴이의 생각으로 적절하지 <u>않은</u> 것은?

① ㉠: 군신과 부자의 인륜이 지켜져야 나라가 평안하다.
② ㉡: 현재 나라는 매우 위태로운 상황에 있다.
③ ㉢: 사리사욕에 눈먼 관리들 때문에 백성이 고통스러워하고 있다.
④ ㉣: 백성의 삶이 안정되어야 나라가 바로 설 수 있다.
⑤ ㉤: 우리는 나라를 잃은 탓에 임금의 은혜조차 누리지 못하고 있다.

9 〈보기〉는 보국안민의 의미 변화를 설명한 글이다. 〈보기〉를 참고할 때 이 글의 주제 의식으로 가장 적절한 것은?

> → 보기
> '보국안민'은 "서양의 침략으로부터 나라를 구해 내고 백성들을 편하게 한다."라는 뜻으로 최제우가 동학을 창도할 때에 외세로부터 국권을 지킬 것을 강조하면서 제시한 계책이다. 그 후 최시형은 조선 조정과의 평화적 관계를 염두에 두고 '보국안민'을 "나라를 이롭게 돕고 백성을 편하게 한다."라는 뜻으로 사용했다. 그리고 1894년 동학 농민 운동 당시에 '보국안민'은 "나라를 바로잡고 백성을 편하게 한다."라는 뜻으로 바뀌었다.

① 외세를 가까이하는 관리들을 몰아내야 한다.
② 백성이 나라의 주인이 되어 스스로를 편하게 해야 한다.
③ 나라를 이롭게 이끌지 못하는 임금의 잘못을 깨우쳐야 한다.
④ 백성이 주체가 되어 탐관오리를 벌하고 나라를 바로잡아야 한다.
⑤ 임금과 관리, 백성이 각자 자신의 본분을 충실히 수행해야 한다.

[10~12] 다음 글을 읽고 물음에 답하시오.

가 무릇 모든 소통이 그러하듯 논쟁의 출발점도 상대방의 입장을 듣는 데서 시작한다. 상대방의 논리에서 허점을 찾아내고 상대방이 납득할 만한 이유를 제공하는 것이 논쟁의 규칙이다. 그러자면 어울리기 싫어도 생각이 다른 이들과 대화를 하고 그들의 입장을 들어야 한다.

미국의 법학자 선스타인은 "나는 네 의견에 동의하지 않는다."라고 말하지 않는 사람들은 집단의 의견에 동조하거나 강화된 자기 의견 속에 안주한다고 했다. 그렇게 되면 자기 합리화와 상호 비방만 있게 된다. 반대 의견을 내고 기꺼이 논쟁하는 사람들이 이러한 상황을 흔들 수 있는 생산적 논쟁에 나서야 한다. 치열하게 논쟁을 한다면 우리 사회의 의견 스펙트럼이 지금보다는 다양해질 것이다.

논쟁이 활발한 사회는 의견 스펙트럼의 중간층이 두껍다. 의견 양극화와 쏠림 현상이 두드러진 곳에서는 집단들 간에 공유되지 않는 정보가 많아지고 소수자들은 침묵하게 된다. 그래서 사람들이 의견을 잘 내지 않는 사회가 되기 쉽다. 그런 곳에서는 의견의 양극단만 보이고 중간이 보이지 않는다. 중간 의견이 반영되지 않는 극단의 결정이 횡행하게 된다. 오늘날의 한국 사회는 과연 어떠한가?

나 내가 출석을 부르지 않아도 그것들은 올 것이다. 그래도 나는 그것들이 올해도 하나도 결석하지 않고 전원 출석하기를 바라기 때문에 그것들이 뿌리로, 씨로 잠든 땅을 함부로 밟지 못한다. 그것들이 왕성하게 자랄 여름에는 그것들이 목마를까 봐 마음 놓고 어디 여행도 못 할 것이다. 그것들은 출석할 때마다 내 가슴을 기쁨으로 뛰놀게 했다. 백 식구는 대식구이다. 나에게 그것들을 부양할 마당이 있다는 걸 생각만 해도 뿌듯한 행복감을 느낀다. 내가 이렇게 사치를 해도 되는 것일까. 괜히 송구스러울 때도 있다.

그것들은 내가 기다리지 않아도 올 것이다. 그래도 나는 기다린다. 기다리는 기쁨 때문에 기다린다.

10 가, 나를 읽는 방법으로 가장 적절한 것은?

① 가 : 글쓴이의 주장을 무조건적으로 수용하며 읽는다.
② 가 : 글에 나타난 사회·문화적 이념을 배제하며 읽는다.
③ 가 : 글의 주제나 내용이 중립적이라고 가정하며 읽는다.
④ 나 : 글에서 감동을 느낀 부분을 찾아 그 의미를 생각하며 읽는다.
⑤ 나 : 글에 나타난 사회적 문제를 해결할 수 있는 창의적인 방법을 떠올리며 읽는다.

11 가의 글쓴이가 글을 쓰기 위해 떠올렸을 생각으로 적절한 것을 모두 골라 묶은 것은?

> ㉠ 논쟁의 개념을 정의해서 독자의 이해를 도와야겠어.
> ㉡ 전문가의 견해를 인용해서 주장을 뒷받침해야겠어.
> ㉢ 논쟁에 관한 일화를 제시해서 독자의 공감을 유도해야겠어.
> ㉣ 질문의 형식으로 글을 마무리해서 독자의 성찰을 이끌어 내야겠어.

① ㉠, ㉡   ② ㉠, ㉢   ③ ㉡, ㉣
④ ㉠, ㉡, ㉢   ⑤ ㉡, ㉢, ㉣

12 나를 통해 알 수 있는 글쓴이의 삶의 태도를 〈조건〉에 맞게 서술하시오.

> ── 조건 ●
> • '꽃'이라는 말을 포함할 것
> • '~ 내용으로 보아 ~ 태도를 알 수 있다.'의 문장 형식으로 서술할 것

13 다음은 〈슬픈 동물원〉의 일부분이다. 글의 내용을 고려할 때 제목에 담긴 의미로 가장 적절한 것은?

> 당시에는 침팬지의 모습을 보면서 그저 신기해하며 웃고 즐겼다. 고릴라의 공격적인 모습에 놀라 도망치면서도 그 고릴라가 어떤 처지인지에 대해 아무 고민도 못 했던 것이 사실이다. 하지만 지금 와서 생각해 보면 두 유인원이 보인 모습은 '슬픈 동물원'이라 부를 만한 안타까운 광경이었다.
> 침팬지가 보였던 행동은 동물 행동학에서 '정형 행동' 또는 '상동증'이라고 부르는 이상 증세였을 가능성이 높다. 정형 행동은 반복적이고 지속적이지만 목적이 없는 행동을 말한다. 수의학 전문가들은 이를 지속적인 스트레스나 고통, 통증에 노출될 때 나타나는 비정상적인 행동으로 정신적 장애에 의한 행동 장애라고 설명한다. 이는 비교적 지능이 높은 동물들에게서 자주 나타난다.
> 동물들의 정형 행동에 대해 알고 난 후에 어른이 되어 찾아간 동물원은 '진실'을 알기 전과 전혀 달라 보였다. 끊임없이 정형 행동을 보이는 동물들을 보면서 동물원에 들어가 있다는 사실 자체가 거북하게 느껴질 정도였다. 〈중략〉
> 전문가들은 수 킬로미터에서 수십 킬로미터에 달하는 야생에서의 행동반경에 비해 턱없이 좁은 우리, 관람객들의 눈에 그대로 노출되며 받는 스트레스, 놀잇감도 없이 멍하니 시간을 보내야 하는 환경은 동물들을 미치게 만든다고 입을 모은다. 〈중략〉
> 만약 동물원에 가게 된다면 동물들이 얼마나 나쁜 환경에서 살아가고 있는지 천천히 살펴보는 것은 어떨까? 동물원 동물들이 겪는 고통을 생각해 보고, 동물원이 과연 필요한 것인지도 생각해 볼 필요가 있다.

① 동물원은 관람객에게 즐거움을 주는 장소이다.
② 동물원은 동물에게 고통과 슬픔을 주는 장소이다.
③ 동물원은 공격성을 보이는 동물을 감시하는 장소이다.
④ 동물원은 동물의 각종 행동 장애를 치료하는 장소이다.
⑤ 동물원은 정형 행동을 보이는 동물을 보호하는 장소이다.

[14~16] 다음 글을 읽고 물음에 답하시오.

가 '라테파파'라는 말이 있다. 한 손에는 카페라테를 들고 다른 손으로는 유모차를 끄는 아빠를 뜻하는 말로, 육아에 적극적으로 참여하는 아빠를 의미하는 신조어이다. 실제로 라테파파가 존재하는 대표적인 국가는 바로 스웨덴이다. 스웨덴에서는 남성 육아 휴직제 사용률이 90퍼센트에 달하고, 오후 네 시면 아빠가 퇴근해 아이들을 함께 돌본다. 그에 반해 한국에서는 육아 문제를 엄마들이 도맡아 왔다. 한국의 엄마들은 홀로 아이들을 키우느라 주위도 챙기지 못한 채 정신없이 살아왔다.

나 한국 사회의 육아 현실을 뉴스 빅데이터로 뽑아 보았다. 우리 사회에서는 라테파파가 불가능한 것인지, 이때껏 한국 사회에서 다루어 온 육아 담론은 무엇이었는지 지난 20년간의 기사를 '빅 카인즈'를 통해 분석하였다. 1997년부터 2016년까지 5년 단위로 구분하여 육아와 관련한 기사 속 연관 단어의 변화를 빅 카인즈 '워드 클라우드'로 살펴보자.

다 ㉠1997년부터 2001년까지 육아와 관련해 가장 많이 쓰인 핵심어는 '여성들'이었다. 이 시기에 '고용 보험 기금'이라는 단어도 눈에 띄는데, 이는 육아 휴직 시 고용 기금에서 임금의 30퍼센트를 보조금으로 지급하는 것을 골자로 한 모성 보호법 개정안이 의결된 데 따른 것이었다. '출산 휴가' 기간을 늘리는 등 여성의 육아 부담을 사회적으로 분담하고자 하는 시도가 이루어진 시기이기도 하다.

라 ㉡2000년대 초반부터 중반까지는 '여성들'이라는 단어보다 '여성 근로자'라는 단어가 더 많이 사용된 시기이다. 여성의 경제 활동 참여가 활발해지면서 '육아와 일을 어떻게 양립할 것인가?'가 사회적 고민으로 떠올랐다. 이와 관련해 '노동부' 또한 주요 핵심어로 떠올랐다. 이 시기에는 육아 휴직 기간 확대, 직장 보육 시설 설치 등 다양한 정부 정책이 나왔지만, 실제 근로 환경에는 적용되지 않는 등 정책과 사업장 간의 온도 차가 문제가 되기도 했다.

마 ㉢2012년에서 2016년에는 '아빠들'이 육아 분담의 주체로 떠올랐다. 아빠들이 육아에 참여하는 모습이 대대적으로 방송을 타기도 했다. 이와 관련해 '아빠들', '남편들' 같은 단어가 주요 연관 단어로 뽑혔다. 하지만 방송 속 모습과 달리, 아빠가 실제로 육아에 적극적으로 참여하기에는 여건이 한참이나 부족하다는 비판이 나온다. 한국의 연간 노동 시간은 2,113시간으로, 경제 협력 개발 기구(OECD) 회원국 중 2위이다(2015년 기준). 경제 협력 개발 기구의 평균 연간 노동 시간인 1,766시간보다 347시간이나 더 길다.

바 20년간 육아와 관련한 담론에는 '여성'이 중심에 있다고 말할 수 있다. 그러나 최근에는 여성이 책임지는 돌봄 구조를 '조부모', 혹은 '아빠들'이 분담하려는 시도가 이루어지고 있다. '라테파파'라는 신조어가 자주 쓰이기 시작한 것도 이 같은 변화를 반영한다. 물론 ⓐ이는 반쪽짜리 변화이다. 뉴스에 '아빠'라는 단어가 많이 등장했다고 해서 우리 사회가 엄마들이 아이를 양육하기 좋은 환경으로 바뀐 것이라 단정할 수는 없다. 다만 언론을 비롯한 사회의 관심이 엄마에게 육아의 모든 책임을 전가하는 게 아닌, 육아를 사회적으로 분담하는 쪽으로 바뀌고 있다는 정도로 맥락을 읽을 수 있을 것이다. 이 반쪽의 변화를 온전한 변화로 바꾸는 것은 사회 구성원과 정부 부처의 적극적인 관심과 노력일 것이다.

---

14 이 글에 대한 설명으로 적절하지 **않은** 것은?

① 신조어를 제시하며 글을 시작하여 독자의 관심을 이끌어 내고 있다.

② 뉴스 빅데이터의 핵심어를 통해 한국 사회의 육아 현실을 분석하고 있다.

③ 전문가의 견해를 인용하여 한국 사회의 육아 현실을 개선할 방안을 제시하고 있다.

④ 통계 자료를 제시하여 한국은 아빠의 육아 참여가 어려운 상황임을 보여 주고 있다.

⑤ 한국과 스웨덴의 육아 현실을 대조적으로 제시하여 한국 사회의 문제점을 부각하고 있다.

15 ㉠~㉢ 시기의 한국 사회의 육아 현실에 대한 설명으로 적절하지 <u>않은</u> 것은?

① ㉠: 여성의 육아 부담을 사회적으로 분담하려는 시도가 이루어졌다.

② ㉡: 육아와 일을 양립해야 하는 아빠들의 문제가 부각되었다.

③ ㉡: 육아와 관련된 다양한 정부 정책이 나왔지만 실제 근로 환경에 잘 적용되지 않았다.

④ ㉢: 아빠들이 육아 분담의 주체로 떠올랐다.

⑤ ㉢: 육아에 참여하는 아빠의 모습이 방송에 많이 노출되었다.

16 글쓴이가 ⓐ와 같이 말한 이유를 〈조건〉에 맞게 서술하시오.

┌─────── 조건 ───────
• 📦를 바탕으로 하여 한국 사회의 육아 현실의 변화가 드러나도록 서술할 것
• '분담'이라는 말을 포함할 것
• '~고 있지만, ~ 수는 없기 때문이다.'의 문장 형식으로 서술할 것
└─────────────────

[17~20] 다음 글을 읽고 물음에 답하시오.

가 19세기 중·후반 프랑스에서는 고전적인 엄격한 규율을 요구하는 사실주의 화풍의 아카데미즘을 벗어나 한층 더 자유로운 표현을 찾는 다양한 미술 운동이 일어났는데, 그중 하나가 인상주의이다. 대표적인 인상주의 화가에는 피사로, 모네, 드가, 시슬레 그리고 르누아르가 있다. 르누아르(Renoir, Pierre-Auguste, 1841~1919)는 본차이나로 유명한 프랑스 리모주의 가난한 집안 출신으로, 리모주 자기(瓷器) 화공으로 그림에 입문한 이후 평생 소박하고 성실한 장인 정신으로 작업에 임했으며 오로지 회화의 본질에 충실하고자 하였다. 나이 40세가 넘어 명성을 얻고 경제적 여유가 생긴 후에도 그는 규칙적이고 정돈된 삶을 살았다.

나 〈기타를 연주하는 스페인 소녀〉에는 머리에 붉은색 두건을 두르고 그 위에 검은 모자를 쓴, 화려한 투우사 복장을 한 사랑스러운 소녀가 등장한다. 이 소녀는 포동포동한 손으로 스페인 사람들에게 가장 가까운 악기이자 고독한 예술가들에게는 인생의 동반자인 기타를 정성스레 연주하며 반주에 맞춰 노래를 부르는 모습이다. 이 그림에서도 역시 우울한 분위기의 정취가 아니라 사랑스러운 소녀가 있을 뿐이고 이 생기 넘치는 소녀의 존재 자체가 '생의 예찬'이다. 밝은 색채에서는 삶의 기쁨이, 그리고 붉은 기가 도는 포동포동한 소녀에게서는 싱그러운 젊음이 느껴지면서 우리의 시선을 사로잡는다.

▲ 〈기타를 연주하는 스페인 소녀〉

다 〈화병의 꽃〉은 활기찬 '생의 찬미'가 연상되는 그림으로 유리 화병 안에는 온갖 화려한 꽃들이 만발하였다. 마치 사랑하는 여인을 그리듯 애정 어린 붓 터치로 그린 꽃은 알록달록 채색한 솜사탕과 같고, 풍성하고 푹신한 느낌을 전해 준다. 삶 속에서 항상 기쁨과 긍정을 찾으려 한 르누아르가 여기서 그려 낸 것은 수백 년간 유럽의 화가들이 즐겨 그려 온 '바니타스(vanitas)' 주제의 '인생무상' 즉, 아름답게 만발하였다가 곧 져 버릴 꽃의 덧없음이 아니라, 비록 비참한 죽음의 순간이 올지라도 이 순간만은 그 아름다움과 매혹적인 향기로 우리에게 기쁨과 희망을 안겨 주는 꽃에 대한 예찬이다. 비록 세상이 인간에게 던져 주는 것이 일시적이고 부질없는 것일지라도 이 순간 우리에게 주어진 '선물'에 감사하고 즐기라는 낙천적인 메시지를 주고 있는 것이다. 이 그림을 통해 르누아르는 어차피 덧없는 것이 인생이라면 그 안에서 즐길 수 있는 행복을 최대한 누리라고 일러 준다. 이

▲ 〈화병의 꽃〉

행복은 영원히 지속될 수 없는 소중한 순간이기 때문이다.

라 '그림은 영혼을 씻어 주는 환희의 선물'이어야 한다는 그의 진지하고 낙관적인 예술 철학은 실로 깊은 감동을 준다. 하지만 그가 밝고 행복한 그림들을 그릴 수 있었던 것은 이 세상에서의 고통을 체험하지 않아서가 아니라 자신이 처한 온갖 경제적, 육체적, 정신적 고통을 예술로 승화시켜 극복했기 때문이다. 그는 1890년도 초부터 류머티즘으로 손가락이 비틀어져 붓을 손목에 묶고 작업하였으며 그 후에는 퇴행성 류머티즘 증세가 심해져 다리가 마비되어 휠체어에 의존하면서도 손에서 붓을 놓지 않았다. 또한 그의 어린 두 아들이 제1차 세계 대전에서 부상을 입고 부인 알린이 당뇨병으로 사망하여 홀로 남게 된 순간에도 그가 고통을 극복할 수 있었던 것은, 그의 영원한 동반자이자 삶의 의미인 그림이 있었기 때문이다. 곧 그 자신이 가장 깊은 고통을 겪었기에 그는 '진정한 행복'의 모습을 그릴 수 있었다.

17 이 글에 대한 설명으로 가장 적절한 것은?
① 사례를 들어 미술의 사회적 역할을 설명하고 있다.
② 여러 작품을 소개하며 미술의 역사를 설명하고 있다.
③ 미술 작품에 반영된 당대의 사회적 문제를 설명하고 있다.
④ 화가의 삶과 작품을 연결 지어 화가의 예술 철학을 설명하고 있다.
⑤ 대중의 감상을 인용하여 화가의 작품에 담긴 의미를 설명하고 있다.

18 '르누아르'에 대해 이 글에서 알 수 있는 내용이 아닌 것은?
① 태어난 국가
② 사망의 원인
③ 즐겨 그린 화풍
④ 예술 작업에 임한 자세
⑤ 그가 겪은 육체적·정신적 고통

19 〈기타를 연주하는 스페인 소녀〉에 대한 글쓴이의 감상으로 적절하지 않은 것은?
① 밝은 색채에서 삶의 기쁨이 느껴져.
② 사랑스럽고 생기 넘치는 분위기가 감돌아.
③ 소녀의 존재 자체가 '생의 예찬'을 의미하는 듯해.
④ 붉은 기가 도는 포동포동한 소녀가 시선을 사로잡아.
⑤ 싱그러운 모습의 소녀에게서 스페인 사람들의 열정이 느껴져.

20 다음 글을 읽고, 〈화병의 꽃〉과 〈꽃과 해골이 있는 정물〉의 공통점과 차이점을 〈조건〉에 맞게 서술하시오.

바니타스(vanitas)는 '공허', '금방 지나감', '단명'을 뜻하는 라틴어 '바누스(vanus)'에서 유래한 말이다. 이는 상징적 소재들을 통해 존재와 인생의 덧없음,

▲ 아드리안 반 위트레흐트, 〈꽃과 해골이 있는 정물〉

세월의 무상함, 현세적 쾌락의 허무함 등을 강조하는 그림이다.

아무도 피할 수 없는 세월의 흐름은 꽃, 과일 등 움직이지 못하는 물체를 놓고 그린 그림인 정물화를 통해서도 나타나는데, 활짝 피어난 꽃들 사이에 시들어 떨어진 꽃송이들 등이 그것이다.

━━ 조건 ●
• 작품의 소재를 중심으로 공통점을 서술할 것
• 각 작품에 나타나는 메시지를 중심으로 차이점을 서술할 것
• 각각 완결된 문장으로 서술할 것

[1~2] 다음 글을 읽고 물음에 답하시오.

가 먹고 싶은 음식만 먹는 편식이 비만, 콜레스테롤 수치 증가, 비타민 부족, 당뇨, 고혈압 등을 유발하듯이, 읽고 싶은 책만 읽는 편독도 정신적 성장과 건강의 불균형을 초래한다. 도서관이나 서점에 가서 제목만 들어 보고 읽지 못한 소설책, 역사책, 철학책, 사회 과학책, 종교와 예술에 관한 책들을 꺼내 들고 호기심을 자아내거나 마음을 움직이는 책을 찾아 읽는다면, 인생을 바라보는 새로운 시각과 세상을 넓게 보는 안목이 생길 것이다. 그런 책들은 약으로 치면 몸 전체의 상태를 조화롭게 만들어 주는 보약과 같은 역할을 한다. 어느 한 종류에 치우치지 않고 다양한 종류의 책을 균형 있게 읽는 것이 조화로운 정신 상태를 유지하는 길이다.

나 좁은 의미에서의 고전은 오랜 세월 동안 많은 사람에게 높이 평가되고 애호된 저술을 말한다. 걸작과 명저 가운데서도 세월의 흐름을 견디어 살아남은 책, 여러 세대에 걸쳐서 끊임없이 읽히는 책, 최소한 몇십 년, 길게는 몇백 년의 시간 동안 계속 읽히는 책이 고전이다. 고전은 단지 오래된 책이 아니라 오랫동안 많은 사람이 계속해서 읽는 책을 말한다. 고전은 주어진 시대, 특정 문화권에 사는 사람들의 종교관과 세계관, 사상과 철학, 취향과 감성, 고뇌와 희망을 한 권의 책에 압축한 지적 산물의 최고봉이다. 그러므로 고전은 한 작가의 창작이기에 앞서 한 문명권과 인류 전체의 소중한 문화유산이라고 할 수 있다. 세월이 흘러도 여전히 인간과 세상을 이해하는 데 도움이 되는 지혜를 담고 있는 고전이야말로 인류 문명을 지속시키는 수단이다. 우리는 인류가 남긴 고전을 읽으면서 우리 역시 오랜 시간 문명을 발전시킨 인류의 고귀한 일원임을 느낄 수 있다. 인류가 문자로 생각을 기록하기 시작한 머나먼 과거에서 오늘에 이르기까지 동양과 서양에서 살아남은 고전 속에는 인간이 스스로를 들여다보고 새로운 세상을 만드는 데 필요한 온갖 사유와 지혜, 지식과 정보가 들어 있다. 동서고금의 고전들은 시공을 초월하여 인류에게 빛을 밝혀 주는 등대와 같은 역할을 한다.

1 고전에 대한 설명으로 적절하지 않은 것은?

① 여러 세대에 걸쳐서 끊임없이 읽히는 책이다.
② 특정 문화권에 사는 사람들에게 많이 읽히는 책이다.
③ 새로운 세상을 만드는 데 필요한 지식을 담은 책이다.
④ 인간과 세상을 이해하는 데 도움이 되는 지혜를 담은 책이다.
⑤ 오랜 세월 동안 많은 사람에게 높이 평가되고 애호된 책이다.

2 이 글의 글쓴이가 다음 학생에게 해 줄 수 있는 조언을 〈조건〉에 맞게 서술하시오.

나는 내가 좋아하는 소설책만 골라 읽어.

┌─────────────────────── 조건
• **가** 를 바탕으로 하여 서술할 것
• 위 학생의 독서 태도가 불러올 문제점을 포함하여 서술할 것
• '~므로, ~야 합니다.'의 문장 형식으로 서술할 것

[3~5] 다음 글을 읽고 물음에 답하시오.

가 내가 걷는 길은 도로와 샛길을 합쳐서 구불구불 얼추 십 킬로미터가 된다. 나는 힘들었던 십 년 전 이 길을 걷기 시작했다. 걸으면 불안이 떨쳐질까 해서였다. 그 후로도 나는 자꾸 이 길로 돌아왔다. 일을 쉬기 위해서일 때도 있었고 일을 하기 위해서일 때도 있었다. 생산 지향적 문화에서는 대개 생각하는 일을 아무 일도 안 하는 것으로 여기는데, 사실 아

무 일도 안 하기란 쉽지 않다. 아무 일도 안 하는 제일 좋은 방법은 무슨 일을 하는 척하는 것이고, 아무 일도 안 하는 것에 가장 가까운 일은 걷는 것이다. 〈중략〉

보행의 리듬은 생각의 리듬을 낳는다. 풍경 속을 지나가는 일은 생각 속을 지나가는 일의 메아리이면서 자극제이다. 마음의 보행과 두 발의 보행이 묘하게 어우러진다고 할까. ㉠마음은 풍경이고, 보행은 마음의 풍경을 지나는 방법이라고 할까. 마음에 떠오른 생각은 마음이 지나는 풍경의 한 부분인지도 모르겠다.

나 걷기는 속도에 따라 평보, 속보, 경보로 구분된다. 평보는 1시간에 4킬로미터(보폭 60~70센티미터) 정도의 속도로 걷는 것이고, 속보는 1시간에 6킬로미터(보폭 80~90센티미터), 경보는 1시간에 8킬로미터(보폭 100~120센티미터) 정도의 속도로 걷는 것이다. 걷기 운동을 할 때에는 속보로 걷는 것이 체력 증진이나 심폐 기능 향상에 도움이 된다. 보폭은 평상시보다 약간 넓게 한다. 걷기 운동은 일주일에 3~4일, 운동 시간은 40~50분 정도로 하고, 점차 익숙해지면 속도와 주당 횟수를 늘리는 것이 좋다.

모든 운동이 그렇듯이 걷기 운동도 하기 전에 항상 준비 운동을 철저히 해야 한다. 준비 운동은 발목, 무릎, 허리, 어깨, 목 등 관절 위주로 하고, 스트레칭과 같이 관절의 가동 범위를 늘려 주는 운동을 하는 것이 좋다. 연령이 높거나 체력 수준이 낮은 사람은 처음에는 느린 속도로 걷기 운동을 시작하고, 점차 속도를 빨리하고 시간을 늘리면서 운동 강도를 높여 나가는 것이 바람직하다.

다 ㉡걷기 좋은 동네 만들기는 국내에서도 최근 활발히 진행하고 있는 지속 가능한 도시 만들기, 도시 재생 사업 등에서 중요하게 다루어지는 주제이다. 이를 위해 현재의 도로 환경을 분석하고 걷기 좋은 보도 환경을 조성하기 위한 데이터 구축과 정보 제공은 매우 중요하다. 특히 우리나라는 스마트폰 보급률이 매우 높고 선진화된 정보 기술을 갖추어서 새로운 공간의 지리 정보를 구축하기 위한 기반이 충분하다. 〈중략〉 국내에서도 외국에서와 같이 걷기 좋은 보도 환경을

조성하려면 우리가 지닌 기술력과 기반 시설을 바탕으로 하여 보도 환경에 관한 데이터를 구축하고 이를 도시 계획에 적극적으로 활용하도록 노력해야 할 것이다.

---

3 **가~다**에 대한 설명으로 적절하지 않은 것은?

① **가**는 **나**, **다**와 달리 글쓴이의 개인적 체험과 사색을 담고 있다.
② **나**는 걷기와 관련된 실용적인 정보를 제시하고 있다.
③ **다**는 **가**, **나**와 달리 설득을 목적으로 하는 글이다.
④ **가**, **나**, **다**의 중심 화제는 모두 '걷기'이다.
⑤ **가**, **나**, **다**의 글쓴이는 중심 화제에 대해 서로 상반된 관점을 지니고 있다.

4 ㉠의 의미로 가장 적절한 것은?

① 보행을 하며 거리의 풍경을 감상할 수 있다.
② 풍경을 감상하며 걸으면 길을 금방 지날 수 있다.
③ 보행을 통해 마음과 풍경의 공통점을 찾을 수 있다.
④ 보행을 하며 마음에 떠오르는 생각을 살펴볼 수 있다.
⑤ 마음의 풍경을 지나려면 아무 생각도 하지 않아야 한다.

5 **다**에서 ㉡을 위해 필요한 방법을 찾아 〈조건〉에 맞게 서술하시오.

┌─────────── • 조건 •
• 두 가지로 나누어 서술할 것
• 각각 '~해야 한다.'의 문장 형식으로 서술할 것
└───────────────────

[6~7] 다음 글을 읽고 물음에 답하시오.

가 최첨단 기술이 위기 상황에 취약한 것은 '지속 가능성'에 취약하게 설계되었기 때문이다. 최첨단 기술은 중앙 집중적이고 거대한 시스템의 구축이 필요하다. 그리고 이런 시스템을 지속하려면 과도한 에너지 소비와 인위적인 관리가 필요하다. 〈중략〉 중앙 집중적이고 기술 집약적인 최첨단 기술은 그것을 사용하는 사람들의 기술에 대한 의존도를 높인다.

나 반면에 적정 기술은 기본적으로 지속 가능한 시스템을 배경으로 하여 작동한다. 적정 기술은 노동력이 풍부한 곳에서는 노동력을 활용하는 방법을 모색하고, 재생 에너지가 풍부한 곳에서는 재생 에너지를 활용하는 방법을 찾는다. 이를 통해 중앙 집중식 기술에 대한 의존을 줄이고 소규모 단위의 자립적 생존을 도모한다. 이런 점에서 적정 기술은 위기 상황에 취약한 최첨단 기술을 보완할 수 있는 기술로서 그 유용성이 주목받고 있으며, 현대 사회의 각종 위기에 대한 해결 방안으로 그 필요성이 강조되고 있는 것이다.

다 최근 우리나라에서도 적정 기술에 대한 관심이 커지고 있는데 이는 매우 고무적이라고 할 수 있다. 하지만 이미 40~50년의 적정 기술 역사를 지닌 서구 선진국과는 달리 우리나라의 적정 기술 관련 경험은 매우 부족하다. 또한 적정 기술이 기존의 방법이 해결하지 못한 모든 사회 문제를 단번에 해결해 줄 것이라고 기대하기도 하는데 이는 매우 위험한 생각이다.

6 이 글의 내용과 일치하지 <u>않는</u> 것은?

① 최첨단 기술은 거대한 시스템 구축을 필요로 한다.

② 최근 한국에서 적정 기술에 대한 관심이 늘고 있다.

③ 최첨단 기술은 지속 가능성에 취약하게 설계되었다.

④ 적정 기술이 주목받는 이유는 지속 가능성이 높기 때문이다.

⑤ 적정 기술은 현대 사회의 모든 위기를 단번에 해결할 수 있다.

7 다음 중 이 글에 나타난 내용 전개 방식을 모두 골라 쓰시오.

대조	분류	인과	정의

[8~9] 다음 글을 읽고 물음에 답하시오.

가 나라에는 빚이 쌓여 있는데도 갚으려는 생각은 아니하고 교만과 사치와 음탕과 안일로 나날을 지새워 두려움과 거리낌이 없어서 온 나라는 어육이 되고 만백성은 도탄에 빠졌다. 진실로 수령들의 탐학 때문이다. 〈중략〉

우리 무리는 비록 초야의 유민이나 임금의 토지를 갈아먹고 임금이 주는 옷을 입고 사니 어찌 나라가 망해 가는 꼴을 좌시할 수 있겠는가. 온 나라 사람이 마음을 함께하고 수많은 백성이 뜻을 모아 지금 의로운 깃발을 들어 보국안민을 생사의 맹세로 삼노라. 오늘 광경이 비록 놀랄 일이겠으나 결코 두려워하지 말고 각기 생업에 편안히 종사하면서 함께 태평 세월을 빌고 모두 임금의 교화를 누리면 천만다행이겠노라.

나 허구가 개입된 역사 영상물은 역사를 대중에게 효과적으로 이해시킬 수 있는 교육적 매개체인가, 아니면 대중이 소비하는 영상 자료들 가운데 실화 혹은 실존 인물의 이야기라는 점에서 매력적인 오락 품목의 하나인가? 이러한 질문은 역사와 대중을 만나게 해 주는 매개체인 극화된 역사 영상물에 대한 두 가지 차원의 접근을 대변한다. 하나는 '역사 대중화'의 차원이고, 다른 하나는 '역사의 대중문화화'라는 차원이다. 양측 모두 '쉬운 역사'를 지향한다는 점에서는 공통점이 있으나, 전자가 '역사의 의미'를 추구한다면 후자는 '역사의 재미'에 더 큰 비중을 둔다는 점에서 차이가 있다.

그러나 역사 영화는 이러한 두 가지 접근법이 공유하는 사유의 공간이 될 수 있다. 〈중략〉 이 둘 사이에 존재하는 간극은 역사 영화를 대화의 접점으로 삼아 좁힐 수 있다. 왜냐하면 역사 영화는 이 두 가지를 모두 충족할 가능성이 있기 때문이다.

대중이 단순히 역사적 지식을 습득하는 것이 아니라 역사적으로 사유할 수 있는 힘을 기르는 것이 역사 교육과 역사 대중화의 본래 목적일 것이다. 그런데 역사 대중화는 역사가에 의해서만이 아니라 대중문화 생산자에 의해서도 얼마든지 일어날 수 있다. 더구나 근래에는 역사 자료들이 속속 번역·정리되어 디지털화되고 데이터 베이스화되면서 사료에 대한 접근성이 높아졌다. 이제 누구나 사료를 쉽게 접할 수 있는 시대가 된 것이다. 역사가만이 아니라 영화·드라마의 제작진도, 일반 대중도 얼마든지 '문학하기', '철학하기'처럼 '역사하기'를 할 수 있다. 그러나 누구나 영화를 찍을 수 있는 시대가 되었다고 해서 전문 영화감독이 사라지지 않듯이 누구나 역사를 해석하고 서술할 수 있다고 해서 전문 역사가의 역할이 사라지는 것은 아니다. 오히려 역사가의 전문성은 더욱 중요해질 것이며, 역사 영화를 제작하는 데에도 단순히 자문을 받거나 감수를 해 주는 정도가 아니라 기획이나 시나리오 작업에 참여하는 등 역사가의 역할이 더욱 커질 것이다.

8 〈보기〉를 참고하여 **가**의 글쓴이가 글을 쓴 목적을 다음과 같이 정리할 때, ㉠~㉢에 들어갈 적절한 내용을 〈조건〉에 맞게 서술하시오.

> ─── 보기 ───
> **가**의 제목은 '무장 포고문'으로, '무장 창의문'이라고도 한다. '창의문'은 나라가 존립하기 어려울 정도로 위태로운 상황에서 의병으로 일어날 것을 널리 호소하는 글을 가리킨다.

> ─── 조건 ───
> • 글을 쓸 당시의 사회적 상황이 드러나도록 서술할 것
> • 글을 쓴 두 가지 목적이 드러나도록 서술할 것

> **가**의 글쓴이가 글을 쓴 이유
> (㉠) 상황에서 (㉡)을/를 밝히고 백성들에게 (㉢)을/를 권하기 위해서이다.

9 **나**에 나타난 글쓴이의 견해로 적절하지 <u>않은</u> 것은?

① 역사 대중화의 목적은 역사적으로 사유하는 힘을 기르는 데 있다.
② 역사 대중화에 다양한 주체가 참여할수록 역사가의 역할이 중요해질 것이다.
③ 역사 영화를 제작할 때 역사가의 가장 중요한 역할은 감수를 해 주는 것이다.
④ 사료에 대한 접근성이 높아짐에 따라 역사 대중화에 다양한 주체가 참여할 수 있다.
⑤ 역사 영화를 매개로 역사 대중화의 입장과 역사의 대중문화화의 입장 차이를 좁힐 수 있다.

[10~11] 다음 글을 읽고 물음에 답하시오.

가 한국인들은 대체로 논쟁을 좋아하지 않는다. 자신과 생각이 다른 사람과 부딪치는 것은 바람직하지 않고 반대 의견을 내면 갈등을 조장한다고 생각하는 사람이 적지 않다. 갈등을 품고 삭이고 드러내지 않아야 그릇이 크다고 여긴다.

우리와 달리 미국이나 유럽 같은 서구인들에게 논쟁은 학습의 도구이자 삶의 방식이다. 고대 그리스에서 소크라테스와 고르기아스가 격렬한 논쟁을 통해 수사학의 정체성을 탐색했고, 소크라테스는 '산파법'이라고 불리는 변증법적 대화를 통해 진리를 탐구했다.

나 좋은 논쟁이란 '상호 부딪침'이 있는 논쟁을 뜻한다. 그러자면 논점이 팽팽하게 부딪쳐야 한다. 서로의 의견이 갈리는 부분에서 만나 마치 싸움터에서 장수들이 겨루듯 자신의 논리로 상대와 맞서 싸워야 한다.

논쟁이 생산적일 수 있는 이유는 바로 이 '만남'과 '부딪침'에 있다. 서로의 생각이 얼마나 다른지, 어느 부분이 어떻게 다른지는 서로 견주어 봐야 알 수 있는 일이다. 그런 이유로 논쟁은 싸움 같지만 사실은 상호 이해의 장이요, 청중들에게는 즐거움과 교육의 장이다.

다 우리 사회가 토론과 논쟁에 서툴다는 것을 대부분의 사람은 알고 있다. 그러나 토론 부재와 논쟁 불능 사회가 가져오는 부작용이 얼마나 큰지는 제대로 인식하지 못하는 것 같다. 밀은 "사회에서 널리 통용되는 의견이나 감정이 부리는 횡포 그리고 그런 통설과 다른 생각과 습관을 가진 이견 제시자에게 사회가 법률적 제재 이외의 방법으로 윽박지르면서 통설을 행동 지침으로 받아들이도록 강요하는 경향에 대해서도 대비를 해야 한다."라고 했다. 이는 다수의 의견을 모든 사회 구성원에게 강요하고 조금이라도 다른 의견은 묵살해 버리는 사회의 위험성과 폭력성을 경계하는 말이다. ㉠그런 사회에서는 소수의 권익도, 다수를 위한 합리적인 정책도 보장되기 어렵다.

라 논쟁이 활발한 사회는 의견 스펙트럼의 중간층이 두껍다. 의견 양극화와 쏠림 현상이 두드러진 곳에서는 집단들 간에 공유되지 않는 정보가 많아지고 소수자들은 침묵하게 된다. 그래서 사람들이 의견을 잘 내지 않는 사회가 되기 쉽다. 그런 곳에서는 의견의 양극단만 보이고 중간이 보이지 않는다. 중간 의견이 반영되지 않는 극단의 결정이 횡행하게 된다. 오늘날의 한국 사회는 과연 어떠한가?

10 이 글의 표현 방법과 효과에 대한 설명으로 적절하지 않은 것은?

① 논쟁을 장수들의 싸움에 비유하여 좋은 논쟁의 특징을 표현하고 있다.

② 논쟁에 대한 한국인과 서구인의 태도를 대조하여 문제 상황을 분명하게 제시하고 있다.

③ 구체적인 예를 제시하여 서구인들에게 논쟁이 어떻게 활용되었는지를 설명하고 있다.

④ 전문가의 견해를 인용하여 생산적 논쟁이 필요하다는 글쓴이의 주장을 뒷받침하고 있다.

⑤ 질문의 형식으로 중심 화제를 제시하여 독자들이 글에서 다룰 내용을 짐작할 수 있도록 하고 있다.

11 다음 중 ㉠과 가장 거리가 먼 것은?

① 사람들이 의견을 잘 내지 않는 사회

② 토론과 논쟁이 이루어지지 않는 사회

③ 의견 양극화와 쏠림 현상이 두드러진 사회

④ 다수를 위한 합리적인 정책만이 보장되는 사회

⑤ 다수의 의견을 모든 사회 구성원에게 강요하는 사회

[12~14] 다음 글을 읽고 물음에 답하시오.

가 '㉠라테파파'라는 말이 있다. 한 손에는 카페라테를 들고 다른 손으로는 유모차를 끄는 아빠를 뜻하는 말로, 육아에 적극적으로 참여하는 아빠를 의미하는 신조어이다. 실제로 라테파파가 존재하는 대표적인 국가는 바로 스웨덴이다. 스웨덴에서는 남성 육아 휴직제 사용률이 90퍼센트에 달하고, 오후 네 시면 아빠가 퇴근해 아이들을 함께 돌본다. 그에 반해 한국에서는 육아 문제를 엄마들이 도맡아 왔다. 한국의 엄마들은 홀로 아이들을 키우느라 주위도 챙기지 못한 채 정신없이 살아왔다.

나 20년간 육아와 관련한 담론에는 '여성'이 중심에 있다고 말할 수 있다. 그러나 최근에는 여성이 책임지는 돌봄 구조를 '조부모', 혹은 '아빠들'이 분담하려는 시도가 이루어지고 있다. '라테파파'라는 신조어가 자주 쓰이기 시작한 것도 이 같은 변화를 반영한다. 물론 이는 반쪽짜리 변화이다. 뉴스에 '아빠'라는 단어가 많이 등장했다고 해서 우리 사회가 엄마들이 아이를 양육하기 좋은 환경으로 바뀐 것이라 단정할 수는 없다. 다만 언론을 비롯한 사회의 관심이 엄마에게 육아의 모든 책임을 전가하는 게 아닌, 육아를 사회적으로 분담하는 쪽으로 바뀌고 있다는 정도로 맥락을 읽을 수 있을 것이다. 이 반쪽의 변화를 온전한 변화로 바꾸는 것은 사회 구성원과 정부 부처의 적극적인 관심과 노력일 것이다. 라테파파가 가능해질 그날을 기대해 본다.

12 **가** 에서 글쓴이가 ㉠을 제시한 목적으로 적절한 것은?

① 사회적 통념에 반박하기 위해서

② 사회·문화적 이념을 비판하기 위해서

③ 독자의 흥미와 관심을 유발하기 위해서

④ 글쓴이의 개인적인 경험을 소개하기 위해서

⑤ 글에 활용한 자료의 공정성을 강조하기 위해서

13 한국 사회의 육아 문제에 대해 글쓴이가 제시한 해결 방안을 모두 골라 묶은 것은?

> ⓐ 남성이 육아를 도맡아야 한다.
> ⓑ 여성의 육아 부담을 덜기 위해 조부모가 발벗고 나서야 한다.
> ⓒ 육아 문제 해결을 위해서 정부 부처가 적극적으로 관심을 기울여야 한다.
> ⓓ 아이를 양육하기 좋은 환경을 조성하기 위해서 사회 구성원 모두가 노력해야 한다.

① ⓐ, ⓑ ② ⓐ, ⓒ ③ ⓑ, ⓒ

④ ⓑ, ⓓ ⑤ ⓒ, ⓓ

14 다음을 참고하여 **가** 에서 글쓴이가 스웨덴의 사례를 소개한 이유를 〈조건〉에 맞게 서술하시오.

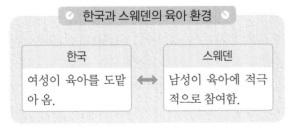

◆ 한국과 스웨덴의 육아 환경 ◆

한국		스웨덴
여성이 육아를 도맡아 옴.	↔	남성이 육아에 적극적으로 참여함.

─ 조건 ─

• **가** 에 나타난 내용 전개 방식이 드러나도록 서술할 것

• '~기 위해서이다.'의 문장 형식으로 서술할 것

[15 ~ 16] 다음 글을 읽고 물음에 답하시오.

가 작년 가을에 이웃집에서 복수초를 나누어 받았다. 뿌리는 구근이 아니라 흑갈색 잔뿌리와 검은 흙이 한데 엉겨 있고, 키는 땅에 닿을 듯이 작은데 잎도 새의 깃털처럼 잘게 갈라져 있어서 전체적으로 부피감이 느껴지지 않아 하찮은 잡초처럼 보였다. 그전에 나는 복수초라는 화초를 사진으로 본 적은 있지만 실물을 본 적은 없기 때문에 그게 과연 눈 속에서 핀다는 그 복수초인지 잘 믿기지 않았다. 생각해서 나누어 준 분 앞이라 당장 양지바른 곳에 심기는 했지만 곧 가을이 깊어지니 워낙 시원치 않아 보이던 이파리들은 자취도 없어지고 나 역시 그게 있던 자리조차 기억 못 하게 되었다.

나 나는 눈으로는 눈의 무게를 이기지 못해 꺾인 듯이 축 처진 소나무 가지를 바라보면서 마음으로는 그 샛노란 꽃의 속절없음을 생각하고 있었다. 대문 밖의 눈은 치워 주었지만 마당의 눈은 그대로 방치해 두었기 때문에 녹아 없어지는 데 며칠 걸렸다. 놀랍게도 제일 먼저 녹은 데가 복수초 언저리였다. 고 작은 풀꽃의 머리칼 같은 뿌리가 땅속 어드메서 따뜻한 지열을 길어 올렸기에 복수초는 그 두터운 눈을 녹이고 더욱 샛노랗게 더욱 싱싱하게 해를 보고 있었다. 온종일 그렇게 피어 있다가 해 질 무렵에는 타원형으로 오므라든다. 그러다가 아주 시들어 버릴 줄 알았는데 다음 날 해만 뜨면 다시 활짝 핀다. 그러나 마냥 그럴 수는 없는 일이다. 곧 안 깨어나고 져 버리는 날이 있겠기에 그게 피어 있는 동안만이라도 누구에겐가 보여 주고 자랑하고 싶어서 나는 집에 손님만 오면 그걸 구경시킨다.

다 올해는 복수초가 1번이 되었지만 작년까지만 해도 산수유가 1번이었다. 곧 4월이 되면 목련, 매화, 살구, 자두, 앵두, 조팝나무 등이 다투어 꽃을 피우겠지만 그래도 조금씩 날짜를 달리해 순서대로 피면서 그 그늘에 제비꽃이나 민들레, 은방울꽃을 거느린다. 꽃이 제일 먼저 핀 것은 복수초이지만 잎이 제일 먼저 흙을 뚫고 모습을 드러낸 것은 상사초이고 그다음이 수선화이다. 수선화는 벚꽃이 필 무렵에나 필 것 같고 상사초는 잎이 시들어 지상에서 사라지고 나서도 한참이나 더 있다가 꽃대를 밀어 올릴 것이다. 이렇게 그것을 기다리고 마중하다 보니 내 머릿속에 출석부가 생기게 되고, 출석부란 원래 이름과 함께 번호를 매기게 되어 있는지라 백 번이 넘는다는 걸 알게 되었다. 이름을 모르면 백 번이라는 숫자도 나오지 않았을 것이다. 그것들이 순서를 지키지 않고 멋대로 피고 지면 이름이 궁금하지 않았을지도 모른다.

15 '복수초'에 대한 설명으로 적절하지 **않은** 것은?

① 글쓴이가 이웃에게 나누어 받아 키우게 되었다.

② 키는 땅에 닿을 듯이 작고 잎은 잘게 갈라져 있다.

③ 글쓴이의 마당에 있는 꽃들 중 올해 가장 먼저 피어났다.

④ 해가 뜨면 활짝 피어나고 해 질 무렵에는 타원형으로 오므라든다.

⑤ 강한 생명력으로 처음부터 글쓴이에게 놀라움과 감탄을 안겨 주었다.

16 다음은 출석부와 관련된 내용을 정리한 것이다. 밑줄 친 부분에 들어갈 적절한 내용을 〈조건〉에 맞게 서술하시오.

● 조건 ●

완결된 문장으로 서술할 것

• 출석부에 있는 이름: 글쓴이의 마당에 피는 꽃들의 이름

• 출석부의 순서: 꽃이 피는 순서를 따름.

• 출석부를 통해 알 수 있는 글쓴이의 태도: _____

_____

_____

[17 ~ 20] 다음 글을 읽고 물음에 답하시오.

가 순자는 인간의 마음 작용을 성(性), 정(情), 려(慮), 위(僞)의 네 부분으로 나누었습니다. 이 네 부분은 마음이 움직이는 순서이기도 합니다. 이 네 단계가 구체적으로 무엇이며, 어떻게 작용하는지를 살펴봅시다.

첫 단계인 '성'은 사람의 가장 기본적인 부분으로서, 삶의 자연스러운 본질이자 날 때부터 지닌 본성입니다. 앞에서 보았듯이 배고프면 먹고 싶고, 목마르면 마시고 싶고, 피곤하면 쉬고 싶은 생리적 본성입니다. 둘째 단계인 '정'은 밖에 있는 사물들과 만나서 생기는 감정입니다. 좋다, 나쁘다, 노엽다, 슬프다, 즐겁다 하는 것들이 여기에 해당합니다. 셋째 단계인 '려'는 구체적인 감정이 생긴 뒤에 어떻게 할 것인가를 선택하는 문제입니다. 사람의 사고 작용에 해당하는 셈입니다. 넷째 단계인 '위'는 선택이 끝난 뒤 실행해 나가는 의지적인 실천입니다.

나 순자는 본성대로 가면 결과가 악이고 본성을 거스르는 의지적 실천대로 가면 선이기 때문에 성은 악이고 위는 선이라고 합니다. 순자가 인간의 본성을 악하다고 보았다고 해서 본성대로 살자고 한 것은 아닙니다. 그에게는 ⊙의지적 실천을 통해 본성이 가져올 악한 결과를 어떻게 변화시켜 나갈 것인가가 문제였습니다. 따라서 순자의 철학은 '위'에 그 가치가 있으며, 그런 점에서 순자의 철학은 의지에 기초한 실천 철학이라고 할 수 있습니다.

다 순자는, 인간의 본성을 착하다고 한 맹자의 주장은 본성을 제대로 알지 못한 것이라고 비판합니다. 사람의 ⊙타고난 본성과 후천적인 의지에 따른 노력을 구분하지 못한 것이라는 지적입니다. 그리고 맹자의 말대로 본성이 본래 착한 것이라면, 현실의 인간은 대부분 태어나면서 바로 자신의 착한 본성을 잃어버리게 되는 셈이라고 비판합니다. 또 인간이 본래 착한 존재라면 애초부터 훌륭한 임금이나 좋은 제도 따위는 필요가 없다고도 했습니다.

라 맹자는 모든 인간의 본성이 착하다고 하면서도 실제적인 강조점은 군자에게 두었습니다. 인간의 본성에 생리적인 면이 있음을 인정하면서도, 그러한 생리적인 면이 본성인 사람들은 소인이고, 군자는 도덕성만이 본성이라고 하였습니다. 맹자는 사실상 군자의 도덕성만을 인정한 것이며, 일반 백성들에 대해서는 도덕성에 근거한 군자의 교화를 받아들일 수 있는 정도의 자질만을 인정한 셈입니다. 그렇다면 순자는 어떨까요? 순자가 본래부터 악하다고 한 그 본성은 누구의 본성을 가리킬까요?

마 순자는 어떤 사람인가를 구분하지 않고 모든 사람의 본성이 악하다고 합니다. 가장 훌륭한 사람의 표본이었던 요순의 본성과 가장 악한 사람의 표본이었던 걸 임금이나 도척의 본성이 같다고 보았습니다. 순자가 같다고 본 본성은 당연히 ⓒ생리적·감각적인 본성입니다. 그렇다면 도덕성은 본성 자체에서 나오는 것이 아니므로 ⓔ현실에서 이루어지는 노력의 결과인 셈입니다.

17 이 글에 대한 설명으로 가장 적절한 것은?

① 대립하는 두 이론의 장단점을 설명하고 있다.

② 대조되는 두 관점을 비교하여 차이점을 부각하고 있다.

③ 특정한 화제와 관련된 이론의 변천 과정을 제시하고 있다.

④ 화제에 대한 상반된 주장을 소개하고 절충안을 모색하고 있다.

⑤ 기존 이론의 문제점을 분석하고 새로운 이론을 이끌어 내고 있다.

18 ㉠~ⓔ이 각각 | 성 |과 | 위 | 중 무엇에 해당하는지 구분하여 빈칸에 그 기호를 쓰시오.

성	위

19 이 글의 내용과 일치하지 <u>않는</u> 것은?

① 맹자는 사실상 군자의 도덕성만을 인정했다.

② 순자는 모든 사람의 본성이 악하다고 주장했다.

③ 맹자는 선한 행동을 선택하는 인간의 의지를 중요하게 여겼다.

④ 순자가 제시한 인간의 마음 작용 중 '려'는 감정이 생긴 뒤 행위를 선택하려는 사고 작용이다.

⑤ 순자는 맹자가 사람의 타고난 본성과 후천적 의지에 따른 노력을 구분하지 못했다고 비판했다.

20 이 글을 참고할 때, 다음 신문 기사에 나타난 A의 행동에 대한 순자와 맹자의 판단으로 적절한 것은?

집중호우 피해로 수재민이 늘고 있는 가운데 배우 A가 1억 원을 쾌척해 화제가 되고 있다.

A는 연예계의 대표적인 기부 천사다. 코로나 19 확산 방지를 위해 3억 원이 넘는 금액을 기부하는가 하면, 지난 5월 어린이날을 맞아 1억 원을 기부하며 선행을 이어 가고 있다.

① A는 타고난 본성에 따라 행동하고 있군.

② A와 같은 사람 때문에 훌륭한 임금이 필요한 것이군.

③ A의 도덕성은 현실에서 이루어지는 노력의 결과이군.

순자

④ A는 태어나면서 자신의 본성을 잃은 셈이군.

⑤ A는 생리적인 면이 본성인 소인의 면모를 지녔군.

맹자

Memo

1일 기초 확인 문제

9쪽

• 1단원 (1) 독서 자료 선택하기

1 독서의 목적, 글의 가치 **2** ④ **3** ④ **4** ⑤ **5** (1) × (2) ○ (3) ○

1 독서의 대상이 되는 글이나 책을 선택할 때에는 독서를 하는 목적과 글의 가치를 고려해야 한다.

2 위 학생은 학교 급식 잔반이 너무 많다는 문제를 해결하기 위해 글을 읽으려 한다.

3 이 글에 따르면, 오늘날 학생들은 교과서와 학습서, 수험서에 둘러싸여 교양 도서를 읽을 시간이 거의 없으며, 문학 작품이나 교양 도서를 읽더라도 수능이나 입시 준비처럼 실용적인 목적을 위한 것이 대부분이다.

4 ⑤는 교양 독서를 잘 하지 않는 오늘날 성인들의 독서 경향과 관련된 것으로, 글쓴이가 제시한 좋은 책의 기준과는 거리가 멀다.

5 (1) 글쓴이는 '고전은 단지 오래된 책이 아니라 오랫동안 많은 사람이 계속해서 읽는 책'이라고 제시하고 있다.
(2) 글쓴이는 '세월이 흘러도 여전히 인간과 세상을 이해하는 데 도움이 되는 지혜를 담고 있는 고전이야말로 인류 문명을 지속시키는 수단'이라고 밝히고 있다.
(3) 글쓴이는 좁은 의미에서의 고전을 '오랜 세월 동안 많은 사람에게 높이 평가되고 애호된 저술'이라고 정의하고 있다.

1일 교과서 기출 베스트

10~11쪽

• 1단원 (1) 독서 자료 선택하기

1 ① **2** ② **3** 고전에는 온갖 사유와 지혜, 지식과 정보가 들어 있어 인간이 스스로를 들여다보고 새로운 세상을 만들 수 있도록 돕기 때문이다. **4** ② **5** ③, ④ **6** (같은 제목의) 연속물 중 제2권이며, 같은 책을 적어도 두 권 보관하고 있는데 그중 둘째 책이라는 뜻이다.

1 이 글은 '좋은 책은 어떤 책들을 말하는가?'라는 물음으로 시작하여 좋은 책의 기준과 좋은 책의 기준에 부합하는 고전에 대해 설명하고 있다.

2 고전은 '시대와 국경을 뛰어넘어 보편적 가치를 획득한 책'으로, 한 문명권과 인류 전체의 소중한 문화유산이다. 따라서 고전이 특정한 지역의 사람들만이 즐겨 읽는 책이라는 설명은 적절하지 않다.

3 등대가 빛을 밝혀 밤에 다니는 배를 돕는 것처럼 고전 역시 온갖 사유와 지혜, 지식과 정보를 담고 있어 인간이 스스로를 들여다보고 새로운 세상을 만들 수 있도록 도와준다. 글쓴이는 이러한 유사성에 근거하여 고전을 '등대'에 비유하여 표현한 것이다.

평가 요소	확인 ☑
고전이 온갖 사유와 지혜, 지식과 정보를 담고 있어 인간이 스스로를 들여다보고 새로운 세상을 만들 수 있도록 돕기 때문에 등대에 비유되었음을 서술했다.	
제시된 문장 형식에 맞게 서술했다.	

4 '도서관이나 서점에 가서 제목만 들어 보고 읽지 못한 …… 인생을 바라보는 새로운 시각과 세상을 넓게 보는 안목이 생길 것이다.'는 다양한 분야의 책을 읽는 일의 장점을 제시한 부분이다. 이를 제목만 들어 본 책을 중심으로 읽을 책을 선정하라는 의미로 보기는 어렵다.

오답 풀이

①, ③ 글쓴이는 '다양한 종류의 책을 균형 있게 읽는 것이 조화로운 정신 상태를 유지하는 길'이라고 했다.
④ 첫 문장에서 편식에 빗대어 편독의 문제점을 표현하고 있다.
⑤ 도서관이나 서점에서 소설책, 역사책, 철학책 등 다양한 종류의 책을 찾아 읽으면 인생을 바라보는 새로운 시각과 세상을 넓게 보는 안목이 생길 것이라고 했으므로 적절한 내용이다.

5 ③, ④와 관련된 정보는 이 글에 나타나 있지 않다.

6 '-' 기호는 연속 간행물의 순서 표시 기호로, 한 명의 저자가 낸 같은 제목의 연속물의 순서를 표시할 때 사용하는 기호이다. '=' 기호는 동일 도서의 권수 표시 기호로, 도서관에서 보유하고 있는 동일 도서 내 순서를 표시할 때 사용하는 기호이다.

평가 요소	확인 ☑
'-2'가 연속물의 제2권을 의미함을 밝혔다.	
'=2'가 도서관에서 동일 도서를 적어도 두 권 보관하고 있는데, 그중 둘째 책이라는 뜻임을 밝혔다.	
제시된 문장 형식에 맞게 서술했다.	

• 1단원 (2) 주제 통합적 독서

1 ④ **2** (1) ○ (2) ○ **3** (1) × (2) ○ **4** (1) ○ (2) ○ **5** ②
6 보행

1 같은 화제를 서로 다른 관점과 형식으로 다룬 다양한 글을 비교하며 읽으면 화제에 관한 지식을 넓히고 그 내용을 종합하여 의미를 새롭게 구성할 수 있다. 따라서 ④는 주제 통합적 독서의 장점으로 보기 어렵다.

2 (1) 글쓴이는 걸으면 불안이 떨쳐질까 싶어 십 년 전부터 구불구불한 '이 길'을 걷기 시작했다.
(2) 글쓴이는 풍경 속을 지나가는 걷기를 '마음의 풍경을 지나는 방법'이라고 했다. 이는 길에서 보이는 풍경을 지나가며 자신의 마음을 성찰할 수 있음을 뜻한다.

3 (1) 글쓴이는 '모든 운동이 그렇듯이 걷기 운동도 하기 전에 항상 준비 운동을 철저히 해야 한다.'라고 했다.
(2) 글쓴이는 체중 조절이 목적이라면 길고 느릿한 걷기가 짧고 빠른 달리기보다 바람직하다고 했다.

4 (1) '걷기는 우리가 일상 속에서 가장 손쉽게 접할 수 있는 운동이며 친환경적인 교통수단이다.'에서 확인할 수 있다.
(2) 글쓴이는 걷기 좋은 동네를 만들기 위해서는 '현재의 도로 환경을 분석하고 걷기 좋은 보도 환경을 조성하기 위한 데이터 구축'이 중요하다고 했다.

5 걷기 운동이 생활 속에서 가장 안전하게 할 수 있는 유산소 운동이며 다양한 유형의 사람들에게 좋다고 설명하는 것을 볼 때, 글쓴이는 걷기에 대해 긍정적 태도를 취하고 있다.

6 글쓴이는 우리나라와 외국의 상황을 대조하여 동네의 골목길, 통근·통학로와 같은 일상생활 속 보행 환경에 대한 우리나라의 관심이 아직 미미하다는 점을 제시하고 있다.

• 1단원 (2) 주제 통합적 독서

1 ④ **2** ④ **3** ③ **4** ⑤ **5** 이 글은 걷기 운동에 대한 정보를 설명하기 위해 쓴 글이다. 〈보기〉는 국내에서도 걷기 좋은 보도 환경을 조성하려면 보도 환경에 관한 데이터를 구축하고 이를 활용하도록 노력해야 함을 주장하기 위해 쓴 글이다. **6** ⑤ **7** ④ **8** ① **9** ④
10 정부의 시장 개입은 경제 발전 문제를 해결하기 위해 필요하다.

1 이 글의 글쓴이는 우리가 일상적으로 반복하는 걷는 행위가 자신에게 어떤 의미와 가치가 있는지 성찰한 내용을 서술하고 있다.

2 (나)에서 글쓴이는 '마음속에서 일이 일어나려면 몸의 움직임과 눈의 볼거리가 필요하다.'라고 했다. 이는 걷는 동안 보는 풍경을 통해 생각을 할 수 있음을 의미한다. 마음속에 생각이 떠올라야 몸의 움직임이 일어난다는 ④의 내용은 이를 반대로 나타낸 것이므로 적절하지 않다.

3 ㉠은 걷는 행위인 보행이 걸음을 반복하는 일이므로 리듬이 생기고, 이에 따라 자연스럽게 마음속에 생각이 떠오른다는 의미이다.

4 이 글은 걷기 운동에 필요한 준비 운동과 정리 운동의 방법, 걷기 운동을 할 때 주의할 점과 걷기 운동을 실시하기 전에 점검해야 할 점 등을 설명하고 있다. 따라서 이 글의 주제로 가장 적절한 것은 ⑤의 '걷기 운동의 방법과 걷기 운동을 할 때 주의할 점'이다.

5 이 글은 걷기 운동에 대한 정보를 알려 주는 설명문이고, 〈보기〉는 외국의 사례와 같이 국내에서도 보도 환경을 개선하기 위해 노력해야 한다고 주장하는 논설문이다.

평가 요소	확인 ✓
이 글의 중심 내용이 '걷기 운동에 대한 정보'이며, 목적이 '설명'임을 밝혔다.	
〈보기〉의 중심 내용이 '걷기 좋은 보도 환경 조성을 위한 데이터 구축 및 활용 노력의 필요성'이며, 목적이 '주장'임을 밝혔다.	
'설명'과 '주장'이라는 단어를 포함하여 서술했다.	
제시된 문장 형식에 맞게 서술했다.	

6 (가)에서 글쓴이는 '걷기 좋은 도시 만들기'가 도시 사업에서 빠지지 않는 연구 과제로 자리매김했음을 언급했을 뿐, 이를 가장 중요한 연구 과제라고 주장한 것은 아니다.

7 (나)에서 워크 스코어의 점수 산출 방식의 예시로 '해당 지점에서 도보 5분 거리(약 0.4킬로미터) 이내에 편의 시설이 많을수록' 해당 지점이 높은 점수를 받는다고 했다.

오답 풀이

①, ③ 워크 스코어는 특정 지점의 보행 환경을 0~100점 단위로 점수화하고, 웹 사이트와 스마트폰 응용 프로그램을 통해 점수를 공개한다고 했다.
② 워크 스코어는 측정된 점수를 바탕으로 하여 매년 걷기 좋은 도시의 순위를 선정해 발표한다고 했다.
⑤ 워크 스코어는 보행 환경을 점수화하는 것과 같은 방식으로 해당 지점이 얼마나 자전거를 타기에 좋은 환경인지에 대한 점수, 대중교통 접근성이 얼마나 좋은지에 대한 점수도 산출하여 제공한다고 했다.

8 (가)는 펜실베이니아주 정부의 개입 때문에 물가가 급등했던 역사적 사례를 제시하여 정부가 시장에 개입하여 인위적으로 가격을 통제하려는 시도가 옳지 않다는 주장을 강조하고 있다.

오답 풀이

② (가)에서 '대부분의 정책 당국자가 정부가 시장을 움직일 수 있다고 믿기 때문이다.'라고 한 것은 반대되는 입장의 의견을 제시한 것으로 볼 수 있다. 하지만 이어서 '실제로는 전혀 그렇지 않다.'라고 한 것으로 볼 때, 글쓴이가 반대되는 입장의 의견을 일부분 수용하고 있다고 보기는 어렵다.
③ (가)에 전문가의 견해를 인용한 내용은 나타나지 않는다.
④ 자본주의 국가로 개혁한 공산주의 국가들이 심각한 경제 위기를 겪은 사례를 제시했을 뿐, 상반되는 사례를 나열하고 각각의 입장을 옹호하지는 않았다. (나)는 시장이 자연스럽게 진화한다고 보는 신고전학파 경제학자들의 견해를 일관되게 반박하고 있다.
⑤ (나)는 시장을 자연적 현상으로 바라보는 관점을 반박하며 그 근거를 들었을 뿐, 현재 상황의 문제점을 제시하고 해결책을 모색하지는 않았다.

9 '보이는 손'이란 '정부의 시장 개입'을 의미한다. 따라서 ㉠은 정부의 시장 개입이 시장의 문제를 완벽하게 해결할 수 있는 방법이 아님을 의미하는 구절이다.

10 (가)의 글쓴이는 시장의 흐름과 정부의 경제 정책이 상충하면 시장의 흐름이 더 강력하게 작용하며, 경제 정책은 시장 친화적이어야 하고 정부의 개입은 제한적으로 이루어져야 한다고 주장하고 있다. (나)의 글쓴이는 정부의 개입이 제한되어 경제 발전 위기를 겪은 수많은 개발 도상국의 사례를 들어 정부의 시장 개입이 경제 발전 문제를 해결하기 위해 필요하다고 주장하고 있다.

평가 요소	확인 ✓
경제 발전 문제를 해결하기 위해 정부의 시장 개입이 필요하다고 보는 (나)의 글쓴이의 관점을 적절하게 서술했다.	
'경제 발전 문제'라는 말을 포함하여 서술했다.	
제시된 문장 형식에 맞게 서술했다.	

● 2단원 (1) 사실적 읽기

1 ⑤ **2** (1) ○ (2) × **3** ㉠ 중심 내용 ㉡ 세부 내용 **4** · 머리말: ㉡ · 본문: ㉠, ㉢, ㉣ · 맺음말: ㉣ **5** (1) 정의 (2) 열거 (3) 인과

1 ⑤는 2단원 (3)에서 공부할 '비판적 읽기'와 관련된 설명이다.

2 (1) 글의 구조는 '머리말-본문-맺음말'(설명문), '서론-본론-결론'(논설문)과 같이 글의 종류에 따라 달라질 수 있다.
(2) 시간의 흐름에 따른 글의 전개 방식에는 서사, 과정, 인과 등이 있고, 시간의 흐름과 상관없는 글의 전개 방식에는 정의, 예시, 비교·대조, 분석 등이 있다.

3 중심 내용은 글을 통해 나타내려는 핵심적인 생각이고, 세부 내용은 중심 내용을 뒷받침하는 내용이다. 따라서 나뭇잎의 굵은 잎맥은 중심 내용(㉠), 가는 잎맥은 세부 내용(㉡)에 해당한다고 볼 수 있다.

4 이 글은 설명문으로, 글의 구조를 '머리말-본문-맺음말'로 나눌 수 있다. '머리말'은 설명 대상을 제시하는 부분으로 ㉡이 이에 해당한다. '본문'은 대상에 대한 구체적인 정보를 설명하는 부분으로 ㉠, ㉢, ㉣이 이에 해당한다. '맺음말'은 글의 내용을 정리하거나 전망을 제시하는 부분으로 ㉣이 이에 해당한다.

5 (1) 바커가 밝힌 적정 기술의 개념을 정의하고 있다.
(2) '첫째', '둘째', '셋째'와 같은 담화 표지를 사용하여 적정 기술의 조건을 나열하고 있다.
(3) 최첨단 기술이 지속 가능성에 취약하게 설계되었기 때문에(원인) 현대 사회의 위기 상황에 취약함(결과)을 설명하고 있다.

● 2단원 (1) 사실적 읽기

1 ④ **2** ③ **3** 인간의 기본적인 필요를 충족하여 주지 못하는 기술, 하위 20퍼센트의 사람들이 혜택을 받지 못하는 상태로 만든 경제 성장 전략과 이를 뒷받침하는 기술 **4** ② **5** ② **6** · 지역 주민의 역량이 강화되어야 한다. · 지역 주민의 삶의 질이 향상되어야 한

다. • 지역의 고용이 창출되어야 한다. **7** ③ **8** ④ **9** 최첨단 기술이 지속 가능성에 취약하게 설계되었기 때문이야. / 최첨단 기술의 중앙 집중적이고 거대한 시스템을 지속하려면 과도한 에너지 소비와 인위적인 관리가 필요하기 때문이야. / 최첨단 기술은 그것을 사용하는 사람들의 기술에 대한 의존도를 높이기 때문이야. **10** ① **11** ① **12** 분석

1 중간 기술은 1960년대 중반 개발 도상국의 경제적·기술적·사회적 문제들이 제기되던 시기에 제안되었다. 중간 기술이 개발 도상국의 문제를 불러일으킨 것은 아니다.

2 (나)에서는 적정 기술이 무엇인가에 대한 논의를 언급하며 적정 기술에 대한 바커의 견해를 소개하고 있다.

> **오답 풀이**
> ① (가)에서는 적정 기술의 등장 배경을 설명하고 있다.
> ② (나)에 적정 기술의 문제점에 관한 내용은 나타나지 않는다.
> ④, ⑤ (다)에서는 미국의 국립적정기술센터가 정의한 적정 기술의 개념을 설명하고 있다. 적정 기술을 유지하는 방법이나 적정 기술에 대한 서로 반대되는 관점에 관한 내용은 찾아볼 수 없다.

3 바커는 적정 기술을 '인간이 기본적인 생활을 영위하는 데 필요한 모든 기술'로 정의했다. 바커의 견해에 따르면 인간의 기본적인 필요를 충족하지 못하는 기술과 하위 20퍼센트의 사람들이 혜택을 받지 못하는 상태로 만든 경제 성장 전략과 이를 뒷받침하는 기술은 적정 기술로 볼 수 없다.

평가 요소	확인 ✔
'인간의 기본적인 필요를 충족하여 주지 못하는 기술', '하위 20퍼센트의 사람들이 혜택을 받지 못하는 상태로 만든 경제 성장 전략과 이를 뒷받침하는 기술'이라는 두 가지 내용을 각각 서술했다.	

4 이 글은 적정 기술이 갖추어야 할 일곱 가지 조건을 설명하고 있다.

5 이 글은 '첫째', '둘째'와 같은 담화 표지를 사용하여 적정 기술의 일곱 가지 조건을 차례대로 나열하고 있다.

6 이 글의 끝부분 '비록 이 가운데 몇 가지를 만족시키지 …… 갖춘 것으로 볼 수 있다.'에서 적정 기술의 자격을 갖추는 데 필요한 핵심 조건 세 가지를 제시하고 있다.

평가 요소	확인 ✔
'지역 주민의 역량 강화', '지역 주민의 삶의 질 향상', '지역 고용 창출'과 관련한 세 가지 조건을 모두 서술했다.	
제시된 문장 형식에 맞게 서술했다.	

7 (라)에 적정 기술이 기존의 방법이 해결하지 못한 모든 사회 문제를 단번에 해결해 줄 것이라는 기대는 매우 위험한 생각이라는 내용이 제시되어 있다. 따라서 ③은 적절하지 않다.

8 '대조'란 둘 또는 그 이상의 대상을 견주어 차이점을 중심으로 내용을 전개하는 방식이다. (나)와 (다)에서는 최첨단 기술과 적정 기술을 대조하여 적정 기술의 장점을 부각하고 있다(㉠). '예시'란 세부적인 사례를 들어 내용을 전개하는 방식이다. (가)에서는 현대 사회의 강력한 위기의 예시를 구체적으로 제시하고 있다(㉢). '인과'란 원인 또는 어떤 원인에 따른 현상(결과)을 중심으로 내용을 전개하는 방식이다. (나)에서는 최첨단 기술이 위기 상황에 취약한 것(결과)은 '지속 가능성'에 취약하게 설계되었기 때문(원인)이라고 밝히고 있다(㉣).

> **오답 풀이**
> ㉡ '정의'란 어떤 말이나 사물의 뜻을 명백히 밝혀 규정하는 내용 전개 방식이다. 제시된 부분에 정의의 방식은 나타나지 않는다.

9 (가)에서 현대 사회에 발생하는 각종 위기가 최첨단 기술의 문제점을 부각하고 있다고 했으며, (나)에서 최첨단 기술의 문제점을 구체적으로 제시하고 있다. 이러한 맥락에서 볼 때, 적정 기술은 위기 상황에 취약한 최첨단 기술을 보완할 수 있는 기술이자 현대 사회의 각종 위기에 대한 해결 방안으로 그 필요성이 강조되고 있음을 알 수 있다.

평가 요소	확인 ✔
지속 가능성에 취약하게 설계되어 위기 상황에 취약한 점, 중앙 집중적이고 거대한 시스템을 지속하려면 과도한 에너지 소비와 인위적인 관리가 필요한 점, 최첨단 기술을 사용하는 사람들의 기술에 대한 의존도를 높이는 점 중 하나를 최첨단 기술의 문제점으로 제시했다.	
제시된 문장 형식에 맞게 서술했다.	

10 (가)에서는 '다문화주의를 정의해 본다면, …… 가치관과 행동의 체계라고 요약할 수 있다.'와 같이 다문화주의의 개념을 정의하고 있다.

11 (가)에서 다문화주의의 개념을 설명한 뒤, (나)에서 다문화주의의 개념을 구성하는 네 가지 요소를 정리하고, (다)~(바)에서 다문화주의의 개념을 구성하는 각각의 요소를 구체적으로 설명하고 있으므로, (가) / (나) / (다), (라), (마), (바)와 같이 구분할 수 있다.

12 (나)~(바)는 다문화주의의 개념을 구성하는 요소를 '문화의 다양성을 인식하고 존중하는 것', '문화 간 차이를 인정하는 것', '다른 문화가 사회에 이바지하도록 장려하는 것', '앞의 세 가

정답

지 요소를 포용하는 가치관과 행동 체계'라는 네 가지로 나누어 상세하게 설명하고 있다. 이와 같이 어떤 대상이나 개념을 그 구성 요소나 부분들로 나누어 설명하는 내용 전개 방식을 '분석'이라고 한다.

2일 기초 확인 문제 27쪽

• 2단원 (2) 추론적 읽기

1 ④   **2** ⊙   **3** 인륜   **4** (1) ○ (2) ×   **5** 보국안민

1 ④는 사실적 읽기와 관련된 설명이다.

2 학생은 '눈'과 관련된 배경지식과 '또'라는 담화 표지를 활용하여 문장에 생략된 내용을 추론했으므로, 제시된 상황과 가장 관련 깊은 추론적 읽기의 방법은 ⊙(생략된 내용 추론하기)이다.

3 글쓴이는 군신과 부자의 인륜이 지켜져야만 복록(복되고 영화로운 삶)을 불러온다고 말하고 있다.

4 (1) '지금 신하가 된 자들은 …… 정직한 사람을 비도라 한다.'에서 신하들이 임금에게 아부를 일삼고, 충성스럽고 정직한 신하를 '비도(무기를 가지고 떼를 지어 다니면서 사람을 해치거나 재물을 빼앗는 무리)'로 모함하고 있음을 알 수 있다.
(2) 글쓴이는 백성이 생업을 즐길 수 없다고 했다. 또한 '학정은 날로 더해지고 원성은 줄을 이었다.'에서 날로 극심해져 가는 가혹한 정치에 백성의 원망이 끊이지 않았음을 알 수 있다.

5 '지금 의로운 깃발을 들어 보국안민을 생사의 맹세로 삼노라.'에서 글쓴이가 보국안민을 위해 의로운 깃발을 들고 봉기한다는 점을 확인할 수 있다.

2일 교과서 기출 베스트 28~29쪽

• 2단원 (2) 추론적 읽기

1 ③   **2** ③   **3** ⑤   **4** 우리가 의병으로 봉기하는 이유, 의병에 동참할 것을 권유[호소]   **5** ⑤   **6** ⊙ 재미 ⓛ 쉬운 역사

1 글쓴이는 신하들이 임금의 총명을 가리고 있으며 신하들의 부정부패로 나라가 위태로운 상황에 빠졌다고 생각하고 있다. ③과 같은 내용은 이 글에 나타나 있지 않다.

오답 풀이
② (다)의 '백성은 나라의 근본이다. 근본이 깎이면 나라가 잔약해지는 것은 뻔한 일이다.'에서 백성이 편안해야 나라가 바로 설 수 있다는 글쓴이의 생각을 엿볼 수 있다.
⑤ (가)의 '군신의 의리와 부자의 윤리와 상하의 구분이 결국 남김없이 무너져 내렸다.'에서 글쓴이가 임금과 신하(군신), 부모와 자식(부자) 간에 지켜야 할 도리가 존재한다고 생각함을 알 수 있다.

2 (가)의 '지금 신하가 된 자들은 …… 갈취하는 벼슬아치만이 득실거린다.'에서 당시 신하들이 충성스럽고 정직한 사람을 내몰고 임금의 총명을 가리고 있었으며, 나라를 돕는 인재가 사라져 가고 있었음을 알 수 있다.

오답 풀이
① (나)의 '벼슬아치를 뽑는 문을 …… 사고파는 장터로 만들고 있다.'에서 매관매직(돈이나 재물을 받고 벼슬을 시킴)이 성행했음을 알 수 있다.
②, ④ 이 글은 자신들의 사사로운 이익만 생각하는 '신하가 된 자들'(관리들)의 학정을 비판하고 이 때문에 고통받는 백성의 어려움을 알리고 있다.
⑤ (가)의 '학정은 날로 더해지고 원성은 줄을 이었다.'에서 관리들의 학정에 시달린 백성의 불만이 끊이지 않았음을 알 수 있다.

3 관자는 나라를 다스리는 데 지켜야 할 네 가지 원칙인 '사유'가 지켜지지 않으면 나라가 멸망한다고 말했다. 글쓴이는 관자의 말을 인용하여 벼슬아치들의 탐욕과 학정으로 백성이 고통받고 통치에 필요한 원칙이 지켜지지 않는 나라의 위태로운 상황을 강조하고 있다.

4 글의 마지막 부분에서 글쓴이는 나라가 망해 가는 상황을 두고 볼 수 없어 의로운 깃발을 들어 올린다고 말하고 있다. 이는 글쓴이가 의병으로 봉기하는 이유(보국안민)에 해당한다. 또한 〈보기〉에 나타난 '창의문'의 의미로 볼 때, 글쓴이는 백성에게 뜻을 함께하여 의병에 동참할 것을 권유[호소]하기 위해 이 글을 썼음을 알 수 있다.

5 글쓴이는 역사 영상물에 접근하는 두 가지 입장인 '역사 대중화'와 '역사의 대중문화화'를 비교·대조하여 설명하고 역사 영화(역사 영상물)를 통해 이 두 입장 사이의 간극을 좁히고 조화를 도모할 수 있음을 밝히고 있다.

6 (가), (나)에서 '역사 대중화'는 역사의 의미 및 역사적 사실과 해석을, '역사의 대중문화화'는 역사의 재미를 더 중시한다는 점을 알 수 있다. 또한 (가)에서 이 두 가지 입장 모두 '쉬운 역사'를 지향한다는 점에서 공통점이 있음을 알 수 있다.

3^일 기초 확인 문제

33쪽

• 2단원 (3) 비판적 읽기

1 ② **2** ④ **3** (1) × (2) ○ (3) × **4** 질문

1 글쓴이의 관점과 독자의 관점은 일치할 수도 있고, 일치하지 않을 수도 있다. 글쓴이의 관점을 판단할 때에는 독자의 관점과의 일치 여부가 아니라 그 관점이 논리적으로 타당한지, 일관성을 갖추었는지 등을 기준으로 삼아야 한다.

2 제시된 부분에서는 '만남'과 '부딪침'이 있는 좋은 논쟁을 통해 서로를 이해할 수 있음을 이야기하고 있으므로, 소제목으로 적절한 것은 ④이다.

3 (1) 대체로 논쟁을 좋아하지 않는 한국인들과 달리, 서구인들은 논쟁을 학습의 도구이자 삶의 방식으로 여긴다.
(2) 글쓴이는 우리 사회에는 서로 다른 의견이 첨예하게 대립하는 사회 문제가 많지만, 그에 대해 치열하게 논쟁하는 모습은 찾아보기 어렵다고 했다.
(3) 글쓴이는 집단의 의견에 동조하여 논쟁하지 않으면 자기 합리화와 상호 비방만이 있게 되므로, 반대 의견을 내며 생산적 논쟁에 적극적으로 나서야 한다고 말했다.

4 글쓴이는 '오늘날의 한국 사회는 과연 어떠한가?'라는 질문을 던지며 글을 마무리하고 있다. 이를 통해 독자 스스로 한국 사회의 모습을 성찰해 보도록 하는 한편, 논쟁과 토론이 부족한 한국 사회의 문제점에 대한 경각심을 불러일으키고 있다.

3^일 교과서 기출 베스트

34~35쪽

• 2단원 (3) 비판적 읽기

1 ④ **2** ⑤ **3** 논쟁을 부정적으로 인식하는 한국인들의 태도, 의견이 극단적으로 나뉘는 현상 **4** ㉠ 인용 ㉡ (생산적) 논쟁 **5** ③
6 ②

1 제시된 부분에 질문의 형식은 나타나지 않는다.

오답 풀이
① 글쓴이는 토론과 논쟁이 부족한 우리 사회의 문제를 지적하며 비판적으로 분석하고 있다.
② (나)의 '서로의 의견이 갈리는 …… 상대와 맞서 싸워야 한다.'에서 좋은 논쟁을 장수들의 겨룸에 비유하고 있다.

③ (가)에서 한국인들은 대체로 논쟁을 좋아하지 않는 반면, 서구인들은 논쟁을 학습의 도구이자 삶의 방식으로 여긴다고 했다.
⑤ (가)에서 고대 그리스의 소크라테스와 고르기아스의 예를 들어 논쟁이 학습의 도구가 될 수 있음을 설명하고 있다.

2 [A]에서는 연구 결과만을 제시하고 있을 뿐, 그 출처를 정확하게 밝히지 않았으므로 신뢰성이 떨어진다고 평가할 수 있다.

3 (가)에서 글쓴이는 한국인들이 논쟁을 좋아하지 않고 반대 의견을 잘 내지 않는 것을 문제 상황으로 제시했다. 한편 (다)에서는 비슷한 생각을 가진 사람끼리 만나면서 의견이 극단적으로 나뉘는 현상을 문제 상황으로 제시했다.

	평가 요소	확인 ☑
(가)	논쟁을 부정적으로 인식하는 한국인들의 태도를 중심으로 문제 상황을 서술했다.	
	'한국인들'을 포함하여 서술했다.	
(다)	의견이 극단적으로 나뉘는 현상을 중심으로 문제 상황을 서술했다.	
	'극단적'을 포함하여 서술했다.	

4 (가)에서는 밀의 견해를 인용하여 논쟁이 부재하는 사회의 부작용을, (나)에서는 선스타인의 견해를 인용하여 반대 의견을 내고 논쟁하는 일의 중요성을 말하고 있다. 이와 같이 글쓴이는 전문가의 견해를 인용하여 생산적 논쟁이 필요하다는 주장을 뒷받침하고 있다.

5 (가)에서 글쓴이는 다수의 의견을 모든 사회 구성원에게 강요하고 소수의 의견을 묵살해 버리는 사회의 위험성과 폭력성을 문제시하고 있으므로, ③은 적절하지 않다.

오답 풀이
①, ⑤ (가)에서 글쓴이는 우리 사회가 토론과 논쟁에 서툴다는 것을 대부분의 사람이 알고 있지만, 토론 부재와 논쟁 불능 사회의 부작용이 얼마나 큰지는 제대로 인식하지 못하는 것 같다고 했으므로 적절하다.
② (나)에서 글쓴이는 선스타인의 견해를 인용하여 반대 의견을 내고 기꺼이 논쟁하지 않으면 집단의 의견에 동조하거나 강화된 자기 의견 속에 안주하게 된다는 점을 지적하고 있다. 이를 통해 글쓴이는 강화된 자기 의견 속에 안주해서는 안 된다고 생각한다는 것을 알 수 있다.
④ 글쓴이는 토론과 논쟁이 이루어지지 않는 사회에서 나타나는 부작용을 지적하며 논쟁의 필요성을 역설하고 있으며, 논쟁이 활발하게 이루어지는 사회는 의견 스펙트럼의 중간층이 두껍다고 설명했으므로 적절한 내용이다.

6 글쓴이는 동물원에 갇힌 동물들이 처한 열악한 상황과 고통을 언급하며 동물원의 필요성을 생각해 보도록 하고 있으므로, 동물원을 ②와 같은 관점으로 바라보고 있음을 알 수 있다.

정답

3일 기초 확인 문제 37쪽

●2단원 (4) 감상적 읽기

1 ㉠ 감정 ㉡ 깨달음 **2** ② **3** (1) ○ (2) × (3) × **4** ⑤
5 백 식구

1 감상적 읽기는 글에 대해 정서적으로 반응하며 읽는 활동으로, 독자는 글을 읽으면서 기쁨과 즐거움을 느끼거나 슬픔에 잠기는 등 다양한 감정을 경험한다. 또한 글에 나타난 생각과 가치에 공감하며 삶의 교훈이나 깨달음을 얻기도 한다.

2 ②는 사실적 읽기와 관련된 설명이다. 감상적 읽기는 글의 정보에 주목하기보다는 독자의 정서적 반응에 중점을 두는 읽기 방법이다.

3 (1) 글쓴이는 이웃으로부터 복수초를 받았을 때 잔뿌리와 잘게 갈라진 잎 등을 보고 하찮은 잡초처럼 보였다고 했다.
(2) 글쓴이는 복수초를 심기는 했지만, 곧 가을이 깊어지면서 시원치 않아 보이던 이파리가 사라지자 복수초를 심었던 자리조차 기억하지 못하게 되었다.
(3) 글쓴이는 복수초가 피어 있는 동안만이라도 누구에겐가 보여 주고 자랑하고 싶어서 집에 손님만 오면 복수초를 구경시켰지만, 글쓴이의 기대와 달리 복수초를 신기해하는 이는 별로 없었다.

4 '올해는 복수초가 1번이 되었지만 작년까지만 해도 산수유가 1번이었다.'를 통해 매년 꽃이 피는 순서에 따라 꽃 출석부의 번호가 바뀔 수 있음을 알 수 있다.

5 '백 식구'는 마당에 피는 백 가지의 꽃을 의인화하여 표현한 단어로, 꽃을 식구와 같이 소중하게 여기는 글쓴이의 태도가 담긴 표현이다.

3일 교과서 기출 베스트 38~39쪽

●2단원 (4) 감상적 읽기

1 ② **2** 생뚱스러워 **3** ② **4** ① **5** ⑤

1 (나)의 '대문 밖의 눈은 치워 주었지만 마당의 눈은 그대로 방치해 두었기 때문에 녹아 없어지는 데 며칠 걸렸다.'에서 글쓴이가 복수초를 심은 마당의 눈을 치우지 않았음을 확인할 수 있다.

<오답 풀이>
① (나)의 '그러나 빛깔은 진한 황금색이어서'에서 복수초의 꽃 색깔을 확인할 수 있다.
③ (가)에서 글쓴이는 작년 가을에 이웃집에서 복수초를 나누어 받았고, 생각해서 나누어 준 분 앞이라 당장 양지바른 곳에 심었다고 했다. 또한 (나)에 마당에 쌓여 있던 눈 중 복수초 언저리의 눈이 가장 먼저 녹았다는 내용이 나타나 있으므로 적절한 내용이다.
④ (나)의 마지막 부분에서 글쓴이는 복수초가 피어 있는 동안만이라도 누구에겐가 보여 주고 자랑하고 싶어서 집에 온 손님에게 그것을 구경시킨다고 했다.
⑤ (나)에서 복수초는 온종일 샛노랗고 싱싱하게 피어 있다가 해 질 무렵에는 타원형으로 오므라들고 다음 날 해만 뜨면 다시 활짝 핀다고 했으므로 적절한 내용이다.

2 (나)의 '샛노란 꽃 두 송이가 땅에 닿게 …… 몹시 생뚱스러워 보였다.'에서 글쓴이는 홀로 피어난 복수초가 황량한 마당과 어울리지 않아 생뚱스럽다고 여겼음을 알 수 있다.

3 (나)의 '사치'는 꽃들과 함께하는 삶에서 느끼는 기쁨이 매우 크다는 것을 나타내는 표현이다. 글쓴이가 사치스러운 삶을 살았다고는 볼 수 없으며 글쓴이의 반성 역시 나타나지 않는다.

<오답 풀이>
① 꽃들이 피는 순서를 알고 있고, 꽃들이 피고 지는 모습을 묘사하는 부분에서 글쓴이의 섬세한 관찰력을 확인할 수 있다.
③ (나)에서 글쓴이는 꽃이 모두 피기를 바라는 마음에 꽃들이 뿌리로, 씨로 잠든 땅을 함부로 밟지 못한다고 했으며, 꽃들이 목마를까 봐 마음 놓고 여행을 가지도 못할 것이라고 했다. 또 백 가지의 꽃을 '백 식구'라고 표현한 데서도 글쓴이가 꽃들을 가족처럼 소중히 여기며 돌본다는 것을 알 수 있다.
④ (나)에서 글쓴이는 꽃이 피는 것을 보면 가슴이 기쁨으로 뛰놀고, 꽃이 피는 마당이 있다는 생각에 뿌듯한 행복감을 느낀다고 했다.
⑤ (가)로 보아 글쓴이는 복수초, 산수유, 목련, 매화, 살구 등 마당에 있는 꽃들이 피는 시기를 알고 있다. 또한 글쓴이의 머릿속에 꽃들의 이름과 꽃이 피는 순서가 담긴 출석부가 생겼다고 했으므로 적절한 내용이다.

4 글쓴이가 여름에 여행도 마음 놓고 하지 못할 것이라고 이야기한 이유는 꽃을 가족처럼 소중히 여기는 마음 때문이다. 글쓴이가 여행이 자연물을 해친다고 생각하거나 여행 자체를 부정적으로 여기는 것이 아니므로 ①과 같은 반응은 적절하지 않다.

5 '이제 얼마 안 있으면 아빠가 …… 사이좋게 기다려 다오.'에서 글쓴이가 곧 아이들을 만날 것이라고 생각하고 있음을 알 수 있다. 따라서 글쓴이가 아이들을 만나지 못할까 봐 걱정하고 있다는 ⑤의 설명은 적절하지 않다.

92 7일 끝 • 고등 독서

4일 기초 확인 문제

43쪽

• 2단원 (5) 창의적 읽기

1 ㉠ 의미 ㉡ 독창적 / 창조적 **2** ④ **3** ⓐ 아빠 ⓑ 엄마 **4** ④
5 (1) × (2) ○

1 창의적 읽기란 글의 내용과 글쓴이의 생각을 바탕으로 하여 독자가 새로운 의미를 만들어 내는 활동이다. 독자는 창의적 읽기를 통해 자신만의 창조적인 생각과 관점을 구성할 수 있다.

2 ④는 감상적 읽기의 방법에 관한 설명이다.

3 〈뉴스 빅데이터로 보는 육아 변천사〉에서 글쓴이는 아빠가 적극적으로 육아에 참여하는 스웨덴의 사례와 엄마가 육아를 전담해 온 한국의 사례를 대조하며 글을 시작하고 있다.

4 제시된 부분에서 글쓴이는 육아 때문에 생기는 노년층의 '번아웃 증후군'을 조심해야 한다는 우려가 있었음을 밝히고 있다. 번아웃 증후군을 호소하는 중년층이 늘었다는 내용은 이 글에 나타나지 않는다.

5 (1) 글쓴이는 육아를 사회적으로 분담해야 한다고 제안했을 뿐, 남성이 육아의 주체가 되어야 한다고 주장한 것은 아니다.
(2) 글의 마지막 부분에서 글쓴이는 육아 분담에 대한 사회적 관심을 넘어 실제로 아이를 양육하기 좋은 환경을 조성하기 위해서는 사회 구성원과 정부 부처의 적극적인 관심과 노력이 필요하다고 했다.

4일 교과서 기출 베스트

44~47쪽

• 2단원 (5) 창의적 읽기

1 ② **2** ④ **3** 엄마들이 육아 문제를 도맡아 온 한국 사회의 문제
4 ⑤ **5** ④ **6** ③ **7** ⑤ **8** ④ **9** 사회 구성원과 정부 부처가 적극적으로 관심을 갖고 노력해야 한다. **10** ② **11** ③
12 사업 추진 주체

1 '라테파파'는 육아에 적극적으로 참여하는 아빠를 의미하는 신조어이다. 한국에서는 엄마들이 육아 문제를 도맡아 왔다는 (가)의 내용과 육아를 분담하려는 시도가 이루어지고 있지만 여전히 우리 사회의 양육 환경이 좋아졌다고 단정할 수는 없다는 (다)의 내용을 고려할 때, 한국에서 '라테파파'를 쉽게 만날 수 있다는 ②의 내용은 적절하지 않다.

①, ③ (가)에 따르면 아빠들이 육아에 적극적으로 참여하는 스웨덴과 달리 한국에서는 엄마들이 육아를 도맡아 왔다.
④ (가)에서 확인할 수 있는 내용이다.
⑤ (다)에서 최근에는 여성이 책임지는 돌봄 구조를 조부모나 아빠들이 분담하려는 시도가 이루어지고 있다고 했으므로 적절한 내용이다.

2 (나)에서는 뉴스 빅데이터를 분석하여 지난 20년간 한국 사회에서 다루어 온 육아 담론과 육아와 관련한 기사 속 연관 단어의 변화를 살펴보겠다고 안내했고, (다)에서는 20년간의 뉴스 기사에서 알 수 있는 육아 현실의 변화를 설명하고 있다. 이를 통해 (나)와 (다) 사이의 내용을 짐작할 수 있다.

3 남성의 육아 참여도가 높은 스웨덴과 달리 한국에서는 육아 문제를 엄마들이 도맡아 왔다. 글쓴이는 한국과 대조적인 스웨덴의 사례를 제시함으로써 이러한 한국 사회의 육아 문제를 부각하려 했을 것이다.

평가 요소	확인 ✓
엄마들이 육아 문제를 도맡아 온 한국 사회의 문제를 중심으로 서술했다.	

4 제시된 부분에서는 한국 사회의 육아 현실이 시간의 흐름에 따라 변화한 양상을 설명하고 있다.

5 (다)에 따르면, ㉡ 시기(2000년대 초반부터 중반)에는 육아와 일의 양립 문제를 해결하기 위해 다양한 정부 정책이 나왔지만 이러한 정책들이 실제 근로 환경에는 적용되지 않았다.

①, ② (나)에서 확인할 수 있는 내용이다.
③ (다)에서 ㉡ 시기에는 '육아와 일을 어떻게 양립할 것인가?'가 사회적 고민으로 떠올랐다고 했다.
⑤ (나)에 따르면 ㉠ 시기(1997년부터 2001년)에 육아와 관련해 가장 많이 쓰인 핵심어는 '여성들'이었다. (다)에 따르면 ㉡ 시기에는 '여성들'이라는 단어보다 '여성 근로자'라는 단어가 더 많이 사용되었다.

6 "여성'에서 '여성 근로자'로"와 같은 소제목은 (가)~(다)의 중심 내용을 담고 있어 독자의 내용 이해를 돕는 역할을 한다(ⓐ). (다)의 뒷부분에서는 '1997~2001년', '2002~2006년'의 육아 관련 핵심어 분석 결과를 시각 자료로 제시하여 독자의 관심을 유발하고 있다(ⓓ).

ⓑ 2000년대 초반부터 중반에 육아와 일의 양립 문제를 해결하기 위해 정부에서 시행한 다양한 정책이 실제 근로 환경에 적용되지 않았음을 밝히고 있을 뿐, 현재 육아 정책의 한계를 비판하고 있는 것은 아니다.
ⓒ 글쓴이의 경험담은 제시되어 있지 않다.

7 (나)를 통해 육아에 적극적으로 참여하는 방송 속 아빠들의 모습과 달리 실제 아빠들은 일상적인 야근으로 육아에 참여하기 어려웠음을 알 수 있다.

오답 풀이

①, ② (나)에서 ⊙ 시기(2012년에서 2016년)에는 '아빠들'이 육아 분담의 주체로 떠오르면서 '아빠들', '남편들' 같은 단어가 주요 연관 단어로 뽑혔다고 했다.
③ (나)의 마지막 부분에서 야근이 일상인 이 시대에 아빠들은 일과 가정의 균형을 맞출 수 없다고 하소연한다고 했다.
④ (나)에 ⊙ 시기에는 아빠들이 육아에 참여하는 모습이 대대적으로 방송을 타기도 했다는 내용이 제시되어 있다.

8 조부모가 아이를 돌보는 황혼 육아는 경제 활동을 하는 여성이 늘어나면서 맞벌이 부부가 많아진 사회적 변화와 관련 있다. 경제 활동을 하는 노년층에 대한 내용은 이 글에서 찾아볼 수 없다.

오답 풀이

① (다)에서 엄마들이 아이를 양육하기 좋은 환경으로 바뀌려면 육아의 사회적 분담과 사회 구성원의 적극적인 노력이 필요하다고 했으므로 적절한 생각이다.
② (다)에서 20년간 육아 관련 담론의 중심에는 '여성'이 있었다고 했다.
③ (나)에서 한국의 연간 노동 시간이 경제 협력 개발 기구 회원국 중 2위라는 통계 자료를 제시하여 남성의 육아 참여를 가로막는 요인이 과도한 노동 시간에 있음을 지적하고 있으므로 적절한 생각이다.
⑤ (나)에서 아빠가 육아에 적극적으로 참여하지 못하는 이유로 과도한 노동 시간이라는 '사회 구조적 문제'를 들고 있고, (다)에서 한국 사회의 육아 문제를 해결하기 위해서는 사회 구성원뿐만 아니라 '정부 부처의 적극적인 관심과 노력'이 필요하다고 했으므로 적절한 생각이다.

9 (다)의 마지막 부분 '이 반쪽의 변화를 …… 노력일 것이다.'에 글쓴이가 제시한 해결 방안이 나타나 있다.

평가 요소	확인 ✓
사회 구성원과 정부 부처의 적극적인 관심과 노력이 필요하다는 내용을 중심으로 서술했다.	
제시된 문장 형식에 맞게 서술했다.	

10 제시된 부분에서는 '발생-피해-사업 추진'의 세 단계에 따라 분류한 안전한 마을 만들기의 유형을 설명하고 있다.

11 재난 및 사고 발생 측면에서 자전거 및 자동차 사고는 '교통안전형'에 해당한다. 〈보기〉는 자전거 및 자동차 사고 예방을 위해 도로 공사를 시행한 사례이므로 '교통안전형'으로 분류할 수 있다.

12 마지막 문단의 '사업 추진 주체로서 누가 중심이 되는가에 따라 '주민 주도형'과 '민관 협력형'으로 분류할 수 있다.'에서 '사업 추진 주체'가 그 기준임을 알 수 있다.

• 3단원 (1) 인문·예술 분야의 글 읽기

1 (1) ⊙, ⓒ (2) ⓒ, ⓔ **2** ③ **3** ④ **4** (1)-ⓒ (2)-ⓒ (3)-⊙
(4)-ⓔ **5** (1) 정 (2) 려

1 밝은 색채로 기타를 연주하는 소녀를 표현한 〈기타를 연주하는 스페인 소녀〉에 대해 글쓴이는 ⊙, ⓒ과 같이 감상을 표현했다. 한편 알록달록한 색채로 풍성하고 푹신한 느낌의 꽃을 표현한 〈화병의 꽃〉에 대해서는 ⓒ, ⓔ과 같이 감상을 표현했다.

2 그림이 영혼을 씻어 주는 환희의 선물이어야 한다는 말은 그림이 감상자에게 환희와 행복감을 느끼게 해 주어야 한다는 의미를 담고 있다. 이는 자신이 처했던 온갖 경제적, 육체적, 정신적 고통을 예술로 승화시켜 극복한 르누아르의 진지하고 낙관적인 예술 철학을 보여 준다.

3 순자와 맹자는 모두 인간의 본성을 선천적인 것으로 규정했는데, 인간의 본성이 선하다고 본 맹자와 달리 순자는 인간의 본성이 악하다고 보았다.

4 '성'은 사람의 가장 기본적인 부분으로 날 때부터 지닌 본성, '정'은 이러한 본성이 외부의 사물들과 만나서 생기는 감정, '려'는 구체적인 감정이 생긴 뒤 어떻게 할 것인가를 선택하는 문제, '위'는 이러한 선택이 끝난 뒤 실행해 나가는 의지적인 실천이다.

5 (1) 여학생은 떡과 음료수를 보고 먹고 싶다는 감정을 느끼고 있으므로 (1)의 상황은 '정'에 해당한다.
(2) 여학생은 배고파 보이는 사람과 떡과 음료수를 나누어야 할지 고민하고 있으므로 (2)의 상황은 '려'에 해당한다.

• 3단원 (1) 인문·예술 분야의 글 읽기

1 ⑤ **2** ⑤ **3** ④ **4** 르누아르는 진지하고 낙관적인 예술 철학으로 삶의 고통을 극복했기 때문에 진정한 행복의 모습을 그릴 수 있었다. **5** ③ **6** 선천적인 것 **7** ② **8** ⑤ **9** 본성이 악하다, 현실에서 이루어지는 노력(의지적 실천)을 통해 도덕성을 발휘했다. **10** 의인의 행동은 살고자 하는 본성을 억누르고 다른 사람들의 생명을 구하려는 의지적 실천을 실행한 결과이다. **11** ④ **12** ⑤

1 이 글에 전문가의 말을 인용한 부분은 나타나지 않는다.

오답 풀이

① 르누아르의 작품 〈피아노 치는 두 소녀〉를 묘사하고 있다.

② (가)에 따르면 사실주의 화풍은 고전적이고 엄격한 규율을 요구했지만, 인상주의 화풍은 이를 벗어나 한층 더 자유로운 표현을 찾는 미술 운동이었다.

③ (가)에 인상주의 화풍이 나타나게 된 시대적 배경이 제시되어 있다.

④ (나)에서 글쓴이는 〈피아노 치는 두 소녀〉에 대한 주관적 감상을 드러내고 있다.

2 (가)에 따르면, 르누아르는 프랑스 리모주의 가난한 집안에서 태어났다.

오답 풀이

③ (가)에서 르누아르와 같은 인상주의 화풍의 화가로 피사로, 모네, 드가, 시슬레가 있다고 했으므로 적절한 설명이다.

④ (가)의 마지막 부분에서 르누아르는 카페, 공원, 거실, 무도회장 등 마치 골목길에서 마주칠 것 같은 일상생활과 사람들의 모습을 화폭에 담았다고 했다.

3 이 글에 ④와 같은 감상은 나타나지 않는다.

오답 풀이

①, ③ (나)의 '배경의 거친 붓 터치와 여백은 전경의 두 소녀를 더욱 돋보이게 해 주고 화면에 생기를 불어넣어 주고 있다.'에서 확인할 수 있다.

② (나)의 '두 소녀의 정답고 사랑스러운 모습'에서 확인할 수 있다.

⑤ (나)의 '배경의 추상적인 붓 터치 ⋯⋯ 미지의 세계를 향한 순수한 꿈의 선율을 들려주고 있는 듯하다.'에서 확인할 수 있다.

4 이 글의 첫 문장에서 르누아르가 지닌 진지하고 낙관적인 예술 철학을 알 수 있다. 르누아르가 진정한 행복의 모습을 그릴 수 있었던 것은 그가 이러한 예술 철학을 통해 자신이 겪은 온갖 경제적·육체적·정신적 고통을 예술로 승화시켜 극복했기 때문이다.

평가 요소	확인 ☑
르누아르의 진지하고 낙관적인 예술 철학을 포함하여 서술했다.	
르누아르가 예술 철학을 통해 삶의 고통을 극복·승화했다는 내용과 관련하여 서술했다.	
제시된 문장 형식에 맞게 서술했다.	

5 '그러면 무슨 근거로 인간의 본성을 악하다고 한 것일까요? ⋯⋯ 그래서 인간의 본성을 악하다고 한 것입니다.'에서 묻고 답하는 방식을 사용하여 인간의 본성을 악하다고 한 순자의 주장에 대한 근거를 밝히고 있다.

오답 풀이

① 순자와 맹자는 '인간의 본성을 선천적인 것으로 규정'했다는 공통점이 있다. 그러나 이 글에 이러한 공통점을 나열한 부분은 나타나지 않는다.

② 시간의 흐름에 따른 변화를 설명한 내용은 나타나지 않는다.

④ 글쓴이의 개인적 경험을 제시한 내용이나 그러한 내용을 통해 독자의 공감을 유도한 부분은 찾을 수 없다.

⑤ 이 글은 인간의 본성에 대한 순자의 주장을 설명하는 글이다. 현실의 문제를 제시하고 이에 대한 해결 방안을 모색하지는 않았다.

6 '순자도 맹자와 마찬가지로 인간의 본성을 선천적인 것으로 규정합니다.'에서 인간의 본성을 바라보는 순자와 맹자의 공통적인 관점을 확인할 수 있다.

7 순자는 인간의 본성은 악하지만, 이러한 본성을 거스르는 의지적 실천을 통해 본성이 가져올 악한 결과를 변화시켜 선을 실현할 수 있다고 보았다.

오답 풀이

①, ④ (나)와 (다)에 따르면 순자는 인간의 본성을 악하다고 보았지만 의지적 실천을 통해 도덕성을 발휘할 수 있다고 보았다. 이는 악한 본성을 거슬러 도덕성을 발휘하기 위해 노력해야 한다는 순자의 입장을 보여 준다.

③ (나)에서 순자의 철학은 '위'에 그 가치가 있다고 했다.

⑤ (가)에서 순자가 인간의 마음 작용을 성, 정, 려, 위의 네 부분으로 나누었음을 확인할 수 있다.

8 '위'는 선택이 끝난 뒤 실행해 나가는 의지적인 실천이므로, 자신의 욕구를 억누르고 다른 사람들과 음식을 나누는 실천은 '위'의 사례로 적절하다.

오답 풀이

① 누군가 때문에 부당하게 음식을 먹지 못하게 되어 화가 나는 것은 '정(ⓒ)'의 단계에 해당한다.

② 먹고 마시고 싶은 욕구가 끊임없이 생기는 것은 '성(㉠)'의 단계에 해당한다.

③ 자신보다 더 어려운 처지에 있는 아이에게 음식을 나누어 줄지 고민하는 것은 '려(ⓒ)'의 단계에 해당한다.

④ 자신이 음식을 먹을 차례가 돌아오면 기쁜 감정을 느끼는 것은 '정(ⓒ)'의 단계에 해당한다.

9 (다)에 나타난 순자의 관점에 따르면, 요순과 걸 임금은 모두 본성이 악하지만 요순은 걸 임금과 달리 현실에서 이루어지는 노력(의지적 실천)을 통해 도덕성을 발휘했다.

평가 요소	확인 ☑
본성이 악하다는 것을 공통점으로 서술했다.	
요순이 현실에서 이루어지는 노력(의지적 실천)을 통해 도덕성을 발휘했음을 차이점으로 서술했다.	
제시된 문장 형식에 맞게 서술했다.	

10 순자의 관점에서 의인의 행동은 살고자 하는 기본적이고 생리적인 본성을 억누르고 타인의 생명을 구하려는 의지적 실천을 실행한 결과로 볼 수 있다.

평가 요소	확인 ☑
의인의 행동이 본성을 억누른 행동, 또는 본성을 거스르는 행동임을 서술했다.	
의인의 행동이 의지적 실천을 실행한 결과임을 서술했다.	
'본성'과 '의지적 실천'이라는 말을 포함하여 서술했다.	
제시된 문장 형식에 맞게 서술했다.	

11 (가)의 마지막 부분에서 누(누각)는 서원의 진입부에 배치되었다고 했으므로 ④의 진술은 적절하지 않다.

> 오답 풀이

①, ③ (가)에서 사대부들이 풍월을 가까이할 수 있는 자연에 서원을 건립하여 학문을 연마하고 후학을 양성했다고 했다.
② (가)에서 성리학자들이 자연 속에 은둔하여 심신을 수양할 수 있는 곳으로 서원의 입지를 선정했다고 했다.
⑤ (가)에 따르면 성리학자들에게 천인합일 사상은 가장 중요한 유가적 관념으로, 자연과 인간이 하나가 되어 교섭할 수 있다는 인생의 최고 이상이었다. 성리학자들에게 서원은 이러한 이상을 추구하는 공간이었으며 서원의 입지 선정에도 천인합일 사상이 반영되었다.

12 ㉠은 사당, ㉡은 강당, ㉢은 서재, ㉣은 동재, ㉤은 서원으로 들어가는 문이다. (나)에 따르면 서원은 주로 앞이 낮고 뒤가 높은 경사면에 세워지므로 서원의 가장 뒤쪽에 있는 ㉠이 ㉤보다 높은 경사면에 위치할 것이다.

> 오답 풀이

① (나)에 따르면 ㉠은 서원 영역 가장 뒤쪽에 위치하고 있으므로 사당에 해당한다. 사당은 조상의 위패(죽은 사람의 이름을 적은 나무패)를 모셔 놓은 집으로, 제향이 이루어지는 공간이기 때문에 존엄하고 정밀한 공간으로 조성되었다.
② (나)에 따르면 ㉡은 서원의 중간에 위치해 있으므로 강당에 해당한다. 강당은 강학이 이루어지는 활달하고 생동하는 공간이었다.
③ (나)에서 제향 공간(사당)과 강학 공간(강당)은 '둘레 담으로 싸여 각각 독자적인 영역을 확보'하고 있다고 했다.
④ (나)에 따르면 ㉢과 ㉣은 강당(㉡) 앞쪽에 서로 마주보며 위치해 있으므로 각각 서재, 동재에 해당한다. 동·서재로 구성된 재사는 유생들이 기숙사로 쓰던 건물이다.

6일 누구나 100점 테스트 1회   56~59쪽

• 범위 1단원 (1) 독서 자료 선택하기 ~ 2단원 (2) 추론적 읽기

1 ②   **2** ④   **3** ③   **4** ④   **5** ②   **6** ①   **7** ②   **8** '첫째, 둘째, 셋째, 넷째'라는 표현으로 볼 때 열거의 방식이 사용되었다.   **9** ③
10 현재 조선에 사유가 베풀어지지[펼쳐지지] 못하여 나라가 멸망할 정도로 위태로운 상황임을 강조하기 위해서이다.

1 성인의 독서 경향을 설명한 (나)의 마지막 부분에서 성인들이 읽는 책 중 '정신을 살아 있게 하고 성장하게 하는 책의 비중은 점점 줄어들고' 있다고 설명하고 있다.

> 오답 풀이

① (가)의 첫 문장에서 글쓴이는 학창 시절이야말로 가장 왕성하게 독서할 수 있는 시기라고 했다.
③ (나)에서 성인들의 독서 경향을 설명하면서 실용적인 책, 재미있는 책, 많이 팔리는 책 위주의 독서가 대세를 이룬다고 했다.
④ (나)에서 요즘 성인들이 주로 읽는 책의 목록에는 현실에서 부딪치는 문제를 해결하는 데 도움을 주는 책이 포함되어 있을 것이라고 했다.
⑤ (가)의 마지막 문장에서 학생들이 읽는 문학 작품이나 교양 도서는 수능이나 입시 준비를 위한 것들이 대부분이라고 했다.

2 (다)는 정신적 삶을 풍요롭게 만드는 다양한 분야의 교양 독서의 필요성을 설명한 문단이므로 ④가 가장 적절하다.

> 오답 풀이

② (가)와 (나)에 나타난 내용이다.

3 ㉢(현실에서 부딪치는 문제를 해결하는 데 도움을 주는 책)은 성인들이 주로 읽는 실용적인 도서이다. '당장은 쓸모없어 보이지만 정신을 성장하게 하는 책'은 글쓴이가 바람직하게 생각하는 교양 도서와 관련된 내용이므로, ③은 적절하지 않다.

4 (나)에서는 ①, ②, ③, ⑤와 같은 내용을 고려하여 자신에게 적합한 강도로 걷기 운동을 해야 한다고 설명하고 있다. ④는 걷기 운동을 하기 전에 점검해야 할 점에 해당하지 않는다.

5 (가)는 걷기에 대한 개인적인 체험을 바탕으로 하여 걷기의 의미와 가치를 살펴보는 수필이므로 객관적인 성격의 글로 보기 어렵다. (가)는 걷기를 통해 '몸과 마음과 세상이 한편이 된 상태'를 '세 음표'가 들려주는 '화음'에 비유하고 있으므로 비유적 성격을 띠고 있다고 볼 수 있다.

6 (가)는 글의 머리말에 해당하는 부분으로, 글 전체에서 설명할 대상이자 중심 화제인 '적정 기술'을 소개하고 있다.

7 (가)는 적정 기술이 처음 등장한 배경을 소개하고 있고, (나)는 적정 기술이 갖추어야 할 구체적인 조건을 나열하고 있다.

8 '첫째, 둘째, 셋째, 넷째'와 같은 표현을 통해 (나)에는 열거의 전개 방식이 사용되었음을 알 수 있다. 글쓴이는 열거의 방식을 사용하여 적정 기술이 갖추어야 할 여러 가지 조건을 구체적이고 일목요연하게 드러내고 있다.

평가 요소	확인 ☑
(나)에서 '첫째, 둘째, 셋째, 넷째'를 찾아 서술했다.	
'열거'의 방식이 사용되었음을 서술했다.	
제시된 문장 형식에 맞게 서술했다.	

9 (나)의 '어찌 나라가 망해 가는 꼴을 좌시할 수 있겠는가.'와 '온 나라 사람이 …… 보국안민을 생사의 맹세로 삼노라.'에서 글쓴이가 나라의 위태로운 상황을 타개하기 위해 의병을 일으켰음을 알 수 있다. 이를 고려할 때 글쓴이는 자신들이 의병으로 봉기하는 이유를 밝히기 위해 이 글을 썼을 것이다.

오답 풀이
① (나)에서 글쓴이는 '임금의 토지를 갈아먹고 임금이 주는 옷을 입고 사니'와 같이 자신들이 임금의 은혜를 받았음을 밝히고 있다. 글쓴이가 임금의 잘못을 지적하지는 않는다.
②, ④ 이 글에 나타나지 않은 내용이다.
⑤ 글쓴이는 관리들의 탐학 때문에 나라가 약해지고 백성이 고통받고 있음을 지적하고 이러한 상황을 비판하고 있다. 백성에게 나라가 잔약해진 원인이 있다고 생각하지는 않았다.

10 이 글과 제시된 자료의 내용을 참고하여 글쓴이가 '관자'의 말을 인용한 의도를 추론할 수 있다. 글쓴이는 사유가 베풀어지지 않으면 나라가 곧 멸망한다는 '관자'의 말을 인용하여 조선에 사유가 베풀어지지 않아 나라가 곧 멸망할 정도로 위태로운 상황에 처해 있음을 강조하고 있다.

평가 요소	확인 ☑
조선이 사유가 베풀어지지[펼쳐지지] 못하는 상황에 처해 있음을 서술했다.	
나라가 멸망할 정도로 위태로운 상황임을 강조하기 위해서 관자의 말을 인용했을 것이라는 글쓴이의 의도를 적절하게 서술했다.	
제시된 문장 형식에 맞게 서술했다.	

6일 **누구나 100점 테스트 2회** 60~63쪽

• 범위 2단원 (3) 비판적 읽기 ~ 3단원 (1) 인문·예술 분야의 글 읽기

1 ④ **2** ⑤ **3** ⓐ 질문 ⓑ 토론 ⓒ 한국 사회 **4** ③ **5** ②
6 출석부 **7** ③ **8** ⑤ **9** ⓐ 아이를 양육하기 좋은 환경 ⓑ 사회 구성원과 정부 부처의 적극적인 관심과 노력 **10** ② **11** 살고자 하는 본성(생리적 본성)을 거스르고 주민들의 목숨을 구하는 행위를 함.

1 글쓴이는 (가)의 마지막 부분에서 다수의 의견을 모든 사회 구성원에게 강요하고 조금이라도 다른 의견은 묵살해 버리는 사회에서는 소수의 권익뿐만 아니라 다수를 위한 합리적인 정책도 보장되기 어렵다며 토론과 논쟁 부재 사회의 부작용을 제시하고 있다.

오답 풀이
① 글쓴이는 (나)에서 반대 의견을 내고 기꺼이 논쟁하는 사람들이 자기 합리화와 상호 비방만 있는 상황을 흔들 수 있는 생산적 논쟁에 나서야 한다고 했다.
② 글쓴이는 토론과 논쟁을 긍정적으로 바라보는 입장에서, 치열한 논쟁을 통해 우리 사회의 의견 스펙트럼이 다양해질 것이라고 했다.
③ 글쓴이는 (가)에서 다수의 의견을 모든 사회 구성원에게 강요하고 조금이라도 다른 의견은 묵살해 버리는 사회에 대한 부정적 시각을 드러내고 있다.
⑤ 글쓴이는 (가)에서 우리 사회가 토론 부재와 논쟁 불능 사회의 부작용을 제대로 인식하지 못하고 있음을 지적하고 있다.

2 (가)는 토론과 논쟁이 불가능한 사회는 소수의 권익도, 다수를 위한 합리적인 정책도 보장되기 어렵다는 부작용을 제시하고 있으므로, (가)의 소제목으로는 '토론과 논쟁 부재의 위험'이 적절하다. (나)는 활발한 토론과 논쟁을 통해 의견 스펙트럼의 중간층을 확대해야 한다는 의견을 제시하고 있으므로, (나)의 소제목으로는 '의견 스펙트럼의 중간층이 두꺼운 사회'가 적절하다.

3 ㉠에서는 질문을 던지며 글을 마무리함으로써 생산적 논쟁과 토론이 활발하지 않은 한국 사회의 모습과 그에 따른 문제점을 독자 스스로 생각해 보고 경각심을 느끼도록 하고 있다.

4 이 글은 마당에서 꽃을 기른 글쓴이의 실제 경험과 그에 따른 생각을 담은 수필이다. 글쓴이는 머릿속에 꽃 출석부가 생겼다고 표현함으로써 꽃들에 대한 애정과 관심을 드러내고 있다.

5 글쓴이가 꽃들이 피는 시기와 순서를 알고 있는 것은 꽃을 사랑하는 마음으로 꽃이 피어나기를 기다리며 섬세하게 관찰했기 때문이다. 따라서 ②와 같은 반응은 적절하지 않다.

6 글쓴이는 꽃들을 기다리고 마중하다 보니 머릿속에 꽃들의 이름과 순서가 있는 출석부가 생기게 되었다고 했다. 이를 고려할 때 〈보기〉의 설명에 해당하는 단어는 '출석부'이다.

7 이 글에 전문가의 견해와 올바른 육아 방법은 제시되어 있지 않다. 이 글은 우리 사회의 육아 현실을 살펴보고 육아 문제를 해결할 방향을 제시하고 있다.

8 ⑤와 관련된 내용은 이 글에 나타나 있지 않다. ㉠ 시기(2012~2016년)에는 아빠들이 일상적인 야근 때문에 육아에 적극적으로 참여하기 어려운 상황이었으므로, 아빠들의 육아 참여를 지원하는 사회적 제도가 마련되어 노동 현장에 정착되었다고 보기 어렵다.

9 (다)에서 글쓴이는 최근 우리 사회에서 육아를 사회적으로 분담하려는 시도가 이루어지고 있지만, 엄마가 아이를 양육하기 좋은 환경으로 바뀐 것이라 단정할 수는 없다고 했다. 그리고 (다)의 마지막 부분에서 이를 '온전한 변화'로 바꾸기 위해서는 사회 구성원과 정부 부처의 적극적인 관심과 노력이 필요하다는 생각을 밝히고 있다.

10 (가)에 따르면 르누아르는 〈화병의 꽃〉에서 수백 년간 유럽의 화가들이 즐겨 그려 온 '바니타스' 주제의 '인생무상'을 그려내지 않았다. 그는 〈화병의 꽃〉에서 비록 비참한 죽음의 순간이 올지라도 이 순간만은 기쁨과 희망을 안겨 주는 꽃의 아름다움을 예찬했다.

11 '위'는 선택이 끝난 뒤 실행해 나가는 의지적인 실천이다. 순자의 관점에서 볼 때, 신문 기사에 나타난 '의인'은 살고자 하는 자연스러운 본성을 거스르고 다른 사람을 구하는 착한 행위를 한 것이다.

평가 요소	확인 ✓
의인의 행위가 살고자 하는 본성, 자연스러운 본성, 생리적 본성 등을 거스르는 행위임을 서술했다.	
의인이 다른 사람들의 목숨을 구하는 착한 행위를 했음을 서술했다.	
제시된 문장 형식에 맞게 서술했다.	

• 범위 1단원 (1) 독서 자료 선택하기 ~ 3단원 (1) 인문·예술 분야의 글 읽기

1 ㉠(보이는 손)은 〈보기〉의 '보이지 않는 손'이라는 표현을 변형한 것이다. (가)는 정부의 시장 개입이 제한적으로 이루어져야 한다고 주장하는 논설문으로, 시장에서 해결되어야 할 일에 정부가 개입하면 오히려 예상치 못한 결과를 불러온다고 말하고 있다. 글쓴이는 정부의 '보이는 손'은 시장의 모든 문제를 해결할 수 있는 만병통치약이 아니라고 했는데, 여기서 '보이는 손'은 정부의 시장 개입을 의미한다.

평가 요소	확인 ✓
㉠(보이는 손)이 '정부의 시장 개입'을 의미함을 서술했다.	
제시된 문장 형식에 맞게 서술했다.	

✏️ **예시 답안**
㉠은 정부의 시장 개입을 의미한다.

2 (가)의 글쓴이는 정부의 시장 개입이 항상 제한적으로 이루어져야 한다고 주장하고 있고, (나)의 글쓴이는 정부의 개입 없이는 시장 경제가 잘 작동하기 어려우므로 정부가 시장에 개입하는 것이 불가피하다고 주장하고 있다. 즉 (가)와 (나)의 글쓴이는 정부가 시장에 개입하는 것이 바람직한가에 대해서 서로 대조되는 관점을 보이고 있다.

✏️ **예시 답안**
글쓴이는 정부의 시장 개입이 바람직하다고 생각하는가?

3 고전은 오랜 세월 동안 많은 사람이 계속해서 읽는 책으로, 글쓴이는 좋은 책의 목록에 인간과 세상을 이해하는 데 도움이 되는 지혜를 담은 고전을 포함해야 한다고 밝히고 있다. 따라서 글쓴이는 세 가지 책 중에서 수험서나 실용서가 아니라 고전인 《삼국사기》를 추천할 것이다.

평가 요소	확인 ✓
글쓴이가 추천할 만한 책으로 《삼국사기》를 골랐다.	
추천하는 이유 두 가지를 이 글에 제시된 고전의 가치와 관련지어 적절하게 서술했다.	
추천하는 이유를 완결된 문장으로 서술했다.	

✏️ **예시 답안**
• 글쓴이가 추천할 만한 책: 《삼국사기》
• 추천하는 이유: 고전은 지적 산물의 최고봉이기 때문이다. / 고전은 한 문명권과 인류 전체의 소중한 문화유산이기 때문이다. / 고전은 인간과 세상을 이해하는 데 도움이 되는 지혜를 담고 있기 때문이다. 등

4 지속 가능성에 취약하게 설계되어 위기에 취약한 최첨단 기술과 달리 적정 기술은 지속 가능한 시스템을 배경으로 하여 작동한다. 이러한 특징 때문에 적정 기술은 현대 사회에서 발생하는 각종 위기를 해결할 수 있는 방안으로 주목받고 있다.

평가 요소	확인 ☑
㉠: 적정 기술이 지속 가능한 시스템을 배경으로 하여 작동한다는 내용을 중심으로 서술했다.	
㉡: 적정 기술이 위기 상황에 취약한 최첨단 기술을 보완할 수 있는, 현대 사회의 각종 위기에 대한 해결 방안이기 때문에 그 필요성이 강조되고 있다는 내용을 중심으로 서술했다.	
㉠, ㉡ 모두 제시된 문장 형식에 맞게 서술했다.	

✐ **예시 답안**
㉠ 지속 가능한 시스템을 배경으로 하여 작동한다.
㉡ 적정 기술이 위기 상황에 취약한 최첨단 기술을 보완할 수 있는 기술로서 현대 사회의 각종 위기에 대한 해결 방안으로 떠올랐기 때문이다.

5 이 글의 두 번째 문단에 한국인들이 논쟁을 좋아하지 않는 이유가 나타나 있다.

평가 요소	확인 ☑
이 글의 내용을 바탕으로 하여, 예시 답안의 내용 중 두 가지 이유를 서술했다.	
제시된 문장 형식에 맞게 서술했다.	

✐ **예시 답안**
• 자신과 생각이 다른 사람과 부딪치는 것은 바람직하지 않다고 생각하기 때문입니다.
• 반대 의견을 내면 갈등을 조장한다고 생각하기 때문입니다.
• 갈등을 품고 삭이고 드러내지 않아야 그릇이 크다고 여기기 때문입니다.

6 이 글에는 한국의 아빠들이 일상적인 야근 때문에 일과 가정의 균형을 맞추기 어렵다는, 즉 아빠들이 육아에 적극적으로 참여할 수 있는 노동 여건이 마련되지 않았다는 문제 상황이 제시되어 있다. 신문 기사에는 한국의 1인당 연간 평균 노동 시간이 경제 협력 개발 기구 회원국 평균보다 241시간 더 많다는 내용이 제시되어 있다. 이 글과 신문 기사의 내용을 고려할 때 과도한 노동 시간 때문에 아빠들이 육아에 참여하기 어려운 문제 상황을 해결하려면 노동 시간을 단축해야 한다는 해결 방안을 도출할 수 있다.

평가 요소	확인 ☑
문제 상황을 과도한 노동 시간 때문에 아빠들이 육아에 적극적으로 참여하기 어렵다는 내용을 중심으로 적절하게 서술했다.	
문제 상황을 완결된 문장으로 서술했다.	
해결 방안을 노동 시간의 단축과 관련지어 적절하게 서술했다.	
해결 방안을 제시된 문장 형식에 맞게 서술했다.	

✐ **예시 답안**
• 문제 상황: 일상적인 야근 때문에 아빠들이 육아에 적극적으로 참여할 수 없다. / 아빠들이 실제로 육아에 참여하기에는 노동 여건이 제대로 마련되지 않았다.
• 문제 상황을 해결하기 위한 방안: 아빠가 아이를 돌볼 수 있는 시간을 늘리기 위해 노동 시간을 단축해야 한다.

7 르누아르는 〈피아노 치는 두 소녀〉에서 소녀들의 일상적인 모습을 정답고 사랑스럽게 그려 냈다. 김득신 역시 자신의 그림에서 서민들의 삶의 현장을 생생하게 그려 냈다. 르누아르와 김득신 모두 일상생활과 주변의 평범한 사람들을 그림의 소재로 삼고 있으며, 이들에 대한 애정 어린 시선을 그림으로 표현했다는 점에서 공통점이 나타난다.

평가 요소	확인 ☑
작품의 소재가 일상생활과 주변의 평범한 사람들임을 서술했다.	
작품의 소재에 대한 작가의 애정 어린 시선이 나타난다는 점을 적절하게 서술했다.	
'시선'으로 끝나도록 서술했다.	

✐ **예시 답안**
일상생활과 주변의 평범한 사람들에 대한 애정 어린 시선

8 순자는 인간의 마음 작용을 '성, 정, 려, 위'의 네 단계로 나누어 설명했다. 이에 따르면 ㉢은 졸려서 자고 싶어 하는 '성', ㉠은 자리에 앉게 되어 기쁜 감정을 느끼는 '정', ㉡은 앞에 계신 할아버지께 자리를 비켜 드려야 할지 고민하는 '려', ㉣은 선택이 끝난 뒤 자리를 양보하는 '위'의 단계에 해당한다.

평가 요소	확인 ☑
각 마음 작용의 단계에 해당하는 상황의 기호를 정확하게 밝혔다.	
㉠~㉣의 상황이 각 마음 작용의 단계에 해당하는 이유를 적절하게 서술했다.	
제시된 문장 형식에 맞게 서술했다.	

✐ **예시 답안**

단계	기호	이유
성	㉢	졸려서 자고 싶은 것은 생리적 본성이므로 '성'에 해당한다.
정	㉠	졸려서 자고 싶은 상황에서 자리에 앉게 되어 기뻐하는 상황이므로 '정'에 해당한다.
려	㉡	좌석 앞 할아버지를 보고 자리를 양보해야 할지 고민하는 상황이므로 '려'에 해당한다.
위	㉣	고민 끝에 할아버지께 자리를 양보하는 상황이므로 '위'에 해당한다.

• 범위 1단원 (1) 독서 자료 선택하기 ~ 3단원 (1) 인문·예술 분야의 글 읽기

1 ③ **2** ④ **3** ④ **4** 걷기 운동은 관절에 무리한 하중을 주지 않아 초보자뿐만 아니라 노약자, 심장병 환자, 비만자에게도 좋은 운동이기 때문이야. **5** ④ **6** ④ **7** 해당 적정 기술을 통해 지역 주민의 역량이 강화되거나 삶의 질이 향상되고 고용이 창출되어야 한다. **8** ⑤ **9** ④ **10** ④ **11** ③ **12** 꽃들이 뿌리로, 씨로 잠든 땅을 함부로 밟지 못한다는 내용으로 보아 꽃을 소중히 여기는 태도를 알 수 있다. / 여름에 꽃들이 목마를까 봐 마음 놓고 여행도 못 할 것이라는 내용으로 보아 꽃을 아끼는 태도를 알 수 있다. **13** ② **14** ③ **15** ② **16** 여성 중심의 돌봄 구조를 분담하려는 시도가 이루어지고 있지만, 한국 사회가 엄마들이 아이를 양육하기 좋은 환경으로 바뀐 것이라 단정할 수는 없기 때문이다. **17** ④ **18** ② **19** ⑤ **20** 두 작품 모두 꽃을 소재로 한다는 점에서 공통적이다. 하지만 〈화병의 꽃〉은 비록 죽음의 순간이 온다 해도 주어진 삶을 감사하고 즐기라는 낙천적인 메시지를 주는 반면, 〈꽃과 해골이 있는 정물〉은 인생의 덧없음, 세월의 무상함 등을 강조한다.

1 (가)에서 글쓴이는 신문과 잡지, 방송과 인터넷 등의 매체에서 소개하는 좋은 책의 선정 기준이 무엇인지를 떠올려 보도록 하고 있을 뿐, 신문과 방송에서 소개하는 책을 좋은 책의 목록에 포함해야 한다고 말한 것은 아니다. 글쓴이는 좋은 책의 목록에 고전을 포함해야 한다고 밝혔다.

오답 풀이

① (가)에서 좋은 책이란 인생의 깊이를 더하고 세상을 밝게 보는 데 도움이 되는 책이라고 했다.
② (가)에서 가슴과 머리에 진한 흔적을 남겨 삶을 변화시키는 책이 바로 좋은 책이라고 했다.
④ (나)에서 세월이 흘러도 여전히 인간과 세상을 이해하는 데 도움이 되는 지혜를 담고 있는 고전이야말로 인류 문명을 지속시키는 수단이라고 했다.
⑤ (나)에서 좁은 의미에서의 고전은 오랜 세월 동안 많은 사람에게 높이 평가되고 애호된 저술을 말한다고 했다.

2 ㉠, ㉡, ㉢, ㉤은 모두 고전의 가치를 의미하는 표현이다. ㉣(인류의 고귀한 일원)은 고전을 읽는 독자를 의미한다.

3 (나)는 걷기 운동의 장점과 올바른 방법을 제시한 설명문으로, (나)에 글쓴이의 개인적 체험은 나타나 있지 않다.

오답 풀이

① (가)는 '걷기 좋은 도시 만들기'가 주목받고 있으나 일상생활의 보행 환경에 대한 관심은 미미한 상황을, (나)는 걷기 운동의 장점과 걷기 운동을 하는 올바른 자세 및 방법을 제시하고 있으므로 (가), (나) 모두 걷기를 화제로 삼고 있다고 볼 수 있다.

② (가)는 걷기를 '일상 속에서 가장 손쉽게 접할 수 있는 운동이며 친환경적인 교통수단'이라고 말하고 있고, (나)는 걷기 운동의 장점을 설명하고 있으므로 (가), (나) 모두 걷기를 긍정적인 관점에서 바라보고 있다.
③ (가)에서는 걷기가 도시 사업에서 중요한 연구 과제로 자리매김했지만, 일상생활 속의 보행 환경에 대한 관심은 아직 미미한 듯하다고 했다. 따라서 적절한 설명이다.
⑤ (나)의 첫 번째 문단에서는 걷기 운동의 장점을, 두 번째 문단에서는 걷기 운동의 올바른 자세와 방법을 설명하고 있다.

4 (나)의 첫 문장 '걷기 운동은 …… 유산소 운동이다.'에 이어지는 내용에서 그 이유를 찾을 수 있다.

평가 요소	확인 ☑
(나)를 바탕으로 하여 걷기 운동이 관절에 무리한 하중을 주지 않는다는 내용을 중심으로 서술했다.	
제시된 문장 형식에 맞게 서술했다.	

5 이 글은 '첫째', '둘째' 등과 같은 담화 표지를 활용하여 적정 기술이 갖추어야 할 구체적인 조건을 열거의 방식으로 제시하고 있다.

6 '일곱째, 상황에 맞게 변화할 수 있어야 한다. …… 유연성이 필수적이다.'에서 적정 기술의 조건으로 환경과 상황의 변화에 맞춰서 적응하는 유연성을 제시하고 있다.

오답 풀이

① '첫째, 적정 기술에 드는 비용이 저렴해야 한다.'에서 확인할 수 있다.
② '넷째, 적정 기술 제품의 크기가 적당하고 사용 방법은 간단해야 한다.'에서 확인할 수 있다.
③ '다섯째, 지역 주민이 제품을 스스로 만들어야 한다. 적정 기술은 원칙적으로 대량 생산이 아닌 대중에 의한 생산을 지향한다.'에서 확인할 수 있다.
⑤ '둘째, 가능하면 현지에서 나는 재료를 사용하는 것이 바람직하다.'에서 확인할 수 있다.

7 '비록 이 가운데 몇 가지를 만족시키지 못한다고 해도, …… 적정 기술의 자격을 갖춘 것으로 볼 수 있다.'에서 위에서 제시한 일곱 가지 조건을 모두 갖추지 못하더라도 해당 기술을 통해 지역 주민의 역량을 강화하고 삶의 질이 향상되고 고용이 창출된다면 적정 기술의 자격을 갖추었다고 할 수 있다고 했다.

평가 요소	확인 ☑
지역 주민의 역량 강화, 삶의 질 향상, 고용 창출이라는 세 가지 조건이 모두 드러나도록 서술했다.	
제시된 문장 형식에 맞게 서술했다.	

8 ㉤의 '임금의 토지를 갈아먹고 임금이 주는 옷을 입고 사니'는 자신들이 임금의 은혜를 받고 살아온 백성이라는 의미이다.

이는 나라가 망해 가는 상황에서 '우리 무리(글쓴이와 동학 교도와 농민)'가 나서야 하는 이유에 해당한다.

① 인륜은 군신·부자·형제·부부 따위에서 지켜야 할 도리이다. ㉠의 '임금이 어질고 신하가 충직하며 아비가 자애롭고 아들이 효도를 한 뒤'는 군신과 부자의 인륜을 의미하는 구절로, 글쓴이는 군신과 부자의 인륜이 지켜진 뒤에야 복되고 영화로운 삶을 누릴 수 있다고 했으므로 적절한 내용이다.
② ㉡의 '지금의 형세'는 사유가 베풀어지지 않는 상황으로, 글쓴이는 현재 조선에 사유가 베풀어지지 않아 나라가 멸망할 정도로 위태로운 상황에 놓였다고 생각하고 있다.

9 〈보기〉에 따르면 동학 농민 운동 당시 '보국안민'은 나라를 바로잡고 백성을 편하게 한다는 뜻으로 바뀌었다. 그리고 동학 농민 운동을 이끈 글쓴이는 이 글에서 탐관오리 때문에 나라가 위태로워졌으므로 보국안민을 위해 봉기한다고 밝히고 있다. 따라서 이 글에는 백성이 주체가 되어 나라를 위태롭게 하는 탐관오리를 벌하고 나라를 바로잡아야 한다는 주제 의식이 담겨 있다고 볼 수 있다.

10 (나)는 글쓴이가 마당에 핀 꽃들을 관찰하며 느낀 기쁨과 즐거움을 표현한 수필이다. 이러한 글을 읽을 때에는 독자 자신의 정서적 반응에 유의하며 글에서 공감하거나 감동을 느낀 부분을 찾아 그 의미를 생각해 보는 것이 적절하다.

⑤ (나)에 사회적 문제는 나타나 있지 않다. ⑤는 창의적 읽기의 방법과 관련된 내용이다.

11 글쓴이는 '미국의 법학자 선스타인은 …… 안주한다고 했다.'에서 전문가의 견해를 인용하여 논쟁이 부족할 때 나타나는 폐해를 강조하고 자신의 주장을 뒷받침하고 있다(㉢). 또한 '오늘날의 한국 사회는 과연 어떠한가?'에서 질문의 형식으로 글을 마무리하여 한국 사회의 문제점을 독자 스스로 성찰해 보도록 하고 있다(㉣).

㉠ 논쟁의 개념을 정의한 내용은 나타나지 않는다.
㉡ 논쟁에 관한 일화는 제시되지 않는다.

12 (나)에는 꽃을 소중히 여기며 꽃과 함께하는 생활에서 기쁨과 행복을 느끼는 글쓴이의 삶의 태도가 나타나 있다.

평가 요소	확인 ☑
글쓴이의 삶의 태도를 알 수 있는 부분을 근거로 들어 적절하게 서술했다.	
'꽃'이라는 말을 포함하여 서술했다.	
제시된 문장 형식에 맞게 서술했다.	

13 이 글은 동물 행동학의 이론과 동물 전문가의 견해를 인용하여 동물원이 동물들에게 스트레스와 고통을 주는 장소임을 일깨우고, 열악한 환경에 동물을 가둬 두고 관람의 대상으로 삼는 행위가 정당한 것인지 생각해 보도록 하고 있다. 따라서 이 글의 제목인 '슬픈 동물원'은 동물원이 동물에게 고통과 슬픔을 주는 장소라는 의미를 담고 있다고 볼 수 있다.

14 이 글에 전문가의 견해는 나타나지 않는다. (바)에서 글쓴이가 한국 사회의 육아 현실을 개선할 방안을 제시하고 있지만, 전문가의 견해를 인용하지는 않았다.

① (가)에서 '라테파파'라는 신조어를 제시하여 글을 시작함으로써 독자의 관심을 이끌어 내고 있다.
② 이 글은 한국 사회의 육아 현실을 살펴보기 위해 뉴스 빅데이터를 활용하고 있다. 글쓴이는 20년간의 기사를 분석하여 각 시기별로 가장 많이 쓰인 육아 관련 핵심어를 제시하며 육아 현실의 변화를 분석하고 있다.
④ (마)에 연간 노동 시간에 관한 통계 자료가 나타나 있다. 글쓴이는 한국의 연간 노동 시간은 경제 협력 개발 기구 회원국의 평균 연간 노동 시간보다 347시간이 더 길다는 점을 제시하여 긴 노동 시간 때문에 아빠들이 육아에 참여하기 어려운 상황임을 보여 주고 있다.
⑤ (가)에서 '라테파파'가 존재하는 스웨덴과 육아 문제를 엄마들이 도맡아 온 한국의 상황을 대조적으로 제시하여 한국 사회의 육아 현실이 지닌 문제점을 부각하고 있다.

15 (라)에 따르면, ㉡(2000년대 초반부터 중반) 시기에는 경제 활동에 참여하는 여성들이 육아와 일을 양립해야 하는 문제가 사회적 고민으로 떠올랐다.

① (다)에서 ㉠(1997년부터 2001년) 시기는 여성의 육아 부담을 사회적으로 분담하고자 하는 시도가 이루어진 시기라고 했다.
③ (라)에 따르면 ㉡ 시기에는 육아와 일의 양립 문제를 해결하기 위한 다양한 정부 정책이 나왔지만 실제 근로 환경에는 적용되지 않아 문제가 되기도 했다. 따라서 적절한 설명이다.
④ (마)에서 ㉢(2012년부터 2016년) 시기에는 '아빠들'이 육아 분담의 주체로 떠올랐다고 했다.
⑤ (마)에 따르면 ㉢ 시기에는 아빠들이 육아에 참여하는 모습이 대대적으로 방송을 타기도 했다.

16 ⓐ의 앞뒤 문장을 통해 글쓴이가 현재의 변화를 '반쪽짜리 변화'라고 표현한 이유를 확인할 수 있다.

평가 요소	확인 ☑
한국 사회에서 여성 중심의 돌봄 구조를 다른 주체가 분담하려는 시도가 이루어지고 있다는 내용을 포함하여 서술했다.	
한국 사회가 엄마들이 아이를 양육하기 좋은 환경으로 바뀐 것이라 단정할 수 없다는 내용을 포함하여 서술했다.	
'분담'이라는 말을 포함하여 서술했다.	
제시된 문장 형식에 맞게 서술했다.	

17 이 글은 르누아르의 삶과 작품을 연결 지어 그의 낙관적인 예술 철학을 설명하고 있다.

오답 풀이

① 미술의 사회적 역할에 관한 내용은 나타나지 않는다.
② 르누아르의 작품들에 관한 소개는 나타나지만, 이를 통해 미술의 역사를 설명하는 내용은 나타나지 않는다.
③ 이 글에는 르누아르의 작품에 담긴 그의 예술 철학이 나타날 뿐, 그의 작품에 반영된 당대의 사회 문제는 제시되지 않았다.
⑤ 글쓴이의 감상을 바탕으로 하여 작품에 담긴 의미를 설명하고 있다. 대중의 감상을 인용한 부분은 나타나지 않는다.

18 르누아르의 아내 알린이 사망한 원인은 나타나 있지만, 르누아르가 사망한 원인은 이 글에서 알 수 없다.

오답 풀이

① (가)에 따르면 르누아르는 프랑스 리모주에서 태어났다.
③ (가)에 따르면 르누아르는 인상주의 화풍의 작가이다.
④ (가)에 따르면 르누아르는 소박하고 성실한 장인 정신으로 작업에 임했으며, 회화의 본질에 충실하고자 했다.
⑤ (라)의 '그는 1890년도 초부터 …… 홀로 남게 된 순간'에서 르누아르가 겪은 육체적·정신적 고통을 확인할 수 있다.

19 (나)에서 글쓴이는 〈기타를 연주하는 스페인 소녀〉에 스페인 사람들에게 가장 가까운 악기인 기타를 연주하는 소녀가 등장한다고 했지만, 이러한 소녀의 모습을 스페인 사람들의 열정과 연결 짓지는 않았다.

20 〈화병의 꽃〉과 〈꽃과 해골이 있는 정물〉 모두 꽃을 소재로 하고 있지만, 이를 통해 표현하고자 한 바는 다르다.

평가 요소	확인 ☑
〈화병의 꽃〉과 〈꽃과 해골이 있는 정물〉의 공통적인 소재가 '꽃'임을 서술했다.	
〈화병의 꽃〉은 낙천적인 메시지를 담고 있다는 점, 〈꽃과 해골이 있는 정물〉은 인생의 덧없음과 세월의 무상함을 표현했다는 점을 중심으로 두 작품의 차이점을 서술했다.	
각각 완결된 문장으로 서술했다.	

7일 중간고사 기본 테스트 2회

76~83쪽

• 범위 1단원 (1) 독서 자료 선택하기 ~ 3단원 (1) 인문·예술 분야의 글 읽기

1 ② **2** 읽고 싶은 책만 읽는 편독은 정신적 성장과 건강의 불균형을 불러올 수 있으므로, 다양한 종류의 책을 균형 있게 읽어야 합니다. **3** ⑤ **4** ④ **5** • 우리가 지닌 기술력과 기반 시설을 바탕으로 하여 보도 환경에 관한 데이터를 구축해야 한다. • 보도 환경에 관한 데이터를 도시 계획에 적극적으로 활용하도록 노력해야 한다. **6** ⑤ **7** 대조, 인과 **8** ㉠ 만백성의 삶이 도탄에 빠진 / 나라가 망해 가는 / 나라가 존립하기 어려울 정도로 위태로운 ㉡ 의병으로 봉기하는 이유 ㉢ 의병에 동참할 것 / 의병으로 일어날 것 **9** ③ **10** ⑤ **11** ④ **12** ③ **13** ⑤ **14** 한국과 스웨덴의 상황을 비교(대조)하여 한국 사회의 육아 현실의 문제점을 부각하기 위해서이다. / 한국과 스웨덴의 상황을 비교(대조)하여 한국의 육아 문제를 해결할 방향을 제시하기 위해서이다. **15** ⑤ **16** 꽃을 좋아하고 꽃과 함께하는 생활에 기쁨을 느낀다. / 마당에 핀 모든 꽃을 소중히 여기며 관심을 기울인다. **17** ② **18** • 성: ㉡, ㉢ • 위: ㉠, ㉣ **19** ③ **20** ③

1 (나)에서는 고전이 주어진 시대, 특정 문화권에 사는 사람들의 종교관과 세계관, 사상과 철학, 취향과 감성, 고뇌와 희망을 담고 있다고 했을 뿐, 특정 문화권에 사는 사람들에게 많이 읽히는 책이라고 한 것은 아니다.

오답 풀이

① (나)에서 글쓴이는 여러 세대에 걸쳐서 끊임없이 읽히는 책이 고전이라고 했다.
③ (나)의 마지막 부분에서 고전 속에는 새로운 세상을 만드는 데 필요한 온갖 사유와 지혜, 지식과 정보가 들어 있다고 했다.
④ (나)에 따르면 고전은 세월이 흘러도 여전히 인간과 세상을 이해하는 데 도움이 되는 지혜를 담고 있다.
⑤ (나)에 따르면 좁은 의미에서의 고전은 오랜 세월 동안 많은 사람에게 높이 평가되고 애호된 저술을 말한다.

2 글쓴이는 어느 한 종류에 치우치지 않고 다양한 종류의 책을 균형 있게 읽어야 조화로운 정신 상태를 유지할 수 있다고 했으므로, 편독을 하고 있는 위 학생에게 다양한 분야의 책을 균형 있게 읽어야 한다는 내용의 조언을 해 줄 것이다.

평가 요소	확인 ☑
(가)를 바탕으로 하여 다양한 분야의 책을 균형 있게 읽어야 한다는 내용을 포함하여 서술했다.	
학생의 독서 태도가 정신적 성장과 건강의 불균형을 불러온다는 문제점을 포함하여 서술했다.	
제시된 문장 형식에 맞게 서술했다.	

3 (가)는 글쓴이의 체험과 사색을 중심으로 걷기의 의미와 가치를 성찰한 수필, (나)는 걷기 운동의 방법과 유의 사항을 전달

하는 설명문, (다)는 국내의 걷기 좋은 환경 조성을 위한 노력의 필요성을 주장하는 논설문이다. (가)~(다)의 글쓴이는 모두 걷기를 긍정적인 관점에서 바라보고 있다.

4 ㉠은 길에서 보이는 풍경을 지나가는 보행을 통해 마음의 풍경을 지나가며 마음속에 떠오르는 생각을 성찰하고 새로운 생각을 해낼 수 있음을 의미하는 구절이다.

오답 풀이

①, ② ㉠에서 '풍경'은 마음을 빗대어 나타낸 표현이다. 실제 거리나 길의 풍경을 의미하는 것이 아니다.
③ 글쓴이는 보행이 마음의 풍경을 지나는 방법이라고 했을 뿐, 마음과 풍경의 공통점을 찾을 수 있다고 하지는 않았다.
⑤ 글쓴이가 마음의 풍경을 지나기 위해서 아무 생각도 하지 말아야 한다고 하지는 않았다.

5 (다)의 글쓴이는 걷기 좋은 보도 환경을 조성하기 위해서는 우리가 지닌 기술력과 기반 시설을 바탕으로 보도 환경에 관한 데이터를 구축하고, 이를 도시 계획에 적극적으로 활용하도록 노력해야 한다고 주장했다.

평가 요소	확인 ☑
보도 환경 데이터를 구축하고, 이러한 데이터를 도시 계획에 활용한다는 두 가지 방법을 모두 서술했다.	
각각 제시된 문장 형식에 맞게 서술했다.	

6 (다)에서 적정 기술이 기존의 방법이 해결하지 못한 모든 사회 문제를 단번에 해결해 줄 것이라는 기대는 매우 위험한 생각이라고 제시했다.

오답 풀이

① (가)의 '최첨단 기술은 중앙 집중적이고 거대한 시스템의 구축이 필요하다.'에서 알 수 있다.
② (다)의 '최근 우리나라에서도 적정 기술에 대한 관심이 커지고 있는데'에서 알 수 있다.

7 (가)는 인과의 전개 방식을 사용하여 최첨단 기술이 현대의 위기 상황에 취약한 이유를 설명하고 있다. (가)~(나)는 대조의 전개 방식을 사용하여 지속 가능성이 높은 적정 기술이 지속 가능성에 취약한 최첨단 기술을 보완할 수 있음을 제시하고 있다. '정의'는 어떤 말이나 사물의 뜻을 명백히 밝혀 규정하는 방법, '분류'는 어떤 대상이나 생각을 공통적인 특성에 근거하여 종류별로 묶어서 전개하는 방법으로, 제시된 부분에 정의와 분류의 내용 전개 방식은 나타나지 않는다.

8 '포고문'의 의미를 참고할 때 (가)는 백성이 도탄에 빠지고 나라가 망해 가는 상황을 타개하기 위해 의병으로 일어날 것을 호소하는 글이다. 따라서 글쓴이는 자신들이 의병으로 봉기하

는 이유를 밝히고, 백성들에게 자신들과 뜻을 함께하여 의병에 동참할 것을 권하기 위해 이 글을 썼을 것이다.

평가 요소	확인 ☑
글을 쓸 당시 백성이 고통받고 나라가 망해 가는 어려운 사회적 상황에 처해 있었음을 적절하게 서술했다.	
글을 쓴 목적 두 가지를 모두 서술했다.	

9 (나)의 끝부분에 역사가는 역사 영화를 제작하는 데에 자문을 받거나 감수를 해 주는 정도가 아니라, 기획이나 시나리오 작업에 참여하는 등 그 역할이 더욱 커질 것이라는 내용이 제시되어 있다. 글쓴이가 역사 영화 제작에서 감수를 역사가의 가장 중요한 역할로 생각한다고 보기는 어렵다.

10 글의 마지막 부분인 (라)에서 질문의 형식으로 글을 마무리하여 한국 사회의 논쟁과 토론 문화를 독자 스스로 생각해 보도록 하고 있다. 중심 화제인 '토론'과 '논쟁'에 대한 내용은 글의 앞부분에 이미 제시되었기 때문에, 질문의 형식으로 독자들이 글에서 다룰 내용을 짐작하도록 한다는 진술은 적절하지 않다.

오답 풀이

① (나)의 '서로의 의견이 갈리는 부분에서 만나 마치 싸움터에서 장수들이 겨루듯 자신의 논리로 상대와 맞서 싸워야 한다.'에서 논쟁을 장수들의 싸움에 비유하고 있다.
② (가)에서 논쟁을 부정적으로 여기는 한국인의 태도와 논쟁을 학습의 도구이자 삶의 방식으로 여기는 서구인의 태도를 대조하고 있다.
③ (가)의 '고대 그리스에서 …… 변증법적 대화를 통해 진리를 탐구했다.'에서 서구인이 논쟁을 학습의 도구로 활용한 사례를 제시하고 있다.
④ (다)에서 전문가인 '밀'의 견해를 인용하고 있다.

11 (다)에 ㉠(그런 사회)에서는 소수의 권익뿐만 아니라 다수를 위한 합리적인 정책도 보장되기 어렵다고 제시되어 있다.

12 '라테파파'는 육아에 적극적으로 참여하는 아빠를 의미하는 신조어이다. 글쓴이는 '라테파파'라는 신조어를 제시하여 한국 사회의 육아 문제라는 중심 화제를 자연스럽게 이끌어 내고 있으며, 독자의 흥미와 관심을 유발하고 있다.

13 (나)에 글쓴이가 육아 문제를 해결하기 위해 제시한 방안이 나타나 있다. 글쓴이는 육아 문제에 대한 인식과 정책의 변화가 실제 양육 환경의 변화로 이어질 수 있도록 사회 구성원과 정부 부처의 적극적인 관심과 노력이 필요하다고 말했다.

오답 풀이

ⓐ 글쓴이는 육아를 사회적으로 분담해야 한다고 했을 뿐 남성이 육아를 도맡아야 한다고 주장한 것은 아니다.

14 글쓴이는 글의 시작 부분에서 한국과 달리 남성이 적극적으로 육아에 참여하는 스웨덴의 사례를 제시하여 한국 사회의 육아 현실의 문제점을 부각하고, 문제 해결의 방향을 제시하고자 했다.

평가 요소	확인 ☑
글쓴이가 한국과 스웨덴의 상황을 비교(대조)하며 글의 내용을 전개했음을 서술했다.	
글쓴이가 드러내고자 한 문제점 또는 문제 해결의 방향을 적절하게 서술했다.	
제시된 문장 형식에 맞게 서술했다.	

15 (가)에 따르면 글쓴이는 이웃에게 복수초를 나누어 받았을 때, 하찮은 잡초 같다고 생각하여 곧 복수초를 심은 자리조차 기억하지 못하게 되었다. 글쓴이가 복수초의 생명력에 놀라움과 감탄을 느낀 것은 복수초 언저리의 눈이 제일 먼저 녹았을 때이다.

16 '출석부'가 꽃이 피기를 기다리는 글쓴이의 머릿속에 생겨난 것이라는 점, 글쓴이가 백 가지가 넘는 꽃의 이름과 꽃이 피는 시기를 알고 '출석부'에 이름과 번호를 매기고 있다는 점에서 꽃에 대한 글쓴이의 애정을 알 수 있다.

평가 요소	확인 ☑
꽃에 관심과 애정을 갖고 꽃과 함께하는 생활에 기쁨을 느끼는 글쓴이의 태도를 적절하게 서술했다.	
완결된 문장으로 서술했다.	

17 이 글은 인간의 본성을 악하다고 본 순자와 인간의 본성을 선하다고 본 맹자의 대조적인 관점을 비교하여 차이점을 부각한 후, 순자의 성악설의 특징을 강조하여 설명하고 있다.

오답 풀이

①, ④ 이 글은 인간의 본성에 대한 순자와 맹자의 대조적인 관점을 설명하고 있다. 순자가 생각하는 맹자의 성선설의 한계가 일부 언급되기는 하지만, 두 이론의 장단점을 설명하거나 두 이론의 절충안을 모색한다고 보기는 어렵다.

18 '성'은 타고난 본성으로, 생리적이고 감각적인 측면이고 '위'는 현실에서 이루어지는 의지적인 실천이자 노력의 결과이다.

19 선한 행동을 선택하는 인간의 의지를 중요하게 여긴 사람은 순자이다.

오답 풀이

① (라)의 '맹자는 사실상 군자의 도덕성만을 인정한 것이며'에서 확인할 수 있다.
② (나)의 '순자가 인간의 본성을 악하다고 보았다고 해서', (마)의 '순자는 …… 악하다고 합니다.' 등에서 확인할 수 있다.
④ (가)의 '셋째 단계인 '려'는 …… 사고 작용에 해당하는 셈입니다.'에서 확인할 수 있다.
⑤ (다)의 '순자는, 인간의 본성을 착하다고 한 맹자의 주장은 …… 구분하지 못한 것이라는 지적입니다.'에서 확인할 수 있다.

20 신문 기사 속의 A는 선행을 실천했다. 순자의 주장에 따르면 A는 악한 본성을 가지고 태어났지만 후천적인 의지와 노력을 통해 도덕성을 실천한 것으로 이해할 수 있다.

〈어떤 책을 읽을 것인가〉

1 빈칸에 들어갈 말을 찾아 바르게 연결하시오.

1 학창 시절이야말로 가장 ▢▢▢▢▢ 독서할 수 있는 시기이다.
한창 성하게.
　　　　　　　　　　　　　　　　　　　　　　　　　　　　　　　• 　 ㉠ 균형

2 ▢▢▢▢▢ 이라면 자신의 내면적 삶에 변화를 가져오는 책을 읽어야 한다.
교양이 있는 사람.
　　　　　　　　　　　　　　　　　　　　　　　　　　　　　　　• 　 ㉡ 전범

3 다양한 책을 ▢▢▢▢ 있게 읽는 것이 조화로운 정신 상태를 유지하는 길이다.
어느 한쪽으로 기울거나 치우치지 아니하고 고른 상태.
　　　　　　　　　　　　　　　　　　　　　　　　　　　　　　　• 　 ㉢ 교양인

4 넓은 의미에서 고전은 다음 세대에 계승되어 ▢▢▢▢ 으로 자리 잡은 모든 작품들
을 이른다.　　　　　　　　　　　　　본보기가 될 만한 모범.
　　　　　　　　　　　　　　　　　　　　　　　　　　　　　　　• 　 ㉣ 동서고금

5 ▢▢▢▢ 의 고전들은 시공을 초월하여 인류에게 빛을 밝혀 주는 등대와 같다.
동양과 서양, 옛날과 지금을 통틀어 이르는 말.
　　　　　　　　　　　　　　　　　　　　　　　　　　　　　　　• 　 ㉤ 왕성하게

2 풀이된 뜻에 해당하는 어휘를 고르시오.

1 학문, 지식, 사회생활을 바탕으로 이루어지는 품위. 또는 문화에 대한 폭넓은 지식.　　　　　　　　　教양　　　실용

2 겉으로 드러나지 아니하는 정신적인 것.　　　　　　　　　내면적　　　외면적

3 한 방면에만 치우쳐 책을 읽음.　　　　　　　　　　　　　다독　　　편독

4 오랫동안 많은 사람에게 널리 읽히고 모범이 될 만한 문학이나 예술 작품.　　　　　고사　　　고전

5 매우 훌륭한 작품.　　　　　　　　　　　　　　　　　　걸작　　　졸작

6 인류가 이룩한 물질적, 기술적, 사회 구조적인 발전.　　　　　문명　　　문화

정답 **1** 1 ㉤ 2 ㉢ 3 ㉠ 4 ㉡ 5 ㉣　**2** 1 교양 2 내면적 3 편독 4 고전 5 걸작 6 문명

〈걸어서 곶 끝까지〉

① 빈칸에 들어갈 말을 찾아 바르게 연결하시오.

1 _____ 지향적 문화에서는 대개 생각하는 일을 아무 일도 안 하는 것으로 여긴다. •
인간이 생활하는 데 필요한 각종 물건을 만들어 냄.

• ㉠ 경이

2 _____ 은 그저 존재하는 것과 무언가를 해내는 것 사이의 미묘한 균형이다. •
걸어 다님.

• ㉡ 보행

3 보행은 몸과 마음과 세상이 _____ 이 된 상태이다. •
같은 편.

• ㉢ 생산

4 여행의 _____ 와 해방과 정화를 얻자면, 한 구역을 걸어갔다 와도 좋다. •
놀랍고 신기하게 여김. 또는 그럴 만한 일.

• ㉣ 한편

5 보행은 수단인 동시에 목적이며, 여행인 동시에 _____ 이다. •
목적으로 삼는 곳.

• ㉤ 목적지

② 풀이된 뜻에 해당하는 어휘를 고르시오.

1 바다 쪽으로, 부리 모양으로 뾰족하게 뻗은 육지.

| 곶 | 만 |

2 구체적인 것으로 됨. 또는 그렇게 만듦.

| 추상화 | 구체화 |

3 어떤 것에 대하여 깊이 생각하고 이치를 따짐.

| 사색 | 모색 |

4 말이나 태도가 흐리터분하여 분명하지 않은.

| 모호한 | 명확한 |

5 수(數), 양(量), 공간, 시간 따위에 제한이나 한계가 없이.

| 유한히 | 무한히 |

6 실현하려고 하는 일이나 나아가는 방향.

| 수단 | 목적 |

정답 ① 1 ㉢ 2 ㉡ 3 ㉣ 4 ㉠ 5 ㉤ ② 1 곶 2 구체화 3 사색 4 모호한 5 무한히 6 목적

3 〈걷기의 건강학〉

1 빈칸에 들어갈 말을 찾아 바르게 연결하시오.

1 걷기 운동은 허리, 무릎, 발 등 관절에 무리한 [   ]을 주지 않는다.
물체에 작용하는 외부의 힘 또는 무게.

• ㉠ 보폭

2 걷기 운동은 그 나름의 방법과 유의 사항을 잘 [   ]하고 해야 한다.
익숙하게 또는 충분히 앎.

• ㉡ 숙지

3 발바닥으로 지면을 차듯이 [   ]하는 것을 반복한다.
앞으로 나아감.

• ㉢ 전진

4 걷기 운동을 할 때 [   ]은 평상시보다 약간 넓게 한다.
걸음을 걸을 때 앞발 뒤축에서 뒷발 뒤축까지의 거리.

• ㉣ 하중

5 규칙적인 걷기는 정신적·사회적으로 [   ]을 갖는 데 도움을 줄 수 있다.
살아 움직이는 힘.

• ㉤ 활력

2 빈칸에 들어갈 알맞은 어휘를 〈보기〉에서 찾아 쓰시오.

• 보기 •

| 열량 | 스트레칭 | 심폐 기능 | 유산소 운동 |

1 걷기 운동은 생활 속에서 가장 안전하게 할 수 있는 [   ]이다.
몸속의 지방을 산화시켜 체중 조절에 효과가 있는 운동.

2 걷기 운동을 할 때에는 속보로 걷는 것이 체력 증진이나 [   ] 향상에 도움이 된다.
허파를 중심으로 하는 호흡 계통과 심장을 중심으로 하는 순환 계통의 기능을 통틀어 이르는 말.

3 준비 운동은 [   ]과 같이 관절의 가동 범위를 늘려 주는 운동을 하는 것이 좋다.
몸과 팔다리를 죽 펴는 것.

4 걷기 프로그램을 일정하게 유지하면 [   ]을 소비하는 데 더없이 좋다.
열에너지의 양. 단위는 보통 칼로리(cal)로 표시한다.

정답 ❶ 1 ㉣ 2 ㉡ 3 ㉢ 4 ㉠ 5 ㉤ ❷ 1 유산소 운동 2 심폐 기능 3 스트레칭 4 열량

〈우리 동네는 얼마나 걷기 좋을까〉

1 풀이된 뜻에 해당하는 어휘를 고르시오.

1 무엇을 만들어서 이룸.

　　도모　　　조성

2 충분히 잘 이용함.

　　인용　　　활용

3 기운이나 세력 따위가 점점 더 늘어 가고 나아감.

　　감퇴　　　증진

4 사물이나 현상을 수치로 나타냄.

　　수치화　　정보화

5 형편이나 조건 따위가 편하고 좋은 특성.

　　편의성　　편파성

6 국가나 사회의 구성원에게 두루 관계되는 것.

　　공공　　　민간

2 빈칸에 들어갈 알맞은 어휘를 〈보기〉에서 찾아 쓰시오.

● 보기 ●

| 구축 | 수집 | 밀도 | 친환경적 |

1 걷기는 우리가 일상에서 가장 손쉽게 접할 수 있는 운동이며 　　　　　인 교통수단이다.

　　　　　자연환경을 오염하지 않고 자연 그대로의 환경과 잘 어울리는 것.

2 지역의 보행 환경에 관한 데이터를 　　　　　하여 사용자에게 다양한 정보를 제공하고 있다.

　　취미나 연구를 위하여 여러 가지 물건이나 재료를 찾아 모음.

3 인구 　　　　　, 구역 길이, 교차로 밀도와 같은 보행자 편의성도 점수에 반영한다.

　　빽빽이 들어선 정도.

4 걷기 좋은 보도 환경을 조성하기 위한 데이터 　　　　　과 정보 제공은 매우 중요하다.

　　체제, 체계 따위의 기초를 닦아 세움.

[정답] **1** 1 조성 2 활용 3 증진 4 수치화 5 편의성 6 공공　**2** 1 친환경적 2 수집 3 밀도 4 구축

5 〈적정 기술이란 무엇인가〉

❶ 빈칸에 들어갈 말을 찾아 바르게 연결하시오.

1 바커는 적정 기술을 '인간이 기본적인 생활을 ⬜⬜⬜⬜ 하는 데 필요한 모든 기술'로 정의하였다.
일을 꾸려 나감.
•   ㉠ 부각

2 적정 기술은 환경의 변화에 맞춰서 적응하는 ⬜⬜⬜⬜ 이 필수적이다.
딱딱하지 아니하고 부드러운 성질. 또는 그런 정도.
•   ㉡ 영위

3 기후 변화, 지진과 같은 자연재해 등은 이제 ⬜⬜⬜⬜ 인 위기가 되었다.
언제나 늘 있는 것.
•   ㉢ 이바지

4 이러한 각종 위기는 최첨단 기술의 문제점을 ⬜⬜⬜⬜ 하였다.
어떤 사물을 특징지어 두드러지게 함.
•   ㉣ 유연성

5 인류의 행복 증진에 ⬜⬜⬜⬜ 할 수 있는 한국형 적정 기술이 마련되기를 기대해 본다. •
도움이 되게 함.
    ㉤ 항시적

❷ 빈칸에 들어갈 알맞은 어휘를 〈보기〉에서 찾아 쓰시오.

〈보기〉

| 의존 | 지속 | 취약한 | 동시다발적 |

1 현대 사회에는 강력한 위기들이 ⬜⬜⬜⬜ 으로 발생하고 있다.
같은 시기에 여러 가지가 발생하는 것.

2 최첨단 기술이 위기 상황에 ⬜⬜⬜⬜ 것은 '지속 가능성'에 취약하게 설계되었기 때문이다.
무르고 약한.

3 적정 기술은 기본적으로 ⬜⬜⬜⬜ 가능한 시스템을 배경으로 하여 작동한다.
어떤 상태가 오래 계속됨. 또는 어떤 상태를 오래 계속함.

4 적정 기술은 중앙 집중식 기술에 대한 ⬜⬜⬜⬜ 을 줄이고 소규모 단위의 자립적 생존을 도모한다.
다른 것에 의지하여 존재함.

정답 ❶ 1 ㉡ 2 ㉣ 3 ㉤ 4 ㉠ 5 ㉢ ❷ 1 동시다발적 2 취약한 3 지속 4 의존

6

〈무장 포고문〉

① 빈칸에 들어갈 말을 찾아 바르게 연결하시오.

1 사람을 세상에서 가장 귀하게 여김은 [   ]이 있기 때문이다.
    <small>군신·부자·형제·부부 따위에서 지켜야 할 도리.</small>
    · ㉠ 갈취

2 군신과 부자의 인륜을 실천해야 국가에 [   ]이 따른다.
    <small>타고난 복과 벼슬아치의 녹봉이라는 뜻으로, 복되고 영화로운 삶을 이르는 말.</small>
    · ㉡ 복록

3 나라를 돕는 인재가 없고 백성을 [   ]하는 벼슬아치만이 득실거린다.
    <small>남의 것을 강제로 빼앗음.</small>
    · ㉢ 사유

4 관자가 말하기를 "[   ]가 베풀어지지 않으면 나라가 곧 멸망한다."라고 하였다.
    <small>나라를 다스리는 데 지켜야 할 네 가지 원칙. 곧 예(禮)·의(義)·염(廉)·치(恥)를 이른다.</small>
    · ㉣ 유민

5 우리 무리는 비록 초야의 [   ]이나 어찌 나라가 망해 가는 꼴을 좌시할 수 있겠는가.
    <small>망하여 없어진 나라의 백성.</small>
    · ㉤ 인륜

부록

② 풀이된 뜻에 해당하는 어휘를 고르시오.

1 널리 펴서 알리는 글.
    [상소문] [포고문]

2 충성스럽고 정직하다.
    [간사하다] [충직하다]

3 공적(公的)이 아닌 개인적인 범위나 관계의 성질이 있다.
    [사사롭다] [공평하다]

4 진구렁에 빠지고 숯불에 탄다는 뜻으로, 몹시 곤궁하여 고통스러운 지경을 이르는 말.
    [도탄] [도태]

5 가냘프고 약하다.
    [미미하다] [잔약하다]

6 나랏일을 돕고 백성을 편안하게 함.
    [보국안민] [태평세월]

[정답] ① 1 ㉤ 2 ㉡ 3 ㉠ 4 ㉢ 5 ㉣ ② 1 포고문 2 충직하다 3 사사롭다 4 도탄 5 잔약하다 6 보국안민

〈의견 양극화와 생산적 논쟁〉

1 빈칸에 들어갈 말을 찾아 바르게 연결하시오.

1 갈등을 [   ]으로 해결하려면 논쟁이라는 도구를 사용해야 한다.
이론이나 이치에 합당한 것.
• ㉠ 권익

2 소크라테스는 '산파법'이라고 불리는 [   ]적 대화를 통해 진리를 탐구했다.
문답에 의해 진리에 도달하는 방법. 어원은 대화의 기술이라는 뜻이다.
• ㉡ 편향

3 서로 다른 의견을 가진 사람들 각각의 집단 [   ]이나 쏠림 현상이 강화된다.
한쪽으로 치우침.
• ㉢ 변증법

4 논쟁 불능 사회에서는 소수의 [   ]도, 다수를 위한 합리적인 정책도 보장되기 어렵다.
권리와 그에 따르는 이익.
• ㉣ 합리적

5 논쟁이 활발한 사회는 의견 [   ]의 중간층이 두껍다.
어떤 현상이 나타나거나 활동이 일어난 범위를 비유적으로 이르는 말.
• ㉤ 스펙트럼

2 풀이된 뜻에 해당하는 어휘를 고르시오.

1 바람직하지 않은 일을 더 심해지도록 부추김.
[조장] [근절]

2 상황이나 사태 따위가 날카롭고 격하다.
[첨예하다] [강경하다]

3 일반적으로 두루 씀.
[전용] [통용]

4 어떠한 의견에 대한 다른 의견. 또는 서로 다른 의견.
[사견] [이견]

5 다른 사람의 말이나 행동, 형편 따위를 잘 알아서 긍정하고 이해함.
[납득] [설득]

6 아무 거리낌 없이 제멋대로 행동함.
[횡보] [횡행]

정답 **1** 1 ㉣ 2 ㉢ 3 ㉡ 4 ㉠ 5 ㉤ **2** 1 조장 2 첨예하다 3 통용 4 이견 5 납득 6 횡행

8 〈꽃 출석부 1〉

① 빈칸에 들어갈 말을 찾아 바르게 연결하시오.

1 전체적으로 부피감이 느껴지지 않아 _____ 잡초처럼 보였다.
　　　　　　　　　　대수롭지 아니한.

　　　　　　　　　　　　　　　　　　　　　　　　　　　• 　　　 ㉠ 기막힌

2 아무것도 싹트지 않은 _____ 마당에 몹시 생뚱스러워 보였다.
　　　　　　　　　　황폐하여 거칠고 쓸쓸한.

　　　　　　　　　　　　　　　　　　　　　　　　　　　• 　　　 ㉡ 멋대로

3 그 샛노란 꽃의 _____ 을 생각하고 있었다.
　　　　　　　단념할 수밖에 달리 어찌할 도리가 없음.

　　　　　　　　　　　　　　　　　　　　　　　　　　　• 　　　 ㉢ 하찮은

4 이런 것까지 쳐서 백 가지냐고 _____ 듯이 물었다.
　　　　　　　어떠한 일이 놀랍거나 언짢아서 어이없는.

　　　　　　　　　　　　　　　　　　　　　　　　　　　• 　　　 ㉣ 황량한

5 순서를 지키지 않고 _____ 피고 지면 이름이 궁금하지 않았을지도 모른다.
　　아무렇게나 하고 싶은 대로. 또는 제 마음대로.

　　　　　　　　　　　　　　　　　　　　　　　　　　　• 　　　 ㉤ 속절없음

② 빈칸에 들어갈 알맞은 어휘를 〈보기〉에서 찾아 쓰시오.

> ● 보기 ●
>
> 부양　　　　 사치　　　　 수효　　　　 언저리

1 놀랍게도 제일 먼저 녹은 데가 복수초 _____ 였다.
　　　　　　　　　　　　　　　둘레의 가 부분.

2 내가 백 가지도 넘는다고 한 것은 민들레나 제비꽃, 할미꽃까지 다 합친 _____ 이다.
　　　　　　　　　　　　　　　　　　　　　　　　　낱낱의 수.

3 나에게 그것들을 _____ 할 마당이 있다는 걸 생각만 해도 뿌듯한 행복감을 느낀다.
　　　　　　　생활 능력이 없는 사람의 생활을 돌봄.

4 내가 이렇게 _____ 를 해도 되는 것일까. 괜히 송구스러울 때도 있다.
　　필요 이상의 돈이나 물건을 쓰거나 분수에 지나친 생활을 함.

〈뉴스 빅데이터로 보는 육아 변천사〉

1 빈칸에 들어갈 말을 찾아 바르게 연결하시오.

1 육아와 돌봄을 여성이 [   ]하는 사회 구조가 반영된 결과이다.
어떤 일이나 비용의 전부를 도맡아 하거나 부담함.

     ㉠ 여건

2 육아 보장 정책과 관련 기관이 관심사로 떠오르는 [   ]이었다.
사물이나 현상의 모양이나 상태.

     ㉡ 우려

3 '조부모', '맞벌이 부부', '고령화' 같은 단어가 연관 단어로 함께 [   ]됐다.
전체 속에서 어떤 물건, 생각, 요소 따위를 뽑아냄.

     ㉢ 양상

4 노년층의 '번아웃 증후군'을 조심해야 한다는 [   ]도 있었다.
근심하거나 걱정함. 또는 그 근심과 걱정.

     ㉣ 전담

5 아빠가 실제로 육아에 적극적으로 참여하기에는 [   ]이 한참이나 부족하다는 비판이 나온다.
주어진 조건.

     ㉤ 추출

2 빈칸에 들어갈 알맞은 어휘를 〈보기〉에서 찾아 쓰시오.

> ● 보기 ●
>
> 담론   양립   주체   신조어

1 '라테파파'는 육아에 적극적으로 참여하는 아빠를 의미하는 [   ]이다.
새로 생긴 말. 또는 새로 귀화한 외래어.

2 '육아와 일을 어떻게 [   ]할 것인가?'가 사회적 고민으로 떠올랐다.
두 가지가 동시에 따로 성립함.

3 2012년에서 2016년에는 '아빠들'이 육아 분담의 [   ]로 떠올랐다.
사물의 작용이나 어떤 행동의 주가 되는 것.

4 20년간 육아와 관련한 [   ]에는 '여성'이 중심에 있다고 말할 수 있다.
이야기를 주고받으며 논의함.

[정답] **1** 1 ㉣ 2 ㉢ 3 ㉤ 4 ㉡ 5 ㉠   **2** 1 신조어 2 양립 3 주체 4 담론

〈르누아르, 삶의 기쁨을 노래하다〉

1 빈칸에 들어갈 말을 찾아 바르게 연결하시오.

1 르누아르는 오로지 회화의 _____ 에 충실하고자 하였다.
본디부터 가지고 있는 사물 자체의 성질이나 모습.

ㅇ · ⊙ 본질

2 그는 일상생활과 사람들의 모습을 _____ 에 담아냈다.
그림을 그려 놓은 천이나 종이의 조각.

ㅇ · ⓒ 승화

3 배경의 거친 붓 터치와 여백은 _____ 의 두 소녀를 더욱 돋보이게 한다.
앞쪽에 보이는 경치.

ㅇ · ⓒ 전경

4 르누아르는 '그림은 영혼을 씻어 주는 _____ 의 선물'이어야 한다고 여겼다.
매우 기뻐함. 또는 큰 기쁨.

ㅇ · ⓔ 화폭

5 자신이 처한 온갖 고통을 예술로 _____ 시켜 극복했기 때문이다.
어떤 현상이 더 높은 상태로 발전하는 일.

ㅇ · ⓜ 환희

2 풀이된 뜻에 해당하는 어휘를 고르시오.

1 일반적으로 현실을 있는 그대로 묘사·재현하려고 하는 창작 태도.

사실주의 인상주의

2 남에게 부탁함.

의지 의뢰

3 깊은 정서를 자아내는 흥취.

정감 정취

4 인생의 덧없음.

무념무상 인생무상

5 무엇이 훌륭하거나 좋거나 아름답다고 찬양함.

감탄 예찬

6 인생이나 사물을 밝고 희망적인 것으로 보는 것.

낙관적 염세적

정답 **1** 1 ⊙ 2 ⓔ 3 ⓒ 4 ⓜ 5 ⓒ **2** 1 사실주의 2 의뢰 3 정취 4 인생무상 5 예찬 6 낙관적

〈순자의 성악설〉

① 빈칸에 들어갈 말을 찾아 바르게 연결하시오.

1 순자는 인간의 [   ]을 악하다고 했다.
  사람이 본디부터 가진 성질.
  • ㉠ 욕구

2 순자는 인간의 자연적이고 생리적인 [   ]에 주목했다.
  무엇을 얻거나 무슨 일을 하고자 바라는 일.
  • ㉡ 본성

3 스스로 자신의 악한 본성을 거스르는 착한 [   ]는 어디에서 오는 것일까?
  사람이 의지를 가지고 하는 짓.
  • ㉢ 작용

4 순자는 인간의 마음 [   ]을 성, 정, 려, 위의 네 부분으로 나누었다.
  어떠한 현상을 일으키거나 영향을 미침.
  • ㉣ 철학

5 순자의 철학은 의지에 기초한 실천 [   ]이라고 할 수 있다.
  인간과 세계에 대한 근본 원리와 삶의 본질 따위를 연구하는 학문.
  • ㉤ 행위

② 빈칸에 들어갈 알맞은 어휘를 〈보기〉에서 찾아 쓰시오.

> ● 보기 ●
> 구분   교화   생리적   후천적

1 첫 단계인 '성'은 배고프면 먹고 싶고, 목마르면 마시고 싶고, 피곤하면 쉬고 싶은 [   ] 본성이다.
  합리적인 판단에 근거하는 것이 아니라 생긴 대로의 본능적인.

2 순자는 맹자가 사람의 타고난 본성과 [   ]인 의지에 따른 노력을 구분하지 못했다고 지적했다.
  성질, 체질, 질환 따위가 태어난 후에 얻어진 것.

3 맹자는 일반 백성들에 대해서는 도덕성에 근거한 군자의 [   ]를 받아들일 수 있는 정도의 자질만을 인정한 셈이다.
  가르치고 이끌어서 좋은 방향으로 나아가게 함.

4 순자는 어떤 사람인가를 [   ]하지 않고 모든 사람의 본성이 악하다고 한다.
  일정한 기준에 따라 전체를 몇 개로 갈라 나눔.

[정답] **①** 1 ㉡ 2 ㉠ 3 ㉤ 4 ㉢ 5 ㉣ **②** 1 생리적 2 후천적 3 교화 4 구분

핵심 정리 01 〈어떤 책을 읽을 것인가〉_ 정수복

[관련 단원] 1단원 (1) 독서 자료 선택하기

◎ 제재 정리

갈래	수필, 평론	성격	❶ ㅅㄷㅈ, 예시적, 비판적
제재	독서의 가치와 도서의 선택		
주제	자신의 삶을 변화시키는 ❷ ㄷㅅ 의 필요성		
특징	① 다양한 예를 들어 설명하여 독자의 이해를 도움. ② 수험서, 실용서와 비교하여 좋은 책의 가치를 부각함.		

답 ❶ 설득적 ❷ 독서

핵심 정리 02 〈걸어서 곶 끝까지〉_ 리베카 솔닛

[관련 단원] 1단원 (2) 주제 통합적 독서

◎ 제재 정리

갈래	수필	성격	추상적, 예찬적, 비유적
제재	걷기		
주제	걷기의 의미와 ❶ ㄱㅊ (몸과 마음과 세상이 이루는 조화로서의 걷기)		
특징	① ❷ ㄱㄱ 경험이라는 친숙한 소재를 제시하여 독자의 흥미를 유도함. ② 걷는 행위를 깊이 있게 성찰하며 걷기의 의미와 가치를 새롭게 제시함.		

답 ❶ 가치 ❷ 걷기

핵심 정리 03 〈걷기의 건강학〉_ 박원하

[관련 단원] 1단원 (2) 주제 통합적 독서

◎ 제재 정리

갈래	❶ ㅅㅁㅁ	성격	객관적, 체계적, 실용적
제재	걷기 운동		
주제	걷기 운동의 올바른 방법 및 ❷ ㅇㅇㅅㅎ		
특징	① 걷기 운동을 통해 얻을 수 있는 장점들을 설명함. ② 걷기 운동의 방법을 구체적으로 설명함.		

답 ❶ 설명문 ❷ 유의 사항

핵심 정리 04 〈우리 동네는 얼마나 걷기 좋을까〉_ 황진욱·강정은

[관련 단원] 1단원 (2) 주제 통합적 독서

◎ 제재 정리

갈래	논설문	성격	설득적, 예시적
제재	걷기 좋은 동네 만들기		
주제	국내의 걷기 좋은 환경 ❶ ㅈㅅ 을 위한 노력의 필요성		
특징	① 외국과 비교하여 보행 환경에 대한 관심이 미미한 국내의 문제를 제기함. ② 미국의 '워크 스코어' 사례를 들어 국내의 보행 환경에 대한 데이터 구축 및 활용의 ❷ ㅍㅇㅅ 을 주장함. ③ 우리나라가 지닌 기술력과 기반 시설을 바탕으로 걷기 좋은 보도 환경을 만들자고 주장함.		

답 ❶ 조성 ❷ 필요성

이것만은 꼭!

◉ 보행과 생각의 관계

> • '보행의 리듬은 생각의 리듬을 낳는다.'
> • '마음은 풍경이고, 보행은 마음의 풍경을 지나는 방법이라고나 할까.'

↓

• 보행은 걸음을 반복하므로 리듬이 생기고, 이에 따라 마음에 생각들이 떠오름.
• 길에서 보이는 풍경을 지나가며 자신을 ❶ ㅅ ㅊ 하고 새로운 생각을 떠올림.

✡ '걷기'에 대한 글쓴이의 생각과 관점

걷기 —
• 걷기는 아무 일도 안 하는 것에 가까운 일임.
• 이상적인 보행은 몸과 마음과 세상이 한편이 된 상태임.
• 걷기를 통해 마음을 ❷ ㅇ ㅎ 할 수 있음.

답 ❶ 성찰 ❷ 여행

이것만은 꼭!

◉ 오늘날의 독서 경향

학생들이 주로 읽는 책	성인들이 주로 읽는 책
• 교과서와 학습서, 수험서 • 수능이나 입시 준비를 위한 문학 작품이나 교양 도서	• 현실에서 부딪치는 문제를 해결하는 데 도움을 주는 책 • ❶ ㅅ ㅇ ㅈ 가치를 지닌 책

✡ 글쓴이가 제시하는 바람직한 독서의 방향

• 내면적 삶에 변화를 가져와 다른 눈으로 세상을 보고 더 깊이 있는 삶을 살 수 있게 하는 책을 읽어야 함.
• 소설책, 역사책, 철학책, 사회 과학책, 종교와 예술에 관한 책 등을 균형 있게 읽어야 함.

↓

• 인생을 바라보는 새로운 시각과 세상을 넓게 보는 안목이 생김.
• ❷ ㅈ ㅎ 로운 정신 상태를 유지할 수 있음.

답 ❶ 실용적 ❷ 조화

이것만은 꼭!

◉ 일상 속 보행 환경에 대한 우리나라와 외국의 관심의 차이

우리나라		외국
걷기 좋은 환경 만들기에 대한 관심은 높아졌지만, 산책로와 달리 골목길, 통근길, 통학로 등 일상 속 보행 환경에 대한 관심은 미미함.	↔	• 자신의 동네의 걷기 좋은 정도를 인터넷이나 스마트폰 응용 프로그램을 통해 손쉽게 알아볼 수 있음. • 수치화된 ❶ ㄷ ㅇ ㅌ 를 실제 도시 계획에 활용함.

◉ 걷기 좋은 보도 환경을 조성하기 위한 방안

• 도로 환경 분석, 데이터 구축, 정보 제공이 매우 중요함.
• 우리나라의 보도 환경에 관한 데이터를 구축하고, 이를 도시 계획에 적극적으로 활용해야 함.

✡ '걷기'에 대한 글쓴이의 생각과 관점

걷기 — 매우 중요하며 ❷ ㅈ ㄹ 할 만한 좋은 일임.

답 ❶ 데이터 ❷ 장려

이것만은 꼭!

◉ 걷기 운동을 할 때 주의할 점

• ❶ ㅈ ㅂ ㅇ ㄷ 을 철저히 해야 함.
• 연령이나 체력 수준에 맞는 강도로 걷기 운동을 시작해야 함.
• 언덕길과 교통량이 많은 지역은 피해야 함.
• 시멘트나 아스팔트 위보다는 운동장을 이용하는 것이 바람직함.
• 본격적으로 운동을 시작하기 전에 자신의 몸 상태를 살펴야 함.

✡ 걷기 프로그램의 장점 및 효과

장점 및 효과 —
• 건강에 여러모로 이로우며, 열량을 소비하는 데 더없이 좋아 ❷ ㅊ ㅈ 조절에 도움이 됨.
• 규칙적인 걷기 운동은 근육, 뼈와 관절을 강하고 건강하게 해 줌.
• 걷기에 참여하는 사람들 간의 우정을 쌓게 하여 정신적·사회적으로 활력을 갖는 데 도움을 줌.

답 ❶ 준비 운동 ❷ 체중

핵심 정리 05 〈적정 기술이란 무엇인가〉_김정태·홍성욱

[관련 단원] 2단원 (1) 사실적 읽기

● 제재 정리

갈래	설명문	성격	시사적, 분석적, 대조적
제재	❶ ㅈㅈ ㄱㅅ		
주제	적정 기술의 개념과 특징		
특징	① 현대 사회의 위기를 해결할 대안을 모색하는 차원에서 적정 기술을 소개하고 그 필요성을 부각함. ② 정의, 열거, 예시, 인과, ❷ ㄷㅈ 등 다양한 내용 전개 방식을 통해 내용을 효과적으로 전달함.		

▲ 적정 기술의 사례 – 족동식 펌프

답 ❶ 적정 기술 ❷ 대조

핵심 정리 06 〈무장 포고문〉_전봉준·손화중·김개남

[관련 단원] 2단원 (2) 추론적 읽기

● 제재 정리

갈래	창의문, 포고문, 선언문	성격	현실 비판적
제재	❶ ㅂㅅㅇㅊ들의 학정		
주제	보국안민을 내세워 봉기하는 뜻을 널리 알림.		
특징	① 유교적 윤리를 바탕으로 하여 당시의 현실을 비판함. ② 중국 고사 속 인물의 말을 인용하여 글쓴이의 주장을 강화함. ③ ❷ ㅅㅇㅈ 표현을 활용하여 말하고자 하는 바를 강조함.		

답 ❶ 벼슬아치 ❷ 설의적

핵심 정리 07 〈의견 양극화와 생산적 논쟁〉_박성희

[관련 단원] 2단원 (3) 비판적 읽기

● 제재 정리

갈래	논설문	성격	비판적, 시사적
제재	우리 사회의 토론 문화		
주제	우리 사회의 의견 스펙트럼의 다양화를 위한 활발한 토론과 ❶ ㄴㅈ의 필요성		
특징	① 현실의 문제를 비판적으로 분석하고 그 해결 방안을 제시함. ② 대조, 비유 등의 표현 방식을 사용하여 독자의 이해를 돕고 설득의 효과를 높임. ③ 전문가(학자)의 견해를 ❷ ㅇㅇ하여 글쓴이의 주장을 뒷받침함.		

답 ❶ 논쟁 ❷ 인용

핵심 정리 08 〈꽃 출석부 1〉_박완서

[관련 단원] 2단원 (4) 감상적 읽기

● 제재 정리

갈래	수필	성격	체험적, 개성적
제재	❶ ㅂㅅㅊ, 꽃 출석부		
주제	어려움을 이겨 내고 때를 지켜 피어나는 꽃들을 기억하고 기다림.		
특징	① 마당에서 꽃을 기르는 글쓴이의 경험을 소재로 함. ② 글쓴이의 세심한 관찰력과 섬세한 감정이 드러남. ③ 머릿속에 꽃 ❷ ㅊㅅㅂ가 생겼다는 표현을 통해 꽃이 피기를 기다리는 설렘과 기쁨을 드러냄.		

답 ❶ 복수초 ❷ 출석부

이것만은 꼭!

✦ 글쓴이가 관자의 말을 인용한 의도

관자가 말하기를 "사유(四維)가 베풀어지지 않으면 나라가 곧 멸망한다."라고 하였다. 바야흐로 지금의 형세는 예전보다 더욱 심각하다.

↓

관리들의 탐학으로 ❶ ㅅ ㅇ 가 베풀어지지 않아 나라가 위태로운 상황에 놓였음을 강조함.

◦ 글쓴이가 봉기를 일으키는 명분과 목적

명분	임금의 은혜를 입고 살아온 백성으로서 신하들의 탐학으로 나라의 형세가 기우는 것을 보고만 있을 수 없음.
목적	• ❷ ㅂ ㄱ ㅇ ㅁ 을 실현하고자 함. • 모든 백성이 임금의 교화를 받는 가운데 생업에 편하게 종사하는 태평세월을 누리기를 바람.

답 ❶ 사유 ❷ 보국안민

이것만은 꼭!

◦ 적정 기술의 조건

일반적인 조건	• 저렴한 비용　　　　• 현지의 재료 사용 • 현지의 기술과 노동력을 활용한 일자리 창출 • 적당한 제품의 크기와 간단한 사용 방법 • 지역민이 제품을 스스로 제작 • 협동 작업으로 지역 사회 발전에 공헌 • 상황 변화에 대한 유연성
핵심적인 조건	• 지역 주민의 역량이 강화되어야 함. • 지역 주민의 ❶ ㅅ 의 질이 향상되어야 함. • 지역 주민의 고용이 창출되어야 함.

✦ 현대 사회의 위기와 적정 기술의 필요성

❷ ㅈ ㅅ ㄱ ㄴ ㅅ 에 취약하게 설계된 최첨단 기술은 동시다발적이고 항시적으로 발생하는 현대의 위기 상황에 취약함.

↓

적정 기술이 현대 사회의 각종 위기에 대한 해결 방안으로 부각됨.

답 ❶ 삶 ❷ 지속 가능성

이것만은 꼭!

◦ 복수초에 대한 글쓴이의 생각 변화

작년 가을, 이웃에게서 복수초를 받았을 때

볼품없는 겉모습 때문에 ❶ ㄴ 속에서 피어나는 복수초라는 것을 잘 믿지 못함.

↓

올해 3월, 꽃 두 송이를 처음 보았을 때

황량한 마당과 어울리지 않게 샛노란 꽃을 피운 모습이 생뚱스럽다고 생각함.

↓

큰 눈을 이겨 낸 복수초를 보았을 때

• 신기해하고 감탄함.　　　• 자랑스럽게 여김.

✦ 꽃에 대한 글쓴이의 태도

• 꽃을 좋아하고 꽃과 함께하는 생활에 ❷ ㄱ ㅃ 을 느낌.
• 마당에 핀 꽃들을 모두 소중하게 여기며 관심을 기울임.

답 ❶ 눈 ❷ 기쁨

이것만은 꼭!

✦ 글쓴이가 생각하는 우리 사회의 문제 및 원인과 해결 방안

문제	• 논쟁에 대해 ❶ ㅂ ㅈ ㅈ 임. • 치열하게 논쟁하는 모습을 보기 어려움. • 논쟁과 토론의 부재로 의견의 집단 편향과 쏠림 현상이 강화됨.
원인	• 논쟁과 토론의 진정한 의미와 기능을 인식하지 못함. • 토론 부재와 논쟁 불능 사회의 부작용을 인식하지 못함.
해결 방안	• 반대 의견을 내며 생산적 논쟁에 적극적으로 나서야 함. • 논쟁을 통해 의견 ❷ ㅅ ㅍ ㅌ ㄹ 의 중간층을 확대해야 함.

답 ❶ 부정적 ❷ 스펙트럼

[관련 단원] 2단원 (5) 창의적 읽기

○ 제재 정리

갈래	보고문	성격	분석적, 시사적
제재	한국 사회의 ❶ ○○○ 현실		
주제	육아에 대한 사회적 인식 및 정책의 변화 양상		
특징	① ❷ ㄹㅌㅍㅍ 라는 신조어를 통해 육아에 대한 사회적 인식의 변화 양상을 보여 줌. ② 외국의 사례를 제시하여 한국 사회의 육아 문제의 해결 방향을 제시함. ③ 지난 20년간의 기사를 분석하여 한국 사회의 육아 문제를 살펴봄. ④ 수치화된 자료를 제시하여 일과 가정의 균형을 맞출 수 없는 한국 사회의 문제점을 보여 줌.		

답 ❶ 육아 ❷ 라테파파

[관련 단원] 3단원 (1) 인문·예술 분야의 글 읽기

○ 제재 정리

갈래	설명문	성격	예시적, 비유적
제재	❶ ㄹㄴㅇㄹ 의 삶과 그림		
주제	르누아르의 그림과 ❷ ㄴㄱㅈ 인 예술 철학		
특징	① 르누아르의 여러 작품을 예로 들어 설명하여 독자의 이해를 도움. ② 화가의 삶과 작품 세계를 관련지어 설명함		

▲ 〈피아노 치는 두 소녀〉　▲ 〈기타를 연주하는 스페인 소녀〉　▲ 〈화병의 꽃〉

답 ❶ 르누아르 ❷ 낙관적

[관련 단원] 3단원 (1) 인문·예술 분야의 글 읽기

○ 제재 정리

갈래	설명문	성격	대조적, 예시적
제재	❶ ㅅㅈ 의 성악설		
주제	순자의 성악설에서 설명한 인간의 ❷ ㅁㅇㅈㅇ		
특징	① 대조적인 관점을 지닌 맹자의 주장과 비교하여 그 차이점을 부각함. ② 구체적인 상황을 가정하여 예를 듦으로써 설명 대상에 대한 독자의 이해를 도움.		

답 ❶ 순자 ❷ 마음 작용

[관련 단원] 1단원 (1)_더 읽어 보기

○ 제재 정리

갈래	설명문	성격	체계적, 실용적
제재	도서 분류의 ❶ ○ㄹ		
주제	도서 분류의 원리와 도서관에서 책을 쉽게 찾는 방법		
특징	① 도서 분류 기호의 의미를 인류의 역사와 관련하여 설명함. ② 청구 기호를 통해 도서관에서 책을 찾는 방법을 구체적 ❷ ㅅㄹ 를 들어 설명함.		

답 ❶ 원리 ❷ 사례

이것만은 꼭!

르누아르의 그림의 내용 및 글쓴이의 감상

〈피아노 치는 두 소녀〉	• 피아노 치는 소녀와 옆에서 악보를 읽는 소녀 • 배경의 거친 붓 터치와 여백은 두 소녀를 더욱 돋보이게 하고 화면에 생기를 불어넣음.
〈기타를 연주하는 스페인 소녀〉	• 화려한 투우사 복장을 한 소녀가 기타를 연주하며 노래를 부르는 모습 • 삶의 기쁨과 싱그러운 젊음이 느껴짐.
〈화병의 꽃〉	• 온갖 화려한 꽃들이 만발한 유리 화병 • 주어진 인생에 감사하고 ❶ ㅎㅂ 을 누리라는 낙천적인 메시지를 던짐.

르누아르의 예술 철학

> '그림은 영혼을 씻어 주는 환희의 선물'이어야 한다.

↓

예술에 대한 열정과 낙관적인 예술 철학으로 삶의 ❷ ㄱㅌ 을 극복했기에 진정한 행복의 모습을 그릴 수 있었음.

답 ❶ 행복 ❷ 고통

이것만은 꼭!

글쓴이가 제기한 문제 상황 및 해결 방안

문제 상황	남성의 육아 참여도가 높은 스웨덴과 달리, 한국은 ❶ ㅇㅁ 들이 육아를 도맡아 옴.
해결 방안	육아를 사회적으로 분담하기 위해 모든 사회 구성원과 정부 부처의 적극적인 관심과 노력이 필요함.

뉴스 빅데이터로 보는 한국 사회의 육아 현실의 변화

1997~2001년	• '여성들', '고용 보험 기금', '출산 휴가' 등 • 여성이 전담해 온 육아의 ❷ ㅅㅎㅈㅂㄷ 시도
2002~2006년	• '여성 근로자', '노동부' 등 • 경제 활동을 하는 여성의 육아와 일 양립 문제 부각
2007~2011년	• '조부모', '맞벌이 부부', '고령화' 등 • 맞벌이 부부가 늘면서 조부모가 육아를 분담함.
2012~2016년	• '아빠들', '남편들', '고용노동부', '여성가족부' 등 • 아빠들의 육아 분담 및 한국의 노동 여건 문제 대두

답 ❶ 엄마 ❷ 사회적 분담

이것만은 꼭!

청구 기호의 의미와 전개 방식

별치 기호	❶ ㅂㄷ 로 보관되는 책임을 알려 줌.
분류 기호	위에서 아래, 왼쪽에서 오른쪽으로 가면서 숫자가 커짐.
도서 기호	문자는 ❷ ㅅㅈ 의 문자 배열 방식과 같음.
부가 기호	연속물의 표시, 동일 책의 권수 표시, 발간 연도 표시 등

> 어410.8 ㄱ391ㅅ-1=2
>
> 어 ——————— 별치 기호
> 410.8 ——————— 분류 기호
> ㄱ391ㅅ ——————— 도서 기호
> -1=2 ——————— 부가 기호

◀ 도서 청구 기호의 구성

답 ❶ 별도 ❷ 사전

이것만은 꼭!

순자와 맹자의 공통점과 차이점

	순자(성악설)	맹자(성선설)
공통점	인간의 본성은 ❶ ㅅㅊㅈ 인 것임.	
차이점	인간의 본성은 악하며 도덕성은 노력의 결과임.	인간의 본성 자체가 도덕적임.

순자가 나눈 마음 작용 단계

성(性) — 삶의 자연스러운 본질이자 날 때부터 지닌 본성

정(情) — 외부의 사물들과 본성이 만나서 생기는 감정

려(慮) — 감정이 생긴 후 행위를 선택하려는 사고 작용

위(僞) — 선택이 끝난 뒤 실행해 나가는 의지적 ❷ ㅅㅊ

답 ❶ 선천적 ❷ 실천

7일 끝으로 끝내자!

7

고등 독서

BOOK 2
기말고사 대비

이 책의 차례

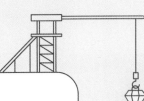

우리 학교 시험 범위 확인

교과서 단원		본 교재
1. 독서의 본질	(1) 독서 자료 선택하기	☐ BOOK 1 1일, 6일 1회, 7일
	(2) 주제 통합적 독서	☐ BOOK 1 1일, 6일 1회, 7일
2. 독서의 방법	(1) 사실적 읽기	☐ BOOK 1 2일, 6일 1회, 7일
	(2) 추론적 읽기	☐ BOOK 1 2일, 6일 1회, 7일
	(3) 비판적 읽기	☐ BOOK 1 3일, 6일 2회, 7일
	(4) 감상적 읽기	☐ BOOK 1 3일, 6일 2회, 7일
	(5) 창의적 읽기	☐ BOOK 1 4일, 6일 2회, 7일
3. 독서의 분야 Ⅰ	(1) 인문·예술 분야의 글 읽기	☐ BOOK 1 5일, 6일 2회, 7일
	(2) 사회·문화 분야의 글 읽기	☐ BOOK 2 1일, 6일 1회, 7일
	(3) 과학·기술 분야의 글 읽기	☐ BOOK 2 2일, 6일 1회, 7일
4. 독서의 분야 Ⅱ	(1) 시대의 특성을 고려한 글 읽기	☐ BOOK 2 3일, 6일 1회, 7일
	(2) 지역의 특성을 고려한 글 읽기	☐ BOOK 2 4일, 6일 2회, 7일
	(3) 매체의 특성을 고려한 글 읽기	☐ BOOK 2 4일, 6일 2회, 7일
5. 독서의 태도	(1) 자발적 독서의 계획과 실천	☐ BOOK 2 5일, 6일 2회, 7일
	(2) 독서 활동에 참여하기	☐ BOOK 2 5일, 6일 2회, 7일

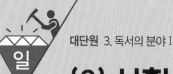

(2) 사회·문화 분야의 글 읽기

생각 열기 사회·문화 분야의 글에는 어떤 내용이 담겨 있을까?

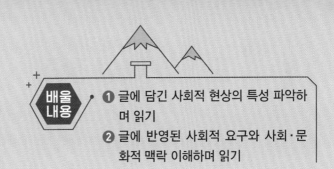

핵심 1 사회·문화 분야의 글 읽기

○ 사회·문화 분야의 글의 특성과 이러한 글을 읽는 방법

사회·문화 분야의 글의 특성
• 인간이 모여 구성하는 사회와, 그 사회 안에서 이루어지는 다양한 현상을 탐구함.
• 사회·문화 현상을 관찰하고, 그 성격을 규정하며, 관련된 문제를 제기하고 그 해결 방안을 제시함.

사회·문화 분야의 글을 읽는 방법
• 글쓴이의 주장이 ❶   이고 타당한지 비판하며 읽어야 함.
• 사회·문화 현상에 접근하는 방식, 글에 반영된 사회적 요구와 신념을 파악하며 읽어야 함.
• 역사적 인물과 사건을 파악할 때는 사회·문화적 ❷   을 함께 이해하며 읽어야 함.

❶ 논리적

❷ 맥락

핵심 2 〈정치 논리와 경제 논리〉_ 김승욱

갈래	설명문	주제	정치 논리와 경제 논리의 ❸ 및 적절한 활용의 필요성
특징	① 정치 논리와 경제 논리의 이해를 돕기 위해 정치인과 경제인의 속성을 분석함. ② 정치인과 경제인, 정치 논리와 경제 논리를 ❹ 하여 설명함.		

❸ 차이점

❹ 대조

○ 정치 논리와 경제 논리의 차이

정치 논리(정치인)		경제 논리(경제인)
❺ 중시 ➡ '누구에게 얼마'를 기준으로 하는 자원 배분 논리	대조 ⟷	효율성 중시 ➡ '최소의 비용으로 최대의 ❻ '를 얻고자 하는 자원 배분 논리

❺ 공평성

❻ 효과

핵심 3 〈나는 고발한다〉_ 에밀 졸라

갈래	기고문, 편지글	주제	잘못된 군사 재판에 책임이 있는 자들에 대한 고발
특징	① 수신자를 특정하고 그를 ❼ 하는 형식을 취함. ② 구체적인 사실을 근거로 제시하여 주장의 정당성을 높임.		

❼ 설득

○ 드레퓌스에 대한 사법적 오판

당시 프랑스 사회	• 독일과의 전쟁에서 패배한 후 애국주의적 분위기가 사회를 뒤덮음. • 반유대주의적 언론과 여론이 형성됨.

❽ 날조

재판의 부당성	• 드클랑 소령이 ❽ 한 사실에 기반하여 재판이 진행됨. • 기소장에 제시된 유죄의 이유가 터무니없음. • 명세서 필적 감정 결과 필적 전문가들의 의견이 불일치함.

┌─ 개념 Catch ─┐
• **기고문**: 신문, 잡지 따위에 싣기 위하여 원고를 써서 보낸 글

1 다음은 〈정치 논리와 경제 논리〉의 내용을 바탕으로 정치 논리와 경제 논리의 특징을 비교한 표이다. ㉠에 들어갈 알맞은 말을 쓰시오.

	정치 논리	경제 논리
자원 배분의 기준	공평성	(㉠)
정책 평가의 기준	자원의 투입	정책 시행의 효과
정책 필요성의 기준	유권자의 요구	사회 전체의 필요성

2 다음은 〈정치 논리와 경제 논리〉의 내용을 정리한 것이다. 맞으면 ○, 틀리면 × 표시를 하시오.

(1) 국민은 소득, 직업, 성별, 연령 등에 따라 이해관계 가 각기 다르기 때문에 정치인은 이들의 요구를 모 두 충족해 줄 수 없다. ( )

(2) 경제인은 주권자를 대신해 사회적 의사 결정을 할 권한이나 합법성이 없다. ( )

(3) 정치 논리와 경제 논리는 서로 상충하지 않는다. ( )

3 다음은 〈나는 고발한다〉의 내용을 정리한 것이다. 올바른 내용에 ○ 표시를 하시오.

(1) 드레퓌스의 군사 재판은 (공개적으로, 비공개적으로) 진행되었다.

(2) 드레퓌스의 혐의를 입증할 물증은 증거로서의 신빙 성이 (있었다, 없었다).

(3) 국방부 장관이 된 비요 장군은 (양심, 군의 이익)에 따르는 선택을 내렸다.

4 〈나는 고발한다〉의 글쓴이가 다음과 같이 말했다고 할 때, 글쓴이의 신념으로 적절한 것은?

진실이 전진하고 있고, 아무것도 그 발걸음을 멈추지 못할 것입니다.

① 대중이 알아서는 안 될 진실도 있다.

② 법의 집행은 신속하고 엄격해야 한다.

③ 전쟁 상황에서는 기밀이 지켜져야 한다.

④ 개인의 인권은 공동체의 이익보다 우선한다.

⑤ 진실의 힘은 강력하며 진실은 언젠가 밝혀진다.

[1~3] 다음 글을 읽고 물음에 답하시오.

가 한 사회의 정치·경제와 관련된 문제는 정치적으로 접근하느냐 경제적으로 접근하느냐에 따라 보는 시각이 달라진다. 정치 논리에서는 공평성을 중시하고 경제 논리에서는 효율성을 중시하는데, 두 기준 가운데 어느 것을 더 중요시하느냐에 따라 문제 인식과 해법이 크게 달라진다.

　정치 논리는 '누구에게 얼마를'이라는 식의 자원 배분의 논리로서 주로 분배 측면을 중시한다. 반면에 경제 논리는 효율성 혹은 '최소의 비용으로 최대의 효과'를 얻고자 하는 경제 원칙에 입각한 자원 배분의 논리이다.

나 정치인은 선거를 통해 국민에게 권력을 위임받은 사람들이다. 이러한 의미에서 이들은 자연인이라기보다 권력 기관들이다. [법이 권리의 주체가 될 수 있는 자격을 인정하는 자연적 생활체로서의 인간] 그리고 국민 투표 사안을 제외한 모든 사회적 의사 결정에서 주권자를 대신할 권한을 지닌다. 반면에 경제인은 주권자를 대신해 사회적 의사 결정을 할 권한도 없고 합법성도 없다. 그렇지만 경제인은 시장 경제 체제에서 인간 활동의 동기가 되는 경제 행위에 관한 전문 지식과 분석 기술을 보유하고 있어, 정치인의 결정에 도움이 되는 대안을 제시할 수 있다. 이들은 (　　㉠　　) 대안 선정에 따른 궁극적인 책임을 지지는 않는다.

다 정치인은 정책을 투입의 관점에서 보는 반면, 경제인은 효과의 측면에서 본다. 경제인은 효율성 원칙에 따라 여러 가지 정책을 수립하고 예상되는 정책 효과를 기준으로 하여 그 정책의 우선순위를 정한다. 그러나 정치인의 입장에서 보자면 정책이 미래에 가져올 효과는 정확히 측정하기 어려운 반면, 어느 지역에 어떤 정책을 시행했고 어느 정도의 자원(예산)을 투입했는지는 정확히 파악할 수 있다. 따라서 정치인은 유권자에게 제시하기 쉬운 투입을 기준으로 하여 정책을 결정하는 경향이 있다.

글의 내용 파악하기

1 **이 글의 내용과 일치하지 않는 것은?**

빈출유형

① 정치 논리는 분배의 측면을 중시한다.
② 경제 논리는 경제 원칙에 입각한 논리이다.
③ 정치인은 주권자를 대신하여 정책을 결정한다.
④ 경제인은 경제에 관한 전문 지식을 보유하고 있다.
⑤ 정치인과 달리 경제인은 정책을 투입의 관점에서 바라본다.

글의 내용 추론하기

2 **㉠에 들어갈 말로 가장 적절한 것은?**

① 정책을 결정하는 당사자가 아니므로
② 경제 환경이 급격하게 변하기 때문에
③ 정책 결정 과정에서 다양한 변수가 존재하므로
④ 주권자로부터 권력을 위임받은 사람들이기 때문에
⑤ 정책의 효과가 나타날 때까지 시간이 걸리기 때문에

구체적 사례나 상황에 적용하기

3 **〈보기〉는 어떤 지역의 방역 정책을 수립하는 과정에서 활용된 방역 방법 연구 결과이다. 이 글을 참고할 때, 〈보기〉에 대한 이해로 적절하지 않은 것은?**

┌ 보기 ┐

	가구당 비용	방역 성공 확률	예산 투입 대상 (수혜 가구)	정책의 효과 (방역 성공 가구 수)
방법 1	50,000원	80%	200호	160호
방법 2	25,000원	50%	400호	200호
방법 3	10,000원	10%	1,000호	100호

* 총주민: 1,000가구, 총예산: 1,000만 원

① 정치인은 '방법 3'을 가장 선호할 것이다.
② 경제인은 '방법 3'보다는 '방법 1'을 더 선호할 것이다.
③ 경제인은 방역 성공 확률이 높은 순서대로 우선순위를 정할 것이다.
④ 정치인은 수혜 가구가 많을수록 자신에게 유리한 방법이라고 판단할 것이다.
⑤ 정치인은 가구당 비용보다는 예산 투입 대상에 주목하여 정책을 수립할 것이다.

[4~6] 다음 글을 읽고 물음에 답하시오.

가 정치인은 국민의 의견을 수렴하여 정책에 반영한다. 그런데 ㉠국민은 소득, 직업, 성별, 연령 등에 따라 이해관계가 각기 다르다. ㉡정치인은 이들의 요구를 모두 충족해 줄 수 없으므로 자신의 지지 기반이 되는 유권자의 요구를 우선적으로 고려한다. 이러한 속성 때문에 정치인은 공공 정책을 결정할 때 그 결정이 사회 전체에 미치는 영향보다는 특정 개인이나 집단에 미치는 영향에 더욱 민감하게 반응하는 경향이 있다.

나 ㉢정치인은 상호 경쟁 관계에 있는 정책 목표들은 되도록 명확하게 규정하지 않고 어느 정도 여지를 남겨 둔 상태에서 정치적 과정을 통해 합의를 도출하고자 한다. 제한된 자원의 분배를 둘러싸고 이익 집단 간에 생기는 마찰을 해소하려는 과정에서 정책이 정치적으로 도출될 수 있다고 믿는 경향이 있기 때문이다. 그런 만큼 ㉣정치인에게는 협상, 타협, 교섭 등의 정치적 기술이 중요한 무기가 된다. 그러나 경제인은 한정된 자원의 효율적 분배를 중시하기 때문에 정책에 수반되는 사회 전체의 효율성을 기준으로 정책을 판단하는 경향이 있다.

다 우리 사회가 시장 경제 체제라는 점을 감안하면 경제 논리가 정치 논리를 앞서는 것이 당연해 보이지만, ㉤효율성만을 내세우기 어려운 정책 사안에 관해서는 정치 논리가 설득력을 발휘하기도 한다. 어떤 논리가 더 중요한가, 혹은 어떤 논리에 입각한 자원 배분이 더 바람직한가에 대한 완결된 사회적 합의는 없다. 정치 논리와 경제 논리는 사안에 따라 적절히 활용되어야 한다.

1일

내용 전개 방식 파악하기

4 이 글의 전개 방식에 대한 설명으로 가장 적절한 것은?

① 학문적 이론의 내용을 상세하게 설명하고 있다.
② 상반된 견해를 절충하여 합의를 모색하고 있다.
③ 두 대상의 차이점과 각각의 특징을 밝히고 있다.
④ 구체적 사례를 들어 대상의 효과를 분석하고 있다.
⑤ 시간의 흐름에 따른 대상의 변천 과정을 고찰하고 있다.

구체적 사례나 상황에 적용하기

5 ㉠~㉤ 중, 〈보기〉의 사례와 가장 밀접한 관련이 있는 것은?
빈출유형

● 보기 ●

정치인 A는 경제 연구소에 자신이 추진하려는 지역 정책 사업의 타당성 검토를 의뢰했다. A는 연구소로부터 해당 정책의 사회적 비용이 편익을 초과한다는 답변을 받았다. 그러나 A는 선거에서 이 사업을 공약으로 제시한 데다가, 자신을 지지하는 지역민들의 강력한 요구가 있어 해당 정책을 입안하기로 했다.

① ㉠   ② ㉡   ③ ㉢   ④ ㉣   ⑤ ㉤

글의 주제 파악하기

6 글쓴이가 말하고자 하는 바를 〈조건〉에 맞게 한 문장으로 서술하시오.
서술유형

● 조건 ●

• 정치 논리와 경제 논리의 적용에 대한 글쓴이의 관점이 집약적으로 드러난 문장을 찾아 쓸 것
• 완결된 한 문장으로 서술할 것

[7~9] 다음 글을 읽고 물음에 답하시오.

사건의 배경 1870년 프랑스는 독일과의 전쟁에서 패배한다. 나폴레옹의 영광을 기억하는 프랑스는 충격과 분노에 빠지며 애국주의적 분위기가 사회를 뒤덮는다.

▲ 알프레드 드레퓌스 대위

1894년 육군 참모부 소속 유대인 장교인 드레퓌스가 적국 독일에 기밀을 팔아넘긴 혐의로 군사 재판에 회부된다. 그는 유죄 판결을 받고 장교직을 박탈당하며 대서양 작은 섬에 종신 유배 된다. 반(反)유대주의적 언론과 여론은 이를 환영한다.
유대인을 배척하고 없애려는 사상

가 드레퓌스가 군사 법정에 섰습니다. 재판은 완전 비공개로 진행되었습니다. 적에게 국경을 열어 독일 황제를 노트르담 성당까지 안내한 반역자라 하더라도 이보다 더 쉬쉬하며 재판을 하지는 않았을 겁니다. 국민들은 대경실색한 채 온갖 풍문이 떠도는 이 무시무시한 배신 행위에 대해 수군거렸습니다. ㉠물론 그들은 국가의 조치를 존중했습니다. 그들은 그 어떤 가혹한 형벌도 충분치 않다고 생각했습니다. 그들은 죄인에 대한 공개 군적 박탈식에 갈채를 보냈고, 죄인이 회한을 씹으며 오욕의 바위에 영원히 묶여 있기를 바랐습니다.
군인의 신분이나 지위를 박탈하는 의식

나 아! 이 얼마나 어처구니없는 기소장인지요! 이런 기소장
검사가 심판을 요구하기 위해 법원에 제출하는 문서
으로 한 인간에게 유죄 판결이 내려진다면, 그것이야말로 불의의 극치입니다. 저는 정직한 사람이라면 이 기소장을 읽고 저 악마도에서 말도 안 되는 속죄를 강요당하고 있는 한 인
남아메리카 프랑스령 기아나(브라질의 북단) 연안에 위치한 섬
간을 생각하면서 참을 수 없는 분노를 느끼고 반항의 외침을 내지르지 않을 수 없으리라고 장담합니다.

다 그의 방에서는 위험한 서류가 한 장도 발견되지 않았습니다. 유죄. 그는 가끔 조상의 나라를 방문합니다. 유죄. 그는 근면하며 모든 것을 알고자 할 정도로 지식욕이 강합니다. 유죄. 그는 마음의 동요를 일으키지 않습니다. 유죄. 그는 마음의 동요를 일으킵니다. 유죄. 얼마나 터무니없는 내용이며, 얼마나 황당한 주장인지요!

---

7 이 글에 대한 설명으로 적절하지 <u>않은</u> 것은?
빈출유형
① 역사적 사건을 다루고 있다.
② 사건의 문제점을 지적하고 있다.
③ 글쓴이의 사회적 지위가 드러나 있다.
④ 글쓴이의 생각이 직설적으로 표출되어 있다.
⑤ 구체적인 근거를 들어 주장을 뒷받침하고 있다.

글쓴이의 의도 파악하기

8 **다** 에 드러난 글쓴이의 의도로 가장 적절한 것은?

① 드레퓌스에게 내려진 유죄 판결을 지지해야겠어.

② 드레퓌스에게 반역 행위에 대한 반성을 촉구해야겠어.

③ 드레퓌스에 대한 재판이 비공개로 진행된 이유를 알아내야겠어.

④ 드레퓌스의 배신 행위가 얼마나 부당한 것인지 밝혀야겠어.

⑤ 드레퓌스와 관련된 기소장의 내용이 터무니없고 황당함을 비판해야겠어.

글에 나타난 사회·문화적 상황 파악하기

9 이 글을 바탕으로 하여 ㉠의 이유를 〈조건〉에 맞게 서술
서술유형 하시오.

─── 조건 ───
• **사건의 배경**을 참고하여 ㉠에 영향을 미친 당대의 사회·문화적 맥락을 두 가지 서술할 것
• 각각 완결된 문장으로 서술할 것

[10~11] 다음 글을 읽고 물음에 답하시오.

가 명세서가 유일한 물증이었지만

물질적인 증거

필적 전문가들조차 의견 일치를 보지 못한 상태였습니다. 군법 회의 재판관들이 당연히 무죄 판결을 내릴 것이라는 소문이 돌았습니다. 참모 본부가 유죄 선고를 정당화하기 위해 한 장의 기밀 서류의 존재

를 주장하기 시작한 것은 바로 그때부터입니다. 일반에 공개할 수 없는 기밀 서류, 모든 것을 정당화해 주는 기밀 서류, 우리가 경배해야 할 기밀 서류, 볼 수도 없고 알 수도 없는 전지전능한 신과도 같은 기밀 서류! 저는 그 기밀 서류의 내용을 온몸으로 부인합니다! 한마디로 웃기는 서류입니다. 그렇습니다. 여자들 이름으로 오간 이 서류, 이 편지의 내용 가운데 'D'라는 이니셜로 불리는 자가 등장한다고 합니다. 그런데 이런 편지가 선전 포고 없이는 공개할 수 없는 국방 관련 기밀 서류라니요!

나 바로 이렇게 해서 사법적 오판이 저질러졌습니다. 게다가 드레퓌스의 도덕성, 부유한 환경, 범죄 동기의 부재, 끝없는 무죄의 외침은 그가 뒤파티 드클랑 소령의 기발한 상상력, 그를 둘러싼 종교적 환경, 우리 시대의 불명예인 '더러운 유대인' 사냥 등의 희생자였음을 더욱 확신하게 합니다.

다 그때만 해도 비요 장군은 드레퓌스 사건과 아무 관련이 없었다는 사실을 주목해 주십시오. 몹시 깨끗한 채로 장관직에 취임했기에, 그는 충분히 진실을 밝힐 수 있었습니다. 〈중략〉 그는 감히 그렇게 하지 못했습니다. 한순간 자신이 군의 이익이라고 생각하는 것과 양심 사이에서 갈등을 하기는 했겠지요. 하지만 그 순간이 지나자 만사가 끝이었습니다. 당연히 그는 이 사건에 끌려 들어갔습니다.

글의 내용 파악하기

10 이 글의 내용과 일치하지 <u>않는</u> 것은?

① 명세서의 필적에 대한 전문가들의 의견은 하나로 모이지 않았다.

② 참모 본부가 증거라고 주장한 기밀 서류는 일반에 공개되지 않았다.

③ 드레퓌스에 대한 재판에서 참모 본부는 명세서와 기밀 서류를 증거로 제시했다.

④ 비요 장군은 장관직에 취임하기 전부터 드레퓌스 사건에 관여해 온 사람이었다.

⑤ 참모 본부는 기밀 서류에서 'D'라는 이니셜로 불리는 자가 드레퓌스라고 주장했다.

외적 준거를 활용하여 글의 내용 이해하기

11
빈출
유형
〈보기〉를 참고하여 이 글을 이해한 내용으로 적절하지 <u>않</u>은 것은?

┌─────────────────────── 보기 ┐
• 당시 프랑스 군부는 보수적인 성향을 띠고 있었으며, 계급적 유대감으로 강하게 결속되어 있었다.
• 당시 대금업을 통해 금융 자본가로 성장한 유대인들에 대한 프랑스 국민들의 감정이 좋지 않았다.
└─────────────────────────────┘

① 참모 본부는 계급적 유대감을 바탕으로 서로의 잘못을 눈감아 준 것이군.

② 프랑스 군부는 자신들의 이익과 권위를 지키기 위해 잘못을 인정하지 않은 것이군.

③ 유대인이라는 드레퓌스의 신분 때문에 사건의 진상이 밝혀지기가 더 어려웠겠군.

④ 유대인에 대한 프랑스 국민의 감정 역시 드레퓌스가 희생자가 된 이유 중 하나였겠군.

⑤ 글쓴이는 유대인을 부정적으로 바라보는 프랑스 사회의 분위기에 동조해 이 글을 썼겠군.

[12 ~ 14] 다음 글을 읽고 물음에 답하시오.

가 1809년 스웨덴 귀족들은 평화 혁명을 통해 국왕을 교체하였다. 이후 새로 취임한 국왕은 프랑스의 나폴레옹 아래에서 복무했던 베르나도트 장군이었다. 베르나도트는 스웨덴 국회에서 스웨덴 말로 취임 연설을 하였는데, 그가 스웨덴 말을 더듬거리는 것을 보고 청중들은 크게 웃으며 떠들어 댔다. 이 새로운 스웨덴왕은 너무나 큰 충격을 받아서 이후 스웨덴 말을 쓰지 않았다고 한다.

나 이전까지 베르나도트가 살아왔던 프랑스, 특히 프랑스의 군대에서는 상관의 실수에 부하가 웃는 일은 상상조차 할 수 없었다. 그러나 스웨덴에서는 한 나라의 최고 권력자라고 할 수 있는 국왕에 대해서 그다지 두려움을 느끼지 않는 것처럼 보였다. 그는 스웨덴과 노르웨이의 평등주의적인 사고 방식에 적응하는 데 어려움을 겪었으나 이후 1844년까지 아주 존경받는 입헌 군주로 스웨덴을 잘 다스렸다.

다 스웨덴과 프랑스뿐만 아니라 다른 나라들도 권력자를 대하는 방식에 차이가 있다. 네덜란드의 실험 사회 심리학자인 마우크 뮐더르는 어느 다국적 기업에서 시행한 설문 조사 결과를 토대로 하여 '㉠권력 거리'라는 개념을 창안하였다. 권력 거리란 부하들이 상관(권력자)에 대해 갖고 있는 감정적인 거리를 의미한다. 그가 권력 거리 지수를 산출하기 위해 사용한 질문은 다음의 셋이다.

> ① 당신(종업원)은 상사에게 의견을 말하는 것을 두려워하는 편입니까?
> ② 당신 상사의 의사 결정 방식은 어떠합니까? (답변 가운데 가부장적·전제적 방식을 선택한 응답자의 비율을 계산함.)
> _{자기의 의사대로 모든 일을 처리하는}
> ③ 당신은 상사의 어떤 의사 결정 방식을 좋아합니까? (가부장적·전제적 방식, 상의 방식이 아닌 다수결 원칙 방식을 선호한 응답자 비율을 계산함.)

<small>내용 전개 방식 파악하기</small>

12 이 글에 대한 반응으로 적절하지 <u>않은</u> 것은?

① 역사적 일화와 함께 화제를 제시하고 있어.

② 화제에 관한 연구의 변천 과정을 설명하고 있어.

③ 용어의 개념을 정의하여 독자의 이해를 돕고 있어.

④ 차이점을 대조하는 방식으로 논의를 전개하고 있어.

⑤ 전문가의 이름을 구체적으로 밝혀 내용의 신뢰성을 높이고 있어.

<small>글의 내용 파악하기</small>

13 **나** 에서 알 수 있는 내용으로 가장 적절한 것은?

① 권력자를 대하는 태도는 나라마다 다르다.
② 스웨덴 국민들은 프랑스를 적대적으로 여겼다.
③ 입헌 군주는 국민에게 두려움을 유발해야 한다.
④ 스웨덴은 프랑스에 비해 권위를 존중하는 경향이 강하다.
⑤ 평등주의적 사고방식은 나라를 다스리는 데 적절하지 않다.

<small>글의 내용 파악하기</small>

14 ㉠에 대한 이해로 적절하지 <u>않은</u> 것은?

빈출유형

① 마우크 뮐더르가 창안한 개념이다.
② 세 가지 질문을 활용하여 산출한다.
③ 의사 결정 방식에 대한 태도와 관련 있다.
④ 부하들이 상관에 대해 갖는 감정적 거리이다.
⑤ 다국적 기업에서는 다수결 방식을 선호한다는 것을 보여 준다.

[15~17] 다음 글을 읽고 물음에 답하시오.

가 그가 조사한 바에 따르면, 100을 지수의 만점으로 할 때 스웨덴의 권력 거리 지수는 31이었고, 프랑스의 권력 거리 지수는 68, 한국의 권력 거리 지수는 72였다. 이는 스웨덴 사람들은 상대적으로 권력에 대해 거리감을 덜 느끼고 불평등을 수용하지 않는 반면, 프랑스 사람들이나 한국 사람들은 상대적으로 권력에 대한 거리감을 크게 느끼고 불평등을 쉽게 수용함을 의미한다.

나 권력 거리 지수가 작은 나라에서는 부하 직원이 상사에게 일방적으로 의존하는 정도가 낮으며, 상사와 부하 직원 간의 상호 의존을 선호한다. 상사와 부하 직원 간의 감정적 거리는 비교적 가까운 편이다. 그래서 부하 직원은 상사에게 쉽게 접근해서 반대 의견을 낼 수 있다. 권력 거리 지수가 큰 나라에서는 부하 직원이 상사에게 의존하는 정도가 높다. 부하 직원은 그런 의존 관계(가부장적·전제적 상사에게 의존하는 관계) 자체를 선호하거나, 아니면 의존을 지나치게 거부하기도 한다. 이런 경우에는 상사와 부하 간의 심리적 거리가 멀고, 부하 직원이 직접 상사에게 다가서서 반대 의견을 내놓는 일이 좀처럼 드물다.

다 권력 거리란 한 나라의 제도나 조직의 힘없는 구성원들이 권력의 불평등한 분포를 기대하고 수용하는 정도라고 정의할 수 있다. '제도'란 가족, 학교, 지역 사회와 같은 사회의 기본 단위를 말하며, '조직'이란 이런 사람들이 일하는 곳을 가리킨다. 권력 거리는 이와 같이 힘없는 사람들에게 내면화된 가치 체계로 볼 수 있다.

라 일반적으로 '리더십'을 다루는 책들은 리더십이 '복종 정신'이 있어야 발휘될 수 있다는 사실을 종종 잊고 리더십을 지도자의 관점에서만 바라보려고 한다. 그러나 권위는 복종이 따라 주어야 유지되는 것이다.

글의 내용 파악하기

15 이 글의 내용과 일치하지 <u>않는</u> 것은?

빈출
유형

① 권력 거리 지수가 클수록 불평등을 더 쉽게 수용한다.
② 권력 거리 지수가 크면 상사에 대한 감정적 거리가 가깝다.
③ 스웨덴은 한국에 비해 상사와 부하 직원 간의 상호 의존을 선호한다.
④ 권력 거리는 권력을 가지지 않은 사람들에게 내면화된 가치 체계이다.
⑤ 부하 직원이 상사에게 의견을 자유롭게 말하는 사회는 권력 거리 지수가 작다.

글의 내용 파악하기

16 이 글을 참고하여 '권력 거리'의 정의를 〈조건〉에 맞게 서술하시오.

서술
유형

┌─── 조건 ───
• '불평등'이라는 단어를 포함할 것
• '권력 거리는 ~(이)다.'의 문장 형식으로 서술할 것
└─────────

구체적 사례나 상황에 적용하기

17 이 글을 바탕으로 하여 〈보기〉를 이해한 내용으로 적절하지 <u>않은</u> 것은?

┌─── 보기 ───
프랑스에서 살아오다가 스웨덴왕에 취임하게 된 베르나도트는 스웨덴 말로 취임 연설을 하였는데, 그가 스웨덴 말에 서툰 것을 보고 웃으며 떠들어 대는 청중들의 모습에 큰 충격을 받았다고 한다.
└─────────

① 스웨덴왕이 청중에게 느끼는 감정적 거리는 가깝군.
② 스웨덴 국민은 스웨덴왕에게 쉽게 반대 의견을 낼 수 있겠군.
③ 스웨덴 국민은 국왕에게 일방적으로 의존하는 정도가 낮겠군.
④ 베르나도트의 충격은 단순히 그에게 리더십이 없어서 생긴 문제가 아니었군.
⑤ 스웨덴의 권력 거리 지수를 스웨덴 청중의 반응과 연결하여 이해할 수 있군.

2 일

(3) 과학·기술 분야의 글 읽기

생각 열기 과학·기술 분야의 글에는 어떤 내용이 담겨 있을까?

핵심 1　과학·기술 분야의 글 읽기

◉ 과학·기술 분야의 글의 특성 및 이러한 글을 읽는 방법

과학·기술 분야의 글의 특성
• 사실이나 법칙을 **❶**⬚으로 설명함.　　• 도덕적, 주관적 가치 판단은 최소화됨.

⬇

과학·기술 분야의 글을 읽는 방법
• **❷**⬚와 개념을 정확히 이해하며 읽어야 함.
• 서술의 대상을 확인하고 설명의 인과 관계를 파악하며 읽어야 함.
• 자료의 정확성과 신뢰성을 판단하고 보조 자료를 글의 내용과 관련지으며 읽어야 함.

❶ 인과적

❷ 용어

핵심 2　〈인류 역사와 함께한 질병, 결핵〉_ 예병일

갈래	설명문	주제	결핵 치료법을 찾아내기 위한 과학자들의 치열한 연구
특징	① **❸**⬚의 흐름에 따라 글의 내용을 전개함. ② 과학자들의 연구 과정을 인과 관계에 따라 분석적으로 제시함.		

❸ 시간

◉ '결핵 치료제'의 발견 과정

채드윅		뷔유맹		**❹**⬚		칼메트와 게랭		**❺**⬚
감염병 유행의 원인 지적	➡	결핵이 감염병 임을 증명	➡	결핵의 원인균 발견	➡	결핵 예방 백신 개발	➡	결핵 치료 물질 개발

❹ 코흐

❺ 왁스먼

핵심 3　〈인공 지능과 심층 학습〉_ 이종호

갈래	설명문	주제	인공 지능 기술의 발전 과정
특징	① 인공 지능 기술에 응용된 과학적 이론과 기술적 한계를 언급함. ② 인공 지능의 기술적 한계를 극복하기 위한 **❻**⬚ 방법을 소개함.		

❻ 심층 학습

◉ 인공 신경망의 발전 과정

워런 매컬러와 월터 피츠가 논리, 산술, 기호 연산 기능을 구현할 수 있는 **❼**⬚ 이론을 제시함.

⬇

프랭크 로젠블랫이 **❽**⬚을 개발하여 인공 신경망을 구현함. 이후 복잡한 학습을 위한 다층 퍼셉트론이 제안됨.

⬇

제프리 힌턴이 비지도 학습을 통한 사전 훈련 과정인 심층 학습을 도입하여 기계 학습의 오류율을 낮춤.

❼ 신경망

❽ 퍼셉트론

개념 Catch

• **가치 판단**: 판단하는 사람의 가치 관이 개입되는 판단
• **인과 관계**: 한 현상은 다른 현상의 원인이 되고, 그 다른 현상은 먼저 의 현상의 결과가 되는 관계

1 〈인류 역사와 함께한 질병, 결핵〉의 내용을 참고하여 올바른 내용에 ○ 표시를 하시오.

> **파스퇴르의 접종법 원리**
>
> 독성을 약하게 만든 균을 인체에 주사하면 병을 예방할 수 있음.

칼메트

> 파스퇴르의 접종법 원리를 활용하여 결핵 (백신 / 원인균)을 개발하고 싶어. 마침 소 결핵균이 이에 적합한데, 독성을 완전히 제거한 소 결핵균 백신을 (멸균한 / 접종한) 사람은 (소 결핵 / 사람 결핵)에 걸리지 않을 거야.

2 다음은 〈인류 역사와 함께 한 질병, 결핵〉의 내용을 정리한 것이다. 맞으면 ○, 틀리면 × 표시를 하시오.

(1) 결핵은 원래 사람에게서 발병한 후 동물에게 전파된 인수 공통 전염병이다. ( )

(2) 산업 혁명 이전 근대 유럽에서는 상류층보다 평민층에서 결핵 환자가 많이 발생했다. ( )

(3) 코흐는 특정 세균이 특정 감염병의 원인임을 증명하기 위한 원칙을 발표했다. ( )

(4) 왁스먼이 개발한 스트렙토마이신은 지금까지도 대표적인 결핵 치료제로 사용되고 있다. ( )

3 다음은 〈인공 지능과 심층 학습〉을 읽고 기계 학습의 발전 과정을 표로 나타낸 것이다. ㉠, ㉡, ㉢에 들어갈 알맞은 말을 각각 쓰시오.

> ㉠
> • 사람처럼 시각적으로 사물을 인지하도록 훈련시킬 수 있는 프로그램
> • **한계** 학습할 수 있는 정보가 매우 제한적임.

↓

> ㉡
> • 기존 퍼셉트론의 입력층과 출력층 사이에 중간층을 삽입한 학습 모델
> • **한계** 신경망 층수를 늘릴수록 학습 수행에 지장이 생김.

↓

> ㉢
> • 기존 기계 학습의 한계를 극복한 인공 신경망(심층 신뢰망)을 통해 이루어지는 기계 학습
> • 비지도 학습 방법을 사용한 사전 훈련 과정으로 데이터를 손질해 인공 신경망 최적화를 수행함.

- ㉠: _____
- ㉡: _____
- ㉢: _____

4 〈인공 지능과 심층 학습〉을 바탕으로 하여 알맞은 내용끼리 바르게 연결하시오.

(1) 지도 학습	•	• ㉠ 분류 기준 없이 정보를 입력하고 컴퓨터가 알아서 분류하게 하는 방식
(2) 비지도 학습	•	• ㉡ 연산 과정에 여러 층을 두어 컴퓨터 스스로 정보를 잘게 조각내어 작은 판단을 내리게 하는 과정
(3) 사전 훈련	•	• ㉢ 컴퓨터에 먼저 분류 기준을 입력한 후 컴퓨터에 정보를 가르치는 방식

[1~3] 다음 글을 읽고 물음에 답하시오.

가 영국의 ㉠채드윅은 1842년 노동자들의 위생 상태가 결핵과 같은 각종 감염병 유행의 가장 큰 원인임을 지적하며 위생의 중요성을 환기했고, 프랑스의 ㉡뷔유맹은 1865년 결핵으로 사망한 사람의 병터를 토끼의 몸에 주입하는 실험을
<u>병원균이 모여 있어 조직에 병적 변화를 일으키는 자리</u>
통해 결핵이 감염병임을 증명했다. 그리고 1882년 독일의 ㉢코흐가 결핵의 원인균을 분리하는 데 성공함으로써 드디어 인류가 결핵에서 해방될 수 있는 실마리가 제공되었다.

나 코흐는 현미경을 이용해 당시 유럽에서 큰 문제였던 탄저
<u>탄저균. 탄저균 때문에 내장이 붓고 혈관에 균이 증식하는 병</u>
연구에 집중하여 1876년에 병에 걸린 쥐의 혈액에서 막대 모양의 미생물(탄저균)을 발견했다. 이 작은 생물체가 탄저의 원인이라고 생각한 코흐는 감염병을 일으키는 병원균을 순수 배양 하는 방법을 정립하고, 특정 세균이 특정 감염병의 원인임을 증명하기 위한 원칙을 발표했다. 이것이 바로 '코흐의 4원칙'이며, 이는 뒤에 수많은 학자가 특정 감염병의 원인균을 찾아내는 과정에서 길잡이 역할을 했다. 같은 방법으로 코흐는 1882년에 결핵, 1883년에 콜레라의 원인균을 찾아냈다.

다 1906년 프랑스의 칼메트와 게랭은 백신을 개발함으로써
<u>전염병에 대해 인공적으로 면역을 주기 위해 생체에 투여하는 항원의 하나</u>
결핵 예방의 길을 텄다. 세균학자인 ㉣칼메트는 파스퇴르의 접종법 원리, 즉 독성을 약하게 만든 균을 인체에 주사하는 방법을 이용하려 했다. <u>우두를 앓으면 치명적인 천연두가 예</u>
<u>천연두를 예방하기 위해 소에서 뽑은 면역 물질</u>
방되는 것처럼 소 결핵을 가볍게 앓으면 사람 결핵이 예방되므로 소 결핵균이 백신으로 만들기에 적당했다. 하지만 소 결핵균도 인체에 유해하므로 독성을 줄여야 했고, 칼메트는 수의사 ㉤게랭과의 공동 연구를 통해 소 결핵균을 수대에 걸쳐 연속 배양 하여 1921년에 비로소 독성을 완전히 제거한 소 결핵균을 배양해 낼 수 있었다. 이는 '칼메트-게랭의 소 결핵균'이라 명명되었고, 이 이름을 줄인 비시지(BCG)는 오늘날 결핵 예방 접종에 사용하는 백신의 이름이다.

글의 내용 파악하기

1 이 글의 내용과 일치하지 <u>않는</u> 것은?

① 코흐는 탄저, 결핵, 천연두의 원인균을 발견했다.

② 비시지(BCG)는 결핵 예방 접종 백신의 이름이다.

③ 칼메트는 파스퇴르의 접종법에서 영감을 받아 백신을 개발했다.

④ 채드윅은 위생 상태가 결핵의 전파에 영향을 미치는 요인임을 밝혔다.

⑤ 코흐는 특정 세균이 특정 감염병의 원인임을 증명하기 위한 원칙을 정립했다.

글의 내용 파악하기

2 ㉠~㉤에 대한 이해로 적절한 것은?
빈출유형
① ㉠은 실험을 통해 결핵균을 발견했다.

② ㉡은 결핵이 동물에게만 발생하는 질병임을 증명했다.

③ ㉢은 결핵의 원인균을 분리해 냈다.

④ ㉣은 천연두를 예방하는 방법을 찾아냈다.

⑤ ㉤은 소 결핵균과 인간 결핵균의 차이를 밝혔다.

글의 내용 파악하기

3 **다**에 제시된 연구 과정을 다음과 같이 나타낼 때, 적절
빈출유형 하지 <u>않은</u> 것은?

① 우두를 앓으면 천연두가 예방되는 효과가 있습니다.

② 마찬가지로 소 결핵을 가볍게 앓으면 사람 결핵이 예방됩니다.

칼메트

③ 백신으로 활용하기 위해 소 결핵균의 독성을 제거하는 연구를 진행했습니다.

④ 수대에 걸친 연속 배양을 통해 독성이 제거된 소 결핵균을 소에게 주사하여 경과를 관찰했습니다.

게랭

⑤ 그 결과 결핵을 예방하는 백신을 개발할 수 있었습니다.

[4~6] 다음 글을 읽고 물음에 답하시오.

가 미국의 미생물학자인 왁스먼은 흙이 들어 있는 용액에 노출된 세균이 죽어 버리는 현상을 발견하고, 흙 속에서 세균을 죽이는 물질을 찾아내기 위한 연구를 진행했다. 왁스먼은 흙 속에서는 눈에 보이지 않는 <u>미생물</u>이 자신의 영역을 지키
_{눈으로는 볼 수 없는 아주 작은 생물}
기 위해 끊임없이 자리다툼을 하며, 토양이라는 환경에 가장 잘 적응한 존재들만이 살아남게 된다는 사실을 알게 되었다. 사람을 죽게 하는 결핵균조차도 토양이라는 환경에서는 살아남지 못했다. 〈중략〉 그리하여 토양의 미생물 가운데 병원균을 사멸시키는 물질을 분비하는 미생물이 존재할 것이라는 가설을 세우고, 가설을 검증하기 위한 연구를 진행했다.

▲ 미생물을 연구하고 있는 왁스먼(가운데)

나 왁스먼은 다양한 성질을 지닌 토양을 채취해 <u>완충 용액</u>
_{외부에서 어느 정도의 산이나 염기를 가해도 수소 이온 농도에 변화가 적은 용액}
에 혼합한 다음 토양 속에 있는 미생물을 멸균하고, 그 생성물에서 항생제 능력을 지닌 물질을 분리하는 일을 하루도 빠짐없이 실행했다. 〈중략〉 그러던 중 그는 어느 <u>방선균</u>에서
_{흙 속이나 마른풀 등에 기생하는, 세균과 곰팡이의 중간적 성질을 가진 미생물}
뽑아낸 특이한 물질이 장티푸스균, 포도상 구균을 비롯한 여러 병원성 세균에 대해 살균 효과가 있다는 사실을 발견했다.

다 몇 년이 지난 어느 날, 왁스먼은 시험관 속에서 ㉠<u>창자에 병을 일으키는 병원균</u> 한 가지가 죽어 있는 것을 발견했다. 그 시험관에 있던 미생물은 방선균의 일종인 스트렙토미세스였는데, 왁스먼은 이 미생물을 집요하게 파고들기 시작했다. 이 미생물의 배양액에서 추출한 항생 물질은 페니실린으로 해결할 수 없던 여러 가지 균에 효과가 있었으며, 특히 결핵 치료제로서 주목받았다. 1943년 방선균에서 항생제를 추출하는 데 성공한 왁스먼은 다음 해에 스트렙토마이신이라고 이름을 붙인 약을 세상에 공개했다.

글의 내용 파악하기

4 이 글에서 알 수 있는 내용이 <u>아닌</u> 것은?

① 방선균의 살균 효과
② 왁스먼이 개발한 항생제의 이름
③ 페니실린으로 치료할 수 있는 질병의 종류
④ 왁스먼이 연구를 진행하기에 앞서 세운 가설
⑤ 왁스먼이 스트렙토미세스를 발견하기까지의 과정

글의 내용 추론하기

5 ㉠에 대한 설명으로 가장 적절한 것은?
빈출유형
① ㉠은 토양이라는 환경에 잘 적응했다.
② ㉠은 흙 속에서 세균을 죽이는 물질이다.
③ ㉠은 항생제 능력을 지닌 물질을 분비한다.
④ ㉠이 일으키는 병은 페니실린으로 해결할 수 있다.
⑤ ㉠은 시험관에 있는 다른 미생물에 의해 사멸되었다.

글의 내용 파악하기

6 이 글을 참고하여 ⓐ에 들어갈 적절한 내용을 〈조건〉에
서술유형 맞게 서술하시오.

> 사람을 죽게 하는 결핵균조차 토양에서 살아남지 못하는군. 이것으로 볼 때, (ⓐ)

왁스먼

조건
• **가** 에 제시된 왁스먼의 가설을 참고하여 서술할 것
• '결핵균'이라는 말을 포함할 것
• '토양에는 ~겠군.'의 문장 형식으로 서술할 것

[7~9] 다음 글을 읽고 물음에 답하시오.

가 학자들은 인간처럼 생각하고 행동하는 시스템을 구축하기 위해 인간이 보고 듣고 생각해 행동으로 옮기는 과정을 정보의 흐름을 기준으로 하여 다음과 같이 정리했다. 우선 외부에서 들어오는 자극을 받아 그 뜻을 알아차리는 입력 과정이 이루어진다. 즉, 외부의 물리적 자극을 받아 생리학적인 신호로 변환하고 뇌에 전달하는 과정과 대뇌가 그것을 인지하는 과정이다. 정보가 입력되면 인지된 데이터나 정보를 적절한 위치에 저장하고 필요에 따라 꺼내 오도록 하며 사용 목적에 따라 정보를 적절히 변형하고 가공한다. 다음 단계는 정보를 분석하고 판단하는 단계이다. 이 단계에서는 일정한 순서와 기준에 따라 정보를 평가하고 다음 단계에서 어떻게 할지 결정한다. 그다음은 창조의 단계이다. 즉, 처리·분석·판단의 과정을 통해 전혀 새로운 지식이나 개념을 만들어 내는 것이다. 이를 정리해 출력하는 것이 마지막 단계이다.

나 신경망 이론은 ㉠워런 매컬러와 월터 피츠가 처음 제시하였다. 매컬러와 피츠는 생물학적인 신경망 이론을 단순화해서 논리, 산술, 기호 연산 기능을 구현할 수 있는 신경망 이론을 제시하였다. 그들은 마치 전기 스위치처럼 온(on)과 오프(off)로 작동하는 기본적인 기능이 있는 인공 신경을 그물망 형태로 연결하면, 그것이 사람의 뇌에서 동작하는 간단한 기능을 흉내 낼 수 있다는 것을 이론적으로 증명하였다.

다 신경망 이론을 발판으로 삼아 미국의 ㉡프랭크 로젠블랫은 사람처럼 시각적으로 사물을 인지하도록 훈련시킬 수 있는 프로그램인 '퍼셉트론'을 개발했다. 이 프로그램은 인간의 신경 세포와 비슷한 방식으로 작동한다. 퍼셉트론의 각 단위는 여러 가지 입력 정보를 받아들인다. 이것들이 합쳐져 사전에 정해 놓은 특정한 한곗값을 넘어서면 출력이 발생한다. 이것은 많은 가지 돌기가 자극받을 때 신경 세포가 신경 신호를 발산하는 것과 같다. 각각의 단위가 특정 입력 정보

에 부여하는 상대적 중요도를 변화시킴으로써 퍼셉트론은 훈련을 통해 올바른 답을 얻을 수 있다.

내용 전개 방식 파악하기

7 가 에 대한 설명으로 가장 적절한 것은?
빈출유형
① 인공 지능의 개념을 정의하고 있다.
② 인간과 기계의 차이점을 대조하고 있다.
③ 인간의 정보 처리 과정을 단계별로 제시하고 있다.
④ 인공 지능의 변천 과정을 시대별로 소개하고 있다.
⑤ 전문가의 견해를 근거로 하여 인공 지능의 필요성을 주장하고 있다.

글의 내용 파악하기

8 ㉠, ㉡을 이해한 내용으로 적절하지 않은 것은?
① ㉠의 연구는 ㉡의 연구에 영향을 미쳤다.
② ㉠과 ㉡은 모두 인공 신경망에 대해 탐구했다.
③ ㉠과 ㉡은 모두 인공 지능의 발전에 기여했다.
④ ㉠은 ㉡과 달리 인간의 신경 세포에 주목했다.
⑤ ㉡은 ㉠과 달리 구체적인 프로그램을 만들어 냈다.

글의 내용 파악하기

9 다음은 다 를 읽은 두 학생의 대화이다. ⓐ, ⓑ에 들어갈
서술유형 알맞은 말을 각각 쓰시오.

신경 세포의 가지 돌기가 자극을 받는 것은 퍼셉트론이 (ⓐ) 정보를 받아들이는 것과 비슷하구나.

그리고 신경 세포가 신경 신호를 발산하는 것은 퍼셉트론에서 (ⓑ)이/가 발생하는 것과 비슷해.

[10~12] 다음 글을 읽고 물음에 답하시오.

가 ㉠퍼셉트론을 활용한 '기계 학습'이 기술 혁명을 가져올 것으로 기대되었지만 그것이 대부분의 컴퓨터에 활용되지는 않았다. 퍼셉트론의 한계 때문이다. 퍼셉트론은 보통의 컴퓨터나 인간이 쉽게 푸는 기본적인 논리 문제조차 제대로 풀지 못했으며, 퍼셉트론으로 학습할 수 있는 정보는 매우 제한적이었다. 이러한 문제를 해결하기 위해 ㉡'다층 퍼셉트론'이 제안되었다.

나 많은 학자들은 기계가 좀 더 복잡한 문제를 풀 수 있게 하려고 기존 퍼셉트론의 입력층과 출력층 사이에 중간층을 삽입하고, 중간층의 신경망 층수를 늘려 나갔다. 그런데 ⓐ신경망의 층수를 늘릴수록 기계가 판별을 제대로 하지 못하는 오류가 발생하여 학습 수행에 지장이 생겼다.

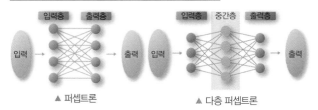

▲ 퍼셉트론   ▲ 다층 퍼셉트론

다 일반적으로 기계 학습에 적용된 컴퓨터의 데이터 분류 방식은 '지도 학습'과 '비지도 학습'으로 나뉜다. 지도 학습은 컴
어떤 목적이나 방향으로 남을 가르쳐 이끎.
퓨터에 먼저 분류 기준을 입력한 후에 컴퓨터에 정보를 가르치는 방식이다. 예를 들어, 사진을 주고 "이 사진은 고양이임."이라고 알려 주면, 컴퓨터는 미리 학습된 결과를 바탕으로 하여 고양이 사진을 구분한다. 비지도 학습은 분류 기준 없이 정보를 입력하고 컴퓨터가 알아서 분류하게 하는 방식으로, 컴퓨터가 스스로 비슷한 군집을 찾아 데이터를 분류한다. "이 사진은 고양이임."이라는 배움의 과정 없이 "이 사진은 고양이 사진이군."이라고 컴퓨터가 스스로 학습하는 것이다.

라 기계 학습은 2006년 캐나다의 제프리 힌턴에 의해 전기를 맞이하였다. 힌턴은 많은 층수의 다층 퍼셉트론도 사전 훈련, 즉 연산 과정에 여러 층을 두어 컴퓨터 스스로 정보를

잘게 조각내어 작은 판단을 내리게 하는 과정을 통해 효과적으로 학습시킬 수 있다고 하였다.

내용 전개 방식 파악하기

10 이 글의 서술 방식에 대한 설명으로 적절하지 <u>않은</u> 것은?

① 대상의 발전 과정을 밝히고 있어.

② 대상의 특징과 한계점을 제시하고 있어.

③ 특정 기준에 따라 대상을 분류하고 있어.

④ 묻고 답하는 방식으로 문제점을 제기하고 있어.

⑤ 예시를 활용하여 대상에 대한 이해를 돕고 있어.

글의 내용 파악하기

11 ㉠, ㉡에 대한 이해로 적절하지 <u>않은</u> 것은?
빈출유형

① ㉠은 기대와 달리 활발하게 활용되지 못했다.

② ㉠으로 학습할 수 있는 정보는 제한적이었다.

③ ㉡의 입력층과 출력층 사이에는 중간층이 있다.

④ ㉡의 신경망 층수를 늘릴수록 오류를 줄일 수 있다.

⑤ ㉡은 기계가 더 복잡한 문제를 풀도록 하기 위해 개발되었다.

글의 내용 파악하기

12 ⓐ를 해결할 방안으로 '힌턴'에 의해 제안된 것을 이 글에서 찾아 2어절로 쓰시오.
서술유형

[13~15] 다음 글을 읽고 물음에 답하시오.

가 ㉠케플러는 화성의 운동에 특별히 관심을 가졌습니다. 그는 브라헤가 16년 동안 관측하면서 축적해 놓은 화성 관측 자료를 기초로 하여 행성 궤도에 대해 연구했습니다. ㉡브라헤가 사망한 해인 1601년 9월, 케플러는 행성의 궤도를 정확히 연구하려면 먼저 지구 궤도를 정확하게 알아야겠다고 판단했습니다. 화성과 같은 행성의 운동이 불규칙한 까닭이 지구의 운동에 있다고 생각했기 때문입니다. 1년 뒤, 케플러는 화성의 궤도가 원형이 아니라 계란 모양의 타원일 것이라는 생각을 하게 됩니다.

나 모든 행성이 균일한 원형 궤도를 돈다고 주장한 ㉢코페르니쿠스의 열렬한 지지자였던 케플러는 브라헤의 화성 관측 자료들을 이용해 행성의 궤도가 원형임을 맞추기 위해서 오랜 시간을 계산으로 소비했습니다. 자신의 계산이 브라헤의 관측 자료와 오차가 생겼을 때, 그는 자신의 생각에 오류가 있다는 것을 인정했고 마침내 타원형 궤도를 생각하게 되었습니다.

다 그리하여 1605년 2월, 케플러는 모든 행성의 궤도는 원형이 아니라 타원형이라는 위대한 발견을 했습니다. 태양은 모든 행성이 그리는 타원의 한 초점에 있으며, 행성의 궤도를 이루는 타원은 모두 한 초점을 공유한다는 것을 알게 되었습니다. 케플러는 당시의 학자나 시민들에게 영원한 진리로 인정받았던 아리스토텔레스의 천문학을 뒤엎은 위대한 반역자요 영웅으로서 큰 걸음을 내딛게 되었습니다. 〈중략〉 케플러는 70번 이상 행성 궤도를 계산하는 고통스러운 노력을 한 뒤에 다음과 같은 결론을 내리게 되었습니다.

케플러 제1법칙 타원 궤도 법칙

모든 행성은 태양을 한 초점으로 하는 타원 궤도를 그리면서 공전한다.

글의 주제 파악하기

13 이 글의 제목으로 가장 적절한 것은?

① 브라헤의 관측 방법
② 케플러의 원형 궤도
③ 코페르니쿠스의 역설
④ 아리스토텔레스의 천문학
⑤ 케플러가 발견한 행성 운행의 법칙

글의 내용 파악하기

14 ㉠~㉢에 대한 이해로 적절한 것은?
빈출
유형
① ㉠은 ㉢의 주장이 사실과 다름을 발견했다.
② ㉠은 ㉡의 관측 자료에 오류가 있음을 밝혀냈다.
③ ㉠은 ㉡의 주장을 인정하지 않고 ㉢만을 인정했다.
④ ㉡은 관측을 통해 ㉢의 이론이 사실임을 입증했다.
⑤ ㉢은 일부 행성의 궤도를 연구했고, ㉠은 모든 행성의 궤도를 연구했다.

글의 내용 파악하기

15 이 글의 내용을 참고하여 ⓐ, ⓑ에 들어갈 알맞은 말을 각각 쓰시오.
서술
유형

나는 모든 행성의 궤도가 (ⓐ)(이)라는 것을 발견했어. 그리고 (ⓑ)은/는 행성들이 그리는 타원의 한 초점에 있다는 것을 알게 되었지.

▲ 요하네스 케플러

[16 ~ 18] 다음 글을 읽고 물음에 답하시오.

가 ⊙케플러의 세 가지 법칙 가운데 제1, 2법칙은 1609년에 내놓은 저서 《신천문학》에, 제3법칙은 10년 뒤인 1619년 그의 최후의 저서인 《우주의 조화》에 실려 있습니다. 케플러는 이

▲ 케플러가 생전에 쓰던 지구본과 연구 자료들

법칙을 발견한 데 대한 감회를 훗날 "이것을 발견한 뒤 내가 느낀 기쁨은 말로써 표현할 수 없을 정도였다. 그동안 많은 시간을 낭비한 것을 유감스럽게 생각하지 않으며, 그 노고에 대해서 염증을 느끼지도 않는다."라고 말했습니다.

나 케플러가 발표한 세 가지 법칙은 매우 깊고 넓은 의미를 담고 있습니다. 우주는 아무 차별 없이 일률적으로 단순하게 움직이는 것이며, 그것은 신의 섭리가 아니라 단순한 자연의 법칙이라는 것입니다. 이러한 생각은 점차 다른 분야에까지 퍼져 나가 중세의 세계관을 근본부터 동요시켰습니다. 특히, 지구가 우주의 중심이 아니라 태양계 행성 가운데 하나에 불과하다는 사상이 부각됨으로써 우주를 보는 인간의 시야가 넓어졌습니다. 한편, 이 법칙을 발견하는 과정에서 수학이 천문 계산에 이용되고, 그 결과를 수식으로 표현한 것은 자연 연구 방법의 큰 변화였습니다.

다 케플러는 자연을 더없이 조화롭다고 보았고, 그 예로 '천구의 음악'을 내세웠습니다. 행성들은 서로 지나칠 때 회전 속도에 따라서 다른 소리를 내는데 토성은 베이스, 수성은 소프라노, 화성은 도와 솔, 지구는 미와 파 소리를 낸다고 하며 이 소리가 화음을 이룬다고 했습니다. 그는 천체의 운동이나 궤도를 나타내는 수식 사이에 어떠한 관계가 존재한다는 사실을 굳게 믿었던 것입니다. 이러한 그의 신비 사상에서부터 나온 조화의 법칙은 뉴턴의 만유인력 법칙을 끌어내는 바탕이 되었습니다.

내용 전개 방식 파악하기

16 이 글에 대한 설명으로 적절하지 <u>않은</u> 것은?
① 케플러의 말을 직접적으로 인용하고 있다.
② 케플러의 법칙이 실린 책을 언급하고 있다.
③ 케플러의 계산 방법을 구체적으로 밝히고 있다.
④ 케플러의 연구 결과가 지니는 의의를 서술하고 있다.
⑤ 케플러가 중세의 우주관에 미친 영향을 설명하고 있다.

글의 내용 파악하기

17 ⊙에 대한 설명으로 적절하지 <u>않은</u> 것은?
① 케플러에게 기쁨을 느끼게 했다.
② 음악의 화음 이론에 영향을 미쳤다.
③ 자연 연구 방법의 변화를 보여 주었다.
④ 뉴턴의 만유인력 법칙에 영향을 주었다.
⑤ 제1, 2법칙은 《신천문학》에, 제3법칙은 《우주의 조화》에 수록되었다.

글의 내용 추론하기

18
서술
유형
이 글을 읽고 다음과 같이 내용을 정리했다고 할 때, ⓐ에 들어갈 적절한 내용을 〈조건〉에 맞게 서술하시오.

Ⅱ Ⅱ Ⅱ Ⅱ Ⅱ

중세 사람들은 [ⓐ] 이러한 세계관은 케플러가 발표한 세 가지 법칙에 의해 동요되었고, 결국 우주를 보는 인간의 시야가 넓어지는 결과를 낳았다.

┌─ 조건 ─
• **나**를 바탕으로 하여 두 가지 내용을 각각 완결된 문장으로 서술할 것
• 각각 '신의 섭리', '우주의 중심'이라는 말을 포함할 것
• '~고 생각했다.'의 문장 형식으로 서술할 것

2_일

3일

(1) 시대의 특성을 고려한 글 읽기

생각 열기 글에는 어떤 글쓰기 관습이 반영되어 있을까?

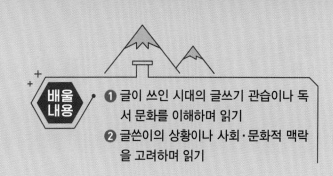

핵심 1 　시대의 흐름에 따라 달라진 글쓰기 관습과 독서 문화

옛날	오늘날
• 말과 문자의 불일치 • 한정된 ❶　　　 사용 계층 • 낭독(글을 소리 내어 읽음.) 중심의 독서 • 서적과 정보의 제한적 유통 • 확고한 정전의 권위 • 중국 문화의 영향 • 유교적 왕조 체계	• 말과 문자의 일치 • 광범위한 독서 대중 • ❷　　　 (소리를 내지 않고 속으로 읽음.) 중심의 독서 • 정보의 대량 생산과 보급 • 다원화된 사상 체계 • 서구 문화의 영향　　• 서구적 사회 체계

❶ 문자

❷ 묵독

핵심 2 　〈설총〉_ 김부식

갈래	열전	주제	설총의 행적 및 후대의 평가
특징	역사적 기록과 함께, 설총이 창작하여 신문 대왕에게 들려준 우화 ❸　　　 가 실려 있음.		

❸ 〈화왕계〉

○ 〈설총〉에 반영된 당대의 글쓰기 관습과 사회·문화적 특성

뛰어난 유학자이며 '충'이라는 유교 이념에 충실한 설총을 열전의 인물로 선정함.

➡ 효제충신이라는 ❹　　　 의 덕목을 부각하고, 유교적 통치 이념을 굳건히 하고자 했음.

❹ 유교

우화 형식을 사용함.

➡ 왕에게 ❺　　　 과 깨달음을 우의적으로 완곡하게 전하고자 했음.

❺ 교훈

❻ 비판

❼ 고사

❽ 법

핵심 3 　〈북학의 참뜻〉_ 박지원

갈래	책 서문, 논설문
주제	• 청나라 선진 문물의 도입 및 수용의 필요성　• 청나라를 배척하는 지식인들에 대한 ❻
특징	① 박제가가 쓴 《북학의》의 머리말로, 한문 문체인 서(序)의 형식이 나타남. ② 성현의 ❼　　　 를 인용하여 주장의 정당성을 강화함.

○ 당대 조선 선비들의 인식 및 이에 대한 글쓴이의 태도

조선 선비들의 인식	글쓴이의 태도
• 지금 중국을 다스리는 자들은 오랑캐이기 때문에 배울 것이 없음. • 지금 중국은 옛날의 중국이 아니고 우리가 천하에 제일임.	• 당대 선비들의 편협한 현실 인식과 배우지 않으려는 태도를 비판함. • 오랑캐이지만 삼대 이래 한·당·송·명의 옛 ❽　　　 과 제도를 보존하고 있으므로 본받아야 한다고 봄.

개념 Catch

• **정전**: 오랜 세월에 걸쳐 전승되는 동안 끊임없이 재해석되고 향유되는 과거의 위대한 작품이나 저술
• **다원화**: 사물을 형성하는 근원이 많아짐.
• **열전**: 후대에 권계가 될 만한 인물의 행적을 서술한 전기
• **우화**: 인격화한 동물이나 기타 사물을 주인공으로 하여 그들의 행동 속에 풍자와 교훈의 뜻을 나타내는 이야기
• **우의**: 다른 사물에 빗대어 비유적인 뜻을 나타내거나 풍자함.

1 다음은 〈설총〉에 나오는 우화의 등장인물이다. '장미', '백 두옹', '화왕'이 의미하는 바를 각각 바르게 연결하시오.

> 향기로운 휘장 속에 서 대왕을 받들고자 하 오니 왕께서는 저를 받 아 주실는지요?

> 모름지기 좋은 약으 로는 원기를 북돋우고 독한 침으로는 병독을 없애야 하는 것입니다.

장미

화왕

백두옹

(1) 장미 •

• ㉠ 군왕, 임금

(2) 백두옹 •

• ㉡ 충언하는 충신

(3) 화왕 •

• ㉢ 아첨하는 간신

2 다음은 〈설총〉에 대한 설명이다. 맞으면 ○, 틀리면 × 표 시를 하시오.

(1) 이 글은 《삼국사기》에 수록되어 있으며, 인물의 행 적을 서술하는 형식을 따른다. (　　　)

(2) 설총은 간신과 충신을 꽃에 빗대어 신문 대왕에게 자신이 하고 싶은 말을 전했다. (　　　)

(3) 설총으로부터 우화 〈화왕계〉를 들은 신문 대왕은 이야기에 담긴 뜻을 깨닫지 못했다. (　　　)

3 다음은 〈북학의 참뜻〉에 나타난 당대의 사회·문화적 상 황을 정리한 것이다. 올바른 내용에 ○ 표시를 하시오.

(1) 백성의 실생활을 나아지게 하려는 (실학, 유교) 사 상이 등장했다.

(2) 조선의 지배층과 선비들 사이에서 청나라를 (동경, 멸시)하는 풍조가 지배적이었다.

4 〈북학의 참뜻〉의 글쓴이와 조선의 선비들이 다음과 같은 대화를 나누었다고 할 때, ㉠~㉢에 들어갈 알맞은 말을 각각 쓰시오.

> 변발을 하고 옷깃을 왼편으로 여미는 사람들 에게 배우는 것은 부끄 러운 일입니다.

> 법이 좋고 제도가 아 름답다면 (㉠) (이)라도 본받아야 하지 않겠습니까?

조선의 선비들

글쓴이

> 지금의 (㉡) 은/는 옛날과 다릅니다. 산천에서는 비린내와 노 린내가 나고, 그 언어는 오랑캐 말입니다.

> 배워야 할 것을 배우 려 하지 않고 화를 내는 성질은 (㉢) 기 질에서 말미암은 것입 니다.

• ㉠: ＿＿＿＿＿＿＿＿＿

• ㉡: ＿＿＿＿＿＿＿＿＿

• ㉢: ＿＿＿＿＿＿＿＿＿

[1~3] 다음 글을 읽고 물음에 답하시오.

가 설총(薛聰)의 자는 총지(聰智)이다. 할아버지는 담날(談捺) 나마이다. 아버지 원효(元曉)는 처음에 승려가 되어 불경에 해박했으나, 이윽고 환속해서 스스로 소성거사(小性居士)라고 하였다.
<u>승려가 다시 속인이 됨.</u>

설총은 본성이 총명하고 예민해 나면서부터 도술을 알았으며, 방언으로 구경(九經)을 읽어서 후학들을 가르쳤으니
<u>중국 고전인 아홉 가지의 경서</u>
지금까지도 배우는 이들이 그를 종주로 받들고 있다. 또 글
<u>으뜸가는 스승</u>
을 잘 지었으나 세상에는 전하는 것이 없고, 다만 오늘날 남쪽 지방에 더러 설총이 지은 비명(碑銘)이 있지만 문자가 이
<u>비석에 새긴 글자</u>
지러지고 떨어져 읽을 수 없으니 종내 어떠했는지를 알 수 없게 되었다.

나 ㉠신문 대왕(神文大王)이 한여름 5월에 높고 밝은 방에
<u>신라 제31대 왕. 학문을 장려하고 관제를 재정비하여 신라의 황금시대를 이룩함.</u>
서 설총을 돌아보고 말하기를 "오늘은 장마가 처음 개고 향기로운 남풍이 약간 서늘하니, 비록 맛 좋은 음식과 듣기 좋은 음악이 있다 해도 고아한 이야기와 유쾌한 해학으로 울적
<u>뜻이나 품격 따위가 높고 우아한</u>
한 마음을 푸는 것만은 못하리라. 그대는 반드시 색다른 이야기를 들었을 터이니 어디 한번 나를 위해 말해 보지 않겠는가?"라고 하였다. 이에 ㉡설총은 "알았습니다." 하고 이야기를 시작하였다.

다 "제가 들은 것은 옛날에 ㉢화왕(花王)이 처음 왔을 때의
<u>여러 가지 꽃 가운데 왕이라는 뜻으로, 모란꽃을 달리 이르는 말</u>
이야기입니다. 이를 향기로운 동산에 심고 푸른 장막으로 보호하니 봄철이 되자 예쁘게 피어나 온갖 꽃을 뛰어넘어 홀로 빼어났습니다. 그러자 가깝고 먼 데서 곱디곱고 아름다운 꽃의 정령들이 바삐 달려와 화왕을 알현하고자 하여 오로지 다
<u>지체가 높고 귀한 사람을 찾아가 뵘.</u>
른 이에게 뒤떨어지지 않을까 염려했습니다.

글의 내용 파악하기

1 '설총'과 관련하여 이 글에서 알 수 있는 바가 **아닌** 것은?

① 설총의 가계　　　② 설총의 재능
③ 설총의 행적　　　④ 설총이 지낸 벼슬
⑤ 설총에 대한 평가

글의 내용 파악하기

2 ㉠~㉢에 대한 이해로 적절하지 **않은** 것은?

① ㉠은 실존 인물이다.
② ㉠은 ㉡이 비판하는 대상이다.
③ ㉡은 ㉠에게 우화를 들려주었다.
④ ㉠은 울적한 마음을 이야기로 달래고자 했다.
⑤ ㉢은 꽃을 인격화한 대상으로, 임금을 의미한다.

▶ 도움말
'인격화'란 인간이 아닌 사물을 감정과 의지가 있는 인간으로 간주하는 것으로, 이 글에서 설총이 들려주는 이야기인 〈화왕계〉는 인격화한 꽃들을 주인공으로 하여 풍자와 교훈의 뜻을 전하고 있습니다.

글쓴이의 의도 파악하기

3 〈보기〉를 참고할 때, 이 글의 목적으로 가장 적절한 것은?
빈출유형

▶ 보기

이 글은 《삼국사기》에 실린 '설총'의 열전이다. '열전(列傳)'은 후대에 *권계가 될 만한 인물의 행적을 서술한 전기로, 성현의 말씀을 기록한 *경전을 보충하는 역할을 하였다.

• 권계: 착한 일은 권장하고 악한 일은 제재함.
• 경전: 유학의 성현(聖賢)이 남긴 글.

① 신라 왕조의 정당성을 강조하기 위해
② 꽃을 멀리해야 한다는 주장을 정당화하기 위해
③ 신문 대왕과 관련한 역사적 기록을 보존하기 위해
④ 설총의 업적에 가려진 그의 인간적 면모를 드러내기 위해
⑤ 설총이라는 인물을 통해 후대 사람들에게 교훈을 주기 위해

3일

[4~5] 다음 글을 읽고 물음에 답하시오.

가 이때 홀연히 붉은 얼굴과 옥 같은 이에 곱게 화장하고 말쑥하게 차려입은 미인 하나가 간들간들 오더니 얌전한 자태로 다가서서 말하기를 '저는 눈처럼 흰 물가의 모래를 밟

고, 거울처럼 맑은 바다를 마주 보며, 봄비에 목욕하여 때를 씻어 내고, 맑은 바람을 쏘이면서 스스로 노닐거니와 이름은 ㉠장미라 합니다. 대왕의 밝은 덕망을 들었는지라 향기로운 휘장 속에서 대왕을 받들고자 하오니 왕께서는 저를 받아 주실는지요?'라고 했습니다.

나 또 어떤 장부 하나가 베옷에 가죽띠를 매고 백발에다 지팡이를 짚은 채 비틀거리는 걸음으로 구부정하게 와서 말하기를 '저는 서울 바깥 큰 길가에 자리 잡아, 아래로는 넓고

먼 아득한 광야의 경치를 내려다보고 위로는 우뚝 솟은 산빛에 의지해 살거니와 이름은 ㉡백두옹(白頭翁)이라
할미꽃. 머리털이 허옇게 센 늙은 남자를 뜻하는 말이기도 함.
합니다. 가만히 생각해 보건대 비록 좌우에서 받들어 올리는 것들이 넉넉하여 기름진 음식으로 배를 채우고 차와 술로 정신을 맑게 하며 의복이 장롱 속에 쟁여 있다 하더라도, 모름지기 ㉢좋은 약으로는 원기를 북돋우고 ㉣독한 침으로는 병독을 없애야 하는 것입니다. 〈중략〉 왕께서도 역시 이러한 생각이 있으신지요?'라고 했습니다.

다 장부가 나와 말하기를 '저는 왕께서 총명하여 이치를 알리라고 생각해서 왔던 것인데, 지금 보니 그게 아닙니다. 무릇 임금 된 사람치고 간사하고 아첨하는 사람을 가까이 하고 정직한 사람을 멀리하지 않는 이가 드무나니, 이 때문에 맹가(孟軻)가 불우하게 일생을 마쳤고 풍당(馮唐)은
'맹자(孟子)'의 본명   중국 한나라 때 사람
낭서(郎署) 따위로 썩어 흰머리가 되었던 것입니다. 예로
중요하지 아니한 공무에 종사하는 관리

부터 이러했거늘 전들 어찌하겠습니까!'라고 하니, 화왕이 '내가 잘못했다, 내가 잘못했다.'라고 했다 합니다."

라 이야기를 듣고 왕이 서글픈 얼굴빛을 지어 말하기를, "그대의 우화에 실로 ㉤깊은 뜻이 있도다. 글로 써서 왕 된 이들의 경계로 삼아야겠다." 하고는, 마침내 설총을 높은 관직에 발탁하였다.

구절의 의미 이해하기

4 ㉠~㉤에 대한 설명으로 적절하지 <u>않은</u> 것은?

① ㉠: 화자가 부정적으로 인식하는 대상이다.
② ㉡: 충언하는 신하에 대응하는 인물이다.
③ ㉢: 간신의 아첨을 의미한다.
④ ㉣: 임금을 위한 쓴소리를 의미한다.
⑤ ㉤: 간신을 멀리하고 훌륭한 인재를 등용해야 한다는 뜻이다.

글의 목적 추론하기

5 이 글을 읽은 두 학생이 다음과 같은 문자 메시지를 주고
서술
유형 받았다고 할 때, 빈칸에 들어갈 적절한 내용을 〈조건〉에 맞게 서술하시오.

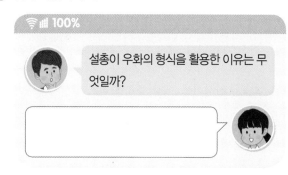

┌──────────── 조건 ────────────
• 우화를 통해 전하고자 한 바를 밝힐 것
• '우의적 방식'과 '완곡하게'라는 말을 포함할 것
• '~기 위해서야.'의 문장 형식으로 서술할 것
└──────────────────────────

[6~8] 다음 글을 읽고 물음에 답하시오.

가 순(舜)임금은 밭 갈고 씨 뿌리며 질그릇 굽고 물고기 잡
중국 태고의 천자 '순'을 임금으로 받들어 이르는 말
는 일에서부터 황제가 되기까지 남에게 배우지 않은 것이 없
었다. 공자가 말하기를, "나는 젊은 시절에 미천했기 때문에
막일에 많이 익숙했다."라고 했으니 그 막일 역시 밭 갈고 씨
뿌리며 질그릇을 굽고 물고기를 잡는 일 따위였을 것이다.
비록 순임금과 공자같이 거룩하고 재능 있는 분일지라도 사
물에 나아가 기교를 창안하고 일에 임해 도구를 만들려면 시
어떤 방안, 물건 따위를 처음으로 생각하여 냄.
일도 부족하고 지혜도 막히는 바가 있었을 것이다. 그러므로
순임금과 공자가 성인이 된 것은 남에게 잘 묻고 잘 배운 것
에 지나지 않는다.

나 우리나라 선비들은 한쪽 모퉁이 땅에 편협한 기질을 타
한쪽으로 치우쳐 도량이 좁고 너그럽지 못함.
고나, 발은 중국 대륙의 땅을 밟아 보지 못하고 눈은 중국의
사람을 보지 못한 채 태어나 늙고 병들어 죽기까지 국경 안
을 떠나 본 적이 없다. 그래서 학은 다리가 길고 까마귀는 검
은 것이 각자 자기의 천성을 지키는 것이고, 우물 안 개구리
나 밭의 두더지는 오직 자기 땅만을 의지해야 한다고 여기며
살아왔다. 예(禮)는 차라리 소박해야 한다고 말하고 누추한
것을 검소한 것이라고 인식했다. 이른바 사농공상(士農工
선비, 농부, 공장(工匠), 상인
商)의 사민(四民)이라는 것도 겨우 명목만 남아 있고, 이용
후생(利用厚生)의 도구는 날이 갈수록 어렵고 구차해졌다.
기구를 편리하게 쓰고 먹을 것과 입을 것을 넉넉하게 하여 국민의 생활을 나아지게 함.
이는 다른 게 아니다. 배우고 물을 줄을 몰라 생긴 잘못이다.

다 그들은 말하기를, 지금 중국을 다스리는 자는 오랑캐들
이라고 하면서 배우기를 부끄러워해 중국의 옛 법마저 싸잡
아 천하고 야만적이라 여긴다. 저들이 진실로 변발을 하고
남자의 머리를 뒷부분만 남기고 나머지 부분을 깎아 뒤로 길게 땋아 늘임. 또는 그런 머리
옷깃을 왼편으로 여미는 오랑캐이지만 저들이 살고 있는 땅
이 삼대(三代) 이래 한(漢)·당(唐)·송(宋)·명(明)의 대륙이
고대 중국의 세 왕조. 하(夏), 은(殷), 주(周)를 이름.
어찌 아니겠는가? 그 땅 안에 살고 있는 사람들이 삼대 이래
한·당·송·명의 후손이 어찌 아니겠는가?

라 내가 북경에서 돌아오니 재선(在先) 박제가가 자신이 지
중국의 '베이징'   조선 후기의 실학자로, 북학파의 한 사람
은 《북학의(北學議)》 내외(內外) 두 편을 보여 주었다. 재선
은 나보다 먼저 북경에 들어갔던 사람이다. 〈중략〉 눈으로
보지 못한 것이 있으면 반드시 물어보았고, 마음으로 깨닫지
못한 것이 있으면 반드시 배웠다. 시험 삼아 책을 한번 펼쳐
보니, 내가 쓴 《열하일기》와 조금도 어긋나는 것이 없어 한
사람의 손에서 나온 것 같았다.

내용 전개 방식 파악하기

6 **가~라**에 대한 설명으로 적절하지 **않은** 것은?

① **가** : 구체적인 사례로 글쓴이의 생각을 뒷받침했다.

② **나** : 글에서 비판하는 대상을 구체적으로 드러냈다.

③ **다** : 사회적 통념이 변화한 과정을 제시했다.

④ **다** : 설의적 표현으로 말하고자 하는 바를 강조했다.

⑤ **라** : 글쓴이와 같은 의견을 지닌 인물의 저서를 들
어 주장을 강화했다.

글에 나타난 사회·문화적 상황 파악하기

7 이 글이 쓰일 당시의 사회·문화적 상황을 짐작한 내용으
빈출
유형 로 적절하지 **않은** 것은?

①

'순임금'과 '공자'는 많은 사람에게
존경받는 인물이었나 봐.

②

당시 '선비들' 사이에는 중국을 천하
게 여기는 태도가 퍼져 있었어.

③

'오랑캐'들은 '선비들'과 달리 남에게
묻고 배우는 데 주저함이 없었군.

④

글쓴이는 '이용후생의 도구'를 나아
지게 해야 한다고 생각했구나.

⑤

'박제가'는 백성의 실생활을 풍요롭
게 하는 일에 관심이 많았을 거야.

8 서술유형

글쓴이의 관점 파악하기

글쓴이의 생각을 다음과 같이 나타낼 때, ㉠에 들어갈 적절한 내용을 〈조건〉에 맞게 서술하시오.

> 우리나라 선비들은 편협한 기질을 타고나 묻고 배울 줄 모른다. 이 때문에 이용후생의 도구가 날이 갈수록 어렵고 구차해지고 있다. 이를 해결하기 위해서는 (㉠)

● 조건 ●

• **나**, **다**를 바탕으로 하여 서술할 것
• '중국의 선진 문물'이라는 말을 포함하여 한 문장으로 서술할 것

[9~10] 다음 글을 읽고 물음에 답하시오.

가 머리가 나쁘기로 유명한 김득신은 《사기(史記)》의 〈백
　　　조선 중기의 시인　　 중국 한(漢)나라의 사마천이 엮은 역사책
이 열전(伯夷列傳)〉을 십만 번이나 외웠다. 그는 말을 타고 가면서도 글을 외웠다. 그렇게 많이 외운 〈백이 열전〉을 중간에 깜빡 잊어버렸다. 그러자 곁에서 고삐를 잡고 있던 하인이 막힌 부분을 외워 주었다. 하도 많이 들어 뜻도 모르고 외운 것이다.

나 조광조와 관련하여 이런 이야기가 전한다. 그가 낭랑하
　　조선 중종 때의 문신, 성리학자
게 책을 읽는 소리에 반한 처녀가 담을 넘었다. 조광조는 회초리로 종아리를 때려 돌려보냈다. 그녀는 잘못을 뉘우쳤고, 훗날 다른 집안으로 시집갔다.

다 알베르토 망구엘의 《독서의 역사》를 읽어 보니 중세 유
　　아르헨티나 출신의 캐나다 작가
럽에서도 책은 반드시 소리 내어 읽었다고 한다. 암브로시우
스가 묵독(默讀)하는 것을 본 아우구스티누스는 상당히 충
　　　　　　　　　　　가톨릭 교회의 교부(敎父)
격을 받았다고 전해진다. 눈으로만 읽는 묵독은 그 비밀스러
　　　로마의 주교, 성인, 사상가

운 느낌 때문에 요사스럽게 보였던 모양이다. 그들은 경전을 읽을 때 신성함을 유지하려면 문장의 가락에 맞춰 몸을 흔들고 소리 내어 성스러운 단어들을 읽어야 한다고 믿었다. 그래야만 책장에 쓰인 죽어 있던 단어들이 날개를 달고 훨훨 날아올라 의미화된다고 여겼다.

라 이제 책 읽는 소리는 뚝 그쳤다. 한글을 갓 깨친 어린아이들이나 떠듬떠듬 소리를 내어 글을 읽는다. 소리를 내어 상쾌한 리듬을 느끼며 읽을 만한 글이 더 이상 없기 때문일까? 달 밝은 밤 들리던 옆집 청년의 낭랑한 독서성(讀書聲)이 새삼
　책 읽는 소리
그립다.

글의 내용 파악하기

9 이 글의 내용과 거리가 <u>먼</u> 것은?

① 김득신의 일화를 통해 낭독의 간접적인 효과를 알 수 있다.
② 조광조의 일화는 책 읽는 소리가 듣는 이의 마음을 설레게 할 수 있음을 보여 준다.
③ 알베르토 망구엘의 《독서의 역사》에서는 중세 유럽의 낭독 문화를 다루었다.
④ 암브로시우스는 책장에 쓰인 단어들이 묵독을 통해 의미화된다고 생각했다.
⑤ 아우구스티누스는 경전을 낭독하는 것이 신성함을 유지하는 방법이라고 여겼을 것이다.

글쓴이의 정서 파악하기

10 서술유형

라에서 독서 방법의 변화에 대한 글쓴이의 정서가 직접적으로 드러난 문장을 찾아 첫 두 어절과 끝 두 어절을 쓰시오.

4_일

(2) 지역의 특성을 고려한 글 읽기
(3) 매체의 특성을 고려한 글 읽기

생각 열기 무중력 마을의 사람들은 어떤 글을 읽을까?

핵심 1 ▸ 지역의 특성을 고려한 글 읽기의 방법

● 지역의 특성을 고려하여 글을 읽는 방법

① 글이 쓰인 당시 그 지역의 주요 가치관과 문화를 고려하며 읽어야 함.

② 특정 지역에 치우치지 않도록 세계와 국내 여러 지역의 글을 두루 읽어야 함.

③ 각 지역의 문화적 특성을 존중하는 문화 ❶⬜⬜⬜ 적인 관점을 지녀야 함.

❶ 상대주의

핵심 2 ▸ 〈군주론〉_ 니콜로. 마키아벨리

갈래	논설문		주제	❷⬜⬜는 두려운 존재가 되어야 함.
특징	① 군주가 갖추어야 할 자질을 설득력 있는 태도로 밝힘. ② 인간의 본성을 냉정하고 객관적으로 분석함. ③ 역사적 인물인 한니발과 스키피오의 사례를 근거로 자신의 주장을 뒷받침함.			

❷ 군주

● 글쓴이의 주장과 근거

주장	군주는 두려움의 대상이 되어야 하지만 ❸⬜⬜을 사서는 안 됨.
근거 (인간의 특성)	• 인간은 이기적이고 변덕스러운 존재임. • 인간에게는 처벌에 대한 공포와 ❹⬜⬜이 있음. • 인간은 어버이의 죽음은 쉽게 잊어도 ❺⬜⬜의 상실은 쉽게 잊지 못함.

❸ 미움

❹ 두려움

❺ 재산

핵심 3 ▸ 〈곁에 있는 것을 사랑하라〉_ 모한다스 카람찬드 간디

갈래	수필		주제	❻⬜⬜⬜ 정신의 의미 및 실천
특징	① 역설적 진술을 통해 스와데시 운동의 특징인 배타성과 ❼⬜⬜을 설명함. ② 스와데시 정신을 종교, 교육, 경제생활 등 다양한 분야에 적용하여 구체적으로 설명함.			

❻ 스와데시

❼ 포괄성

● 글을 쓸 당시 인도의 지역적 상황 및 스와데시 정신의 실천

	지역적 상황	스와데시 정신의 실천
종교	힌두교가 전통 종교임.	결점을 고쳐서라도 전통 종교를 믿어야 함.
교육	외국어로 공부한 지식인이 민중과 단절됨.	지식인들이 모국어로 공부하여 전통을 발전시켜야 함.
경제	인도의 민중이 빈곤 상태에 있음.	결함이 있더라도 ❽⬜⬜에서 생산한 물건을 사용해야 함.

❽ 인도

개념 Catch

• 스와데시: 20세기 초에 인도에서 전개되었던 독립 운동 표어의 하나. 국산품의 애용과 장려를 주장한 반영(反英) 민족 운동이다.

1 다음은 〈군주론〉의 내용을 정리한 것이다. 맞으면 ○, 틀리면 × 표시를 하시오.

(1) 군주는 사람들에게 두려움을 느끼게 하는 것보다 사랑을 느끼게 하는 것이 더 안전하다. (　　　)

(2) 현명한 군주는 타인의 선택보다 자신의 선택에 더 의존해야 한다. (　　　)

2 다음은 〈군주론〉의 일부분이다. 글쓴이가 바람직하게 여기는 지도자의 모습으로 알맞은 것을 〈보기〉에서 모두 고르시오.

　군주는 자신의 군대를 통솔하고 많은 병력을 지휘할 때, 잔인하다는 평판쯤은 개의치 말아야 합니다. 〈중략〉 한니발의 활약에 관한 설명 가운데 특히 주목할 만한 사실은 그가 비록 수많은 종족이 뒤섞인 대군을

▲ 한니발

거느리고 이역에서 싸웠지만, 상황이 유리하든 불리하든 상관없이, 군 내부에서 또 그들의 지도자에 대해서 어떠한 분란도 일어나지 않았다는 것입니다. 이 사실은 그의 많은 다른 훌륭한 역량과 더불어, 그의 부하들이 그를 항상 존경하고 두려워하도록 만든 그의 비인간적인 잔인함으로 설명할 수 있습니다. 그리고 그가 그토록 잔인하지 않았더라면, 그의 다른 역량 역시 그러한 성과를 거두는 데 충분하지 않았을 것입니다.

━━━ 보기 ━━━
㉠ 자비를 베풂.
㉡ 두려움을 느끼게 함.
㉢ 비인간적인 잔인함을 지님.
㉣ 이역에서 싸우는 것을 마다하지 않음.

3 〈곁에 있는 것을 사랑하라〉에서 글쓴이가 언급한 스와데시 정신의 실천 방법을 각각 바르게 연결하시오.

(1) 이웃을 위한 봉사　•　　•　ⓐ 전통 종교를 믿음.

(2) 경제생활　•　　•　ⓑ 모국어로 공부함.

(3) 교육　•　　•　ⓒ 필수품을 자급자족함.

(4) 종교　•　　•　ⓓ 가까운 이웃으로 한정함.

4 다음은 〈곁에 있는 것을 사랑하라〉에서 글쓴이가 언급한 스와데시 정신의 특징이다. Ⓐ, Ⓑ에 들어갈 알맞은 말을 각각 쓰시오.

　스와데시 정신은 조국에만 관심을 기울인다는 면에서 (　Ⓐ　)이지만, 경쟁적이거나 절대적이지 않다는 면에서 (　Ⓑ　)이다.

• Ⓐ: _____

• Ⓑ: _____

[1 ~ 3] 다음 글을 읽고 물음에 답하시오.

가 사랑을 느끼게 하는 것과 두려움을 느끼게 하는 것 중에서 어느 편이 더 나은가에 대해서는 논쟁이 있었습니다. 제 견해는 사랑도 느끼게 하고 동시에 두려움도 느끼게 하는 것이 바람직하다는 것입니다. 그러나 동시에 둘 다 얻는 것은 어렵기 때문에, 굳이 둘 중에서 하나를 선택해야 한다면 저는 사랑을 느끼게 하는 것보다는 두려움을 느끼게 하는 것이 훨씬 더 안전하다고 생각합니다.

나 이것은 인간 일반에 대해서 말해 줍니다. 즉, 인간이란 은혜를 모르고 변덕스러우며 위선적인 데다 기만에 능하며 위험을 피하려고 하고 이익에 눈이 어둡습니다. 당신이 은혜를 베푸는 동안 사람들은 모두 당신에게 온갖 충성을 바칩니다. 이미 말한 것처럼, 막상 그럴 필요가 별로 없을 때, 사람들은 당신을 위해서 피를 흘리고, 자신의 소유물, 생명 그리고 자식마저도 바칠 것처럼 행동합니다. 그렇지만 당신이 정작 그러한 것들을 필요로 할 때면, 그들은 등을 돌립니다.

남을 속여 넘김.

다 인간은 두려움을 불러일으키는 자보다 사랑을 베푸는 자를 해칠 때에 덜 주저합니다. 왜냐하면 사랑이란 일종의 감사의 관계에 따라서 유지되는데, 인간은 악하기 때문에 자신의 이익을 취할 기회가 생기면 언제나 그 감사의 상호 관계를 팽개쳐 버리기 때문입니다. 그러나 두려움은 항상 효과적인 처벌에 대한 공포로써 유지되며, 실패하는 경우가 결코 없습니다.

글의 주제 파악하기

1 이 글에서 주로 다루고 있는 내용은?

① 군주가 배워야 할 학문
② 군주가 수행해야 할 임무
③ 군주가 갖추어야 할 자질
④ 인간이 경계해야 할 대상
⑤ 인간이 추구해야 할 이상 사회

글의 내용 파악하기

2 이 글의 글쓴이 '마키아벨리'가 다음과 같이 말한다고 할 때, ㉠에 들어갈 내용으로 가장 적절한 것은?

빈출유형

마키아벨리

> 인간은 (㉠) 존재이다.

① 자신의 약점을 감추려는
② 상황에 따라 쉽게 변하는
③ 감사의 관계를 중요시하는
④ 타인과의 소통을 추구하는
⑤ 신의를 지키고자 노력하는

글쓴이의 의도 파악하기

3 이 글의 서평이 다음과 같다고 할 때, 밑줄 친 부분에 들어갈 적절한 내용을 〈조건〉에 맞게 서술하시오.

서술유형

이 글이 쓰인 시기인 르네상스 시대에 글쓴이의 조국 이탈리아는 여러 도시 국가로 나뉜 상태였고, 강대국의 침략과 지배, 간섭을 받고 있었다. 이러한 상황에서 글쓴이가 지도자는 사람들에게 두려움을 느끼게 해야 한다고 주장한 이유는 _____

▲ 르네상스 시대의 이탈리아

조건

• 글쓴이가 바라는 군주의 모습을 포함할 것
• 글쓴이가 극복하고자 한 현실을 포함할 것
• '~기 때문일 것이다.'의 문장 형식으로 서술할 것

[4~6] 다음 글을 읽고 물음에 답하시오.

가 현명한 군주는 자신을 두려운 존재로 만들되, 비록 사랑을 받지는 못하더라도, 미움을 받는 일은 피해야 합니다. 미움을 받지 않으면서도 두려움을 느끼게 하는 것은 얼마든지 가능하기 때문입니다. 그리고 이는 군주가 시민과 신민들

군주가 세습적으로 국가 원수가 되는 나라에서 관원과 백성을 아울러 이르는 말

의 재산과 그들의 부녀자들에게 손을 대는 일을 삼가면 항상 성취할 수 있습니다. 만약 누군가의 처형이 필요하더라도, 적절한 명분과 명백한 이유가 있을 때로 국한해야 합니다.

나 그러나 군주는 자신의 군대를 통솔하고 많은 병력을 지휘할 때, 잔인하다는 평판쯤은 개의치 말아야 합니다. 왜냐하면 군대란 그 지도자가 거칠다고 생각되지 않으면 군대의 단결을 유지하거나 군사 작전에 적합하게 만반의 태세를 갖추지 못하기 때문입니다. 한니발의 활약에 관한 설명 가운데

카르타고의 장군

특히 주목할 만한 사실은 그가 비록 수많은 종족이 뒤섞인 대군을 거느리고 이역에서 싸웠지만, 상황이 유리하든 불리

다른 나라의 땅. 또는 고향이 아닌 딴 곳

하든 상관없이, 군 내부에서 또 그들의 지도자에 대해서 어떠한 분란도 일어나지 않았다는 것입니다.

다 저의 논점은 스키피오가 겪은 사태에서 입증됩니다.

고대 로마의 장군, 정치가

그는 당대는 물론 후대에도 매우 훌륭한 인물로 평가받았지만, 그의 군대는 스페인에서 그에게 반란을 일으켰습니다. 그 유일한 이유는 그가 너무나 자비로워서 적절한 군사적 기율

도덕상으로 여러 사람에게 행위의 표준이 될 만한 질서

을 유지하는 데 필요한 것보다도 더 많은 자유를 병사들에게 허용했기 때문이었습니다.

라 두려움을 느끼게 하는 것과 사랑을 느끼게 하는 것의 문제로 되돌아가서, 저는 인간이란 자신의 선택 여하에 따라서 사랑을 하지만, 군주의 행위 여하에 따라서 군주에게 두려움을 느끼기 때문에, 현명한 군주라면 타인의 선택보다는 자신의 선택에 더 의존해야 한다고 결론을 내리겠습니다. 다만 앞에서도 말한 것처럼 미움을 받는 일만은 피해야겠습니다.

글의 내용 파악하기

4 이 글의 내용을 잘못 이해한 학생은?

빈출유형

① 글쓴이는 스키피오를 훌륭한 군주로 평가하고 있군.

② 현명한 군주라면 자신을 두려운 존재로 만들어야 하는군.

③ 백성들의 재산과 부녀자에게 손을 대는 군주는 미움을 사겠군.

④ 군주는 잔인하다는 평판에 개의치 않고 군대를 다스려야 하는군.

⑤ 군주가 누군가를 처형할 때는 적절한 명분과 명백한 이유가 필요하군.

글쓴이의 의도 파악하기

5 글쓴이가 '한니발'과 '스키피오'의 사례를 제시한 이유로 가장 적절한 것은?

① 평판의 중요성을 부각하기 위해
② 한니발의 잔인함을 고발하기 위해
③ 적절한 군사적 기율을 제시하기 위해
④ 군주에게 필요한 자질을 강조하기 위해
⑤ 스키피오를 본받을 것을 주장하기 위해

글쓴이의 관점 파악하기

6 글쓴이가 생각하는 현명한 군주의 자질을 〈조건〉에 맞게 서술하시오.

서술유형

● 조건 ●

• 두 가지를 각각 한 문장으로 서술할 것
• '두려움'과 '미움'이라는 말을 포함할 것
• '군주는 ~야 한다.'의 문장 형식으로 서술할 것

[7~10] 다음 글을 읽고 물음에 답하시오.

가 스와데시의 정신이란 우리가 가까운 주변에 모든 힘을 기울이기 위해 더욱 먼 곳은 관여하지 않는 것을 말한다. 종교를 예로 들면, 나는 우리의 고대 종교만을 믿는다. 내게 가까운 종교이기 때문이다. 비록 그 종교가 결점을 내포하고 있다 해도, 나는 결점을 고쳐 가면서라도 그 종교를 믿어야 한다.

이것은 정치 분야에서도 마찬가지이다. ㉠경제 분야에서도 나는 가까운 이웃이 생산한 물건만을 사용해야 하며, 물건에 결함이 있다 해도 이웃의 생업이 능률적으로 이루어질 수 있도록 도와주어야 한다. 만약에 이러한 스와데시가 실천된다면 우리는 영원한 평화의 나라를 건설할 수 있을 것이다.

나 우리는 스와데시 정신에서 매우 멀리 벗어났기 때문에 심각한 어려움을 겪으며 일하고 있다. 우리 지식인은 외국어를 통해서 교육을 받았기 때문에 우리 민중에게 영향을 주지 못했다. 우리는 민중을 대표하고 싶었지만 성공하지 못했다. 민중은 우리 지식인들을 영국 관료와 다르게 생각하지 않았다. 그래서 우리에게 마음을 열지 않았고, 그들의 소망은 우리의 소망과 같지 않았다. 이처럼 우리는 민중과 단절되어 있었다.

다 나는 이웃에 도움이 되는 일은 모든 인류에게 도움이 된다고 확고하게 믿는다. 물론 이웃에 봉사하는 것은 결코 이기적이거나 배타적이어서는 안 된다. 이 때문에 다른 사람을 착취해서는 안 된다. 이웃은 이러한 봉사 정신을 이해할 것이다. 또 이들도 자기 이웃에 봉사해야 한다는 사실을 알게 될 것이다. 이러한 봉사 정신은 눈송이처럼 불어나서 마침내 온 세상을 뒤덮을 것이다. 이와 같이 스와데시 운동은 가까운 이웃을 위해서 다른 사람은 무시하라고 가르친다. 그렇지만 그 가까운 이웃도 자신의 가까운 이웃을 위해 봉사해야 하는 것은 당연한 일이다. 이렇게 볼 때 스와데시 운동은 결코 배타적이지 않다. 다만 봉사할 수 있는 인간의 한계를 명확히 인식할 따름이다.

내용 전개 방식 파악하기

7 **가**에 나타난 내용 전개 방식을 모두 골라 묶은 것은?

> ⓐ 구체적인 사례를 들어 설명하고 있다.
> ⓑ 대상의 장점과 단점을 나열하고 있다.
> ⓒ 대상의 뜻을 명백히 밝혀 규정하고 있다.
> ⓓ 상반된 두 개념의 차이점을 강조하고 있다.

① ⓐ, ⓑ　　　② ⓐ, ⓒ　　　③ ⓑ, ⓒ
④ ⓑ, ⓓ　　　⑤ ⓒ, ⓓ

글의 내용 파악하기

8 이 글을 바탕으로 하여 '스와데시 정신'을 이해한 내용으로 적절하지 <u>않은</u> 것은?
빈출유형
① 모국어를 통한 교육을 추구한다.
② 지식인과 민중의 연결을 추구한다.
③ 종교, 정치, 교육, 경제 분야에서 실천할 수 있다.
④ 가까운 것에 결점이 있다면 고쳐 가며 받아들인다.
⑤ 가까운 이웃뿐 아니라 먼 이웃까지 봉사의 대상으로 삼는다.

글쓴이의 관점 파악하기

9 글쓴이가 '스와데시 운동'에 대해 다음과 같이 말한다고 할 때, 밑줄 친 부분에 들어갈 적절한 내용을 〈조건〉에 맞게 서술하시오.
서술유형

> 스와데시 운동은 배타적이지 않다. 왜냐하면 _____

────● 조건 ●
> • **다**를 바탕으로 하여 이웃을 위한 봉사가 '모든 인류'나 '온 세상'에 미치는 영향을 설명할 것
> • '~기 때문이다.'의 문장 형식으로 서술할 것

글쓴이의 의도 파악하기

10
서술
유형

〈보기〉를 고려할 때, 글쓴이가 ㉠과 같이 말한 이유를 〈조건〉에 맞게 서술하시오.

──────── 보기 ────────

18세기 초 인도 전역을 아우르면서 성숙한 문화를 꽃피우던 무굴 제국이 시들어 가자, 인도에서는 분열의 조짐이 일어났다. 영국은 그 틈을 이용하여 지배 영역을 넓혀 나갔고, 19세기 중반에는 인도 전 지역을 점령했다. 영국은 인도의 면화를 본국에 보내 면직물로 가공하여 다시 인도에 들여왔다. 대량으로 생산된 값싼 면제품이 들어오면서 인도의 섬유 산업은 파괴되었고 수공업자들은 일자리를 잃었다. 이렇게 영국은 인도와의 무역에서 막대한 이익을 챙겼고 인도 경제는 붕괴되었다.

──────── 조건 ────────

• 외국 제품 사용이 인도의 경제 상황에 미치는 영향을 중심으로 서술할 것
• '~기 때문이다.'의 문장 형식으로 서술할 것

[11~12] 다음 글을 읽고 물음에 답하시오.

그대들은 어떻게 저 하늘이나 땅의 온기를 사고팔 수 있는가? 우리로서는 이상한 생각이다. 〈중략〉 워싱턴 대추장이
　　　　　　　　　　　미국의 프랭클린 피어스 대통령을 가리킴.
우리 땅을 사고 싶다는 전갈을 보내온 것은 곧 우리의 거의 모든 것을 달라는 것과 같다. 대추장은 우리만 따로 편히 살 수 있도록 한 장소를 마련해 주겠다고 한다. 그는 우리의 아버지가 되고 우리는 그의 자식이 되는 것이다. 그러니 우리 땅을 사겠다는 그대들의 제안을 잘 고려해 보겠지만, 우리에게 이 땅은 거룩한 것이기에 그것은 쉬운 일이 아니다. 개울과 강을 흐르는 이 반짝이는 물은 그저 물이 아니라 우리 조상들의 피다. 만약 우리가 이 땅을 팔 경우에는 이 땅이 거룩한 것이라는 걸 기억해 달라. 거룩할 뿐만 아니라, 호수의 맑

은 물속에 비친 신령스러운 모습들 하나하나가 우리네 삶의 일들과 기억들을 이야기해 주고 있음을 아이들에게 가르쳐야 한다. 물결의 속삭임은 우리 아버지의 아버지가 내는 목소리이다. 강은 우리의 형제이고 우리의 갈증을 풀어 준다. 카누를 날라 주고 자식들을 길러 준다. 만약 우리가 땅을 팔
　　노로 젓는 작은 배
게 되면 저 강들이 우리와 그대들의 형제임을 잊지 말고 아이들에게 가르쳐야 한다.
그리고 이제부터는 형제에게 하듯 강에게도 친절을 베풀어야 할 것이다.

▲ 시애틀의 자연 풍경

글의 특징 파악하기

11
빈출
유형

이 글에 대한 설명으로 적절하지 **않은** 것은?

① 독자에게 당부하는 내용을 전하고 있다.
② 비유적 표현을 통해 대상의 의미를 강조하고 있다.
③ 대상을 의인화하여 대상에 대한 태도를 드러내고 있다.
④ 상황을 가정하여 글쓴이가 원하는 바를 제시하고 있다.
⑤ 구체적인 일화를 통해 독자의 흥미를 이끌어 내고 있다.

글쓴이의 관점 파악하기

12 이 글을 통해 알 수 있는 글쓴이의 생각으로 적절하지 **않은** 것은?

① 우리에게 땅은 사고파는 대상이 아니다.
② 우리와 '그대들'은 모두 자연의 일부이다.
③ 우리는 '그대들'을 이 땅에서 몰아낼 것이다.
④ '그대들'은 땅이 거룩하다는 것을 깨달아야 한다.
⑤ '그대들'의 제안을 받아들이는 것은 어려운 일이다.

핵심 1 ｜ 매체에 따른 글의 수용과 생산

● 인쇄 매체와 디지털 매체의 의사소통 방식

인쇄 매체	디지털 매체
• ❶⬜⬜⬜ 중심의 정보 • 정보를 순차적으로(순서에 따라 차례대로) 제시함. • 글의 생산과 수용이 비교적 느림.	• 문자, 음성, 영상, 음악, 음향 등 복합적인 정보 • 하이퍼텍스트를 통해 정보를 ❷⬜⬜⬜으로 제시함. • 글의 생산과 수용이 비교적 빠르고 간편함.

❶ 문자

❷ 입체적

● 매체의 특성을 고려한 글 읽기 방법

① 매체의 유형과 특성을 고려하여 매체 자료를 읽어야 함.

② 매체 자료의 타당성, 신뢰성, 공정성을 평가하면서 비판적으로 읽어야 함.

③ 매체를 통해 전달되는 정보를 ❸⬜⬜⬜으로 수용하며 자신의 목적에 맞게 종합하고 재구성하며 읽어야 함.

❸ 주체적

핵심 2 ｜ 〈현대의 매체 환경과 매체 문식성〉_ 양정애

갈래	설명문	주제	현대의 매체 환경의 문제점과 매체 문식성의 필요성
특징	① 정의, 대조, 예시 등 다양한 설명 방법을 활용하여 독자의 이해를 도움. ② 현대의 인터넷 기반 매체 환경의 속성 및 장단점을 상세하게 설명함. ③ 매체 환경의 문제에 대한 대처 방안으로 매체 ❹⬜⬜⬜의 중요성을 강조함.		

❹ 문식성

● 매체 환경의 변화 및 이에 따른 장단점

매체 환경의 변화	
• 정보 전달의 상호 작용성 • 수용자도 정보의 생산과 확산에 적극적으로 참여함.	• 정보의 생산자와 수용자의 경계가 ❺⬜⬜ 해짐.

❺ 모호

↓

장점	단점
• 정보의 생산·유통이 ❻⬜⬜⬜이고 투명해짐. • 정보 내용물에 접근하는 방식이 참신하고 다양해짐.	• 검증되지 않은 정보들이 무분별하게 생산·유통됨. • ❼⬜⬜⬜이고 저급한 내용의 정보가 무수히 생산됨.

❻ 민주적

❼ 선정적

❽ 비판적

● 매체 문식성의 개념

좁은 의미	매체 정보 내용물에 대한 해독 능력
넓은 의미	매체의 작동 원리 및 매체 정보 내용물의 ❽⬜⬜ 이해 능력, 매체와 정보 내용물의 활용 및 창조적 생산 능력

개념 Catch

• **하이퍼텍스트(hypertext):** 사용자에게 비순차적인 검색을 할 수 있도록 제공되는 텍스트. 문서 속의 특정 자료가 다른 자료나 데이터베이스와 연결되어 있어 서로 넘나들며 원하는 정보를 얻을 수 있다.

1 다음 학생의 말과 가장 관련 깊은 디지털 매체의 특성을 〈보기〉에서 고르시오.

내가 올린 글에 댓글이 정말 빨리 달렸네.

▶ 보기 ◀

㉠ 글의 생산과 수용이 빠르고 자유롭다.
㉡ 문자뿐만 아니라 음성, 영상, 음악, 음향 등을 복합적으로 제시한다.
㉢ 하이퍼텍스트를 통해 서로 다른 자료들을 연결하여 정보를 입체적으로 제시한다.

2 다음은 〈현대의 매체 환경과 매체 문식성〉의 내용을 정리한 것이다. 맞으면 ○, 틀리면 × 표시를 하시오.

(1) 기존의 대중 매체는 정보 내용물의 생산자와 소비자가 뚜렷이 구분된다. ( )
(2) 일반인들은 인터넷을 기반으로 하는 정보 내용물의 생산에 참여할 수 있지만 유통에는 관여할 수 없다. ( )
(3) 매체 환경의 변화에 따라 검증되지 않은 정보의 생산이 줄어들고 있다. ( )

3 다음 글로 보아 인터넷에서 기사를 접할 때 유의해야 할 점으로 적절하지 않은 것은?

언론사 같은 전문 생산 조직이라고 해서 문제에서 자유로운 것은 아니다. 〈중략〉 이들이 경쟁적으로 생산하는 정보 내용물 역시 여러 가지 폐해를 보이고 있다. 클릭을 유도하기 위해 기사 내용과 일치하지 않는 자극적 제목을 붙이는 '낚시성' 기사, 인터넷 들머리사이트에서 동일한 기사를 반복적으로 올려 조회 수를 조작하는 행위, 특정 기업이나 조직 등에서 대가를 받고 홍보하는 내용의 기사를 써 주는 '광고성' 기사 등이 폐해의 대표적인 사례들이다.

① 내용의 신뢰성을 평가하며 읽는다.
② 내용의 객관성을 평가하며 읽는다.
③ 조회 수가 높은 기사는 읽지 않는다.
④ 낚시성 기사나 광고성 기사에 현혹되지 않는다.
⑤ 여러 기사를 비교하며 정보를 객관적으로 이해한다.

4 다음 글의 괄호 안에 들어갈 알맞은 말을 2어절로 쓰시오.

사람들에게 필요한 대부분의 정보는 인터넷상에 넘쳐나며 누구나 접근할 수 있다. 그러므로 원하는 정보를 신속하고 정확하게 찾고 그 가치를 제대로 평가할 수 있는가가 중요하다. 〈중략〉
( )은/는 좁게는 매체 정보 내용물에 대한 해독 능력을 의미하지만, 넓게는 매체에 접근하고 그 매체가 작동하는 원리와 매체 정보 내용물을 분별 있게 비판적으로 이해하며, 나아가 매체와 정보 내용물을 적절히 활용하고 이를 창조적으로 생산하는 능력까지를 포괄한다.

교과서 기출 베스트

[1~3] 다음 글을 읽고 물음에 답하시오.

가 현대 사회에서 매체 없이 살아가는 것은 거의 불가능하다. 물론 과거에도 매체는 존재했다. 책, 신문, 라디오, 텔레비전 등 지금도 많은 사람이 이용하는 매체 가운데는 길게는 수천 년, 짧게는 수십 년의 역사를 가진 것들도 있다. 그래서 매체를 똑바로 알고 제대로 이용할 수 있는가, 즉 매체 문식성을 적절히 갖추었는가의 문제는 예전에도 중요했다. 그런데 많은 매체 관련 전문가들이 오늘날에는 그러한 능력의 중요성이 과거에 견줄 바가 아니라고 말한다.

<small>문자 언어를 읽고 지식과 정보를 획득하고 이해할 수 있는 능력을 뜻하는 말로, '리터러시(literacy)'를 번역한 것</small>

나 기존의 대중 매체는 소수의 생산자가 만든 정보 내용물이 수많은 수용자에게 일방적으로 전달되며, 특정한 목표 수용자가 정해져 있기보다는 동시에 불특정 다수에게 대량으로 정보 내용물을 전송하는 것이 특징이다. 따라서 대중 매체 중심의 의사소통 환경에서는 정보 내용물을 생산하는 사람과 소비하는 사람이 뚜렷이 구분되고, 생산자에게 의사소통의 주도권이 부여되는 것이 일반적이다.

그런데 ㉠인터넷과 이를 기반으로 하여 운용되는 각종 서비스들(누리 소통망 서비스, 블로그, 모바일 메신저 등)은 일방향성이 아닌 '상호 작용성'을 특징으로 하며, 그 안에서는 정보 내용물의 생산자와 수용자 간의 경계가 모호하다. 과거에는 매체 정보 내용물을 소비하는 위치에 머물던 수용자들이 이제는 정보 내용물을 생산하고 확산하는 데에도 직간접적으로 이바지하게 되었다. 과거에도 방송사·신문사에 제보하거나 독자 투고를 하고 보도 내용에 항의하는 것과 같은 매우 적극적인 행동을 실행하는 수용자들이 있었다. 그런데 매체 환경이 달라지면서 수용자가 정보 내용물의 생산과 유통에 참여할 수 있는 손쉬운 방법들이 많이 생겨났고, 그에 따라 수용자의 실제 참여가 증가하였다. 기술이 변화시킨 것은 수용자 또는 그들의 능동성 자체가 아니라 수용자의 능동적 참여를 이끌어 내는 방식이다.

<small>의뢰를 받지 아니한 사람이 신문이나 잡지 따위에 실어 달라고 원고를 써서 보냄.</small>

내용 전개 방식 파악하기

1 이 글의 내용 전개 방식으로 가장 적절한 것은?

① 구체적인 일화를 소개하여 이해를 돕고 있다.

② 전문가의 견해를 인용하여 설득력을 높이고 있다.

③ 상반되는 주장을 절충하여 대안을 제시하고 있다.

④ 문제 상황을 분석한 후 해결 방안을 도출하고 있다.

⑤ 두 대상의 특징을 제시하여 차이점을 부각하고 있다.

글의 내용 파악하기

2
빈출유형
㉠에 대한 설명으로 적절하지 <u>않은</u> 것은?

① 정보 내용물의 생산자와 소비자 사이의 경계가 모호하다.

② 수용자가 정보 내용물의 생산과 유통에 쉽게 참여할 수 있다.

③ 수용자가 정보 내용물의 생산과 확산에 직간접적으로 기여한다.

④ 누리 소통망 서비스, 블로그, 모바일 메신저 등이 이에 해당한다.

⑤ 소수의 생산자가 만든 정보 내용물이 수많은 수용자에게 일방적으로 전달된다.

구절의 의미 이해하기

3
서술유형
ⓐ에 들어갈 내용을 〈조건〉에 맞게 서술하시오.

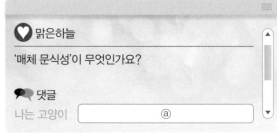

❤ 맑은하늘
'매체 문식성'이 무엇인가요?

💬 댓글
나는 고양이   ⓐ

┌─ 조건 ─

• **가** 를 바탕으로 하여 서술할 것

• '~하는 능력을 의미합니다.'의 문장 형식으로 서술할 것

[4~5] 다음 글을 읽고 물음에 답하시오.

가 ⊙일반인들이 매체 정보 내용물의 생산과 유통에 참여할 수 있는 구체적인 방법들 가운데 대표적인 사례는 다음과 같다. 먼저, 게시물을 직접 작성해 소셜 미디어를 통해 유통시키는 것이다. 이와 유사하게, 완전한 창작은 아니더라도 기존의 정보 내용물을 재가공하거나 편집해 일정 정도의 새로운 창작성을 갖춘 게시물을 게재할 수도 있다. 직접 생산만큼은 아니지만 이에 버금가는 활동으로는 뉴스를 비롯한 각종 정보 내용물에 댓글을 쓰거나 온라인 공간에서 이루어지는 토론이나 대화에 참여하는 행동이 있다. 이에 비해 좀더 소극적이고 간접적인 방식으로는 특정 정보 내용물을 공유하기, 정보 내용물이나 댓글에 '좋아요', '싫어요', '화나요'와 같은 공감 여부 표시하기, 추천하기 등이 포함된다.

나 앞에 열거한 유형들을 포함하여, 일반인이 정보 내용물의 생산과 유통에 참여하는 것은 과거의 대중 매체 시대와는 비교할 수 없는 수준으로 광범위한 영역에서 발생하고 있다. 이러한 현상은 분명 긍정적인 측면이 있다. 소수의 생산자가 소비되는 정보 내용물의 대부분을 만들어 내던 과거에 비해 정보의 생산과 유통이 훨씬 민주적이고 투명해졌고, 기존 정보 내용물의 문법을 벗어난 참신하고 다양한 접근을 담아낼 수 있게 된 점에서 그렇다.

다 그런데 한편으로는 검증되지 않은 내용의 무분별한 생산과 유통, 지나친 경쟁에 따른 선정적 정보 내용물의 양산과 하향 평준화 등 부작용이 속출하고 있다. 기본적인 사실 확인도 거치지 않은 채 그저 흥미롭다는 이유로 게시물을 작성하거나 퍼 나르는 일이 비일비재하고, 사람들의 이목을 끌
_{같은 현상이나 일이 한두 번이나 한둘이 아니고 많음.}
거나 돈을 버는 것만을 목적으로 하는 저급한 수준의 정보 내용물이 무수히 생산되고 있다.

라 언론사 같은 전문 생산 조직이라고 해서 문제에서 자유로운 것은 아니다. 인터넷은 수용자의 정보 생산만 손쉽게

만든 것이 아니라 언론사를 포함한 전문적 생산 조직의 수자체를 늘려 놓았으며, 이들이 경쟁적으로 생산하는 정보 내용물 역시 여러 가지 폐해를 보이고 있다.

글쓴이의 관점 파악하기

4 이 글을 읽은 학생들이 다음과 같이 대화를 나누었다고 할 때, 글쓴이의 생각과 일치하지 <u>않는</u> 것은?

① 오늘날은 과거에 비해 정보의 생산과 유통이 민주적이고 투명해졌어.

② 매체 환경의 변화에 따라 정보 내용물에 접근하는 방식이 참신해졌어.

③ 일반인들은 다양한 방법으로 정보 내용물의 생산과 유통에 참여하고 있어.

④ 언론사의 노력으로 검증되지 않은 흥미 위주의 정보 내용물은 점점 사라지고 있어.

⑤ 정보 내용물의 생산과 유통이 활발하게 이루어지면서 수준 낮은 정보 내용물 역시 많이 생산되고 있어.

구체적 사례나 상황에 적용하기

5 ⊙의 사례로 적절하지 <u>않은</u> 것은?
빈출유형
① 자신의 여행 후기를 개인 블로그에 올렸다.
② 사회적 쟁점을 다루는 인터넷 토론에 참여했다.
③ 좋아하는 가수의 동영상을 보고 댓글을 작성했다.
④ 유기견 문제의 심각성을 다룬 인터넷 기사를 찾아 읽었다.
⑤ 올바른 마스크 착용 방법을 설명한 인터넷 기사를 친구에게 공유했다.

4일 교과서 기출 베스트

[6~7] 다음 글을 읽고 물음에 답하시오.

가 ㉠과거에는 훈련을 받은 소수의 사람들이 일정 수준 이상의 검증 과정을 거쳐 정보 내용물을 제작했기 때문에 이용할 수 있는 정보 내용물의 양 자체가 제한되어 있었다. 더구나 개인 매체가 발달하지 않았기 때문에 학부모, 교사 등이 청소년의 매체 이용 시간이나 방식을 전반적으로 지도할 수 있었다. 그에 비해 ㉡지금은 거의 무한대에 가까운 정보 내용물이 인터넷상에 존재하며 스마트폰, 태블릿 컴퓨터, 노트북 등 개인이 오롯이 소유하고 이용하는 매체를 통해 마음만
_{손이나 전용 도구로 화면에 정보를 직접 입력할 수 있게 만든 컴퓨터}
먹으면 깨어 있는 내내 이를 접할 수가 있다. 한마디로 개인이 노출되는 모든 매체 정보 내용물에 관해 누군가가 따라다니며 지도해 주는 것이 불가능한 환경이 되었다.

나 매체 정보 내용물에 대한 분별력은 곧 매체 문식성의 핵심을 이루는 요소이다. 분별력은 단순히 저급한 정보 내용물을 차단하기 위한 소극적인 동기에서만 필요한 것이 아니다. 그보다는 자신에게나 공동체에 필요하고 유용한 내용을 찾아 적극적으로 활용하기 위해 반드시 갖춰야 할 능력이다. 비용을 지불해야 이용할 수 있는 일부 정보를 제외하고 사람들에게 필요한 대부분의 정보는 인터넷상에 넘쳐나며 누구나 접근할 수 있다. 그러므로 원하는 정보를 신속하고 정확하게 찾고 그 가치를 제대로 평가할 수 있는가가 중요하다.

다 매체 문식성은 정보에 대한 평가, 이해, 활용과 관련된 능력을 포괄하는 개념이다. '매체'와 '문식성'을 합한 '매체 문식성'은 좁게는 매체 정보 내용물에 대한 해독 능력을 의미하지만, 넓게는 매체에 접근하고 그 매체가 작동하는 원리와 매체 정보 내용물을 분별 있게 비판적으로 이해하며, 나아가 매체와 정보 내용물을 적절히 활용하고 이를 창조적으로 생산하는 능력까지를 포괄한다.

글의 내용 파악하기

6 ㉠, ㉡에 대해 설명한 내용으로 적절하지 **않은** 것은?

① ㉠: 정보 내용물의 양이 제한되어 있었다.
② ㉠: 개인 매체의 이용이 활발하지 않았다.
③ ㉠: 훈련받은 사람이 정보 내용물을 제작했다.
④ ㉡: 무한에 가까운 양의 정보 내용물이 존재한다.
⑤ ㉡: 개인이 접하는 모든 매체 정보 내용물에 관해 지도하는 것이 가능해졌다.

글의 내용 파악하기

7 빈출유형 **매체 문식성** 에 대한 설명으로 적절하지 **않은** 것은?

① 매체 작동 원리를 이해하는 능력
② 매체 정보 내용물을 해독하는 능력
③ 매체와 정보 내용물을 적절히 활용하는 능력
④ 매체 정보 내용물을 비판적으로 이해하는 능력
⑤ 조회 수가 높은 매체 정보 내용물을 선별하는 능력

매체 자료 비판적으로 읽기

8 서술유형 다음 인터넷 블로그 게시물과 댓글을 살펴보고, 게시물을 비판적으로 평가한 내용을 〈조건〉에 맞게 서술하시오.

▲ 국내 미세 먼지 배출 원인

미세 먼지를 배출하는 원인으로 꼽히는 노후한 경유 차나 사업장에 대한 대책 그리고 국외 유입 미세 먼지에 대한 대책이 미비하다는 점이 아쉽습니다.

> 좋은 날 | 국내 미세 먼지의 배출 원인은 어디서 조사한 건가요?   답글

┌─ 조건 ─
• 제시된 도표 자료의 신뢰성과 관련하여 서술할 것
• 완결된 한 문장으로 서술할 것

44 7일 끝・고등 독서

[9~11] 다음 글을 읽고 물음에 답하시오.

가 매클루언은 매체를 특정한 목적이나 필요를 만족시키는 중립적 도구가 아니라 환경이라고 본다. 이러한 환경은 '보이지 않는 배경 원칙'을 지니고 이 환경에 적응하며 사는 인간의 지각과 의식에 영향을 끼친다고 한다. 매클루언은 "매체는 메시지이다.(The medium is the message.)"라는 표현을 통해 매체가 전달하는 내용보다 매체의 배경 원칙에 주목하라고 한다. 매체의 내용은 마치 강도가 집을 지키는 개의 주의를 딴 데로 돌리기 위해 던지는 고깃덩어리처럼 인간 경험에 무의식적으로 스며드는 매체의 편향성을 잘 의식하지 못하게 만든다고 한다. ㉠물고기가 물 밖으로 나오기 전까지는 물의 존재를 모르듯이 인간이 너무나 자연스러운 매체 환경을 의식하기란 어렵다.
＜한쪽으로 치우친 성질＞

나 매클루언은 매체를 인간 경험의 규모와 형태를 형성하고 제어하는 배경으로 바라보면서, 이러한 배경을 인식하려면 역이미지, 다시 말해 개인의 삶의 습관이나 행동 양식을 바꾸는 매체 환경의 보이지 않는 성격을 볼 줄 알아야 한다고 말한다.

다 한편 매클루언은 매체를 인간의 눈, 귀, 근육, 신경 조직 등 인간 감각을 확장한 것으로 본다. ＜중략＞ 감각을 확장하는 매체는 감각 간의 불균형을 일으키게 된다. 예를 들어, 알파벳과 인쇄술은 사람의 말을 시각적인 부호로 전달하면서 귀 대신 눈이 지배하는 새로운 감각 비율을 만든다. 구어 문화에서
＜일상적인 대화에서 쓰는 말＞
는 듣는 것이 믿는 것이었는데, 문자 문화에서는 보는 것이 믿

▲ 마셜 매클루언

는 것이 된다. 인간의 감각 기관은 매체가 형성하는 감각 간 불균형을 완화하며 평형 상태를 유지하기 위해 특정 감각의 마비 상태를 일으키는데, 인간은 이렇게 매체가 만든 지각 환경을 현실이라고 받아들인다.

내용 전개 방식 파악하기

9 이 글에 대한 설명으로 적절한 것을 〈보기〉에서 모두 골라 묶은 것은?

━━━━━━━━━━━━━━━ ▶ 보기 ●

ⓐ 여러 전문가의 견해를 종합하고 있다.
ⓑ 대상을 특정 기준에 따라 분류하고 있다.
ⓒ 구체적인 사례를 들어 이론을 설명하고 있다.
ⓓ 비유를 활용하여 대상의 특성을 드러내고 있다.

① ⓐ, ⓑ   ② ⓐ, ⓒ   ③ ⓑ, ⓒ
④ ⓑ, ⓓ   ⑤ ⓒ, ⓓ

글의 내용 파악하기

10 '매체'를 이해한 내용으로 적절하지 <u>않은</u> 것은?
빈출유형
① 매체는 인간의 감각이 확장된 것이다.
② 매체는 감각 간의 불균형을 완화한다.
③ 매체는 인간의 지각과 의식에 영향을 끼친다.
④ 매체는 인간 경험의 규모와 형태를 형성한다.
⑤ 매체는 보이지 않는 배경 원칙을 지닌 환경이다.

구절의 의미 이해하기

11 다음은 ㉠의 의미에 대해 나눈 대화이다. 괄호 안에 들어
서술유형 갈 알맞은 말을 2어절로 쓰시오.

 '물고기'는 '인간'을 빗댄 것이구나. 그럼 '물'은 무엇을 빗대어 나타낸 걸까?

너무나 자연스러워서 인간이 의식하지 못하고 살아가는 ( )을/를 의미해.

5 일

(1) 자발적 독서의 계획과 실천
(2) 독서 활동에 참여하기

생각 열기 여럿이 함께 책을 읽으면 어떤 점이 좋을까?

핵심 1 · 자발적 독서를 통한 독서 문화 형성

◐ 자발적 독서

스스로 독서 계획을 세우고, 그 계획을 실천한 뒤, 자신의 독서 활동을 **❶ [   ]** 하는 것

❶ 평가

◐ 독서 문화 형성

평생 독서 활동의 효과	평생 독서 활동을 위한 실천 방향
• 지식과 정보를 얻어 시대의 변화에 대응할 수 있음. • 자기 분야의 **❷ [ ]** 로 성장할 수 있음. • 독서 문화를 향유하고 건전한 독서 문화 형성에 이바지할 수 있음.	• 독서에 대한 흥미와 관심을 유지함. • 자발적인 독서 태도를 지님. • 자신의 **❸ [ ]** (독자가 지금까지 실천해 온 독서 경험이나 경력)을 관리함.

❷ 전문가

❸ 독서 이력

핵심 2 · 〈모든 학문이 소통하는 서재〉_ 한정원

갈래	수필
주제	학자와 학문의 융합·**❹ [ ]** 을 꿈꾸는 생물학자 최재천의 서재
특징	① 관찰자의 입장에서 최재천의 독서 특징을 소개함. ② 글 중간중간에 최재천의 인터뷰 내용을 삽입함. ③ 특별히 다루어 기록할 만한 책 몇 가지를 예로 들어 소개함. ④ **❺ [ ]** 와 책을 중심으로 최재천의 독서 태도와 가치관을 자연스럽게 이끌어 냄.

❹ 소통

❺ 서재

◐ 최재천의 서재 '통섭원'의 의미

통섭원 — • 세상과 제자들과 소통하는 장
• 자연 과학과 인문학이 벽을 깨고 **❻ [   ]** (사물에 널리 통함. 또는 서로 사귀어 오감.)되기를 바라는 공간
• 학자들과 진리를 탐하고 서로의 학문에 빠져들기를 바라는 **❼ [   ]** 의 공간

❻ 통섭

❼ 소망

❽ 자발적

◐ 최재천의 독서 태도

① 자신의 연구 분야, 관심 분야 등을 중심으로 서재를 꾸민 것으로 보아 **❽ [   ]** 독서를 함.

② 30년이 넘게 책과 함께하고 책을 읽어 오며 평생 독서를 실천함.

기초 확인 문제

정답과 해설 95쪽

1 최재천의 서재 '통섭원'에 대한 설명으로 적절하지 <u>않은</u> 것은?

① 세상과 제자들과 소통하는 장이다.
② 책 한 권 한 권에 이야기와 추억이 있다.
③ 하나의 흐름에 따라 책이 배열되어 있다.
④ 학자들과 진리를 탐하고 서로의 학문에 빠져들기를 바라는 공간이다.
⑤ 자신과 같은 분야를 공부하는 사람들을 위해 자연 과학 분야의 책으로만 구성했다.

2 다음은 최재천의 서재에 있는 책이다. 각 책에 대한 설명으로 알맞은 것을 〈보기〉에서 골라 괄호 안에 그 기호를 쓰시오.

(1)
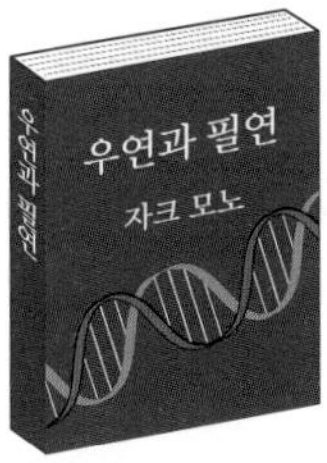

(　　　　)

(2)
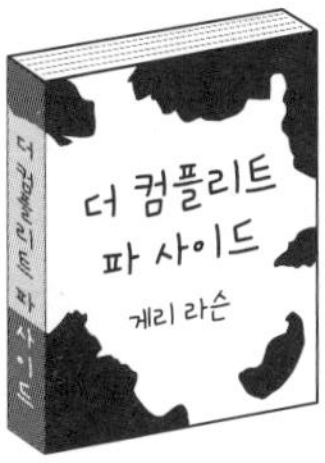

(　　　　)

보기

㉠ 영문책 읽기에 한창 빠져 있을 때 만난 책이다.
㉡ 진화의 핵심을 찌르는 흥미로운 내용이 담겨 있다.
㉢ 대학 시절에 친구들, 교수님에게 빌려주며 함께 읽은 책이다.
㉣ 자연 과학자의 마음을 잘 표현한 책으로, 강의할 때 이 책에 실린 만화를 자주 인용한다.

3 ㉠~㉥을 최재천의 서재에 진열된 책의 흐름에 따라 나열하시오.

㉠ 일반적인 진화론 책들
㉡ 과학 전반에 걸친 책들
㉢ 진화의 각론을 다룬 책들
㉣ 인문학과 예술 관련 책들
㉤ 과학과 연결할 수 있는 문화, 사회학 책들
㉥ 영장류, 사회성 동물들의 진화, 뇌의 진화와 인지 과학, 종교와 사상에 관한 책들

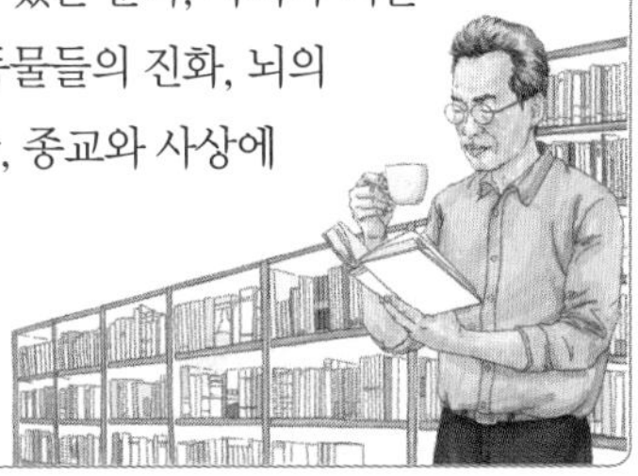

4 다음 글로 보아 ㉠~㉢ 중 최재천의 서재에 있는 책의 모습으로 적절한 것을 고르시오.

또 책을 접거나 구기지 않는다. 책에 줄을 긋고 여기저기 쓰는 것을 싫어한다. 쓸 것이 있을 때에는 쪽지에 써서 살짝 끼워 놓는다. 책이 귀했던 어린 시절부터 몸에 밴 습관이다. 서재에 있는 책은 어느 것 하나를 골라잡아 펼쳐도 새것 같지 않은 것이 없다.

㉠
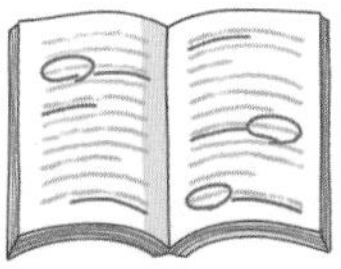

㉡
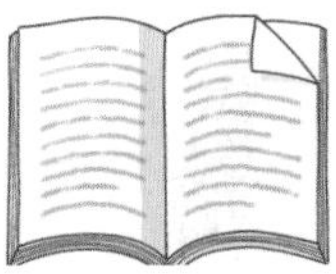

㉢
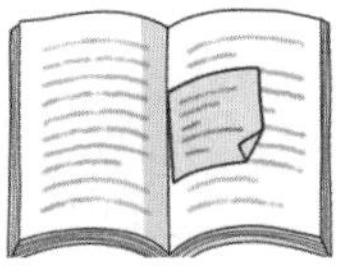

[1~3] 다음 글을 읽고 물음에 답하시오.

가 생물학자 최재천은 자신의 서재를 '통섭원'이라고 부른다. 그곳은 그가 세상과 제자들과 소통하는 장이자, 자연 과학과 인문학이 벽을 깨고 통섭되기를 바라는 공간이며, 또 학자들과 진리를 탐하고 서로의 학문에 빠져들기를 바라는 소망의 공간이다.

그는 책을 통해 또 다른 학문과 소통하는 것을 시도한다. 그리고 끊임없이 탐구한다. 그는 과학과 인문 그리고 예술이 서로의 분야를 넘나들며 다른 분야의 학문과 얽히고설켜 새로운 것을 창조해 내는 책, 그래서 서로 강한 상승 효과를 내는 책을 좋아한다.

"저는 ㉠걸쳐 있는 책이 좋아요. 여러 분야에 걸쳐 있는 책에 호감이 갑니다. 과학과 문명의 관계에 대해 썼다면 '어떻게 섞였을까? 어떻게 엮어서 의미를 찾았을까?' 하고 너무 궁금해지죠. 그런 책들이 제 서재에 굉장히 많아요."

나 바닥부터 천장까지 책으로 빼곡한 그의 서재는 과학자의 서재라고는 상상하기 힘들 만큼 인문학책과 예술책들로 가득하다. 김병종의 《화첩 기행》부터 인문 서적들과 사상·철학 서적들까지 여러 분야의 책들이 둥지를 틀고 있다.

다 창가 옆에 놓인 탁자 위에는 어린이들을 위한 자연책과 게리 라슨의 《더 컴플리트 파 사이드(The Complete Far
미국의 만화가. 주로 동물이나 벌레, 물고기들을 의인화하고 세계를 풍자하는 만화를 그림.
Side)》라는 두꺼운 책이 늘 놓여 있다. 최재천은 게리 라슨의 책에서 많은 영감을 얻었다고 했다. 언뜻 보면 만화책 같지만, 그 안에는 진화의 핵심을 찌르는 흥미로운 내용이 담겨 있다. 자연 과학자의 마음을 기가 막히게 잘 표현했다며 그는 강의할 때 이 책의 만화를 자주 인용한다고 했다.

1 **이 글에 대한 설명으로 적절한 것은?**
빈출유형
① 글쓴이가 자신의 독서관을 서술하고 있다.
② 여러 독서가와 인터뷰한 내용을 인용하고 있다.
③ 독자에게 바람직한 독서 태도를 권장하고 있다.
④ 특정 독서가의 서재와 독서 경향을 소개하고 있다.
⑤ 시간의 흐름에 따라 특정 독서가의 일대기를 제시하고 있다.

2 **㉠에 대한 설명으로 가장 적절한 것은?**
빈출유형
① 사상이나 철학 관련 책
② 문학적인 상상력이 풍부한 책
③ 한 분야의 전문 지식이 담긴 깊이 있는 책
④ 사회 문제의 해결 방안을 고민하는 내용의 책
⑤ 다양한 분야를 넘나들며 새로운 것을 창조해 내는 책

3 **다음은 '통섭'의 사전적 의미이다. 다음을 참고할 때 최재천이 자신의 서재를 '통섭원'이라고 부르는 이유를 〈조건〉에 맞게 서술하시오.**
서술유형

표준국어대사전	통섭	찾기

통섭「명사」
「1」 사물에 널리 통함.
「2」 서로 사귀어 오감.

─ 조건 ─
• **가**를 바탕으로 하여 완결된 한 문장으로 서술할 것
• '서재는 최재천이 ~ 공간이기 때문이다.'의 문장 형식으로 서술할 것

[4~5] 다음 글을 읽고 물음에 답하시오.

가 그의 서재에는 하나의 흐름이 있다. 창가 옆에 진열된 일반적인 진화론 책에서 출발해서 성의 진화, 사회성의 진화, 도덕성의 진화를 다룬 진화의 각론들 그리고 그 옆에는 영장류, 사회성 동물들의 진화, 뇌의 진화와 인지 과학, 종교와 사상에 관한 책들이 한 면을 꽉 채우고 있다. 그다음에는 환경 문제, 물리, 화학, 지구 과학 등 과학 전반에 걸친 책들이 있고, 넘어가면 과학과 연결할 수 있는 문화, 사회학 책들이 있고 인문학과 예술 관련 책에서 마침표를 찍는다.

나 그런데 그 흐름 속에서도 그 나름의 규칙이 있다. 책과 책 사이에 빈틈을 허용하지 않는 것이다. 〈중략〉 또 ⊙책을 접거나 구기지 않는다. 책에 줄을 긋고 여기저기 쓰는 것을 싫어한다. 쓸 것이 있을 때에는 쪽지에 써서 살짝 끼워 놓는다. 책이 귀했던 어린 시절부터 몸에 밴 습관이다. 서재에 있는 책은 어느 것 하나를 골라잡아 펼쳐도 새것 같지 않은 것이 없다. 어떤 이들은 까다롭다 할지 모르지만, 그에게는 이유가 있다.

"여기 있는 책들은 저 혼자 보는 책이 아니거든요. 저와 제 학생들, 제 주변의 많은 사람이 함께 보는 것이니 소중히 다뤄야지요. 언젠가는 제 책들이 저와 같은 분야를 공부하는 사람들의 책이 될 테니까요. 대한민국의 어느 도서관도 제가 연구하는 분야에 관해 이만큼의 책을 갖고 있는 곳은 없을 거예요. 저는 제 뒤에 걸어오는 후학들에게 그 도서
관 역할을 해 주고 싶어요. 꼭 해 주어야 할 것 같아요."
_{학문에서의 후배}

글의 내용 파악하기

4
**서술
유형**
⊙의 이유를 〈조건〉에 맞게 서술하시오.

> ● 보기
> • **나**에서 두 가지 이유를 찾아 각각 한 문장으로 서술할 것
> • 각각 '~고 생각하기 때문이다.'의 문장 형식으로 서술할 것

글의 내용 파악하기

5
**빈출
유형**
최재천의 서재에 대한 설명으로 적절하지 **않은** 것은?

① 책들이 빈틈없이 꽂혀 있다.
② 다양한 분야의 책이 꽂혀 있다.
③ 진화론 관련 책이 많이 비치되어 있다.
④ 일정한 흐름에 따라 책들이 배열되어 있다.
⑤ 인문학과 예술 관련 책은 서로 멀리 떨어진 곳에 꽂혀 있다.

글의 특징 파악하기

6 다음 글에 대한 설명으로 적절하지 **않은** 것은?

> 1986. 2. 12.
> 정재서가 번역하고 주석을 붙인 《산해경》을 쉬엄쉬엄 읽다. 중국인들이 상상하는 세계가 어렴풋이 떠오른다. 잘 걸리는 병, 화재, 제사, 보석, 희귀한 동식물 등의 상상적 세계에서는 모든 것이 인간과 관련지어 이해된다.
>
> 1987. 1. 16.
> 김붕구가 번역한 스탕달의 《적과 흑》은 번역이 뛰어나다. 번역자의 문체를 그대로 느낄 수가 있다. 원작자는 죽고 그만 남는다. 특이한 번역가이다.
>
> 1988. 4. 8.
> 김원우의 《세 자매 이야기》는 읽을 만하다. 그의 너스레가 적당한 힘을 발휘한다. 특히 《세 자매 이야기》는 채만식의 《인형의 집을 나와서》와 함께 여성 문제의 본질을 엿보게 하는 중요한 작품이다.

① 책의 내용과 소재를 언급하고 있다.
② 번역자에 대한 평가를 드러내고 있다.
③ 주로 국내 소설 분야에 관심을 보이고 있다.
④ 다른 책과의 관련성을 짚어 보며 책을 읽고 있다.
⑤ 작가의 글쓰기 방식에 대한 평가를 드러내고 있다.

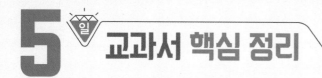

핵심 1 타인과 교류하는 독서 활동

⊙ 타인과 교류하는 독서의 개념과 중요성

타인과 교류하는 독서(사회적 독서)	타인과 교류하는 독서 활동 참여의 중요성
가정, 학교, 동아리, 지역 사회, 회사, 종교 단체, 동호회 등 독자가 소속된 **❶**　　　를 구성하는 다른 사람들과의 독서 활동에 참여하는 독서	• 책의 내용을 더 깊이 이해할 수 있음. • 다른 독자들에게 긍정적인 자극과 영향을 받아 내적으로 성장할 수 있음. • 다른 독자들과 ˚유대감을 형성할 수 있음. • 독서 문화를 향유하고 발전시킬 수 있음.

❶ 공동체

⊙ 독서 활동에 참여하는 방법

① 자신의 **❷**　　　에 맞는 다양한 독서 활동 찾기

② 독서 활동에 **❸**　　　으로 참여하기

③ 독서 활동의 경험을 주위 사람들과 나누고, 새로운 독서 활동 조직하기

❷ 관심사

❸ 능동적

핵심 2 〈도란도란 책 모임〉_ 백화현

갈래	수필
주제	독자 간의 **❹**　　　이 이루어지는 독서 모임의 가치와 필요성
특징	① 사회적 독서를 실천한 실제 경험을 소개함. ② 독서 모임의 진행 과정과 독서 활동의 구체적 모습을 상세히 서술함. ③ **❺**　　　 독서의 가치와 의의 및 유용성을 강조함.

❹ 소통

❺ 사회적

⊙ '도란도란 책 모임'의 진행 과정

독서 모임의 **❻**　　　과 계획은 아이들끼리 협의해서 결정함.	처음 몇 달 간은 토론거리가 풍성한 그림책, 만화책, 동화책을 읽음.	아이들이 독서 활동에 재미와 자신감을 느끼면서부터는 주제를 잡아 독서 활동을 계획하고 이에 따라 책을 읽음.

❻ 방법

❼ 이웃

❽ 독서 능력

⊙ 독서 모임의 가치

① 자신과 **❼**　　　, 세상에 대해 더 깊은 관심과 애정이 생겨남.

② 지식 정보화 시대에 필요한 **❽**　　　을 기를 수 있음.

③ 풍부한 지식과 정보를 바탕으로 하여 새로운 것을 창조하는 능력을 기를 수 있음.

개념 Catch

• 유대감: 서로 밀접하게 연결되어 있는 공통된 느낌

1 글쓴이가 '도란도란 책 모임'을 시작하게 된 계기로 적절한 것은?

① 큰아이가 책 읽는 것을 좋아했기 때문에

② 큰아이의 학업 성적을 올리고자 했기 때문에

③ 큰아이와 작은아이가 함께 있기를 바랐기 때문에

④ 온 가족이 책을 읽으며 이야기를 나누고 싶었기 때문에

⑤ 큰아이가 자신의 존재 가치와 배움의 기쁨을 발견하기를 바랐기 때문에

2 다음은 '도란도란 책 모임'에 참여한 아이들의 활동 후기이다. 각각의 후기와 가장 관련 깊은 내용을 〈보기〉에서 골라 빈칸에 그 기호를 쓰시오.

(1)
> "책 읽기와 공부의 즐거움과 만남의 소중함을 알게 되었다." ☐

(2)
> "어떻게 하면 더 나은 사회를 만들어 나갈 것인지 생각해 볼 수 있었다." ☐

(3)
> "이분법적 사고에 갇혀 있던 나는 이곳에서 다차원의 논리를 만나고 느꼈다." ☐

(4)
> "언젠가 넘기 어려운 벽에 부딪친다면 그 벽을 넘어서는 힘은 내 안의 그 공간에서 나올 것 같다." ☐

┌─ 보기 ──────────────────────
│ ㉠ 사회적 문제에 관심을 갖는 경험을 함.
│ ㉡ 배움의 기쁨을 깨닫고 인연을 얻게 됨.
│ ㉢ 미래에 대한 두려움을 극복할 자신감이 생김.
│ ㉣ 다른 사람과 소통하면서 생각의 폭이 넓어짐.
└──────────────────────────

3 다음은 '도란도란 책 모임'의 진행 과정을 정리한 것이다. 괄호 안에서 바른 내용을 골라 ○ 표시를 하시오.

(1) 독서 모임의 방법과 계획 등을 (아이들 / 지도 선생님)이 결정했다.

(2) 아이들이 독서 활동에 재미를 느끼고 자신감을 얻은 후부터 (작가별 / 주제별)로 도서를 선정하고 독서 활동을 계획했다.

4 다음 그림과 같이 친구와 함께 하는 독서 활동에 참여할 때의 장점으로 적절하지 않은 것은?

① 상처 입은 자존감을 회복할 수 있다.

② 나눔과 만남의 기쁨을 누릴 수 있다.

③ 생각을 주고받으며 사고가 열릴 수 있다.

④ 자신이 읽고 싶은 책만 골라 읽을 수 있다.

⑤ 관계와 학습에 대한 자신감을 얻을 수 있다.

5일

교과서 기출 베스트

[1~3] 다음 글을 읽고 물음에 답하시오.

가 우리 큰아이는 학교 공부를 잘한 것도 아니고 또래 아이들과는 달리 체육 활동을 좋아한 것도 아니었다. 중학생이 되어서는 거의 모든 수업을 지겨워했고, 자신이 살아야 하는 이유를 모르겠다며 힘들어했다. 엄마인 나로서는 정말 큰일이다, 싶었다.

나 도란도란 책 모임은 말 그대로 친구와 함께 책을 읽으며 도란도란 얘기를 나누는 모임이라는 뜻이다. 이것은 책을 정하여 읽은 뒤 책 속 인물이나 책의 내용을 실마리로 삼아 자신들의 이야기를 풀어내기도 하고 삶과 존재에 대해 질문을 던지고 답하며 함께 배워 가는 책 모임이다. 〈중략〉 아이들은 활동한 지 2, 3년 만에 정서적으로나 지적으로 크게 성장했다. 사춘기의 한복판에서 휘청대던 아이들은 책 모임을 하면서 내면이 단단해졌다. 공부를 싫어하던 아이들이 묻고 이야기하고 탐구하면서 배움의 즐거움을 느꼈다. 특히 우리 큰아이는 몰라보게 밝아졌고 학교 공부가 더 이상 재미없다는 말도 하지 않았다.

다 모임의 방법과 계획은 아이들끼리 협의해서 결정했다. 얼마의 주기로 모임을 할 것인지, 장소는 어디로 하고 어떤 활동을 할지, 어떤 규칙을 지켜 나갈지 등을 정했다. 책 모임 아이들은 우리 집에서 매주 일요일 저녁에 모였다. 책을 읽고 글을 써서 발표한 후 주제 토론을 하기도 했고, "나도 이런 일이 있었거든." 하며 책 속 이야기를 자신의 이야기로 풀어내기도 했다. 방학 때는 책을 읽고 책과 관련된 현장으로 여행을 가기도 했고, 주제를 정해 탐구한 후 보고서를 쓰고 발표하는 활동도 했다.

글의 특징 파악하기

1 이 글에 대한 설명으로 가장 적절한 것은?

① 독서 전문가의 말을 인용하고 있다.
② 독서 교육의 문제점을 체계적으로 분석하고 있다.
③ 사회적 독서를 실천한 실제 경험을 소개하고 있다.
④ 학교에서 하는 독서 활동의 종류를 설명하고 있다.
⑤ 독서 모임이 진행되기 어려운 까닭과 해결 방안을 제시하고 있다.

글의 내용 파악하기

2 '도란도란 책 모임'에 대한 설명으로 적절하지 **않은** 것은?
빈출유형
① 아이들이 다니는 학교에서 진행되었다.
② 다양한 방법의 독서 활동이 이루어졌다.
③ 아이들이 주체적으로 활동 방법을 결정했다.
④ 아이들의 정서적·지적 성장에 큰 도움이 되었다.
⑤ 친구와 함께 책을 읽으며 얘기를 나누는 모임이다.

글의 내용 파악하기

3 이 글의 글쓴이가 다음과 같이 말했다고 할 때, ㉠에 들어
서술유형 갈 적절한 내용을 〈조건〉에 맞게 서술하시오.

글쓴이

> 아이들은 책 모임을 한 지 2, 3년 만에 정서적으로나 지적으로 크게 성장했어요. 책 모임을 하면서 내면이 단단해졌고, 묻고 이야기하고 탐구하면서 배움의 즐거움을 느꼈지요. 특히 우리 큰아이는 (㉠)

┌─────────── 조건 ───────────
• **나** 를 바탕으로 하여 서술할 것
• '~게 되었어요.'의 문장 형식으로 서술할 것

[4~5] 다음 글을 읽고 물음에 답하시오.

가 여러 선진국은 지식 정보화 시대가 시작될 무렵인 1980년대부터 이미 획일적인 교육 방식에서 탈피하고 있다. 〈중략〉 지식 정보화 시대에 필요한 인물은 시키는 일만 잘하는 사람이 아니라 풍부한 지식과 정보를 토대로 하여 새로운 것을 창조할 줄 아는 사람이다. 독서 토론 활동은 이러한 능력을 길러 내는 데 큰 도움이 된다.

나 인성을 위해서나 장차 닥칠 직업 문제를 위해서나 친구와 같이하는 도란도란 책 모임만 한 것이 없다. 학교에서 해 볼 수도 있고, 방과 후나 주말을 이용해 하는 것도 좋다. 친구들과 한 해 두 해 꾸준히 책을 읽고 도란도란 얘기를 나누다 보면, 자신과 이웃, 세상에 대해 더 깊은 관심과 애정이 생겨날 것이다. 또한 지식 정보화 시대에 필요한 독서 능력과 자신만의 개성과 아이디어, 곧 창의성을 향상할 수 있을 것이다.

다 독서 모임은 《꽃들에게 희망을》의 노랑 애벌레처럼 우리를 나비로 날아오를 수 있게 해 준다. 나비들은 꽃들에게 희망을 주며 세상을 아름다운 향기로 물들이리라. 나는 세상의 모든 아이들, 아니 모든 사람들이 이러한 경이로운 체험을 할 수 있기를 바란다.

구절의 의미 이해하기

5 〈보기〉를 참고하여 이 글의 글쓴이가 '노랑 애벌레'와 '나비'에 빗대어 나타낸 대상을 각각 쓰시오.
서술유형

> ● 보기 ●
> 《꽃들에게 희망을》은 애벌레가 방황과 각성을 거쳐 나비가 된다는 내용의 동화이다. 무한 경쟁을 하며 살아가던 호랑 애벌레는 노랑 애벌레의 도움을 받고 삶의 태도를 바꾸기로 결심하여 나비가 된다.

• 노랑 애벌레: _____

• 나비: _____

글의 내용 파악하기

6 다음 글의 내용을 아래와 같이 정리한다고 할 때, ㉠에 들어갈 내용으로 적절하지 **않은** 것은?
빈출유형

> 뜻이 맞는 사람들이 모여야 하고, 서로 관계가 원만해야겠죠. 무엇보다도 회원 모두가 모임에 꾸준히 참여하도록 노력해야 합니다. 또 노력이나 비용, 시간의 측면에서 지나치게 부담이 되지 않아야 해요. 그렇지 않으면 모임을 오래 지속하기가 어려울 거예요.

〈독서 모임을 잘 진행하기 위한 방법〉

㉠

① 회원 모두 모임에 꾸준히 참여한다.
② 뜻이 맞는 사람들끼리 모임을 구성한다.
③ 회원들 사이의 관계를 원만하게 유지한다.
④ 모임에 드는 비용과 시간을 아까워하지 않는다.
⑤ 모임이 회원에게 지나치게 부담이 되지 않도록 한다.

글의 내용 파악하기

4 이 글에서 제시한 독서 모임의 효과로 적절하지 **않은** 것은?
빈출유형
① 자신만의 개성과 아이디어를 키울 수 있다.
② 주변 사람들과 세상에 대한 애정이 생겨난다.
③ 과거를 돌이켜보고 잘못을 깨닫는 기회가 된다.
④ 진로 문제에 관한 고민을 해결하는 데 도움이 된다.
⑤ 지식 정보화 시대에 필요한 독서 능력을 기를 수 있다.

[1~3] 다음 글을 읽고 물음에 답하시오.

가 정치 논리는 '누구에게 얼마를'이라는 식의 자원 배분의 논리로서 주로 분배 측면을 중시한다. 반면에 경제 논리는 효율성 혹은 '최소의 비용으로 최대의 효과'를 얻고자 하는 경제 원칙에 입각한 자원 배분의 논리이다.

정치 논리와 경제 논리는 일반적으로 정치인과 경제인에게서 잘 드러난다. 여기서 정치인은 사회적 의사 결정에 합법적인 권한을 갖고 있는 공직자를 말하고, 경제인은 공공 정책의 분석·진단·수립 및 평가 등을 담당하는 경제 전문가를 의미한다. 〈중략〉 정치인은 선거를 통해 국민에게 권력을 위임받은 사람들이다. 이러한 의미에서 이들은 자연인이라기보다 권력 기관들이다. 그리고 국민 투표 사안을 제외한 모든 사회적 의사 결정에서 주권자를 대신할 권한을 지닌다. 반면에 경제인은 주권자를 대신해 사회적 의사 결정을 할 권한도 없고 합법성도 없다. 그렇지만 경제인은 시장 경제 체제에서 인간 활동의 동기가 되는 경제 행위에 관한 전문 지식과 분석 기술을 보유하고 있어, 정치인의 결정에 도움이 되는 대안을 제시할 수 있다.

나 드디어 드레퓌스가 군사 법정에 섰습니다. 〈중략〉 전 유럽을 화염에 휩싸이게 할 수도 있다던 그 위험한 것들은 과연 진실이었을까요? 아닙니다! 그 방에는 오직 뒤파티 드클랑 소령의 기괴하고도 광기 어린 상상력만이 있었습니다. 기상천외한 삼류 소설을 실화로 만들기 위해 그는 모든 것을 날조했습니다. 군사 법정에서 낭독된 기소장을 주의 깊게 살펴보면, 이 사실은 금방 드러납니다.

아! 이 얼마나 어처구니없는 기소장인지요! 이런 기소장으로 한 인간에게 유죄 판결이 내려진다면, 그것이야말로 불의의 극치입니다. 저는 정직한 사람이라면 이 기소장을 읽고 저 악마도에서 말도 안 되는 속죄를 강요당하고 있는 한 인간을 생각하면서 참을 수 없는 분노를 느끼고 반항의 외침을 내지르지 않을 수 없으리라고 장담합니다.

1 **가**에 대한 설명으로 가장 적절한 것은?

① 문제를 설명하고 해결 방안을 제시하고 있다.
② 다양한 관점을 제시한 후 이를 종합하고 있다.
③ 일반적인 통념의 잘못된 부분을 지적하고 있다.
④ 두 대상을 서로 비교하며 차이점을 밝히고 있다.
⑤ 대상의 타당성을 평가하고 대안을 제시하고 있다.

2 **가**를 참고할 때, '정치인'과 '경제인'의 말 중 적절하지 않은 것은?

① 저는 일종의 권력 기관에 해당합니다.

② 정책을 결정할 때는 분배의 측면을 중시하지요.

정치인

③ 그리고 주권자를 대신해 사회적 의사 결정을 내릴 수 있는 권한을 갖고 있습니다.

④ 저는 경제 관련 전문 지식을 활용하여 정책을 결정합니다.

⑤ 또, '최소의 비용으로 최대의 효과'를 얻고자 하는 경제 원칙을 따릅니다.

경제인

3 드레퓌스의 유죄 판결에 대한 **나**의 글쓴이의 관점이 직접적으로 드러나는 표현을 〈보기〉에서 모두 골라 쓰시오.
서술유형

┌─── 보기 ───
• 삼류 소설 • 군사 법정
• 불의의 극치 • 위험한 것들
• 어처구니없는 기소장
└─────────

[4~5] 다음 글을 읽고 물음에 답하시오.

가 수천 년 전의 것으로 짐작되는 사람의 뼈에서 그 흔적이 발견된 것으로 보아, 결핵은 인류의 탄생과 함께 발생한 질병으로 추정된다. 〈중략〉 영국의 채드윅은 1842년 노동자들의 위생 상태가 결핵과 같은 각종 감염병 유행의 가장 큰 원인임을 지적하며 위생의 중요성을 환기했고, 프랑스의 뷔유맹은 1865년 결핵으로 사망한 사람의 병터를 토끼의 몸에 주입하는 실험을 통해 결핵이 감염병임을 증명했다. 그리고 1882년 독일의 코흐가 결핵의 원인균을 분리하는 데 성공함으로써 드디어 인류가 결핵에서 해방될 수 있는 실마리가 제공되었다.

나 1906년 프랑스의 칼메트와 게랭은 백신을 개발함으로써 결핵 예방의 길을 텄다. 세균학자인 칼메트는 파스퇴르의 접종법 원리, 즉 독성을 약하게 만든 균을 인체에 주사하는 방법을 이용하려 했다. 우두를 앓으면 치명적인 천연두가 예방되는 것처럼 소 결핵을 가볍게 앓으면 사람 결핵이 예방되므로 소 결핵균이 백신으로 만들기에 적당했다.

다 왁스먼은 흙 속에서는 눈에 보이지 않는 미생물이 자신의 영역을 지키기 위해 끊임없이 자리다툼을 하며, 토양이라는 환경에 가장 잘 적응한 존재들만이 살아남게 된다는 사실을 알게 되었다. 사람을 죽게 하는 결핵균조차도 토양이라는 환경에서는 살아남지 못했다. 왁스먼은 토양에 다양한 미생물이 있으며, 그 수가 아주 많다는 사실에 착안했다. 그리하여 토양의 미생물 가운데 병원균을 사멸시키는 물질을 분비하는 미생물이 존재할 것이라는 가설을 세우고, 가설을 검증하기 위한 연구를 진행했다. 〈중략〉 그러던 중 그는 어느 방선균에서 뽑아낸 특이한 물질이 장티푸스균, 포도상 구균을 비롯한 여러 병원성 세균에 대해 살균 효과가 있다는 사실을 발견했다. 방선균이 생산하는 물질 가운데 항균 효과를 지닌 물질은 스무 가지가 넘었다.

4 이 글의 내용과 일치하지 **않는** 것은?

① 결핵은 수천 년 전에도 있었던 질병이다.
② 칼메트와 게랭은 천연두 예방법을 발견했다.
③ 채드윅은 위생과 감염병의 연관성을 강조했다.
④ 코흐는 결핵의 원인균을 분리하는 데 성공했다.
⑤ 뷔유맹은 결핵이 감염병이라는 사실을 밝혀냈다.

5 이 글의 내용을 참고할 때, ㉠에 들어갈 말로 가장 적절한 것은?

흙 속에서는 결핵균이 살아남지 못하는군. 그렇다면 (㉠)

왁스먼

① 토양에 다양한 미생물이 있으며, 그 수가 아주 많지 않을까?
② 토양에서 찾아낸 미생물의 항균 효과는 낮게 나타나지 않을까?
③ 토양에 결핵균과 같은 병원균을 사멸할 수 있는 미생물이 있지 않을까?
④ 다양한 성질을 지닌 토양을 채취하면 그 안에 방선균이 존재하지 않을까?
⑤ 토양에서 장티푸스균, 포도상 구균을 비롯한 여러 병원성 세균이 발견되지 않을까?

[6~8] 다음 글을 읽고 물음에 답하시오.

가 매컬러와 피츠는 생물학적인 신경망 이론을 단순화해서 논리, 산술, 기호 연산 기능을 구현할 수 있는 신경망 이론을 제시하였다. 그들은 마치 전기 스위치처럼 온(on)과 오프(off)로 작동하는 기본적인 기능이 있는 인공 신경을 그물망 형태로 연결하면, 그것이 사람의 뇌에서 동작하는 간단한 기능을 흉내 낼 수 있다는 것을 이론적으로 증명하였다.

나 획기적인 인공 신경망 모델인 퍼셉트론을 활용한 '기계 학습'이 기술 혁명을 가져올 것으로 기대되었지만 그것이 대부분의 컴퓨터에 활용되지는 않았다. 퍼셉트론의 한계 때문이다. 퍼셉트론은 보통의 컴퓨터나 인간이 쉽게 푸는 기본적인 논리 문제조차 제대로 풀지 못했으며, 퍼셉트론으로 학습할 수 있는 정보는 매우 제한적이었다.

다 많은 학자들은 기계가 좀 더 복잡한 문제를 풀 수 있게 하려고 기존 퍼셉트론의 입력층과 출력층 사이에 중간층을 삽입하고, 중간층의 신경망 층수를 늘려 나갔다. 그런데 ㉠신경망의 층수를 늘릴수록 기계가 판별을 제대로 하지 못하는 오류가 발생하여 학습 수행에 지장이 생겼다.

라 일반적으로 기계 학습에 적용된 컴퓨터의 데이터 분류 방식은 '지도 학습'과 '비지도 학습'으로 나눈다. 지도 학습은 컴퓨터에 먼저 분류 기준을 입력한 후에 컴퓨터에 정보를 가르치는 방식이다. 예를 들어, 사진을 주고 "이 사진은 고양이임."이라고 알려 주면, 컴퓨터는 미리 학습된 결과를 바탕으로 하여 고양이 사진을 구분한다. 비지도 학습은 분류 기준 없이 정보를 입력하고 컴퓨터가 알아서 분류하게 하는 방식으로, 컴퓨터가 스스로 비슷한 군집을 찾아 데이터를 분류한다.

마 힌턴은 많은 층수의 다층 퍼셉트론도 사전 훈련, 즉 연산 과정에 여러 층을 두어 컴퓨터 스스로 정보를 잘게 조각내어 작은 판단을 내리게 하는 과정을 통해 효과적으로 학습시킬 수 있다고 하였다.

6 이 글의 내용과 일치하지 <u>않는</u> 것은?

① 퍼셉트론으로 학습할 수 있는 정보는 매우 제한적이었다.

② 매컬러와 피츠는 생물학적인 신경망 이론을 단순화한 신경망 이론을 제시했다.

③ 인공 신경망 모델인 퍼셉트론은 실제 인간의 신경망처럼 매우 복잡한 문제도 풀 수 있었다.

④ 학자들은 퍼셉트론의 학습 수행 능력을 높이기 위해 입력층과 출력층 사이에 중간층을 삽입했다.

⑤ 온과 오프로 작동하는 기능이 있는 인공 신경을 그물망 형태로 연결하면 사람의 뇌 기능을 흉내 낼 수 있다는 것이 이론적으로 증명되었다.

7 '힌턴'이 ㉠의 문제를 해결하기 위해 조언을 한다고 할 때, 그 내용으로 가장 적절한 것은?

① 인공 신경망을 다층 구조로 설계하세요.

② 중간층의 신경망 층수를 최대한으로 늘리세요.

③ 데이터가 출력층에 도달하는 시간을 줄이세요.

④ 두 가지 이상의 데이터 분류 기준을 입력하세요.

⑤ 연산 과정에 여러 층을 두어 컴퓨터가 스스로 판단하는 과정을 도입하세요.

8
_{서술}
_{유형}
라 의 내용을 바탕으로 하여 빈칸에 들어갈 알맞은 내용을 쓰시오.

> ♥ 몽글몽글
>
> 기계 학습에 적용된 컴퓨터의 데이터 분류 방식을 나누는 기준은 무엇인가요?
>
> 💬 댓글
> 꿈꾸는 여행자   사전에 [   ]을/를 입력했는지 그렇지 않은지에 따라 지도 학습과 비지도 학습으로 나눌 수 있어요.

[9~10] 다음 글을 읽고 물음에 답하시오.

가 신문 대왕(神文大王)이 한여름 5월에 높고 밝은 방에서 설총을 돌아보고 말하기를 "오늘은 장마가 처음 개고 향기로운 남풍이 약간 서늘하니, 비록 맛 좋은 음식과 듣기 좋은 음악이 있다 해도 고아한 이야기와 유쾌한 해학으로 울적한 마음을 푸는 것만은 못하리라. 그대는 반드시 색다른 이야기를 들었을 터이니 어디 한번 나를 위해 말해 보지 않겠는가?"라고 하였다. 이에 설총은 "알았습니다." 하고 이야기를 시작하였다.

"제가 들은 것은 옛날에 화왕(花王)이 처음 왔을 때의 이야기입니다. 〈중략〉 홀연히 붉은 얼굴과 옥 같은 이에 곱게 화장하고 말쑥하게 차려입은 미인 하나가 간들간들 오더니 얌전한 자태로 다가서서 말하기를 '저는 눈처럼 흰 물가의 모래를 밟고, 거울처럼 맑은 바다를 마주보며, 봄비에 목욕하여 때를 씻어 내고, 맑은 바람을 쏘이면서 스스로 노닐거니와 이름은 장미라 합니다. 대왕의 밝은 덕망을 들었는지라 향기로운 휘장 속에서 대왕을 받들고자 하오니 왕께서는 저를 받아 주실는지요?'라고 했습니다. 〈중략〉 그러자 장부가 나와 말하기를 '저는 왕께서 총명하여 이치를 알리라고 생각해서 왔던 것인데, 지금 보니 그게 아닙니다. 무릇 임금 된 사람치고 간사하고 아첨하는 사람을 가까이하고 정직한 사람을 멀리하지 않는 이가 드무나니, 이 때문에 맹가(孟軻)가 불우하게 일생을 마쳤고 풍당(馮唐)은 낭서(郎署) 따위로 썩어 흰머리가 되었던 것입니다. 예로부터 이러했거늘 전들 어찌하겠습니까!'라고 하니, 화왕이 '내가 잘못했다, 내가 잘못했다.'라고 했다 합니다."

나 장차 배우고 물어야 한다면 중국을 버려두고 어떻게 하겠는가? 그러나 그들은 말하기를, 지금 중국을 다스리는 자는 오랑캐들이라고 하면서 배우기를 부끄러워해 중국의 옛 법마저 싸잡아 천하고 야만적이라 여긴다. 저들

이 진실로 변발을 하고 옷깃을 왼편으로 여미는 오랑캐이지만 저들이 살고 있는 땅이 삼대(三代) 이래 한(漢)·당(唐)·송(宋)·명(明)의 대륙이 어찌 아니겠는가? 그 땅 안에 살고 있는 사람들이 삼대 이래 한·당·송·명의 후손이 어찌 아니겠는가? 만약 법이 좋고 제도가 아름답다면 진실로 오랑캐라도 나아가 본받아야 할 터인데, 하물며 그 규모의 광대함과 마음 씀씀이의 정교함과 제작(制作)의 심원함과 문장의 찬란함이 아직도 삼대 이래 한·당·송·명의 옛 법을 보존하고 있음에랴?

9 **가** 에 대한 이해로 적절하지 <u>않은</u> 것은?
① '장미'는 아첨하는 간신을 빗댄 대상이다.
② '풍당'은 총명하지 못한 신하를 대표한다.
③ '화왕'은 나라를 다스리는 임금을 가리킨다.
④ '장부'는 '화왕'에게 충언하는 충신에 해당한다.
⑤ '맹가'는 임금이 알아보아야 하는 현인을 가리킨다.

10 **나** 의 글쓴이가 다음 선비들에게 보일 반응으로 적절하지 <u>않은</u> 것은?

지금 중국을 다스리는 자는 오랑캐들이며, 천하고 야만적입니다.

조선의 선비들

① 배우기를 부끄러워한다면 발전할 수 없습니다.
② 지금의 중국은 아직 옛 법을 보존하고 있습니다.
③ 옷깃을 왼편으로 여미는 풍습에도 배울 점이 있습니다.
④ 지금 중국에 살고 있는 사람들은 한·당·송·명의 후손들입니다.
⑤ 법이 좋고 제도가 아름답다면 오랑캐라도 나아가 본받아야 합니다.

[1~4] 다음 글을 읽고 물음에 답하시오.

가 현명한 군주는 자신을 두려운 존재로 만들되, 비록 사랑을 받지는 못하더라도, 미움을 받는 일은 피해야 합니다. 미움을 받지 않으면서도 두려움을 느끼게 하는 것은 얼마든지 가능하기 때문입니다. 〈중략〉 한니발의 활약에 관한 설명 가운데 특히 주목할 만한 사실은 그가 비록 수많은 종족이 뒤섞인 대군을 거느리고 이역에서 싸웠지만, 상황이 유리하든 불리하든 상관없이, 군 내부에서 또 그들의 지도자에 대해서 어떠한 분란도 일어나지 않았다는 것입니다. 이 사실은 그의 많은 다른 훌륭한 역량과 더불어, 그의 부하들이 그를 항상 존경하고 두려워하도록 만든 그의 비인간적인 잔인함으로 설명할 수 있습니다.

나 스와데시의 정신이란 우리가 가까운 주변에 모든 힘을 기울이기 위해 더욱 먼 곳은 관여하지 않는 것을 말한다. 종교를 예로 들면, 나는 우리의 고대 종교만을 믿는다. 내게 가까운 종교이기 때문이다. 비록 그 종교가 결점을 내포하고 있다 해도, 나는 결점을 고쳐 가면서라도 그 종교를 믿어야 한다.

이것은 정치 분야에서도 마찬가지이다. 경제 분야에서도 나는 가까운 이웃이 생산한 물건만을 사용해야 하며, 물건에 결함이 있다 해도 이웃의 생업이 능률적으로 이루어질 수 있도록 도와주어야 한다. 〈중략〉

지난 50년 동안 만일 모국어로 교육을 받을 수 있었다면, 우리의 선배, 공무원 등은 우리 전통 발전에 크게 이바지했을 것이다.

㉠민중이 가난한 근본 원인은 경제생활과 산업이 스와데시의 정신에서 완전히 벗어났기 때문이다. 외국에서 수입하는 상품이 한 가지도 없었다면, 오늘날 인도는 우유와 꿀이 흐르는 땅이 되었을 것이다. 그러나 실상은 다르다. 우리는 탐욕스럽고 영국도 탐욕스럽다. 영국과 인도의 관계는 분명히 잘못되어 있다.

1 **가**의 중심 화제로 가장 적절한 것은?

① 군주의 자질
② 한니발의 일생
③ 사랑을 받는 지도자
④ 사랑과 미움의 관계
⑤ 분란을 잠재우는 법

2 〈보기〉를 바탕으로 하여 **가**의 글쓴이를 이해한 내용으로 적절하지 <u>않은</u> 것은?

┌─ 보기 ─
• 이 글을 쓴 마키아벨리는 관료로 일하면서 무력을 갖추지 못한 지도자가 권력을 잃는 모습을 가까이에서 관찰했다.
• 글을 쓸 당시에 글쓴이의 조국 이탈리아는 여러 도시 국가로 나뉘어 강대국의 침략과 지배, 간섭을 받고 있었다.

① 강력한 통치자가 나타나기를 바랐을 것이다.
② 조국이 분열된 현실을 극복하고 싶었을 것이다.
③ 강대국들이 비인간적으로 잔인하다고 여겼을 것이다.
④ 지도자는 두려운 존재여야 한다고 생각했을 것이다.
⑤ 이탈리아가 외세로부터 자유로워지기를 바랐을 것이다.

3 (서술 유형) **나**를 참고하여 ⓐ에 들어갈 적절한 내용을 〈조건〉에 맞게 서술하시오.

'스와데시' 정신의 실천	
종교	(ⓐ)
교육	모국어로 교육을 받는다.

┌─ 조건 ─
• '우리의 고대 종교', '결점'이라는 말을 포함하여 서술할 것
• '~을/를 믿는다.'의 문장 형식으로 서술할 것

정답과 해설 98쪽

4 〈보기〉를 참고할 때, ㉠을 추론한 내용으로 적절한 것은?

> ● 보기 ●
>
> 19세기 중반에 인도를 점령한 영국이 무역을 통해 자국에서 대량으로 생산된 값싼 면제품을 인도에 들여왔다. 그러자 인도의 섬유 산업은 파괴되었고 인도의 수공업자들은 일자리를 잃었다.

① 영국의 종교가 인도에 들어왔기 때문이다.
② 인도에서 대량 생산 기술이 발달했기 때문이다.
③ 영국과 인도의 무역에서 마찰이 생겼기 때문이다.
④ 인도에서 생산한 물건에 결함이 생겼기 때문이다.
⑤ 인도인이 자국 물건이 아니라 수입한 물건을 구매했기 때문이다.

[5~6] 다음 글을 읽고 물음에 답하시오.

가 기존의 대중 매체는 소수의 생산자가 만든 정보 내용물이 수많은 수용자에게 일방적으로 전달되며, 특정한 목표 수용자가 정해져 있기보다는 동시에 불특정 다수에게 대량으로 정보 내용물을 전송하는 것이 특징이다. 따라서 대중 매체 중심의 의사소통 환경에서는 정보 내용물을 생산하는 사람과 소비하는 사람이 뚜렷이 구분되고, 생산자에게 의사소통의 주도권이 부여되는 것이 일반적이다.

그런데 인터넷과 이를 기반으로 하여 운용되는 각종 서비스들(누리 소통망 서비스, 블로그, 모바일 메신저 등)은 일방향성이 아닌 '상호 작용성'을 특징으로 하며, 그 안에서는 정보 내용물의 생산자와 수용자 간의 경계가 모호하다. 과거에는 매체 정보 내용물을 소비하는 위치에 머물던 수용자들이 이제는 정보 내용물을 생산하고 확산하는 데에도 직간접적으로 이바지하게 되었다. 〈중략〉 매체 환경이 달라지면서 수용자가 정보 내용물의 생산과 유통에 참여할 수 있는 손쉬운 방법들이 많이 생겨났고, 그에 따라 수용자의 실제 참여가 증가하였다.

나 그런데 한편으로는 검증되지 않은 내용의 무분별한 생산과 유통, 지나친 경쟁에 따른 선정적 정보 내용물의 양산과 하향 평준화 등 부작용이 속출하고 있다. 〈중략〉 클릭을 유도하기 위해 기사 내용과 일치하지 않는 자극적 제목을 붙이는 '낚시성' 기사, 인터넷 들머리사이트에서 동일한 기사를 반복적으로 올려 조회 수를 조작하는 행위, 특정 기업이나 조직 등에서 대가를 받고 홍보하는 내용의 기사를 써 주는 '광고성' 기사 등이 폐해의 대표적인 사례들이다.

5 기존의 대중 매체와 인터넷 기반 매체의 특징으로 알맞은 것은?

기존의 대중매체

인터넷 기반 매체

① 생산자와 수용자의 구분이 뚜렷하다.
② 매체 사용자 간의 상호 작용이 활발하다.
③ 수용자가 정보 내용물의 생산에 참여하기 쉽다.
④ 소수의 참여자가 정보 내용물을 만든다.
⑤ 생산자가 의사소통의 주도권을 갖고 있다.

6 매체 환경 변화에 따른 부작용으로 적절하지 <u>않은</u> 것은?

① 특정 기업을 홍보하는 광고
② 정보 내용물의 하향 평준화
③ 선정적인 정보 내용물의 양산
④ 검증되지 않은 내용의 무분별한 유통
⑤ 내용과 일치하지 않는 자극적인 제목을 붙인 기사

[7~8] 다음 글을 읽고 물음에 답하시오.

가 생물학자 최재천은 자신의 서재를 '⊙통섭원'이라고 부른다. 그곳은 그가 세상과 제자들과 소통하는 장이자, 자연 과학과 인문학이 벽을 깨고 통섭되기를 바라는 공간이며, 또 학자들과 진리를 탐하고 서로의 학문에 빠져들기를 바라는 소망의 공간이다.

나 바닥부터 천장까지 책으로 빼곡한 그의 서재는 과학자의 서재라고는 상상하기 힘들 만큼 인문학책과 예술책들로 가득하다. 김병종의 《화첩 기행》부터 인문 서적들과 사상·철학 서적들까지 여러 분야의 책들이 둥지를 틀고 있다. 그가 꽤 오랫동안 문학도로서의 열병을 앓았을 법한 흔적들이다. 〈중략〉 책은 그의 청춘과 함께 30년이 훌쩍 넘는 세월을 함께 보내 온 동반자이다. 그래서 그의 서재에 있는 책 한 권 한 권에는 이야기가 있고 추억이 묻어 있다.

다 서재에 있는 책은 어느 것 하나를 골라잡아 펼쳐도 새것 같지 않은 것이 없다. 어떤 이들은 까다롭다 할지 모르지만, 그에게는 이유가 있다.

"여기 있는 책들은 저 혼자 보는 책이 아니거든요. 저와 제 학생들, 제 주변의 많은 사람이 함께 보는 것이니 소중히 다뤄야지요. 언젠가는 제 책들이 저와 같은 분야를 공부하는 사람들의 책이 될 테니까요. 대한민국의 어느 도서관도 제가 연구하는 분야에 관해 이만큼의 책을 갖고 있는 곳은 없을 거예요. 저는 제 뒤에 걸어오는 후학들에게 그 도서관 역할을 해 주고 싶어요. 꼭 해 주어야 할 것 같아요."

라 그에게 서재는 그만의 공간이 아니다. 모두가 공유하는 서재, 모두가 함께 나누고 세상을 탐구할 수 있는 창조의 공간이자 사유의 숲이다.

7 '생물학자 최재천'이 할 법한 말로 적절하지 <u>않은</u> 것은?

① 책은 제 인생의 동반자입니다.

② 저는 서재에서 세상과 제자들과 소통합니다.

③ 저의 서재는 모두가 함께 나누는 공간입니다.

④ 이제는 제 서재에서 문학도로서의 꿈을 이루어 볼 계획입니다.

생물학자 최재천

⑤ 저는 제 서재에서 자연 과학과 인문학이 벽을 깨고 통섭되기를 바랍니다.

8 ⊙에 대한 설명으로 적절하지 <u>않은</u> 것은?

① 바닥부터 천장까지 책으로 빼곡하다.
② 지식을 창조하고 사유하는 공간이다.
③ 생물학 분야의 책들만이 비치되어 있다.
④ 책 한 권 한 권에 이야기와 추억이 담겨 있다.
⑤ 모든 책이 새것같이 깨끗하게 보관되어 있다.

[9~10] 다음 글을 읽고 물음에 답하시오.

가 우리 큰아이는 학교 공부를 잘한 것도 아니고 또래 아이들과는 달리 체육 활동을 좋아한 것도 아니었다. 중학생이 되어서는 거의 모든 수업을 지겨워했고, 자신이 살아야 하는 이유를 모르겠다며 힘들어했다. 엄마인 나로서는 정말 큰일이다, 싶었다.

나는 우리 아이가 자신을 '있는 그대로' 존중하고 사랑하기를 바랐고, 삶을 마무리하는 순간까지 배워 나가는 사람이기를 바랐다. 그런 사람이라면 시작이 미미할지라도 나이가 들수록 내면이 단단해지고 지혜로워질 테니 말이다. 자신의 존재 가치를 발견하고 배움의 기쁨을 누릴 수 있는 일이 무엇일까? 골똘히 생각하다 발견한 것이 '도란도란 책 모임'이다.

나 도란도란 책 모임은 말 그대로 친구와 함께 책을 읽으며 도란도란 얘기를 나누는 모임이라는 뜻이다. 이것은 책을 정하여 읽은 뒤 책 속 인물이나 책의 내용을 실마리로 삼아 자신들의 이야기를 풀어내기도 하고 삶과 존재에 대해 질문을 던지고 답하며 함께 배워 가는 책 모임이다.

다 책 모임 아이들은 우리 집에서 매주 일요일 저녁에 모였다. 책을 읽고 글을 써서 발표한 후 주제 토론을 하기도 했고, "나도 이런 일이 있었거든." 하며 책 속 이야기를 자신의 이야기로 풀어내기도 했다. 방학 때는 책을 읽고 책과 관련된 현장으로 여행을 가기도 했고, 주제를 정해 탐구한 후 보고서를 쓰고 발표하는 활동도 했다.

라 책 모임을 할 때 가장 어려운 일은 책을 고르는 일이었다. 어떤 책은 재미가 있으나 알맹이가 부족하고, 어떤 책은 한 사람에게는 좋으나 다른 이에게 지루했다. 혼자서 하는 독서와 달리, 여럿이 함께 하는 독서는 책을 다양하게 읽을 수 있으나 각자의 취향이나 수준을 살리는 데 어려움이 있다.

마 인성을 위해서나 장차 닥칠 직업 문제를 위해서나 친구와 같이하는 도란도란 책 모임만 한 것이 없다. 학교에서 해 볼 수도 있고, 방과 후나 주말을 이용해 하는 것도 좋다. 친구들과 한 해 두 해 꾸준히 책을 읽고 도란도란 얘기를 나누다 보면, 자신과 이웃, 세상에 대해 더 깊은 관심과 애정이 생겨날 것이다. 또한 지식 정보화 시대에 필요한 독서 능력과 자신만의 개성과 아이디어, 곧 창의성을 향상할 수 있을 것이다.

9 '도란도란 책 모임'에서 이루어진 활동으로 적절하지 <u>않은</u> 것은?
① 책과 관련된 현장으로 여행 가기
② 책의 내용을 영상으로 재구성하기
③ 책을 읽고 글을 써서 발표한 후 주제 토론하기
④ 주제를 정해 탐구한 후 보고서를 써서 발표하기
⑤ 책의 내용을 실마리 삼아 자신의 이야기를 풀어내기

10 **서술유형** 다음은 독서 모임의 장점에 대한 대화이다. ㉠에 들어갈 적절한 내용을 〈조건〉에 맞게 서술하시오.

자신과 이웃, 세상에 대해 더 깊은 관심과 애정을 느낄 수 있습니다.

(㉠)

─── 조건 ───
• **마** 를 바탕으로 하여 서술할 것
• '~ 수 있습니다.'의 문장 형식으로 서술할 것

[1~2] 다음 글을 읽고 물음에 답하시오.

국민은 소득, 직업, 성별, 연령 등에 따라 이해관계가 각기 다르다. 정치인은 이들의 요구를 모두 충족해 줄 수 없으므로 자신의 지지 기반이 되는 유권자의 요구를 우선적으로 고려한다. 이러한 속성 때문에 정치인은 공공 정책을 결정할 때 그 결정이 사회 전체에 미치는 영향보다는 특정 개인이나 집단에 미치는 영향에 더욱 민감하게 반응하는 경향이 있다. 반면에 경제인은 정책을 분석하고 수립할 때 유권자의 영향력을 오히려 배제하고자 한다. 또 정치인과는 달리 조직되지 않은 다수의 이해관계를 중시하기 때문에 되도록 객관적·거시적 입장에서 사회적 필요성이 있는 정책을 수행하려는 경향이 있다. ㉠정치인은 투자 효과가 특정 지역이나 계층에만 한정되고 사회 전체적으로는 비효율적인 정책을 마다하지 않는 반면, 경제인은 계획이 비효율적이라고 결론이 나면 투자의 유보 또는 취소를 건의할 것이다.

정치인은 상호 경쟁 관계에 있는 정책 목표들은 되도록 명확하게 규정하지 않고 어느 정도 여지를 남겨 둔 상태에서 정치적 과정을 통해 합의를 도출하고자 한다. 제한된 자원의 분배를 둘러싸고 이익 집단 간에 생기는 마찰을 해소하려는 과정에서 정책이 정치적으로 도출될 수 있다고 믿는 경향이 있기 때문이다. 그런 만큼 정치인에게는 협상, 타협, 교섭 등의 정치적 기술이 중요한 무기가 된다. 그러나 경제인은 한정된 자원의 효율적 분배를 중시하기 때문에 정책에 수반되는 사회 전체의 효율성을 기준으로 정책을 판단하는 경향이 있다. 경제인은 명확하게 규정된 목표에 초점을 두고, 문제를 분석하고 정책을 제시하기 위해 전문 지식과 분석 기술을 활용한다.

1 창의 융합

공공 선택 이론의 관점에서 ㉠의 이유를 〈조건〉에 맞게 서술하시오.

┌─ 보기
│ **공공 선택 이론**은 정치적 의사 결정의 주체를 사익을 추구하는 개인으로 본다. 즉, 공공 정책을 수립하는 결정권자인 정치가나 관료 역시 기업가나 시장 상인과 마찬가지로 자기 자신의 이익을 위해 노력한다는 가정에 입각한 이론이다.
└──

┌─ 조건
│ • 사회 전체적으로는 비효율적이더라도 투자 효과가 특정 지역이나 계층에만 한정된 정책을 수행함으로써 정치인이 얻는 이익을 구체적으로 밝힐 것
│ • '정치인이 ~ 때문이다.'의 문장 형식으로 서술할 것
└──

2 창의 융합

이 글을 참고하여 다음 신문 기사에 제시된 법안에 대한 ⓐ의 의견으로 적절한 내용을 〈조건〉에 맞게 서술하시오.

생활 보호 대상자에 대한 지원이 지출에 비해 효과가 적어 복지 예산을 줄이자는 법안이 국회에 제출되었다. 이에 정치인과 ⓐ경제인의 의견이 첨예하게 대립하고 있다.
　　　　　　　　　　　　　　　　　　　－《○○일보》

┌─ 조건
│ • '효율적 분배'라는 말을 포함할 것
│ • 신문 기사에서 '한정된 자원'에 해당하는 대상을 찾아 밝힐 것
│ • '이 법안은 ~을/를 고려할 때 시행되어야 합니다.'의 문장 형식으로 서술할 것
└──

3 다음 글과 기자의 말을 바탕으로 하여 밑줄 친 부분에 들어갈 적절한 내용을 〈조건〉에 맞게 서술하시오.

창의
융합

오늘날 결핵은 사람들의 관심사에서 멀어졌지만 결코 과거의 질병이 아니다. 결핵은 지금도 1년에 2,000명이 훨씬 넘는 사람들의 목숨을 빼앗는 무서운 병이다. 인구 10만 명을 기준으로 하면 매년 약 5.5명이 결핵 때문에 세상을 떠나는 셈이다.

결핵 치료제가 개발되었지만 결핵은 증상이 쉽게 호전되지 않아 적어도 6개월 이상 꾸준히 약을 복용해야 한다. 더불어 강한 내성균의 출현은 결핵 치료의 걸림돌이 되고 있다. 아직 ㉠인류와 결핵의 전쟁은 끝나지 않은 것이다.

'잠복 결핵'이란 결핵균이 몸에 들어왔으나 면역력에 의해 억제되어 결핵으로 발병되지 않은 상태를 말합니다. 이 경우 증상도 없고 전염력도 없지만, 과로나 스트레스, 영양 결핍 등으로 면역력이 저하되면 결핵균이 증식하여 발병하게 됩니다.

◈ ㉠을 끝내기 위한 실천 방안 ◈

① _____

② _____

─── 조건 ───
• '잠복 결핵' 문제를 고려할 때 개인적 차원에서의 실천 방안을 서술할 것
• 각각 '~야 합니다.'의 문장 형식으로 서술할 것

4 다음 글을 읽고 밑줄 친 부분에 들어갈 적절한 내용을 〈조건〉에 맞게 서술하시오.

코딩

우리나라 선비들은 한쪽 모퉁이 땅에 편협한 기질을 타고나, 발은 중국 대륙의 땅을 밟아 보지 못하고 눈은 중국의 사람을 보지 못한 채 태어나 늙고 병들어 죽기까지 국경 안을 떠나 본 적이 없다. 그래서 학은 다리가 길고 까마귀는 검은 것이 각자 자기의 천성을 지키는 것이고, 우물 안 개리나 밭의 두더지는 오직 자기 땅만을 의지해야 한다고 여기며 살아왔다. 예(禮)는 차라리 소박해야 한다고 말하고 누추한 것을 검소한 것이라고 인식했다. 이른바 사농공상의 사민(四民)이라는 것도 겨우 명목만 남아 있고, 이용후생의 도구는 날이 갈수록 어렵고 구차해졌다. 이는 다른 게 아니다. 배우고 물을 줄을 몰라 생긴 잘못이다.

장차 배우고 물어야 한다면 중국을 버려두고 어떻게 하겠는가? 그러나 그들은 말하기를, 지금 중국을 다스리는 자는 오랑캐들이라고 하면서 배우기를 부끄러워해 중국의 옛 법마저 싸잡아 천하고 야만적이라 여긴다. 만약 법이 좋고 제도가 아름답다면 진실로 오랑캐라도 나아가 본받아야 할 터인데, 하물며 그 규모의 광대함과 마음 씀씀이의 정교함과 제작(制作)의 심원함과 문장의 찬란함이 아직도 삼대 이래 한·당·송·명의 옛 법을 보존하고 있음에랴?

[우리나라 선비들의 문제] 편협한 기질을 타고나거나 좁은 지식에 갇혀 배우고 물을 줄을 모른다.

↓

[결과] 이용후생이 날이 갈수록 어렵고 구차해졌다.

↓

[글쓴이의 주장] _____

─── 조건 ───
• '법', '제도', '이용후생'이라는 단어를 포함할 것
• '~야 한다.'의 문장 형식으로 서술할 것

5
창의
융합

다음 글을 읽고 **가**의 글쓴이에게 보낼 편지의 내용을 〈조건〉에 맞게 서술하시오.

> **가** 현명한 군주는 자신을 두려운 존재로 만들되, 비록 사랑을 받지는 못하더라도, 미움을 받는 일은 피해야 합니다. 미움을 받지 않으면서도 두려움을 느끼게 하는 것은 얼마든지 가능하기 때문입니다. 그리고 이는 군주가 시민과 신민들의 재산과 그들의 부녀자들에게 손을 대는 일을 삼가면 항상 성취할 수 있습니다. 만약 누군가의 처형이 필요하더라도, 적절한 명분과 명백한 이유가 있을 때로 국한해야 합니다. 그러나 무엇보다도 그는 타인의 재산에 손을 대어서는 안 됩니다. 왜냐하면 인간이란 어버이의 죽음은 쉽게 잊어도 재산의 상실은 좀처럼 잊지 못하기 때문입니다.

> **나** 새로 짜 낸 무명이 눈결같이 고왔는데
> °이방 줄 돈이라고
> °황두가 빼앗아가네
> °누전 세금 독촉이 성화같이 급하구나
> 삼월 중순 °세곡선이 서울로 떠난다고
> – 정약용, 〈탐진촌요〉

> • 이방, 황두: 지방 관리.
> • 누전: 토지 대장의 기록에서 빠진 토지.
> • 세곡선: 세금으로 거둔 곡식을 실어 수송하는 배.

─● 조건 ●─

• **가**의 글쓴이를 '당신'으로, **나**의 '새로 짜 낸 무명'을 빼앗긴 백성을 '나'로 설정할 것
• **나**에 나타난 상황을 밝히고, **가**의 글쓴이의 견해에 공감하는 내용으로 서술할 것
• 군주가 하지 말아야 하는 일과 관련한 내용을 포함할 것

6
창의
융합

다음 글을 읽고 **가**와 **나**의 공통점을 〈조건〉에 맞게 서술하시오.

> **가** 스와데시의 정신이란 우리가 가까운 주변에 모든 힘을 기울이기 위해 더욱 먼 곳은 관여하지 않는 것을 말한다. 〈중략〉 우리는 탐욕스럽고 영국도 탐욕스럽다. 영국과 인도의 관계는 분명히 잘못되어 있다.
> 스와데시의 원리를 따른다면, 우리의 필수품을 공급할 수 있도록 이웃을 가르치는 것은 의무이다. 그러면 인도의 마을은 모두 자급자족적인 경제 단위가 될 것이며, 자기 지방에서 생산할 수 없는 필수품만을 다른 지방의 물품과 교환할 것이다. 〈중략〉 아무리 훌륭한 품질을 지녔다 해도 영국이나 일본 또는 다른 나라에서 단 하나의 면직물도 구입하지 않겠다. 이것을 구입하면 인도 민중들이 크게 피해를 입기 때문이다.
> 나는 수많은 빈민이 만든 옷감이 아니라, 우수한 품질의 외국 옷감을 사는 것은 죄를 짓는 일이라고 생각한다. 그러므로 나의 스와데시 운동은 주로 손으로 짜는 직물에 초점을 맞추고 있으며, 점차 인도에서 생산될 수 있는 모든 상품까지 그 범위를 확대할 것이다.

> **나** 입어라, 조선 사람이 짠 것을.
> 먹어라, 조선 사람이 만든 것을.
> 써라, 조선 사람이 지은 것을.
> 조선 사람, 조선 것.
> – 〈조선 물산 장려회 궐기문〉

> • 조선 물산 장려회: 1920년대에 국산품 장려 운동을 통하여 경제 자립 정신을 함양하기 위하여 조직한 민족 운동 단체.

▲ 조선 물산 장려회 선전

─● 조건 ●─

• **가**와 **나**의 글을 쓴 목적을 중심으로 서술할 것
• 각 나라의 시대적 상황과 관련한 내용을 포함할 것

7 다음 글의 □그□를 인터뷰한다고 할 때, 밑줄 친 부분에 들어갈 적절한 내용을 〈조건〉에 맞게 서술하시오.
창의

또 책을 접거나 구기지 않는다. 책에 줄을 긋고 여기저기 쓰는 것을 싫어한다. 쓸 것이 있을 때에는 쪽지에 써서 살짝 끼워 놓는다. 책이 귀했던 어린 시절부터 몸에 밴 습관이다. 서재에 있는 책은 어느 것 하나를 골라잡아 펼쳐도 새것 같지 않은 것이 없다. 어떤 이들은 까다롭다 할지 모르지만, □그□에게는 이유가 있다.

[A] "여기 있는 책들은 저 혼자 보는 책이 아니거든요. 저와 제 학생들, 제 주변의 많은 사람이 함께 보는 것이니 소중히 다뤄야지요. 언젠가는 제 책들이 저와 같은 분야를 공부하는 사람들의 책이 될 테니까요. 대한민국의 어느 도서관도 제가 연구하는 분야에 관해 이만큼의 책을 갖고 있는 곳은 없을 거예요. 저는 제 뒤에 걸어오는 후학들에게 그 도서관 역할을 해 주고 싶어요. 꼭 해 주어야 할 것 같아요."

그에게 서재는 그만의 공간이 아니다. 모두가 공유하는 서재, 모두가 함께 나누고 세상을 탐구할 수 있는 창조의 공간이자 사유의 숲이다.

선생님은 서재가 어떤 공간이라고 생각하시나요?

───── 조건 ─────
• [A]을 바탕으로 하여 서술할 것
• '저는 서재를 ~ 공간이라고 생각합니다.'의 문장 형식으로 서술할 것

8 다음 글의 내용을 정리한 학생의 노트를 살펴보고, ㉠, ㉡에 들어갈 적절한 내용을 〈조건〉에 맞게 서술하시오.
창의

가 혼자 하는 독서에서는 나눔과 만남의 기쁨을 누리기가 쉽지 않다. 또한 자칫하면 독단에 빠질 위험도 있다. 그러나 친구와 함께 하는 독서에서는 사고가 활짝 열리고 나눔과 만남의 기쁨까지도 누릴 수 있다. 이러한 기쁨을 누리는 사람은 상처 입은 자존감을 회복할 수 있고 관계와 학습에 대한 자신감을 얻을 수 있다.

나 책 모임을 할 때 가장 어려운 일은 책을 고르는 일이었다. 어떤 책은 재미가 있으나 알맹이가 부족하고, 어떤 책은 한 사람에게는 좋으나 다른 이에게 지루했다. 혼자서 하는 독서와 달리, 여럿이 함께 하는 독서는 책을 다양하게 읽을 수 있으나 각자의 취향이나 수준을 살리는 데 어려움이 있다.

혼자 하는 독서와 여럿이 함께 하는 독서의 차이

혼자 하는 독서	• 나눔과 만남의 기쁨을 누리기 어렵다. • (㉠)
여럿이 함께 하는 독서	• 사고가 활짝 열린다. • 나눔과 만남의 기쁨을 누릴 수 있다. • 상처 입은 자존감을 회복할 수 있다. • 관계와 학습에 대한 자신감을 얻을 수 있다. • 책을 다양하게 읽을 수 있지만 (㉡)

───── 조건 ─────
• ㉠은 가 에서, ㉡은 나 에서 찾아 서술할 것
• 각각 한 문장으로 서술할 것

[1~5] 다음 글을 읽고 물음에 답하시오.

가 정치 논리에서는 공평성을 중시하고 경제 논리에서는 효율성을 중시하는데, 두 기준 가운데 어느 것을 더 중요시하느냐에 따라 문제 인식과 해법이 크게 달라진다.

정치인은 국민의 의견을 수렴하여 정책에 반영한다. 그런데 국민은 소득, 직업, 성별, 연령 등에 따라 이해관계가 각기 다르다. 정치인은 이들의 요구를 모두 충족해 줄 수 없으므로 자신의 지지 기반이 되는 유권자의 요구를 우선적으로 고려한다. 이러한 속성 때문에 정치인은 공공 정책을 결정할 때 그 결정이 사회 전체에 미치는 영향보다는 특정 개인이나 집단에 미치는 영향에 더욱 민감하게 반응하는 경향이 있다. 반면에 경제인은 정책을 분석하고 수립할 때 유권자의 영향력을 오히려 배제하고자 한다. 또 정치인과는 달리 조직되지 않은 다수의 이해관계를 중시하기 때문에 되도록 객관적·거시적 입장에서 사회적 필요성이 있는 정책을 수행하려는 경향이 있다. 〈중략〉

정치인은 상호 경쟁 관계에 있는 정책 목표들은 되도록 명확하게 규정하지 않고 어느 정도 여지를 남겨 둔 상태에서 정치적 과정을 통해 합의를 도출하고자 한다. 제한된 자원의 분배를 둘러싸고 이익 집단 간에 생기는 마찰을 해소하려는 과정에서 정책이 정치적으로 도출될 수 있다고 믿는 경향이 있기 때문이다. 그런 만큼 정치인에게는 협상, 타협, 교섭 등의 정치적 기술이 중요한 무기가 된다. 그러나 경제인은 한정된 자원의 효율적 분배를 중시하기 때문에 정책에 수반되는 사회 전체의 효율성을 기준으로 정책을 판단하는 경향이 있다. 경제인은 명확하게 규정된 목표에 초점을 두고, 문제를 분석하고 정책을 제시하기 위해 전문 지식과 분석 기술을 활용한다.

나 그때만 해도 비요 장군은 드레퓌스 사건과 아무 관련이 없었다는 사실을 주목해 주십시오. 몹시 깨끗한 채로 장관직에 취임했기에, 그는 충분히 진실을 밝힐 수 있었습니다. 그렇지만 아마도 여론에 대한 공포 때문에 그리고 부아데프르 장군, 공스 장군, 부하 장교 등 참모 본부 전체를 과멸시킬지도 모른다는 걱정 때문에 그는 감히 그렇게 하지 못했습니다. 한순간 자신이 군의 이익이라고 생각하는 것과 양심 사이에서 갈등을 하기는 했겠지요. 하지만 그 순간이 지나자 만사가 끝이었습니다. 당연히 그는 이 사건에 끌려 들어갔습니다. 그때부터 그의 책임은 커져만 갔고, 다른 사람들의 책임까지 떠맡게 되었습니다. 그는 다른 사람들만큼, 어쩌면 다른 사람들보다 더 유죄인데, 왜냐하면 그 자신이 정의를 구현해야 할 책임자인데도 아무것도 하지 않았기 때문입니다. 그 점을 이해하시겠습니까? 비요 장군, 부아데프르 장군, 공스 장군이 드레퓌스가 무죄라는 사실을 안 지 일 년이 지났건만, 그들은 여전히 그 무시무시한 진실을 숨기는 데 급급합니다!

다 권력 거리란 한 나라의 제도나 조직의 힘없는 구성원들이 권력의 불평등한 분포를 기대하고 수용하는 정도라고 정의할 수 있다. 〈중략〉 권력 거리는 이와 같이 힘없는 사람들에게 내면화된 가치 체계로 볼 수 있다.

일반적으로 '리더십'을 다루는 책들은 리더십이 '복종 정신'이 있어야 발휘될 수 있다는 사실을 종종 잊고 리더십을 지도자의 관점에서만 바라보려고 한다. 그러나 권위는 복종이 따라 주어야 유지되는 것이다.

---

1 **가** 와 **나** 에 대한 설명으로 적절하지 <u>않은</u> 것은?

① **가** 와 달리 **나** 는 비판적 태도를 드러내고 있다.

② **가** 와 달리 **나** 는 특정 인물의 잘못된 행위를 지적하고 있다.

③ **나** 와 달리 **가** 는 비교를 통해 두 대상의 특성을 분석하고 있다.

④ **가** 와 **나** 는 모두 인과 관계가 드러나는 방식으로 내용을 전개하고 있다.

⑤ **가** 와 **나** 는 모두 사회 문제를 해결하기 위한 대안을 새롭게 제시하고 있다.

2 가를 참고할 때, 다음 표의 내용이 바르게 연결된 것은?

	정치인(정치 논리)	경제인(경제 논리)
①	효율성을 중시함.	공평성을 중시함.
②	정책 목표를 명확하게 규정함.	정책 목표에 여지를 남겨 둠.
③	객관적 시각으로 정책을 바라봄.	거시적 시각으로 정책을 바라봄.
④	협상, 타협, 교섭 등의 기술을 활용함.	전문 지식과 분석 기술을 활용함.
⑤	정책이 사회 전체에 미치는 영향을 고려함.	정책이 특정 집단에 미치는 영향을 고려함.

3 가를 읽고 〈보기〉의 ㉠, ㉡을 이해한 내용으로 적절하지 **않은** 것은?

──────── 보기 ────────

㉠모 경제 연구소는 ㉡한 정치인에게 지역 정책 사업의 타당성을 검토해 달라는 의뢰를 받았다. 해당 정책에 드는 사회적 비용과 편익을 계산해 본 결과, 사회적 비용이 편익을 초과하였다. 연구소는 사업이 비효율적이라는 결론을 내리고 투자의 유보 또는 취소를 건의하였다. 그러나 해당 정치인은 이미 선거에서 공약으로 제시한 사업인 데다가 자신을 지지하는 지역민들의 강력한 요구임을 감안하여 해당 정책을 입안하기로 했다.

① ㉠은 다수의 이해관계를 중시하는군.

② ㉠은 경제 논리에 따라 정책을 분석하는군.

③ ㉡은 자신의 지지 기반을 우선적으로 고려하는군.

④ ㉡은 정책 결정에 국민의 의견을 반영하려 하는군.

⑤ ㉡의 목표는 국민 모두의 요구를 충족하는 것이군.

4 나의 글쓴이가 다음과 같이 말한다고 할 때, 괄호 안에 들어갈 내용을 〈조건〉에 맞게 서술하시오.

비요 장군은 다른 사람들만큼, 어쩌면 다른 사람들보다 더 유죄입니다. 왜냐하면, ( )

──────── 조건 ────────

• 비요 장군이 다해야 할 책임과 관련지어 서술할 것
• '~ 때문입니다.'의 문장 형식으로 서술할 것

5 다를 읽은 학생이 〈보기〉에 보인 반응으로 가장 적절한 것은?

──────── 보기 ────────

프랑스의 나폴레옹 아래에서 복무했던 베르나도트 장군이 스웨덴의 국왕으로 취임하게 되었다. 그는 스웨덴 국회에서 스웨덴 말로 취임 연설을 하였는데, 그가 스웨덴 말을 더듬거리는 것을 보고 청중들은 크게 웃으며 떠들어 댔다. 이 새로운 스웨덴왕은 너무나 큰 충격을 받아서 이후 스웨덴 말을 쓰지 않았다고 한다. 프랑스의 군대에서는 상관의 실수에 부하가 웃는 일은 상상조차 할 수 없었기 때문이다.

① 스웨덴 국민들은 제도와 조직을 개인보다 중시했군.

② 스웨덴 국민들은 프랑스 국민보다 지도자의 권위를 더 인정한 것이로군.

③ 스웨덴 국민들이 권력의 불평한 분포를 수용하는 정도는 프랑스 국민보다 높았군.

④ 베르나도트가 취임 연설 이후 스웨덴 말을 쓰지 않은 것은 리더십을 갖추기 위해서였군.

⑤ 프랑스의 권력 거리와 스웨덴의 권력 거리가 서로 다르다는 점이 취임 연설을 통해 드러났군.

7일

[6~7] 다음 글을 읽고 물음에 답하시오.

가 질병의 존재는 알고 있지만 그에 관한 지식은 전무한 상태에서 인류는 19세기를 맞이했다. 영국의 채드윅은 1842년 노동자들의 위생 상태가 결핵과 같은 각종 감염병 유행의 가장 큰 원인임을 지적하며 위생의 중요성을 환기했고, 프랑스의 뷔유맹은 1865년 결핵으로 사망한 사람의 병터를 토끼의 몸에 주입하는 실험을 통해 결핵이 감염병임을 증명했다.

〈중략〉

코흐는 현미경을 이용해 당시 유럽에서 큰 문제였던 탄저 연구에 집중하여 1876년에 병에 걸린 쥐의 혈액에서 막대 모양의 미생물(탄저균)을 발견했다. 이 작은 생물체가 탄저의 원인이라고 생각한 코흐는 감염병을 일으키는 병원균을 순수 배양하는 방법을 정립하고, 특정 세균이 특정 감염병의 원인임을 증명하기 위한 원칙을 발표했다. 이것이 바로 ㉠'코흐의 4원칙'이며, 이는 뒤에 수많은 학자가 특정 감염병의 원인균을 찾아내는 과정에서 길잡이 역할을 했다. 같은 방법으로 코흐는 1882년에 결핵, 1883년에 콜레라의 원인균을 찾아냈다.

나 기계 학습은 2006년 캐나다의 제프리 힌턴에 의해 전기를 맞이하였다. 힌턴은 많은 층수의 다층 퍼셉트론도 사전 훈련, 즉 연산 과정에 여러 층을 두어 컴퓨터 스스로 정보를 잘게 조각내어 작은 판단을 내리게 하는 과정을 통해 효과적으로 학습시킬 수 있다고 하였다. 그리고 이와 같이 기존 기계 학습의 한계를 극복한 인공 신경망(심층 신뢰망)을 통해 이루어지는 기계 학습을 '심층 학습'이라고 하였다. 〈중략〉

특징 추출부터 학습까지 알고리즘에 포함한 것이 심층 학습의 특징이다. 심층 학습은 연산 과정에 여러 층을 두어 컴퓨터 스스로 정보를 잘게 조각내어 작은 판단을 내리고, 그것을 종합해 결과를 내놓는다. 즉 심층 학습은 다층 구조의 신경망을 기반으로 하는 기계 학습의 한 분야로, 다량의 데이터에서 높은 수준의 추상화 모델을 구축하는 기법이다.

6 **가**와 **나**의 내용과 일치하지 않는 것은?

① **가** : 채드윅은 결핵이 감염병임을 증명했다.
② **가** : 19세기 초까지는 결핵에 관한 지식이 매우 부족했다.
③ **가** : 코흐의 4원칙은 이후 수많은 학자가 특정 감염병의 원인균을 찾는 데 도움을 주었다.
④ **나** : 심층 학습은 알고리즘에 특징 추출을 포함한다.
⑤ **나** : 심층 학습은 높은 수준의 추상화 모델을 구축하는 기법이다.

7 다음은 ㉠의 내용이다. 이를 참고하여 **가**를 이해한 내용으로 적절하지 않은 것은?

코흐의 4원칙

[원칙 1] 병원균은 질병을 앓고 있는 환자나 동물에게서 반드시 발견되어야 한다.
[원칙 2] 병원균은 질병을 앓고 있는 환자나 동물에게서 순수 배양법에 따라 분리되어야 한다.
[원칙 3] 분리된 병원균을 건강한 실험동물에게 접종하면 동일한 질병을 일으켜야 한다.
[원칙 4] 실험적으로 감염시킨 동물에게서 동일한 병원균이 다시 분리 배양 되어야 한다.

---

① 코흐가 병에 걸린 쥐의 혈액에서 탄저균을 발견한 것은 [원칙 1]과 관련이 있다.
② 코흐가 정립한 병원균의 순수 배양법은 [원칙 2]를 따를 때 활용될 수 있다.
③ 코흐는 콜레라의 원인균을 찾아낼 때, 분리한 콜레라균을 [원칙 3]에 따라 실험동물에게 주입하여 경과를 관찰했을 것이다.
④ [원칙 4]에 따르면 결핵의 병터를 주입한 토끼로부터 다시 결핵균을 배양할 수 있을 것이다.
⑤ 위생 상태를 결핵 유행의 원인으로 지목한 것은 [원칙 4]에 따라 연구한 결과이다.

[8~10] 다음 글을 읽고 물음에 답하시오.

가 또 어떤 장부 하나가 베옷에 가죽띠를 매고 백발에다 지팡이를 짚은 채 비틀거리는 걸음으로 구부정하게 와서 말하기를 '저는 서울 바깥 큰길가에 자리 잡아, 아래로는 넓고 먼 아득한 광야의 경치를 내려다보고 위로는 우뚝 솟은 산빛에 의지해 살거니와 이름은 백두옹(白頭翁)이라 합니다. 가만히 생각해 보건대 비록 좌우에서 받들어 올리는 것들이 넉넉하여 기름진 음식으로 배를 채우고 차와 술로 정신을 맑게 하며 의복이 장롱 속에 쟁여 있다 하더라도, 모름지기 좋은 약으로는 원기를 북돋우고 ⊙독한 침으로는 병독을 없애야 하는 것입니다. 그러므로 옛말에 이르기를, 실과 마로 짠 베가 있다 해도 거적이나 띠풀 같은 물건을 버리지 않나니, 무릇 모든 군자들은 인재가 부족할 때 대신 쓰이지 못할 이 없으리라고 했던 것입니다. 잘 모르겠습니다만 왕께서도 역시 이러한 생각이 있으신지요?'라고 했습니다.

나 순(舜)임금은 밭 갈고 씨 뿌리며 질그릇 굽고 물고기 잡는 일에서부터 황제가 되기까지 남에게 배우지 않은 것이 없었다. 공자가 말하기를, "나는 젊은 시절에 미천했기 때문에 막일에 많이 익숙했다."라고 했으니 그 막일 역시 밭 갈고 씨 뿌리며 질그릇을 굽고 물고기를 잡는 일 따위였을 것이다. 비록 순임금과 공자같이 거룩하고 재능 있는 분일지라도 사물에 나아가 기교를 창안하고 일에 임해 도구를 만들려면 시일도 부족하고 지혜도 막히는 바가 있었을 것이다. 그러므로 순임금과 공자가 성인이 된 것은 남에게 잘 묻고 잘 배운 것에 지나지 않는다.

다 옛날의 독서는 눈으로 읽지 않고 소리 내어 읽는 것이었다. 아이들은 서당에서 낭랑하게 목청을 돋우고 가락에 맞추어 책을 읽었다. 선생은 좌우로 몸을 흔들고, 학생은 앞뒤로 흔들며 읽었다. 책을 읽는 낭랑한 목소리는 듣는 이의 마음을 상쾌하게 한다. 그렇게 읽다 보면 그 가락이 저도 모르는 사이에 뇌리에 스며들어, 뜻을 모르고도 글을 외울 수가 있었다. 의미는 소리에 뒤따라왔다.

8 〈보기〉를 참고하여 **가**~**다**를 감상한 내용으로 적절하지 <u>않은</u> 것은?

> ▶ 보기 ◀
>
> 글을 읽을 때는 글이 생산된 당대의 글쓰기 관습이나 독서 문화를 이해하고 이를 고려해야 한다. 아울러 당대의 사회·문화적 맥락에 대한 고려도 필요하다.

① **가** : '충(忠)'이라는 유교적 덕목이 강조되었던 당대의 사회·문화적 맥락을 알 수 있군.
② **나** : 성현의 말이나 행동을 제시하는 것이 당대의 글쓰기 관습이었군.
③ **나** : 공자를 중심으로 한 전통적인 유학이 무너지던 시기에 쓰인 글이군.
④ **다** : 옛날에는 책을 읽을 때 낭독을 하는 것이 일반적이었군.
⑤ **다** : 현재의 독서 문화와는 다른 독서 문화의 모습을 엿볼 수 있군.

9 어떤 장부 의 말하기 방식에 대한 설명으로 적절한 것을 〈보기〉에서 모두 골라 묶은 것은?

> ▶ 보기 ◀
>
> ⓐ 사는 곳과 이름을 밝히며 자신을 소개하고 있다.
> ⓑ 옛말을 인용하여 자신이 말하고자 하는 바를 넌지시 전하고 있다.
> ⓒ 상대방과 자신을 비교하여 자신만이 가진 장점을 부각하고 있다.
> ⓓ 자신의 뜻을 따르지 않을 때 발생할 부정적 결과를 제시하고 있다.

① ⓐ, ⓑ 　② ⓐ, ⓒ 　③ ⓑ, ⓒ
④ ⓑ, ⓓ 　⑤ ⓒ, ⓓ

10 **가** 의 ⊙이 의미하는 바를 2음절로 쓰시오.

[11 ~ 13] 다음 글을 읽고 물음에 답하시오.

가 인간은 두려움을 불러일으키는 자보다 사랑을 베푸는 자를 해칠 때에 덜 주저합니다. 왜냐하면 사랑이란 일종의 감사의 관계에 따라서 유지되는데, 인간은 악하기 때문에 자신의 이익을 취할 기회가 생기면 언제나 그 감사의 상호 관계를 팽개쳐 버리기 때문입니다. 그러나 두려움은 항상 효과적인 처벌에 대한 공포로써 유지되며, 실패하는 경우가 결코 없습니다.

나 현명한 군주는 자신을 두려운 존재로 만들되, 비록 사랑을 받지는 못하더라도, 미움을 받는 일은 피해야 합니다. 미움을 받지 않으면서도 두려움을 느끼게 하는 것은 얼마든지 가능하기 때문입니다. 그리고 이는 군주가 시민과 신민들의 재산과 그들의 부녀자들에게 손을 대는 일을 삼가면 항상 성취할 수 있습니다. 만약 누군가의 처형이 필요하더라도, 적절한 명분과 명백한 이유가 있을 때로 국한해야 합니다. 그러나 무엇보다도 그는 타인의 재산에 손을 대어서는 안 됩니다. 왜냐하면 인간이란 어버이의 죽음은 쉽게 잊어도 재산의 상실은 좀처럼 잊지 못하기 때문입니다.

다 그러나 군주는 자신의 군대를 통솔하고 많은 병력을 지휘할 때, 잔인하다는 평판쯤은 개의치 말아야 합니다. 왜냐하면 군대란 그 지도자가 거칠다고 생각되지 않으면 군대의 단결을 유지하거나 군사 작전에 적합하게 만반의 태세를 갖추지 못하기 때문입니다. 한니발의 활약에 관한 설명 가운데 특히 주목할 만한 사실은 그가 비록 수많은 종족이 뒤섞인 대군을 거느리고 이역에서 싸웠지만, 상황이 유리하든 불리하든 상관없이, 군 내부에서 또 그들의 지도자에 대해서 어떠한 분란도 일어나지 않았다는 것입니다. 이 사실은 그의 많은 다른 훌륭한 역량과 더불어, 그의 부하들이 그를 항상 존경하고 두려워하도록 만든 그의 비인간적인 잔인함으로 설명할 수 있습니다. 그리고 그가 그토록 잔인하지 않았더라면, 그의 다른 역량 역시 그러한 성과를 거두는 데 충분하지 않았을 것입니다.

11 이 글의 내용 전개 방식으로 가장 적절한 것은?

① 상반된 견해를 절충하고 있다.
② 역사적 인물을 들어 주장을 뒷받침하고 있다.
③ 비유를 통해 추상적인 개념을 구체화하고 있다.
④ 시대의 흐름에 따른 대상의 변천을 설명하고 있다.
⑤ 다른 사람의 견해를 인용하여 주장을 강화하고 있다.

12 이 글에 드러난 글쓴이의 견해와 일치하지 않는 것은?

① 군주는 재산을 약탈하는 행동을 삼가야 한다.
② 감사의 상호 관계가 유지되지 않는 경우도 있다.
③ 두려움은 효과적인 처벌에 대한 공포로써 유지된다.
④ 군주는 남에게 미움받는 것을 두려워해서는 안 된다.
⑤ 인간은 도덕성보다 이해관계를 우선시하는 존재이다.

13 이 글을 읽은 학생이 〈보기〉를 참고하여 글쓴이의 의도를 추론한다고 할 때, ㉠에 들어갈 말로 적절하지 않은 것은?

> ─● 보기 ●
>
> 글쓴이는 자신의 조국이 분열되고 외세의 침략과 지배, 간섭을 받는 상황에서 관료로 일하면서 무력을 갖추지 못하거나 반대파를 제압하지 못한 지도자가 권력을 잃는 모습을 가까이에서 관찰하였다.

> 자료의 내용으로 볼 때, 글쓴이는 (㉠) 이 글을 썼을 거야.

① 조국의 정치적 상황이 안정되기를 바라며
② 강력한 지도자가 나라를 이끌기를 바라며
③ 반대파를 제압할 역량을 지닌 지도자를 바라며
④ 외세와 친교를 맺는 능력이 뛰어난 지도자를 바라며
⑤ 무력을 갖추고 조국을 통솔할 수 있는 지도자가 나타나기를 바라며

[14~16] 다음 글을 읽고 물음에 답하시오.

가 스와데시의 정신

스와데시의 정신이란 우리가 가까운 주변에 모든 힘을 기울이기 위해 더욱 먼 곳은 관여하지 않는 것을 말한다. 종교를 예로 들면, 나는 우리의 고대 종교만을 믿는다. 내게 가까운 종교이기 때문이다. 비록 그 종교가 결점을 내포하고 있다 해도, 나는 결점을 고쳐 가면서라도 그 종교를 믿어야 한다.

이것은 정치 분야에서도 마찬가지이다. 경제 분야에서도 나는 가까운 이웃이 생산한 물건만을 사용해야 하며, 물건에 결함이 있다 해도 이웃의 생업이 능률적으로 이루어질 수 있도록 도와주어야 한다. 만약에 이러한 스와데시가 실천된다면 우리는 영원한 평화의 나라를 건설할 수 있을 것이다. 〈중략〉

이웃을 위한 봉사

스와데시에 대한 내 생각은 잘 알려져 있다. 나는 가까운 이웃을 희생시키면서 먼 이웃을 돕지는 않는다. 그것은 복수나 정벌 때문이 아니다. 그것은 편협한 생각이 아니다. 나는 다른 나라에서 내 정신의 성장에 필요한 것을 구한다. 그러나 아무리 훌륭한 것이라고 해도 내 성장을 가로막거나 자연에 피해를 준다면 그것을 구하지 않겠다. 〈중략〉 그러나 아무리 훌륭한 품질을 지녔다 해도 영국이나 일본 또는 다른 나라에서 단 하나의 면직물도 구입하지 않겠다. 이것을 구입하면 인도 민중들이 크게 피해를 입기 때문이다.

나 일반인이 정보 내용물의 생산과 유통에 참여하는 것은 과거의 대중 매체 시대와는 비교할 수 없는 수준으로 광범위한 영역에서 발생하고 있다. 이러한 현상은 분명 긍정적인 측면이 있다. 소수의 생산자가 소비되는 정보 내용물의 대부분을 만들어 내던 과거에 비해 정보의 생산과 유통이 훨씬 민주적이고 투명해졌고, 기존 정보 내용물의 문법을 벗어난 참신하고 다양한 접근을 담아낼 수 있게 된 점에서 그렇다.

그런데 한편으로는 검증되지 않은 내용의 무분별한 생산과 유통, 지나친 경쟁에 따른 선정적 정보 내용물의 양산과 하향 평준화 등 부작용이 속출하고 있다.

14 **가**에 나타난 '스와데시의 정신'의 실천 방법과 거리가 먼 것은?

① 인도에서 생산한 면직물을 구입한다.
② 결점을 고쳐 가며 전통 종교를 믿는다.
③ 외국의 선진 기술을 배워 자국의 발전을 꾀한다.
④ 이웃의 생업이 능률적으로 이루어질 수 있도록 돕는다.
⑤ 가까운 주변에 힘을 기울이기 위해 먼 곳은 관여하지 않는다.

15 〈보기〉를 참고하여 **가**에 나타난 글쓴이의 핵심 주장을 〈조건〉에 맞게 서술하시오.

● 보기 ●

글쓴이 간디는 영국의 식민 지배에 저항하는 정치가이자 사상가였다. 이 글을 쓸 당시 인도는 영국의 식민 지배 아래서 영국을 비롯한 외국의 수입품 때문에 경제적 어려움을 겪고 있었다.

● 조건 ●

• '식민 지배'와 '국산품'이라는 말을 포함할 것
• '~기 위해 ~야 한다.'의 문장 형식으로 서술할 것

16 **나**를 참고할 때 매체 환경 변화에 따른 영향으로 적절하지 않은 것은?

① 정보 내용물의 유통 과정이 투명해졌다.
② 검증되지 않은 정보 내용물이 양산되었다.
③ 선정적 정보 내용물이 잇따라 생산되었다.
④ 정보 내용물에 대한 접근 방식이 참신해졌다.
⑤ 소수의 생산자가 정보 내용물의 생산을 독점하게 되었다.

[17~19] 다음 글을 읽고 물음에 답하시오.

가 생물학자 최재천은 자신의 서재를 '통섭원'이라고 부른다. 그곳은 그가 세상과 제자들과 소통하는 장이자, 자연 과학과 인문학이 벽을 깨고 통섭되기를 바라는 공간이며, 또 학자들과 진리를 탐하고 서로의 학문에 빠져들기를 바라는 소망의 공간이다.

나 그는 책을 통해 또 다른 학문과 소통하는 것을 시도한다. 그리고 끊임없이 탐구한다. 그는 과학과 인문 그리고 예술이 서로의 분야를 넘나들며 다른 분야의 학문과 얽히고설켜 새로운 것을 창조해 내는 책, 그래서 서로 강한 상승 효과를 내는 책을 좋아한다.

"저는 걸쳐 있는 책이 좋아요. 여러 분야에 걸쳐 있는 책에 호감이 갑니다. 과학과 문명의 관계에 대해 썼다면 '어떻게 섞였을까? 어떻게 엮어서 의미를 찾았을까?' 하고 너무 궁금해지죠. 그런 책들이 제 서재에 굉장히 많아요."

다 그는 책이 비뚤어지는 것을 참지 못한다. 책을 꽂을 때에는 똑바로 세워 꽂아야 직성이 풀린다. 그래서 그의 책들은 흐트러짐 없이 모두 하늘을 향해 꼿꼿이 서 있다.

또 책을 접거나 구기지 않는다. 책에 줄을 긋고 여기저기 쓰는 것을 싫어한다. 쓸 것이 있을 때에는 쪽지에 써서 살짝 끼워 놓는다. 책이 귀했던 어린 시절부터 몸에 밴 습관이다. 서재에 있는 책은 어느 것 하나를 골라잡아 펼쳐도 새것 같지 않은 것이 없다. 어떤 이들은 까다롭다 할지 모르지만, 그에게는 이유가 있다.

"여기 있는 책들은 저 혼자 보는 책이 아니거든요. 저와 제 학생들, 제 주변의 많은 사람이 함께 보는 것이니 소중히 다뤄야지요. 언젠가는 제 책들이 저와 같은 분야를 공부하는 사람들의 책이 될 테니까요. 대한민국의 어느 도서관도 제가 연구하는 분야에 관해 이만큼의 책을 갖고 있는 곳은 없을 거예요. 저는 제 뒤에 걸어오는 후학들에게 그 도서관 역할을 해 주고 싶어요. 꼭 해 주어야 할 것 같아요.

17 이 글의 표현 방법에 대한 설명으로 가장 적절한 것은?

① 대상 인물을 인터뷰한 내용을 중간에 삽입했다.
② 대상 인물의 잘 알려지지 않은 일화들을 소개했다.
③ 대상 인물과 묻고 답하는 형식으로 내용을 전개했다.
④ 대상 인물의 독서 경험을 일기의 형식으로 표현했다.
⑤ 대상 인물이 겪은 일들을 시간의 흐름에 따라 서술했다.

18 이 글을 통해 알 수 있는 '생물학자 최재천'의 독서 태도로 가장 적절한 것은?

① 전공과 관련된 책만 읽는다.
② 한 권의 책을 여러 번 반복해서 읽는다.
③ 사실적인 이해에 집중하며 책을 읽는다.
④ 자발적인 태도로 좋아하는 책을 찾아 읽는다.
⑤ 책의 주인공과 자신과 동일시하며 책을 읽는다.

19 **다** 를 읽은 후 '생물학자 최재천'과 관련하여 떠올린 생각으로 적절하지 않은 것은?

① 그의 서재에서는 흐트러진 책을 볼 수 없겠구나.

② 그는 책을 읽고 떠오르는 생각을 메모하지 않는구나.

③ 그의 서재에는 책들이 깨끗한 상태로 보관되어 있겠구나.

④ 그는 자신의 서재를 모두가 공유하는 공간이라고 생각하는구나.

⑤ 어린 시절의 습관 역시 그가 책을 대하는 태도에 영향을 주었겠구나.

[20~22] 다음 글을 읽고 물음에 답하시오.

가 책 모임을 할 때 가장 어려운 일은 책을 고르는 일이었다. 어떤 책은 재미가 있으나 알맹이가 부족하고, 어떤 책은 한 사람에게는 좋으나 다른 이에게 지루했다. 혼자서 하는 독서와 달리, 여럿이 함께 하는 독서는 책을 다양하게 읽을 수 있으나 각자의 취향이나 수준을 살리는 데 어려움이 있다.

나 ㉠도란도란 책 모임에서는 처음 몇 달은 토론거리가 풍성한 그림책, 만화책, 동화책을 읽었다. 그리고 아이들이 독서 활동에 재미를 느끼고 자신감을 얻기 시작하면서부터는 주제를 잡아 독서했다. 예컨대 3월은 성장, 4월은 과학, 5월은 가정, 6월은 전쟁과 평화, 7월은 모험과 여행, 8월은 환경, 9월은 언어, 10월은 시, 11월은 인권, 12월은 철학과 같은 주제를 정해 책을 읽는 것이다. 아이들은 주제에 관한 도서를 몇 권씩 가져와 책상에 풀어놓고 함께 검토하면서, 도서 한 권을 정하여 읽을 것인지 같은 주제로 서로 다른 책을 읽고 토론할 것인지를 결정하여 활동하곤 하였다.

다 여러 선진국은 지식 정보화 시대가 시작될 무렵인 1980년대부터 이미 획일적인 교육 방식에서 탈피하고 있다. 그곳의 학생들은 스스로 도서관의 책과 정보를 찾아 탐구한 뒤 발표와 토론에 임한다. 우리 집에서 했던 책 모임 활동이 그들의 교실 안에서 매일 적극적으로 이루어지고 있는 것이다. 지식 정보화 시대에 필요한 인물은 시키는 일만 잘하는 사람이 아니라 풍부한 지식과 정보를 토대로 하여 새로운 것을 창조할 줄 아는 사람이다. 독서 토론 활동은 ㉡이러한 능력을 길러 내는 데 큰 도움이 된다.

인성을 위해서나 장차 닥칠 직업 문제를 위해서나 친구와 같이하는 도란도란 책 모임만 한 것이 없다. 학교에서 해 볼 수도 있고, 방과 후나 주말을 이용해 하는 것도 좋다. 친구들과 한 해 두 해 꾸준히 책을 읽고 도란도란 얘기를 나누다 보면, 자신과 이웃, 세상에 대해 더 깊은 관심과 애정이 생겨날 것이다. 또한 지식 정보화 시대에 필요한 독서 능력과 자신만의 개성과 아이디어, 곧 창의성을 향상할 수 있을 것이다.

20 **나** 를 바탕으로 하여 다음과 같은 고민을 하는 학생에게 조언한다고 할 때, 그 내용으로 가장 적절한 것은?

> 친구들과 책 모임에서 읽을 책을 정해야 하는데, 어떤 방법으로 책을 고르면 좋을까?

① 선생님께 책을 정해 달라고 부탁드려 봐.
② 학교 공부에 도움이 되는 책 위주로 살펴봐.
③ 평소 궁금했던 내용을 설명해 주는 책을 골라 봐.
④ 모임 진행자가 주도적으로 결정하는 것을 추천해.
⑤ 특정 주제와 관련된 책들을 가지고 친구들과 논의해서 골라 봐.

21 ㉠에 대한 설명으로 적절하지 <u>않은</u> 것은?
① 모임 초기에는 토론거리가 풍성한 책을 읽었다.
② 혼자서 하는 독서에 비해 읽을 수 있는 책의 종류가 적다.
③ '성장', '과학', '가정'과 같은 주제를 정해서 읽을 책을 결정했다.
④ 지식과 정보를 바탕으로 하여 새로운 것을 창조해 내는 데 도움이 된다.
⑤ 모임이 진행되면서 아이들이 독서 활동에 재미를 느끼고 자신감을 얻게 되었다.

22 ㉡이 가리키는 바를 **다** 에서 찾아 3음절로 쓰시오.

[1~2] 다음 글을 읽고 물음에 답하시오.

가 정치인은 선거를 통해 국민에게 권력을 위임받은 사람들이다. 이러한 의미에서 이들은 자연인이라기보다 권력 기관들이다. 그리고 국민 투표 사안을 제외한 모든 사회적 의사 결정에서 주권자를 대신할 권한을 지닌다. 반면에 경제인은 주권자를 대신해 사회적 의사 결정을 할 권한도 없고 합법성도 없다. 그렇지만 경제인은 시장 경제 체제에서 인간 활동의 동기가 되는 경제 행위에 관한 전문 지식과 분석 기술을 보유하고 있어, 정치인의 결정에 도움이 되는 대안을 제시할 수 있다. 이들은 정책을 결정하는 당사자가 아니므로 대안 선정에 따른 궁극적인 책임을 지지는 않는다.

정치인은 정책을 투입의 관점에서 보는 반면, 경제인은 효과의 측면에서 본다. 경제인은 효율성 원칙에 따라 여러 가지 정책을 수립하고 예상되는 정책 효과를 기준으로 하여 그 정책의 우선순위를 정한다. 그러나 정치인의 입장에서 보자면 정책이 미래에 가져올 효과는 정확히 측정하기 어려운 반면, 어느 지역에 어떤 정책을 시행했고 어느 정도의 자원(예산)을 투입했는지는 정확히 파악할 수 있다. 따라서 정치인은 유권자에게 제시하기 쉬운 투입을 기준으로 하여 정책을 결정하는 경향이 있다.

나 드레퓌스는 수 개 국어를 구사합니다. 유죄. 그의 방에서는 위험한 서류가 한 장도 발견되지 않았습니다. 유죄. 그는 가끔 조상의 나라를 방문합니다. 유죄. 그는 근면하며 모든 것을 알고자 할 정도로 지식욕이 강합니다. 유죄. 그는 마음의 동요를 일으키지 않습니다. 유죄. 그는 마음의 동요를 일으킵니다. 유죄. 얼마나 터무니없는 내용이며, 얼마나 황당한 주장인지요! 기소 항목은 모두 열네 가지였습니다. 그런데 결국 문제는 오직 한 항목, 즉 명세서입니다. ㉠우리는 필적 전문가들의 의견이 일치하지 않았다는 사실과 그들 중 한 명인 고베르 씨가 참모 본부의 의도대로 결론을 내리지 않았기에 험악한 처우를 받았다는 사실도 알고 있습니다.

1 **가**를 참고하여 〈보기〉를 이해한 내용으로 적절하지 않은 것은?

━ 보기 ●

	가구당 비용	방역 성공 확률	예산 투입 대상 (수혜 가구)	정책의 효과 (방역 성공 가구 수)
방법 1	50,000원	80%	200호	160호
방법 2	25,000원	50%	400호	200호
방법 3	10,000원	10%	1,000호	100호

＊총주민: 1,000가구, 총예산: 1,000만 원

① 정치인은 예산 투입 대상이 가장 많은 방법을 선택하겠군.
② 경제인은 방역 성공 가구 수를 기준으로 삼아 정책을 제안하겠군.
③ 경제인은 궁극적인 책임을 지지 않기 때문에 가구당 비용이 가장 큰 방법을 선택하겠군.
④ 정치인이 가장 선호하지 않는 방법과 경제인이 가장 선호하지 않는 방법은 서로 다르겠군.
⑤ 정치인은 유권자를 의식하여 수혜 가구가 많은 순서에 따라 정책의 우선순위를 정하겠군.

2 ㉠이 의미하는 바로 가장 적절한 것은?
① 명세서의 내용에는 아무 문제가 없다.
② 명세서는 드레퓌스의 방에서 발견되지 않았다.
③ 드레퓌스는 동료들로부터 시기와 질투를 받았다.
④ 명세서의 필적이 드레퓌스의 것이라고 단정하기 어렵다.
⑤ 드레퓌스의 유죄 여부에 대한 법관들의 생각이 일치하지 않았다.

정답과 해설 102쪽

[3~4] 다음 글을 읽고 물음에 답하시오.

가 "제가 들은 것은 옛날에 화왕(花王)이 처음 왔을 때의 이야기입니다. 이를 향기로운 동산에 심고 푸른 장막으로 보호하니 봄철이 되자 예쁘게 피어나 온갖 꽃을 뛰어넘어 홀로 **빼어났습니다.** 그러자 가깝고 먼 데서 곱디곱고 아름다운 꽃의 정령들이 바삐 달려와 화왕을 알현하고자 하여 오로지 다른 이에게 뒤떨어지지 않을까 염려했습니다. 〈중략〉 어떤 이가 '두 사람이 왔으니 누구를 받아들이고 누구를 버릴 것입니까?'라고 묻자, 화왕은 '장부의 말도 도리(道理)가 있지만 미인은 얻기가 어려운 것이니 이 일을 어찌할꼬?'라고 했습니다. 그러자 장부가 나와 말하기를 '저는 왕께서 총명하여 이치를 알리라고 생각해서 왔던 것인데, 지금 보니 그게 아닙니다. 무릇 임금 된 사람치고 간사하고 아첨하는 사람을 가까이하고 정직한 사람을 멀리하지 않는 이가 드무나니, 이 때문에 맹가(孟軻)가 불우하게 일생을 마쳤고 풍당(馮唐)은 낭서(郞署) 따위로 썩어 흰머리가 되었던 것입니다. 예로부터 이러했거늘 전들 어찌하겠습니까!'라고 하니, 화왕이 '내가 잘못했다, 내가 잘못했다.'라고 했다 합니다."

나 우리나라 선비들은 한쪽 모퉁이 땅에 편협한 기질을 타고나, 발은 중국 대륙의 땅을 밟아 보지 못하고 눈은 중국의 사람을 보지 못한 채 태어나 늙고 병들어 죽기까지 국경 안을 떠나 본 적이 없다. 〈중략〉

재선은 나보다 먼저 북경에 들어갔던 사람이다. 그는 농사 짓고, 누에 치고, 가축을 기르고, 성을 쌓고, 집을 짓고, 배와 수레를 만드는 일에서부터 기와를 굽고, 대자리를 짜고, 붓과 자를 만드는 일에 이르기까지 눈으로 헤아려 보고 마음으로 비교해 보지 않은 것이 없었다. 눈으로 보지 못한 것이 있으면 반드시 물어보았고, 마음으로 깨닫지 못한 것이 있으면 반드시 배웠다. 시험 삼아 책을 한번 펼쳐 보니, 내가 쓴《열하일기》와 조금도 어긋나는 것이 없어 한 사람의 손에서 나온 것 같았다.

3 〈보기〉를 참고하여 **가** 를 감상한 내용으로 적절하지 **않은** 것은?

> ─── 보기 ───
>
> **가** 에서 설총은 신문 대왕에게 꽃의 왕인 '화왕', 화왕의 총애를 얻으려는 '미인', 화왕에게 충언하는 '장부'가 등장하는 우화를 들려준다. 우화란 인격화한 동식물이나 기타 사물을 주인공으로 하여 그들의 행동 속에 풍자와 교훈의 뜻을 나타내는 이야기이다.

① '화왕', '미인', '장부'는 모두 인간 사회의 인물형을 빗댄 대상이군.
② '장부'는 '화왕'이 '간사하고 아첨하는 사람'을 가까이하려 하자 이를 비판하고 있군.
③ '장부'는 '맹가'와 '풍당'의 고사를 통해 인재를 알아보는 일의 중요성을 전하고 있군.
④ '화왕'이 미인을 얻기가 어렵다고 말한 것은 인재를 등용하기 어려운 현실을 한탄한 것이군.
⑤ 설총은 우화를 통해 신문 대왕에게 교훈을 전하고자 한 것이군.

4 **나** 의 글쓴이가 다음과 같이 이야기했다고 할 때, ㉠에 들어갈 적절한 내용을 〈조건〉에 맞게 서술하시오.

> 나와 재선은 실용적인 지식을 중시하는 실학자이며, 학문하는 자의 바른 태도에 대한 생각이 서로 같다. 학문하는 자는 (㉠)

> ─── 조건 ───
>
> • **나** 를 바탕으로 하여 글쓴이가 생각하는 학문하는 자의 바른 태도를 서술하고, '우리나라 선비들'과의 차이점을 밝힐 것
> • '편협한 기질'이라는 말을 포함할 것
> • '~ 태도를 지녀야 한다. 그런데 우리나라 선비들은 ~다.'의 문장 형식으로 서술할 것

[5~9] 다음 글을 읽고 물음에 답하시오.

가 결핵은 원래 동물에게서 발생한 질병이 사람에게 전파된 인수 공통 전염병의 하나이다. 수천 년 전의 것으로 짐작되는 사람의 뼈에서 그 흔적이 발견된 것으로 보아, 결핵은 인류의 탄생과 함께 발생한 질병으로 추정된다. ㉠이집트에서 발견된 미라에 결핵의 흔적이 있고, 고대 인도인과 중국인들도 결핵에 관한 내용으로 추정되는 기록을 남겨 놓았다. 히포크라테스도 폐결핵을 가리키는 것으로 보이는 질병을 소개했으며, ㉡아리스토텔레스는 결핵이 공기를 통해 전파된다고 처음 주장했다.

근대 유럽에서는 평민층보다 상류층에서 결핵 환자들이 많이 나타났다. ㉢이는 상류층에 속하는 사람들이 집단적인 사교 생활을 하면서 서로에게 병을 전염시킬 확률이 높았기 때문으로 보인다.

산업 혁명 이후에는 농촌을 벗어나 도시로 밀려드는 사람들의 행렬이 이어졌다. ㉣미처 준비가 안 된 도시로 사람들이 몰려들면서, 위생 상태가 불량한 가운데 집단생활이 이루어졌다. ㉤산업화와 도시화는 대기 오염을 동반했고, 위생 상태가 엉망인 거주지에다가 열악한 노동 조건까지 더해져서 결핵은 상류층보다 하류층에서 더 유행하는 질병이 되었다. 심지어 결핵은 중세를 멸망시켰다는 말을 듣는 페스트에 빗댄 '백색의 페스트'라는 별명까지 얻게 되었다.

나 획기적인 인공 신경망 모델인 퍼셉트론을 활용한 '기계 학습'이 기술 혁명을 가져올 것으로 기대되었지만 그것이 대부분의 컴퓨터에 활용되지는 않았다. 퍼셉트론의 한계 때문이다. 퍼셉트론은 보통의 컴퓨터나 인간이 쉽게 푸는 기본적인 논리 문제조차 제대로 풀지 못했으며, 퍼셉트론으로 학습할 수 있는 정보는 매우 제한적이었다. 이러한 문제를 해결하기 위해 '다층 퍼셉트론'이 제안되었다.

이후 다양한 학습 모델이 제안되었고, 많은 학자들은 기계가 좀 더 복잡한 문제를 풀 수 있게 하려고 기존 퍼셉트론의 입력층과 출력층 사이에 중간층을 삽입하고, 중간층의 신경망 층수를 늘려 나갔다. 그런데 신경망의 층수를 늘릴수록 기계가 판별을 제대로 하지 못하는 오류가 발생하여 학습 수행에 지장이 생겼다. 즉, 다층 퍼셉트론의 인공 신경망을 3층 이상으로 올리면 학습 수행이 어려워졌던 것이다. 이를 해결하기 위해 다양한 방법이 제안되어 점차적으로 학습의 오류율을 줄여 나갔으나 기계 학습은 1980~1990년대까지 발전한 후 답보 상태에 있었다.

일반적으로 기계 학습에 적용된 컴퓨터의 데이터 분류 방식은 '지도 학습'과 '비지도 학습'으로 나뉜다. 지도 학습은 컴퓨터에 먼저 분류 기준을 입력한 후에 컴퓨터에 정보를 가르치는 방식이다. 예를 들어, 사진을 주고 "이 사진은 고양이임."이라고 알려 주면, 컴퓨터는 미리 학습된 결과를 바탕으로 하여 고양이 사진을 구분한다. 비지도 학습은 분류 기준 없이 정보를 입력하고 컴퓨터가 알아서 분류하게 하는 방식으로, 컴퓨터가 스스로 비슷한 군집을 찾아 데이터를 분류한다. "이 사진은 고양이임."이라는 배움의 과정 없이 "이 사진은 고양이 사진이군."이라고 컴퓨터가 스스로 학습하는 것이다.

기계 학습은 2006년 캐나다의 제프리 힌턴에 의해 전기를 맞이하였다. 힌턴은 많은 층수의 다층 퍼셉트론도 사전 훈련, 즉 연산 과정에 여러 층을 두어 컴퓨터 스스로 정보를 잘게 조각내어 작은 판단을 내리게 하는 과정을 통해 효과적으로 학습시킬 수 있다고 하였다. 그리고 이와 같이 기존 기계 학습의 한계를 극복한 인공 신경망(심층 신뢰망)을 통해 이루어지는 기계 학습을 '심층 학습'이라고 하였다. 〈중략〉

심층 학습은 비지도 학습 방법을 사용한 사전 훈련 과정으로 데이터를 손질해 인공 신경망 최적화를 수행한다. 특징 추출부터 학습까지 알고리즘에 포함한 것이 심층 학습의 특징이다. 심층 학습은 연산 과정에 여러 층을 두어 컴퓨터 스스로 정보를 잘게 조각내어 작은 판단을 내리고, 그것을 종합해 결과를 내놓는다. 즉 심층 학습은 다층 구조의 신경망을 기반으로 하는 기계 학습의 한 분야로, 다량의 데이터에서 높은 수준의 추상화 모델을 구축하는 기법이다.

5 가, 나를 읽고 답할 수 있는 질문이 <u>아닌</u> 것은?

① 결핵은 동물에게도 발병할까?

② 고대에도 결핵이라는 병이 존재했을까?

③ 힌턴은 심층 학습의 한계를 어떻게 극복했을까?

④ 산업 혁명 이후에 결핵이 얻은 별명은 무엇일까?

⑤ 초기의 퍼셉트론은 어떤 한계를 가지고 있었을까?

6 가, 나에 공통으로 사용된 내용 전개 방식으로 가장 적절한 것은?

① 시간의 흐름에 따라 내용을 전개하고 있다.

② 대상을 구성 요소로 나누어 분석하고 있다.

③ 비유를 통해 대상을 감각적으로 묘사하고 있다.

④ 상반되는 개념을 대조하여 특징을 부각하고 있다.

⑤ 어려운 개념을 친숙한 대상에 빗대어 설명하고 있다.

7 ㉠~㉤을 통해 추론할 수 있는 내용으로 적절하지 <u>않은</u> 것은?

① ㉠: 결핵은 오래전부터 세계적으로 전파되어 온 질병이다.

② ㉡: 옛날 사람들도 결핵이 감염성 질환임을 알고 있었다.

③ ㉢: 여러 사람이 함께 활동하는 환경은 결핵 환자 증가에 영향을 미친다.

④ ㉣: 산업 혁명 직후 도시의 위생 상태는 많은 사람을 수용하기에 적합하지 않았다.

⑤ ㉤: 산업화와 도시화를 거치면서 상류층에서는 결핵이 발병하지 않게 되었다.

8 나를 참고하여 〈보기〉를 이해한 내용으로 알맞은 것은?

• 보기 •

• [학습 1]

　토끼 사진 및 고양이 사진과 함께 각 사진 속의 동물이 토끼와 고양이라는 정보를 컴퓨터에 입력한 후, 새로운 토끼 사진을 보여 주고 어떤 동물인지 물으니 '토끼'라는 답이 출력되었다.

• [학습 2]

　컴퓨터에 토끼 사진과 고양이 사진을 입력하자 컴퓨터가 이들을 '토끼' 그룹과 '고양이' 그룹으로 분류했다.

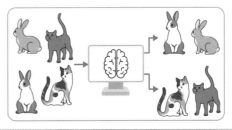

① [학습 1]은 퍼셉트론의 한계를 보여 주는 사례이다.

② [학습 2]에 적용된 데이터 분류 방식은 컴퓨터에 분류 기준을 입력하지 않는다.

③ [학습 1]은 컴퓨터가 특징 추출부터 학습까지 알고리즘에 포함하도록 한 것이다.

④ [학습 2]에서 컴퓨터는 미리 학습된 결과를 바탕으로 하여 사진을 구분하고 있다.

⑤ [학습 1]에는 다층 퍼셉트론의 오류를 줄일 수 있는 데이터 분류 방식이 적용되었다.

9 다음은 **나**를 읽은 학생의 메모이다. ⓐ~ⓒ에 들어갈 알맞은 말을 쓰시오.

> 제프리 힌턴의 심층 학습
> • (ⓐ)을/를 기반으로 하는 기계 학습의 한 분야
> • 퍼셉트론의 한계를 극복하기 위해 제안된 (ⓑ)의 한계를 극복함.
> • 비지도 학습 방법을 사용한 (ⓒ) 과정으로 인공 신경망을 최적화함.

[10~13] 다음 글을 읽고 물음에 답하시오.

가 군주는 자신의 군대를 통솔하고 많은 병력을 지휘할 때, 잔인하다는 평판쯤은 개의치 말아야 합니다. 왜냐하면 군대란 그 지도자가 거칠다고 생각되지 않으면 군대의 단결을 유지하거나 군사 작전에 적합하게 만반의 태세를 갖추지 못하기 때문입니다. 한니발의 활약에 관한 설명 가운데 특히 주목할 만한 사실은 그가 비록 수많은 종족이 뒤섞인 대군을 거느리고 이역에서 싸웠지만, 상황이 유리하든 불리하든 상관없이, 군 내부에서 또 그들의 지도자에 대해서 어떠한 분란도 일어나지 않았다는 것입니다. 이 사실은 그의 많은 다른 훌륭한 역량과 더불어, 그의 부하들이 그를 항상 존경하고 두려워하도록 만든 그의 비인간적인 잔인함으로 설명할 수 있습니다. 그리고 그가 그토록 잔인하지 않았더라면, 그의 다른 역량 역시 그러한 성과를 거두는 데 충분하지 않았을 것입니다. 분별없는 저술가들은 이러한 성공적인 행동을 찬양하면서도 그 성공의 주된 이유를 비난하는 어리석음을 범하고 있습니다.

한니발의 다른 역량들로는 충분하지 못했을 것이라는 저의 논점은 스키피오가 겪은 사태에서 입증됩니다. 그는 당대는 물론 후대에도 매우 훌륭한 인물로 평가받았지만, 그의 군대는 스페인에서 그에게 반란을 일으켰습니다. 그 유일한 이유는 그가 너무나 자비로워서 적절한 군사적 기율을 유지하는 데 필요한 것보다도 더 많은 자유를 병사들에게 허용했기 때문이었습니다. 이 때문에 파비우스 막시무스는 원로원에서 그를 탄핵하면서 로마 군대를 부패시킨 장본인이라고 비난했습니다. 그리고 로크리 지방이 스키피오가 임명한 지방 장관에 의해서 약탈을 당했을 때, 스키피오는 그 주민들의 원성을 구제해 주지 않았으며, 또한 그 지방 장관은 자신의 오만함에도 불구하고 처벌받지 않았습니다. 이 모든 것은 스키피오가 너무 자비로웠기 때문입니다. 실로 원로원에서 그를 사면하고자 발언한 인물은, 타인의 비행을 처벌하기보다는 스스로 그러한 비행을 저지르지 않는 데 탁월한 사람들이 있는데, 스키피오가 바로 그런 유형의 인물이라고 변호했습니다. 이러한 그의 군대 지휘 방식이 견제받지 않고 방임되었더라면, 그 자신의 성격 때문에 스키피오의 명성과 영광은 빛이 바랬을 것입니다. 그러나 그는 원로원의 통제하에 있었기 때문에, 이처럼 유해한 성품이 적절히 억제되었을 뿐만 아니라 나아가 그의 명성에 이바지했습니다.

나 스와데시의 정신이란 우리가 가까운 주변에 모든 힘을 기울이기 위해 더욱 먼 곳은 관여하지 않는 것을 말한다. 종교를 예로 들면, 나는 우리의 고대 종교만을 믿는다. 내게 가까운 종교이기 때문이다. 비록 그 종교가 결점을 내포하고 있다 해도, 나는 결점을 고쳐 가면서라도 그 종교를 믿어야 한다.

이것은 정치 분야에서도 마찬가지이다. 경제 분야에서도 나는 가까운 이웃이 생산한 물건만을 사용해야 하며, 물건에 결함이 있다 해도 이웃의 생업이 능률적으로 이루어질 수 있도록 도와주어야 한다. 만약에 이러한 스와데시가 실천된다면 우리는 영원한 평화의 나라를 건설할 수 있을 것이다.

〈중략〉

아무리 훌륭한 품질을 지녔다 해도 영국이나 일본 또는 다른 나라에서 단 하나의 면직물도 구입하지 않겠다. 이것을 구입하면 인도 민중들이 큰 피해를 입기 때문이다.

나는 수많은 빈민이 만든 옷감이 아니라, 우수한 품질의 외국 옷감을 사는 것은 죄를 짓는 일이라고 생각한다. 그러므로 나의 스와데시 운동은 주로 손으로 짜는 직물에 초점을 맞추고 있으며, 점차 인도에서 생산될 수 있는 모든 상품까지 그 범위를 확대할 것이다. 〈중략〉

다른 나라를 무시하면서 인도만을 위해 살아간다고 해도, 나는 다른 나라에 피해를 주지는 않는다. ㉠나의 애국심은 배타적이면서 동시에 포괄적이다. 그것은 내가 조국에만 관심을 기울인다는 의미에서 배타적이다. 그러나 그것은 나의 정신이 경쟁적이거나 절대적인 성질을 갖고 있지 않다는 의미에서 포괄적이다. "다른 사람의 권리를 침해하지 않는 범위 내에서 자신의 재산권을 행사하라."라는 말은 단순한 법률상의 금언이 아니다. 이것은 중요한 생활 지침이다.

10 **가** 의 내용 전개 방식으로 가장 적절한 것은?

① 문답의 방식으로 독자의 흥미를 유도하고 있다.
② 대립되는 견해들을 제시한 후 이를 종합하고 있다.
③ 대조적 사례를 들어 주장의 설득력을 높이고 있다.
④ 해결이 필요한 문제를 제시하며 관심을 촉구하고 있다.
⑤ 대상에 대한 사회적 인식의 변화 과정을 서술하고 있다.

11 스키피오 에 대한 **가** 의 글쓴이의 생각과 일치하지 <u>않는</u> 것은?

① 군사 통치 방식 때문에 반란을 겪은 인물이다.
② 적절한 군사적 기율을 유지하지 못한 인물이다.
③ 병사들에게 너무 많은 자유를 허용한 인물이다.
④ 원로원의 통제가 없었더라면 더 큰 명성을 얻었을 인물이다.
⑤ 지나치게 자비로워 타인의 잘못을 제대로 처벌하지 않은 인물이다.

12 〈보기〉는 **나** 가 쓰였을 당시 인도의 역사적 상황이다. 〈보기〉를 고려할 때 **나** 의 글쓴이가 이 글을 쓴 이유로 가장 적절한 것은?

─ 보기 ─
영국은 19세기 중반에 인도의 분열을 이용하여 인도 전 지역을 점령했다. 영국은 인도의 면화를 본국에 보내 면직물로 가공하여 다시 인도에 들여왔다. 대량으로 생산된 값싼 면제품이 들어오면서 인도의 섬유 산업은 파괴되었고 수공업자들은 일자리를 잃었다. 이렇게 영국은 인도와의 무역에서 막대한 이익을 챙겼고 인도 경제는 붕괴되었다. 이러한 상황에서 1905년 민족 운동 단체인 인도 국민 회의는 국산품 애용 운동인 스와데시 운동을 전개하였다.

① 국산품의 질이 더 좋다는 사실을 홍보하기 위해
② 외국 상품을 사용하는 일의 장단점을 알리기 위해
③ 영국의 무역 전략을 본받아야 한다는 깨달음을 전하기 위해
④ 평화의 나라를 건설하지 못했다는 아쉬움을 드러내기 위해
⑤ 국산품 애용을 통해 인도의 경제적 어려움을 극복하기 위해

13 **나** 에 나타난 '스와데시 정신'의 성격을 〈조건〉에 맞게 서술하시오.

─ 조건 ─
• ㉠의 '배타적'과 '포괄적'이 의미하는 바가 드러나도록 서술할 것
• '배타성'과 '포괄성'이라는 말을 포함할 것
• '스와데시 정신은 ~는 점에서 역설적이다.'의 문장 형식으로 서술할 것

[14~15] 다음 글을 읽고 물음에 답하시오.

가 일반인이 정보 내용물의 생산과 유통에 참여하는 것은 과거의 대중 매체 시대와는 비교할 수 없는 수준으로 광범위한 영역에서 발생하고 있다. 이러한 현상은 분명 긍정적인 측면이 있다. 〈중략〉

그런데 한편으로는 검증되지 않은 내용의 무분별한 생산과 유통, 지나친 경쟁에 따른 선정적 정보 내용물의 양산과 하향 평준화 등 부작용이 속출하고 있다. 기본적인 사실 확인도 거치지 않은 채 그저 흥미롭다는 이유로 게시물을 작성하거나 퍼 나르는 일이 비일비재하고, 사람들의 이목을 끌거나 돈을 버는 것만을 목적으로 하는 저급한 수준의 정보 내용물이 무수히 생산되고 있다.

언론사 같은 전문 생산 조직이라고 해서 문제에서 자유로운 것은 아니다. 인터넷은 수용자의 정보 생산만 손쉽게 만든 것이 아니라 언론사를 포함한 전문적 생산 조직의 수 자체를 늘려 놓았으며, 이들이 경쟁적으로 생산하는 정보 내용물 역시 여러 가지 폐해를 보이고 있다. 클릭을 유도하기 위해 기사 내용과 일치하지 않는 자극적 제목을 붙이는 '낚시성' 기사, 인터넷 들머리사이트에서 동일한 기사를 반복적으로 올려 조회 수를 조작하는 행위, 특정 기업이나 조직 등에서 대가를 받고 홍보하는 내용의 기사를 써 주는 '광고성' 기사 등이 폐해의 대표적인 사례들이다. 이러한 유형은 애초에 돈벌이가 목적이기 때문에 내용의 사실성이나 객관성 등은 우선적인 고려 사항이 아니다. 그 외의 일반적인 기사들도 지나친 속보 경쟁으로 사실 확인을 충분히 거치지 않고 보도되는 경우가 허다하다.

나 매체 정보 내용물에 대한 분별력은 곧 매체 문식성의 핵심을 이루는 요소이다. 분별력은 단순히 저급한 정보 내용물을 차단하기 위한 소극적인 동기에서만 필요한 것이 아니다. 그보다는 자신에게나 공동체에 필요하고 유용한 내용을 찾아 적극적으로 활용하기 위해 반드시 갖춰야 할 능력이다. 비용을 지불해야 이용할 수 있는 일부 정보를 제외하고 사람들에게 필요한 대부분의 정보는 인터넷상에 넘쳐나며 누구나 접근할 수 있다. 그러므로 원하는 정보를 신속하고 정확하게 찾고 그 가치를 제대로 평가할 수 있는가가 중요하다.

---

14 **가** 에서 알 수 있는 매체 환경 변화에 따른 폐해가 <u>아닌</u> 것은?

① 검증되지 않은 내용의 무분별한 생산
② 정보 내용물의 전문적 생산 조직 급증
③ 지나친 경쟁에 따른 선정적 정보 내용물의 양산
④ 기본적인 사실 확인도 거치지 않은 채 유통되는 게시물들
⑤ 돈을 버는 것만을 목적으로 하는 저급한 정보 내용물의 생산

15 **나** 를 참고할 때, 오늘날 매체 이용자가 갖추어야 할 능력에 해당하지 <u>않는</u> 것은?

① 정보 내용물을 빠르게 유통하는 능력
② 저급한 정보 내용물을 차단할 수 있는 능력
③ 원하는 정보를 신속하고 정확하게 찾는 능력
④ 정보 내용물의 가치를 제대로 평가하는 능력
⑤ 자신이나 공동체에게 유용한 내용을 찾아 적극적으로 활용하는 능력

[16~20] 다음 글을 읽고 물음에 답하시오.

가 생물학자 최재천은 자신의 서재를 '통섭원'이라고 부른다. 그곳은 그가 세상과 제자들과 소통하는 장이자, 자연 과학과 인문학이 벽을 깨고 통섭되기를 바라는 공간이며, 또 학자들과 진리를 탐하고 서로의 학문에 빠져들기를 바라는 소망의 공간이다. 〈중략〉

바닥부터 천장까지 책으로 빼곡한 그의 서재는 과학자의 서재라고는 상상하기 힘들 만큼 인문학책과 예술책들로 가득하다. 김병종의 ⊙《화첩 기행》부터 인문 서적들과 사상·철학 서적들까지 여러 분야의 책들이 둥지를 틀고 있다. 그가 꽤 오랫동안 문학도로서의 열병을 앓았을 법한 흔적들이다.

그중에서도 프랑스의 분자 생물학자 자크 모노의 ⓒ《우연과 필연》은 그에게 특별한 책이다. 대학 시절, 영문책 읽기에 한창 빠져 있을 즈음 이 책을 만났다. '어떻게 이런 생각을 하는 사람이 있을까?' 읽으면 읽을수록 자크 모노의 책에 열광했다. 〈중략〉

책은 그의 청춘과 함께 30년이 훌쩍 넘는 세월을 함께 보내 온 동반자이다. 그래서 그의 서재에 있는 책 한 권 한 권에는 이야기가 있고 추억이 묻어 있다.

창가 옆에 놓인 탁자 위에는 어린이들을 위한 자연책과 게리 라슨의 ⓒ《더 컴플리트 파 사이드(The Complete Far Side)》라는 두꺼운 책이 늘 놓여 있다. 최재천은 게리 라슨의 책에서 많은 영감을 얻었다고 했다. 언뜻 보면 만화책 같지만, 그 안에는 진화의 핵심을 찌르는 흥미로운 내용이 담겨 있다. 자연 과학자의 마음을 기가 막히게 잘 표현했다며 그는 강의할 때 이 책의 만화를 자주 인용한다고 했다. 그래서 손만 뻗으면 닿을 수 있는 곳에, 눈만 돌리면 바라볼 수 있는 곳에 아이디어 열쇠를 배치해 놓는다고.

나 우리 큰아이는 학교 공부를 잘한 것도 아니고 또래 아이들과는 달리 체육 활동을 좋아한 것도 아니었다. 중학생이 되어서는 거의 모든 수업을 지겨워했고, 자신이 살아야 하는 이유를 모르겠다며 힘들어했다. 엄마인 나로서는 정말 큰일이다, 싶었다.

나는 우리 아이가 자신을 '있는 그대로' 존중하고 사랑하기를 바랐고, 삶을 마무리하는 순간까지 배워 나가는 사람이기를 바랐다. 그런 사람이라면 시작이 미미할지라도 나이가 들수록 내면이 단단해지고 지혜로워질 테니 말이다. 자신의 존재 가치를 발견하고 배움의 기쁨을 누릴 수 있는 일이 무엇일까? 골똘히 생각하다 발견한 것이 '도란도란 책 모임'이다.

〈중략〉

아이들은 활동한 지 2, 3년 만에 정서적으로나 지적으로 크게 성장했다. 사춘기의 한복판에서 휘청대던 아이들은 책 모임을 하면서 내면이 단단해졌다. 공부를 싫어하던 아이들이 묻고 이야기하고 탐구하면서 배움의 즐거움을 느꼈다. 특히 우리 큰아이는 몰라보게 밝아졌고 학교 공부가 더 이상 재미없다는 말도 하지 않았다. "배운다는 게 재미있는 일이었군요. 작가의 길을 걸으며 평생 공부하는 사람이 되고 싶어요."라고 고백할 정도였다.

다음은 책 모임에 참여한 아이들이 쓴 활동 후기이다.

장○○: 첫 번째 가정 독서 모임을 시작할 때 나는 게을렀고, 무지했고, 삶의 인연을 몰랐다. 그러나 점차 책 읽기와 공부의 즐거움과 만남의 소중함을 알게 되었다. 독서는 정말 위대한 것이었다.

조○○: 중학교 1학년 때 나는 미래가 두려웠다. 두려움에 갇힐 때면 나라는 존재가 너무 작아져 형체도 없어지는 것 같았다. 그러나 독서 모임을 하면서 나의 내면의 공간은 맥박처럼 두근대며 그 존재를 드러냈다. 언젠가 넘기 어려운 벽에 부딪친다면 그 벽을 넘어서는 힘은 내 안의 그 공간에서 나올 것 같다.

장○○: 제1기에서 내게 감정의 성숙이 있었다면, 제2기에서는 이성의 성숙이 있었다. 우리 사회의 발전 과정과 문제점 등을 책으로 접하면서 어떻게 하면 더 나은 사회를 만들어 나갈 것인지 생각해 볼 수 있었다.

ⓐ권○○: 이 모임에서 나는 인연을 얻었다. 책을 읽고 토론할 수 있는 친구, 생각지도 못한 사물의 다른 면을 말해 주는 친구가 있다는 것은 얼마나 멋진 일인가? 이분법적 사고에 갇혀 있던 나는 이곳에서 다차원의 논리를 만나고 느꼈다.

16 기 의 '생물학자 최재천'에 대한 설명으로 적절하지 <u>않은</u> 것은?

① 여러 분야를 넘나드는 독서를 해 왔다.

② 대학 시절에는 영문책 읽기에 한창 열중했었다.

③ 30년이 넘게 책들과 함께하는 평생 독서를 실천해 왔다.

④ 자신의 서재가 사람들이 소통하는 공간이 되기를 바란다.

⑤ 생물학보다 인문·사상·철학이 더 중요한 학문이라고 생각한다.

17 기 의 ⊙~ⓒ에 대한 설명으로 적절하지 <u>않은</u> 것은?

① ⊙: 최재천의 독서 태도를 보여 준다.

② ⊙: 최재천이 오랫동안 간직해 온 책이다.

③ ⓒ: 최재천에게 특별한 의미를 갖는 책이다.

④ ⓒ: 최재천이 강의에 자주 활용하는 책이다.

⑤ ⓒ: 최재천이 찾기 쉽게 가까이에 두는 책이다.

18 나 의 글쓴이가 바랐던 '큰아이'의 삶의 모습으로 가장 적절한 것은?

① 체력이 좋은 아이

② 학교 성적이 높은 아이

③ 자신을 존중하고 사랑하는 아이

④ 사춘기를 심하게 겪지 않는 아이

⑤ 책 모임을 주도적으로 진행하는 아이

19 나 의 '책 모임'에 관한 내용과 일치하지 <u>않는</u> 것은?

① '큰아이'는 모임 덕분에 체육 활동에 흥미를 갖게 되었다.

② 시작한 지 2, 3년 만에 아이들에게 긍정적인 변화가 나타났다.

③ 모임에 참여한 아이들이 정서적으로나 지적으로 크게 성장했다.

④ 사춘기로 힘들어하던 아이들의 내면이 단단해지는 계기가 되었다.

⑤ '큰아이'에게 작가의 길을 걸으며 평생 공부하는 사람이 되고 싶다는 꿈을 만들어 주었다.

20 나 의 ⓐ와 문자 메시지를 나눈다고 할 때, 빈칸에 들어갈 적절한 내용을 〈조건〉에 맞게 서술하시오.

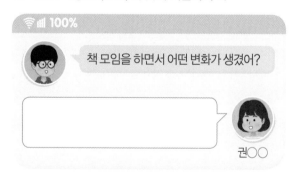

━━ 조건 ━━

• 책 모임에 참여하기 전의 모습과 책 모임에 참여한 후의 변화가 드러나도록 서술할 것

• '논리'라는 말을 포함할 것

• 친구의 문자 메시지에 답하는 형식으로 서술할 것

7일 끝!

정답과
해설

 정답과 해설 활용 안내

◆ 정답 박스로 빠르게 정답 확인하기!

◆ 정답과 오답의 이유, 한 번 더 짚고 넘어가기!

◆ 서술형 답안의 **평가 요소**를 직접 **체크**해 보며,
주관식 문제 꼼꼼히 대비하기!

1일 기초 확인 문제

7쪽

•3단원 (2) 사회·문화 분야의 글 읽기

1 효율성 **2** (1) ○ (2) ○ (3) × **3** (1) 비공개적으로 (2) 없었다
(3) 군의 이익 **4** ⑤

1 경제 논리는 효율성, 즉 최소의 비용으로 최대의 효과를 얻고
자 하는 경제 원칙에 입각한 자원 배분의 논리이다.

2 (1) 정치인은 국민의 의견을 수렴하여 정책에 반영하는데, 국
민들의 이해관계가 각기 다르므로 이들의 요구를 모두 충족해
줄 수 없다. 이때 정치인은 자신의 지지 기반이 되는 유권자의
요구를 우선적으로 고려하게 된다.
(2) 선거를 통해 국민에게 권력을 위임받은 정치인이 국민 투
표 사안을 제외한 모든 사회적 의사 결정에서 주권자를 대신
할 권한을 지닌 것과 달리, 경제인은 주권자를 대신해 사회적
의사 결정을 할 권한이나 합법성이 없다.
(3) 정치 논리와 경제 논리는 서로 상충하는 경우가 많다. 글쓴
이는 어느 하나의 논리가 절대적으로 옳다고 말하기는 어려우
므로 사안에 따라 두 논리를 적절히 활용해야 한다고 생각하
고 있다.

3 (1) '드디어 드레퓌스가 군사 법정에 섰습니다. 재판은 완전 비
공개로 진행되었습니다.'에서 드레퓌스의 재판이 비공개로 이
루어졌음을 알 수 있다.
(2) '명세서가 유일한 물증이었지만 필적 전문가들조차 의견
일치를 보지 못한 상태였습니다.'를 통해 명세서가 증거로서
의 신빙성이 없는 물증이었음을 알 수 있다.
(3) '그(비요 장군)는 충분히 진실을 밝힐 수 있었습니다. 그렇
지만 …… 감히 그렇게 하지 못했습니다. 한순간 자신이 군의
이익이라고 생각하는 것과 양심 사이에서 갈등을 하기는 했겠
지요.'를 통해 비요 장군이 군의 이익에 따르는 선택을 내렸고
글쓴이가 이를 비판하고 있음을 알 수 있다.

4 〈나는 고발한다〉의 글쓴이는 드레퓌스의 재판 과정이 부당함
을 주장하며 자신의 고발이 '진실과 정의의 폭발을 앞당기기 위
한' 의도적 행위라고 밝혔다. 이러한 본문의 내용과 제시된 글
쓴이의 말을 고려할 때 글쓴이의 신념으로 ⑤가 가장 적절하다.

1일 교과서 기출 베스트

8~13쪽

•3단원 (2) 사회·문화 분야의 글 읽기

1 ⑤ **2** ① **3** ③ **4** ③ **5** ② **6** 정치 논리와 경제 논리는 사
안에 따라 적절히 활용되어야 한다. **7** ③ **8** ⑤ **9** •(독일과의
전쟁에서 패배한 후) 애국주의적 분위기가 프랑스 사회를 뒤덮고 있
었기 때문이다. •반유대주의적 언론과 여론이 드레퓌스의 유죄 판
결을 환영했기 때문이다. **10** ④ **11** ⑤ **12** ② **13** ① **14** ⑤
15 ② **16** 권력 거리는 한 나라의 제도나 조직의 힘없는 구성원들
이 권력의 불평등한 분포를 기대하고 수용하는 정도이다. **17** ①

1 (다)를 통해 정책을 투입의 관점에서 바라보는 것은 경제인이
아니라 정치인임을 알 수 있다. 경제인은 정책을 효과의 측면
에서 본다.

2 주권자를 대신하여 사회적 의사 결정을 내리는 정치인과 달
리, 경제인은 대안을 제시할 뿐 대안 선정에 따른 책임을 지지
는 않는다. 이는 경제인은 정치인처럼 의사 결정을 내리는 당
사자가 아니기 때문이다. 따라서 ㉠에는 '정책을 결정하는 당
사자가 아니므로'가 들어가는 것이 적절하다.

3 (다)에 따르면 정치인은 정책을 투입의 관점에서, 경제인은 효
과의 측면에서 본다. 즉 〈보기〉의 표에서 정치인은 '예산 투입
대상'이 가장 많은 '방법 3'을, 경제인은 정책의 효과가 가장 높
은 '방법 2'를 제일 선호할 것이다. 따라서 경제인이 '정책의 효
과'가 아닌 '방역 성공 확률'을 판단의 기준으로 삼아 이것이
높은 순서대로 정책의 우선순위를 정할 것이라는 이해는 적절
하지 않다.

오답 풀이
② 경제인은 '방법 1'과 '방법 3' 중에서 정책의 효과가 더 높은 '방법 1'을
더 선호할 것이다.
④ (다)에 따르면 정치인은 유권자에게 제시하기 쉬운 투입을 기준으로
하여 정책을 결정하는 경향이 있다. 따라서 정치인은 '예산 투입 대상(수
혜 가구)'이 많은 방법을 선택할수록 선거에서 유리해질 것이라고 판단할
것이다.

4 이 글은 정치 논리와 경제 논리의 차이점을 중심으로 각각의
특징을 설명하고 있다.

5 〈보기〉에서 정치인 A는 사회 전체의 효율성보다 자신을 지지
하는 지역민들의 요구를 우선적으로 고려하여 정책을 입안했
다. 따라서 〈보기〉의 사례는 정치인이 자신의 지지 기반이 되
는 유권자의 요구를 우선적으로 고려한다는 내용(㉡)과 가장
밀접하다.

6 글쓴이의 관점은 (다)에 집약적으로 드러나 있다. 글쓴이는 정치 논리와 경제 논리 중 어떤 논리가 더 중요한가에 대한 완결된 사회적 합의는 없기 때문에 사안에 따라 정치 논리와 경제 논리를 적절히 활용해야 한다고 생각한다.

평가 요소	확인☑
(다)에서 '정치 논리와 경제 논리는 사안에 따라 적절히 활용되어야 한다.'라는 문장을 찾아 썼다.	
완결된 한 문장으로 서술했다.	

7 이 글에는 드레퓌스가 기소된 재판에 대한 글쓴이의 생각이 직접적으로 드러나 있다. 글쓴이의 사회적 지위는 이 글에 드러나지 않았다.

오답 풀이
④ 글쓴이는 '어처구니없는 기소장', '불의의 극치', '얼마나 터무니없는 내용이며, 얼마나 황당한 주장인지요!' 등에서 드레퓌스 사건에 대한 자신의 생각을 직접적으로 표출하고 있다.

8 글쓴이는 (다)에서 드레퓌스와 관련된 기소장의 내용을 구체적으로 언급한 뒤, 기소장의 내용이 터무니없고 황당한 추측과 불합리한 추론에 기반했음을 비판하고 있다.

9 독일과의 전쟁에서 패배한 후 애국주의적 분위기가 프랑스 사회를 뒤덮은 상황에서 국민들은 군인의 배신 행위에 더욱 분노하고 드레퓌스에게 내려진 판결을 지지했을 것이다. 또 당대 반유대주의적 언론과 여론이 유대인 드레퓌스의 처벌을 반겼는데, 언론과 여론의 이러한 태도가 국민들이 드레퓌스에게 내려진 국가의 조치를 존중하는 데 영향을 미쳤을 것이다.

평가 요소	확인☑
패전 후 프랑스 사회를 뒤덮은 애국주의적 분위기와 관련된 내용을 포함하여 서술했다.	
반유대주의적 언론 및 여론의 태도와 관련된 내용을 포함하여 서술했다.	
각각 완결된 문장으로 서술했다.	

10 (다)에 따르면 비요 장군은 드레퓌스 사건과 아무 관련이 없이 '몹시 깨끗한 채로' 장관직에 취임했다. 따라서 그가 취임하기 전부터 드레퓌스 사건에 관여해 왔다는 설명은 적절하지 않다.

11 (나)에서 글쓴이는 드레퓌스를 더러운 유대인 사냥의 희생자라고 표현하고 있다. 이러한 표현으로 보아 글쓴이가 당시 유대인에 대한 프랑스 사회의 적대감을 부정적으로 여겼을 것임을 추측할 수 있다. 또한 글쓴이는 이러한 반유대주의적 감정이 드레퓌스를 희생자로 만들었다고 확신하고 있으므로 ⑤와 같은 이해는 적절하지 않다.

오답 풀이
③, ④ 간첩 행위를 했다는 직접적 증거가 없는 상황에서 유대인인 드레퓌스가 범인으로 몰린 데에는 유대인에게 적대적이었던 당대 프랑스 사회의 분위기가 영향을 미쳤으리라고 짐작할 수 있다.

12 권력 거리에 대한 연구는 제시되어 있지만, 연구의 변천 과정은 글에 나타나지 않는다.

오답 풀이
④ (나)에서 권위를 존중하는 프랑스의 사고방식과 스웨덴의 평등주의적 사고방식을 대조하고 있다.

13 상관의 실수에 부하가 웃는 일은 프랑스의 군대에서는 상상도 할 수 없는 일이었지만, 평등주의적 사고방식을 지닌 스웨덴에서는 가능했다. 이를 통해 권력자를 대하는 태도가 나라마다 다름을 알 수 있다.

14 (다)에 마우크 뮐더가 '권력 거리' 개념을 창안할 때 어느 다국적 기업에서 시행한 설문 조사 결과를 바탕으로 했음이 제시되어 있을 뿐 다국적 기업이 다수결 방식을 선호하는지에 대해서는 이 글에서 알 수 없다.

15 (나)를 통해 상사와 부하 직원 간의 감정적 거리가 가까운 것은 권력 거리 지수가 작은 나라의 특징임을 확인할 수 있다.

16 (다)에서 '권력 거리'의 정의를 알 수 있다.

평가 요소	확인☑
'권력 거리'가 '한 나라의 제도나 조직의 힘없는 구성원들이 권력의 불평등한 분포를 기대하고 수용하는 정도'를 의미하는 개념이라는 내용을 적절하게 서술했다.	
제시된 문장 형식에 맞게 서술했다.	

17 이 글은 '한 나라의 제도나 조직의 힘없는 구성원들이 권력의 불평등한 분포를 기대하고 수용하는 정도'인 '권력 거리'를 중심으로 상사와 부하 직원 간의 의존 관계와 감정적 거리를 다루고 있다. 〈보기〉의 베르나도트는 스웨덴왕으로, 권력자가 부하 직원이나 백성에게 느끼는 감정적 거리는 이 글을 통해 알 수 없다.

오답 풀이
②, ③ (나)에 따르면 권력 거리 지수가 작은 나라에서는 부하 직원이 상사에게 일방적으로 의존하는 정도가 낮고 쉽게 접근해서 반대 의견을 낼 수 있다. 따라서 권력 거리 지수가 작은 스웨덴에서는 국민이 국왕에게 의존하는 정도가 낮고 쉽게 반대 의견을 낼 수 있음을 짐작할 수 있다.
④ (라)에 따르면 리더십은 복종 정신이 있어야 발휘될 수 있다. 이로 볼 때 베르나도트의 문화 충격은 그에게 리더십이 부족해서 생긴 것이 아니라, 프랑스 장군 출신인 그가 다스려야 할 백성이 스웨덴 국민이었기 때문에 생긴 것이다.

정답

2일 기초 확인 문제

• 3단원 (3) 과학·기술 분야의 글 읽기

1 백신, 접종한, 사람 결핵 **2** (1) × (2) × (3) ○ (4) ○ **3** ㉠ 퍼셉트론 ㉡ 다층 퍼셉트론 ㉢ 심층 학습 **4** (1)-㉢ (2)-㉠ (3)-㉡

1 칼메트는 파스퇴르의 접종법 원리를 활용하여 결핵 백신을 개발하려고 했다. 이때 칼메트는 소 결핵균의 독성을 제거하여 사람에게 접종하면 사람 결핵을 예방할 수 있다고 생각했다.

2 (1) 결핵은 원래 동물에게서 발생한 질병이 사람에게 전파된 인수 공통 전염병이다.
(2) 산업 혁명 이전 근대 유럽에서는 상류층에 속하는 사람들이 집단적인 사교 생활을 하면서 서로에게 병을 전염시킬 확률이 높았기 때문에 평민층보다 상류층에서 결핵 환자가 많이 나타났다.
(3) 코흐는 특정 세균이 특정 감염병의 원인임을 증명하기 위한 원칙(코흐의 4원칙)을 발표했다.
(4) 왁스먼이 방선균의 일종인 스트렙토미세스에서 항생 물질을 추출하여 개발한 약인 스트렙토마이신은 지금까지도 대표적인 결핵 치료제로 사용되고 있다.

3 인간의 신경 세포와 비슷한 방식으로 작동하는 퍼셉트론(㉠)은 기본적인 논리 문제도 풀지 못하고 학습할 수 있는 정보가 매우 제한적이어서 대부분의 컴퓨터에 활용되지 못했다. 이를 해결하기 위해 기존 퍼셉트론의 입력층과 출력층 사이에 중간층을 삽입한 다층 퍼셉트론(㉡)이 제안되었지만 신경망의 층수를 늘릴수록 오류가 발생하여 학습 수행에 지장이 생겼다. 이에 힌턴은 기존 기계 학습의 한계를 극복한 심층 학습(㉢)을 발견하여 기계 학습 알고리즘의 오류율을 낮췄다.

4 '지도 학습'은 컴퓨터에 분류 기준을 입력한 후 정보를 가르치는 방식이고, '비지도 학습'은 분류 기준 없이 컴퓨터가 스스로 비슷한 군집을 찾아 분류하게 하는 방식이다. '사전 훈련'은 정보 손실을 최소화하기 위해 컴퓨터 스스로 작은 판단을 내리는 비지도 학습 형태의 학습을 반복하는 것이다.

2일 교과서 기출 베스트

• 3단원 (3) 과학·기술 분야의 글 읽기

1 ① **2** ③ **3** ④ **4** ③ **5** ⑤ **6** 토양에는 결핵균을 사멸시키는 물질을 분비하는 미생물이 존재하겠군. **7** ③ **8** ④

9 ⓐ 입력 ⓑ 출력 **10** ④ **11** ④ **12** 사전 훈련 **13** ⑤ **14** ① **15** ⓐ 타원(형) ⓑ 태양 **16** ③ **17** ② **18** • 우주가 신의 섭리에 따라 움직인다고 생각했다. • 지구가 우주의 중심이라고 생각했다.

1 (나)에 따르면 코흐는 탄저, 결핵, 콜레라의 원인균을 발견했다. 코흐가 천연두의 원인균을 발견했다는 내용은 찾을 수 없다.

2 (가)와 (나)에 따르면 코흐는 결핵의 원인균을 분리하는 데 성공함으로써 결핵 예방의 실마리를 마련했다.

오답 풀이
① 실험을 통해 결핵균을 발견한 사람은 ㉢(코흐)이다.
② 결핵이 동물에게만 발생하는 질병이라는 내용은 이 글에서 찾을 수 없다.
④ ⓔ(칼메트)은 우두를 앓으면 천연두를 예방할 수 있다는 원리를 응용하여 결핵 예방 백신을 개발한 것이지, 천연두를 예방하는 방법을 찾아낸 것은 아니다.
⑤ ⓜ(게랭)은 소 결핵균의 독성을 제거하여 결핵 예방 백신을 개발한 것이지, 소 결핵균과 인간 결핵균의 차이를 밝힌 것은 아니다.

3 칼메트는 우두를 앓으면 천연두를 예방할 수 있는 것처럼, 소 결핵을 가볍게 앓게 함으로써 사람 결핵을 예방하고자 했다. 소 결핵균의 독성을 줄이기 위한 공동 연구를 시작한 칼메트와 게랭은 수대에 걸친 연속 배양을 통해 독성을 제거한 소 결핵균을 백신(BCG)으로 활용했다. 칼메트와 게랭이 독성이 제거된 소 결핵균을 소에게 주사하여 경과를 관찰했다는 내용은 (다)에서 찾을 수 없다.

4 페니실린으로 치료할 수 있는 질병의 종류는 이 글에 제시되어 있지 않다.

5 왁스먼은 (나)에서 방선균에서 뽑아낸 물질이 여러 병원성 세균에 대해 살균 효과가 있음을 알아냈다. (다)에서 병원균인 ㉠이 죽어 있었고 그 시험관에 방선균의 일종인 스트렙토미세스가 있었다는 점을 고려하면 ㉠이 스트렙토미세스에 의해 사멸된 것임을 추론할 수 있다.

오답 풀이
① (가)의 '토양이라는 환경에 가장 잘 적응한 존재들만이 살아남게 된다는 사실'을 고려하면, 시험관 속 토양에서 죽어 있던 ㉠이 토양에 잘 적응했다고 보기 어렵다.
② ㉠을 죽인 물질은 방선균의 일종인 스트렙토미세스이다. ㉠이 다른 세균을 죽인 것은 아니다.
③ ㉠은 항생제 능력을 지닌 물질에 의해 사멸한 병원균으로, 항생 능력을 지닌 물질을 분비하는지는 이 글에서 알 수 없다.
④ 페니실린으로 ㉠이 일으키는 병을 해결할 수 있는지는 이 글에서 알 수 없다.

88 7일 끝 • 고등 독서

6 (가)에 제시된 왁스먼의 가설은 '토양의 미생물 가운데 병원균을 사멸시키는 물질을 분비하는 미생물이 존재할 것'이라는 내용이다. 왁스먼의 가설과 결핵균이 토양에서 살아남지 못한다는 말풍선의 내용을 고려하면, ⓐ에는 '토양에 결핵균을 사멸시키는 물질을 분비하는 미생물이 존재'한다는 내용이 들어가야 한다.

평가 요소	확인☑
토양에 결핵균을 사멸시키는 물질을 분비하는 미생물이 존재한다는 내용을 중심으로 서술했다.	
'결핵균'을 포함하여 서술했다.	
제시된 문장 형식에 맞게 서술했다.	

7 (가)는 인간의 정보 처리 과정을 '입력 → 처리(변형·가공) → 분석·판단 → 창조 → 출력'의 단계로 나누어 각 단계의 특징을 제시하고 있다.

8 (나)의 '인공 신경을 그물망 형태로 연결하면, 그것이 사람의 뇌에서 동작하는 간단한 기능을 흉내 낼 수 있다는 것을 이론적으로 증명하였다.'를 고려할 때 ㉠(워런 매컬러와 월터 피츠)이 인간의 신경 세포에 주목했음을 알 수 있다. (다)의 '사람처럼 시각적으로 사물을 인지하도록', '이것은 많은 가지 돌기가 자극받을 때 신경 세포가 신경 신호를 발산하는 것과 같다.'를 고려할 때 ㉡(프랭크 로젠블랫) 또한 인간의 신경 세포에 주목했음을 알 수 있다.

9 (다)에 따르면 퍼셉트론은 신경 세포와 비슷한 방식으로 작동한다. 신경 세포의 가지 돌기가 자극받는 것은 퍼셉트론이 여러 가지 입력(ⓐ) 정보를 받아들이는 것에 대응하며, 신경 세포가 신경 신호를 발산하는 것은 퍼셉트론이 받아들인 입력 정보들이 합쳐져 사전에 정해 놓은 특정한 한곗값을 넘어서면 출력(ⓑ)이 발생하는 것에 대응한다.

10 이 글에서 묻고 답하는 방식은 활용되지 않았다.

오답 풀이
① 이 글은 기계 학습의 발전 과정에 관한 글이므로 적절한 설명이다.
② 퍼셉트론과 다층 퍼셉트론에 관한 설명에서 대상의 특징과 한계점을 제시하는 방식이 나타나므로 적절한 설명이다.
③ (다)에서 기계 학습에 적용된 컴퓨터의 데이터 분류 방식을 분류 기준 입력 여부에 따라 지도 학습과 비지도 학습으로 나누어 설명하고 있다.
⑤ (다)에서 고양이 사진을 학습하는 상황을 예로 들어 지도 학습과 비지도 학습에 대한 이해를 돕고 있다.

11 (나)에서 중간층의 신경망 층수를 늘릴수록 기계가 판별을 제대로 하지 못하는 오류가 발생했다는 내용을 확인할 수 있다.

12 (라)에 따르면 힌턴은 많은 층수의 다층 퍼셉트론도 '사전 훈련'이라는 학습 과정을 통해 효과적으로 학습시킬 수 있다고 했다.

13 이 글은 케플러가 행성의 운행 법칙을 발견한 과정을 다루고 있으므로 이 글의 제목으로는 ⑤가 가장 적절하다.

14 (나)에 따르면 ㉢(코페르니쿠스)은 모든 행성이 균일한 원형 궤도를 돈다고 주장했다. ㉠(케플러)은 ㉢(코페르니쿠스)의 주장대로 행성의 궤도가 원형임을 맞추기 위해 오랜 시간 계산했지만 그의 계산은 브라헤의 관측 자료와 오차가 생겼고, (다)에서는 ㉠(케플러)이 '모든 행성의 궤도는 원형이 아니라 타원형'임을 발견했다고 했으므로 ①이 적절한 이해이다.

15 (다)에 따르면 케플러는 모든 행성의 궤도가 타원형이며, 태양은 모든 행성이 그리는 타원의 한 초점에 있다는 것을 알게 되었다.

16 이 글은 케플러의 세 가지 법칙을 제재로 다룬 글로, (가)는 케플러 법칙이 실린 그의 저서를, (나)와 (다)는 케플러 법칙의 의의를 설명하고 있다. (나)에서 케플러가 수학적 연구 방법을 활용했다는 내용이 일부 나오기는 하지만, 케플러의 계산 방법을 구체적으로 밝힌 것은 아니다.

오답 풀이
① (가)의 "이것을 발견한 뒤 …… 느끼지도 않는다."에서 케플러의 말을 직접적으로 인용하고 있다.
② (가)의 《신천문학》과 《우주의 조화》는 케플러의 법칙이 실린 그의 저서이다.
④, ⑤ (나)에서 케플러 법칙이 중세의 세계관을 동요시켰으며 자연 연구 방법에 큰 변화를 가져왔음을 서술하고 있다.

17 (다)에 따르면 케플러는 자연을 조화롭다고 생각했으며, 행성들이 서로 지나칠 때 내는 소리가 화음을 이룬다고 보았다. 이를 통해 케플러가 음악의 화음을 활용하여 천체의 운동을 설명했음을 알 수 있지만, 케플러의 연구가 화음 이론에 영향을 미쳤는지는 이 글에서 알 수 없다.

오답 풀이
③ (나)의 '이 법칙을 발견하는 과정에서 수학이 천문 계산에 이용되고, 그 결과를 수식으로 표현한 것은 자연 연구 방법의 큰 변화였습니다.'에서 ㉠이 자연 연구 방법의 변화를 보여 주었음을 알 수 있다.
④ (다)의 '이러한 그의 신비 사상에서부터 …… 만유인력 법칙을 끌어내는 바탕이 되었습니다.'에서 확인할 수 있다.

18 (나)에서 케플러는 우주가 움직이는 것은 '신의 섭리가 아니라 단순한 자연의 법칙'임을 밝혀냈으며, 케플러 법칙이 발표됨

에 따라 '지구가 우주의 중심이 아니라 태양계 행성 가운데 하나에 불과하다는 사상이 부각'되었다는 내용을 찾을 수 있다. 이를 고려하면 케플러 법칙이 발표되기 이전의 중세 사람들은 우주가 신의 섭리에 따라 움직이며 지구가 우주의 중심이라고 생각했음을 짐작할 수 있다.

평가 요소	확인 ☑
우주가 신의 섭리에 따라 움직인다는 생각, 지구가 우주의 중심이라는 생각과 관련한 내용을 포함하여 서술했다.	
각각 '신의 섭리', '우주의 중심'을 포함하여 서술했다.	
제시된 문장 형식에 맞게 서술했다.	

3일 기초 확인 문제

27쪽

•4단원 (1) 시대의 특성을 고려한 글 읽기

1 (1)-ⓒ (2)-ⓛ (3)-㉠ **2** (1) ○ (2) ○ (3) × **3** (1) 실학 (2) 멸시 **4** ㉠ 오랑캐 ⓛ 중국 ⓒ 편협한

1 화려하고 아름다우며 말을 좋게 하는 '장미'는 아첨하는 간신을 나타내며, 외모가 아름답지는 않지만 왕에게 충고하는 '백두옹'은 충언하는 충신을 나타낸다. '장미'와 '백두옹'을 두고 고민하는 '화왕'은 인재를 등용하는 주체인 군왕이나 임금을 가리킨다.

2 (1) 이 글은 김부식이 쓴 《삼국사기》에 실린 설총의 열전이다. '열전'은 인물의 행적을 서술한 전기로, 〈열전〉에 실린 인물은 주로 후대 사람들에게 교훈을 줄 수 있는 인물이었다.
(2) 설총은 간신을 장미에, 충신을 백두옹에 빗대어 왕이 바른 도리로써 정치를 해야 하고 부귀에 안주하는 요망한 무리들을 가까이하지 말아야 한다는 교훈을 신문 대왕에게 전했다.
(3) 설총의 이야기를 들은 왕은 그 이야기에 담긴 뜻을 깨달아 "글로 써서 왕 된 이들의 경계로 삼아야겠다."라고 말했다.

3 (1) 이 글의 시대적 배경인 조선 후기에는 중국의 선진 문물을 조선에 도입하여 나라를 부강하게 하고 백성의 실생활을 나아지게 하려는 실학사상이 등장했다. 글쓴이 박지원과 《북학의》를 쓴 박제가는 대표적인 실학자들이다.
(2) 글쓴이인 박지원이 활동하던 당시는 병자호란이 끝난 후로, 사회 지배층인 유학자들이 중국(청나라)을 오랑캐들이 다스리는 나라로 생각하여 멸시하고 배격하던 시기였다. 〈북학의 참뜻〉의 글쓴이는 이러한 인식과 태도를 부정적으로 바라보고 있다.

4 글쓴이는 중국(청나라)에게 배우기를 부끄러워하는 조선의 선비들을 비판하며 '법이 좋고 제도가 아름답다면 진실로 오랑캐라도 나아가 본받아야' 한다고 말했다(㉠). 또한 글이 쓰일 당시 조선의 선비들은 "지금 중국은 옛날의 중국이 아니다."라고 하며 중국을 비난하고 배척했다(ⓛ). 이에 대해 글쓴이는 이 글의 마지막 부분에서 중국에게 배워야 한다는 말을 믿지 않고 화를 내는 성질은 편협한 기질에서 말미암은 것이라고 말했다(ⓒ).

3일 교과서 기출 베스트

28~31쪽

•4단원 (1) 시대의 특성을 고려한 글 읽기

1 ④ **2** ② **3** ⑤ **4** ③ **5** 다른 대상에 빗대어 말하는 우의적 방식을 활용하여 왕에게 완곡하게 교훈과 깨달음을 전하기 위해서야. **6** ③ **7** ③ **8** 중국의 선진 문물을 배우고 물어야 한다. **9** ④ **10** 달 밝은, 새삼 그립다

1 설총이 어떤 벼슬을 지냈는지는 이 글에서 확인할 수 없다.

오답 풀이

① (가)에서 설총의 가계를 확인할 수 있다. 설총의 할아버지는 담날 나마이고 아버지는 원효이다.
② (가)에서 '설총은 본성이 총명하고 예민해 나면서부터 도술을 알았'다고 했다. 이를 통해 그의 재능을 짐작할 수 있다.
③, ⑤ (가)에서 설총은 방언으로 구경을 읽어서 후학들을 가르쳤고 지금까지도 배우는 이들이 그를 종주로 받들고 있다고 했다. 이러한 내용에서 설총의 행적과 설총에 대한 평가를 알 수 있다.

2 설총(ⓛ)이 신문 대왕(㉠)을 비판하는 내용은 이 글에서 찾을 수 없다.

오답 풀이

① 신문 대왕(㉠)은 신라의 황금시대를 이룩한 신라 제31대 왕이다.
③, ④ 신문 대왕(㉠)이 '고아한 이야기와 유쾌한 해학으로 울적한 마음을' 풀기 위해 설총(ⓛ)에게 색다른 이야기를 청하자, 설총(ⓛ)은 꽃을 의인화한 우화 〈화왕계〉를 들려주었다.
⑤ 꽃들의 왕인 화왕(ⓒ)은 꽃을 인격화한 우화 속 가상 인물로 왕, 임금을 나타낸다.

3 '열전'의 성격을 고려할 때, 설총이 〈열전〉의 인물로 선정된 이유는 설총이라는 인물이 후대에 권계가 될 만한 인물이었기 때문이다. 따라서 이 글의 목적으로 가장 적절한 것은 ⑤이다.

4 좋은 약(ⓒ)은 왕의 원기를 북돋우는 것으로, 훌륭한 신하의 보필을 의미한다.

오답 풀이

① 장미(㉠)는 아름답고 화려한 자태를 지녔지만 교언영색(아첨하는 말과

알랑거리는 태도)을 보여 주는 간신을 빗댄 인물이다. 장미(㉠)에 대한 화자의 부정적 인식은 (가)의 '간들간들 오더니'에서 드러난다.
② 백두옹(㉡)은 장미와 대조되는 외양을 지녔지만 화왕에게 간신을 멀리하고 충신을 등용해야 한다는 조언을 건네는 인물이다. 따라서 백두옹(㉡)은 충언하는 신하에 대응하는 대상으로 볼 수 있다.
④ 독한 침(㉣)은 임금의 몸에 있는 병독을 없애는 것이므로, 임금을 위한 쓴소리(충언)를 의미한다.
⑤ 깊은 뜻(㉤)은 설총이 우화를 통해 전하고자 했던 교훈으로, 간신을 멀리하고 훌륭한 인재를 등용해야 한다는 깨달음을 의미한다.

5 설총은 우화 〈화왕계〉를 통해 신문 대왕에게 바른 도리로써 정치를 해야 하며 부귀에 안주하는 요망한 무리들을 가까이하지 말라는 충언을 전하고 있다. 설총이 이러한 충언을 직접적으로 말하지 않고 꽃을 주인공으로 내세운 우화의 형식을 활용한 이유는 왕의 기분이 상하지 않도록 완곡하게 이야기하면서 교훈과 깨달음을 전하기 위해서였을 것이다.

평가 요소	확인 ☑
우화를 통해 전하고자 한 것을 적절하게 서술했다.	
'우의적 방식'과 '완곡하게'라는 말을 포함하여 서술했다.	
제시된 문장 형식에 맞게 서술했다.	

6 우리나라 선비들이 중국을 다스리는 자를 오랑캐로 인식하고 중국의 법을 천하고 야만적이라고 여긴다는 내용에서 중국에 대한 당대 선비들의 사회적 통념이 드러난다. 그렇지만 사회적 통념의 변화 과정은 드러나지 않았다.

오답 풀이
① 글쓴이는 순임금과 공자의 사례를 들어 남에게 잘 묻고 배우는 데 성인의 길이 있음을 강조했다.
② 글쓴이는 우리나라 선비들이 편협한 기질을 타고났으며 배우고 물을 줄 몰라 이용후생의 도구가 날이 갈수록 어렵고 구차해지는 결과를 낳았다는 비판적 인식을 드러내고 있다.
④ '저들이 진실로 …… 어찌 아니겠는가?', '그 땅 안에 살고 있는 …… 어찌 아니겠는가?'에서 의문문의 형식을 통해 말하고자 하는 바를 강조하고 있다.
⑤ 글쓴이는 박제가의 《북학의》를 읽고 이 책이 자신이 쓴 《열하일기》와 어긋남이 없다고 하며, 묻고 배우는 태도의 중요성과 중국의 선진 문물을 배워야 한다는 자신의 주장을 강화하고 있다.

7 글쓴이는 (다)에서 지금 중국을 다스리는 자들이 비록 오랑캐일지라도, 그들이 삼대 이래 한·당·송·명의 옛 법과 제도를 보존하고 있는 후손이므로 그들에게 배우고 물어야 한다고 주장하고 있다. 오랑캐들이 배우는 데 주저함이 없었다는 내용은 이 글에 나타나지 않는다.

오답 풀이
① (가)의 마지막 문장에서 글쓴이는 순임금과 공자를 '성인'이라고 표현하고 있는데, 성인은 지혜와 덕이 매우 뛰어나 길이 우러러 본받을 만한

사람을 말한다. 또한 글쓴이가 순임금과 공자의 사례를 들어 자신의 주장을 강화하고 있는 것으로 보아, 순임금과 공자가 많은 사람에게 존경받는 인물이었음을 알 수 있다.
② (다)에 중국을 오랑캐로 생각하고 이들의 법을 천하고 야만적이라고 여기는 선비들의 인식이 드러나 있다.
④ (나)에서 글쓴이는 조선의 선비들이 배우고 물을 줄 몰라 이용후생의 도구가 갈수록 어렵고 구차해지고 있음을 문제 삼고 있으며, (다)에서 중국의 문물을 배워야 함을 주장하고 있다. 이를 통해 글쓴이가 배우고 물음으로써 이용후생의 도구를 나아지게 해야 한다고 생각했음을 알 수 있다.
⑤ '박제가'는 글쓴이(박지원)와 같이 실용적이고 이용후생적인 지식을 중시한 실학자로, (라)에서 적극적으로 묻고 배우려는 그의 학문적 태도를 확인할 수 있다. 또한 '한 사람의 손에서 나온 것 같았다'는 글쓴이의 느낌을 고려할 때, 박제가 또한 글쓴이와 마찬가지로 묻고 배워 백성들의 실생활을 풍요롭게 하는 일에 관심이 많았음을 짐작할 수 있다.

8 (나)와 (다)에서 글쓴이는 우리나라 선비들이 배우고 물을 줄 몰라 이용후생의 도구가 어렵고 구차해졌음을 지적하면서, 한·당·송·명의 후손인 중국에게 배우고 물어야 한다고 주장하고 있다. 따라서 글쓴이는 당대 조선의 문제를 해결하기 위해서는 중국의 선진 문물을 배우고 물어야 한다고 생각할 것이다.

평가 요소	확인 ☑
중국의 선진 문물을 배우고 물어야 한다는 주장과 관련한 내용을 포함하여 서술했다.	
'중국의 선진 문물'을 포함하여 한 문장으로 서술했다.	

9 (다)에서 암브로시우스가 책을 묵독했다는 내용을 확인할 수 있지만, 암브로시우스가 묵독을 통해 단어들이 의미화된다고 여겼다는 내용은 이 글에서 찾을 수 없다.

오답 풀이
① (가)에 제시된 김득신과 하인의 일화는 책을 읽는 소리를 듣고 배우지도 않은 글을 외울 수 있는 낭독의 간접적인 효과를 보여 주는 예이다.
② (나)에서 조광조의 낭독에 반해 담을 넘은 처녀의 일화를 통해 듣는 이의 마음을 설레게 하는 낭독의 효과를 확인할 수 있다.
③ (다)의 '알베르토 망구엘의 《독서의 역사》를 읽어 보니 중세 유럽에서도 책은 반드시 소리 내어 읽었다고 한다.'에서 확인할 수 있다.
⑤ (다)에서 아우구스티누스와 같은 중세 유럽 사람들은 '신성함을 유지하려면 문장의 가락에 맞춰 몸을 흔들고 소리 내어 성스러운 단어들을 읽어야 한다고 믿었'음을 알 수 있다.

10 글쓴이는 (라)에서 책 읽는 소리가 뚝 그친 현재의 독서 문화에 대한 아쉬움과 과거의 책 읽는 소리에 대한 그리움을 드러내고 있다. 이러한 글쓴이의 정서가 직접적으로 드러나는 문장은 '달 밝은 밤 들리던 옆집 청년의 낭랑한 독서성이 새삼 그립다.'이다.

4일 기초 확인 문제 35쪽

• 4단원 (2) 지역의 특성을 고려한 글 읽기

1 (1) × (2) ○ **2** ㉡, ㉢ **3** (1)-ⓓ (2)-ⓒ (3)-ⓑ (4)-ⓐ
4 Ⓐ 배타적 Ⓑ 포괄적

1 (1) 이 글에서는 군주가 사람들에게 사랑도 느끼게 하고 동시에 두려움도 느끼게 하는 것이 바람직하지만 동시에 둘 다 얻는 것이 현실적으로 어려우므로 사랑을 느끼게 하는 것보다 두려움을 느끼게 하는 것이 더 안전하다고 했다.
(2) 이 글의 마지막 부분에서 현명한 군주는 타인의 선택보다는 자신의 선택에 더 의존해야 한다고 결론을 내리고 있다.

2 글쓴이는 한니발의 군대에서 분란이 일어나지 않은 이유를 한니발의 비인간적인 잔인함으로 설명할 수 있다고 했다. 그의 잔인함은 부하들이 항상 그를 존경하고 두려워하도록 만들었기 때문이다. 이로 볼 때, 글쓴이는 비인간적인 잔인함을 지녀 두려움을 유발하는 것이 바람직한 지도자의 모습이라고 생각할 것이다.

3 (1) 이웃을 위한 봉사 분야에서는 대상을 가까운 이웃으로 한정했다. 간디는 모든 사람이 가까운 이웃을 위해 봉사한다면 결국은 모든 인류에게 도움이 될 것이라고 보았다.
(2) 경제생활 분야에서는 인도 내에서 생산된 필수품을 자급자족하며 살아가야 한다고 했다.
(3) 교육 분야에서는 지식인들이 모국어로 공부하면서 전통을 발전시켜야 한다고 보았다.
(4) 종교 분야에서는 전통 종교인 힌두교에 결점이 있다면 이를 고쳐 가면서라도 전통 종교를 믿어야 한다고 보았다.

4 이 글의 마지막 부분에서 글쓴이는 스와데시 정신이 조국에만 관심을 기울인다는 의미에서 배타적이지만, 경쟁적이거나 절대적이지 않다는 의미에서 포괄적이라고 했다.

4일 교과서 기출 베스트 36~39쪽

• 4단원 (2) 지역의 특성을 고려한 글 읽기

1 ③ **2** ② **3** 두려움을 불러일으키는 강력한 지도자가 등장하여, 조국이 분열되고 외세의 지배를 받는 현실을 극복해 주기를 바랐기 때문일 것이다. **4** ① **5** ④ **6** • 군주는 (사랑을 느끼게 하기보다는) 두려움을 느끼게 해야 한다. • 군주는 미움을 받는 일을 피해야

한다. **7** ② **8** ⑤ **9** 가까운 이웃을 위한 봉사가 불어나 온 세상을 뒤덮으면 결국 모든 인류에게 도움이 될 것이기 때문이다. **10** 국산품 대신 외국 제품을 사용하면 인도의 경제 상황이 더욱 피폐해질 것이기 때문이다. **11** ⑤ **12** ③

1 이 글에서 글쓴이는 현명한 군주가 갖추어야 할 자질과 관련된 자신의 견해를 밝히고 있다.

2 (나)에서 인간은 은혜를 모르고 변덕스러우며, 필요에 따라 충성하기도 하고 등을 돌리기도 한다고 했다. 이로 볼 때, 글쓴이는 인간이 '상황에 따라 쉽게 변하는' 존재라고 생각하고 있다.

3 글쓴이는 조국 이탈리아가 여러 국가로 나뉘어 강대국의 지배를 받고 있는 현실을 극복하기를 바랐을 것이고, 이를 위해 강력한 지도자가 나타나 나라를 이끌기를 바랐을 것이다.

평가 요소	확인 ☑
글쓴이가 바라는 군주의 모습(두려움을 느끼게 하는 군주)을 포함하여 서술했다.	
글쓴이가 극복하고자 한 현실(조국이 분열되고 외세의 지배를 받는 상황)을 포함하여 서술했다.	
제시된 문장 형식에 맞게 서술했다.	

4 이 글은 훌륭한 군주의 자질에 대한 글쓴이의 생각을 드러낸 논설문이다. 글쓴이는 군주가 두려운 존재여야 한다고 했으며, (다)에서 스키피오의 자비로운 성품 때문에 그의 군대가 반란을 일으켰다고 지적하고 있다. 따라서 글쓴이가 스키피오를 훌륭한 군주로 평가했다고 보기 어렵다.

오답 풀이
③ (가)에서 군주가 미움을 받지 않으면서도 두려움을 느끼게 하는 것은 시민과 신민들의 재산과 그들의 부녀자들에게 손을 대는 일을 삼가면 성취할 수 있다고 했다.

5 글쓴이는 비인간적인 잔인함으로 군대를 통솔한 한니발과 필요 이상의 자비로움으로 군대 통솔에 실패한 스키피오의 사례를 대조하여 군주는 두려움의 대상이 되어야 한다는 자신의 주장을 뒷받침하고 있다.

6 글쓴이는 현명한 군주는 자신을 두려운 존재로 만들되 미움을 받는 일은 피해야 한다고 주장했다.

평가 요소	확인 ☑
현명한 군주의 자질 두 가지를 '두려움', '미움'을 포함하여 적절하게 서술했다.	
제시된 문장 형식에 맞게 서술했다.	

7 '스와데시의 정신이란 …… 관여하지 않는 것을 말한다.'에서 정의의 방법으로 스와데시 정신의 의미를 설명하고 있다(ⓒ). '종교를 예로 들면, …… 그 종교를 믿어야 한다.'에서 예시의 방법으로 스와데시 정신의 의미에 대한 이해를 돕고 있다(ⓓ).

8 (가)에 '스와데시 정신'이란 가까운 주변에 모든 힘을 기울이기 위해 더욱 먼 곳은 관여하지 않는 것을 말한다고 언급되어 있다. 또한 (다)에 따르면 스와데시 정신은 봉사의 대상을 가까운 이웃으로 한정하고 있으므로, ⑤의 내용은 적절하지 않다.

9 글쓴이는 스와데시 정신이 가까운 이웃을 위한 봉사를 강조하지만, 모든 사람이 가까운 이웃을 위해 봉사한다면 결국 모든 인류에게 도움이 될 것이므로 배타적이지 않다고 말하고 있다.

평가 요소	확인 ☑
이웃을 위한 봉사가 결국 모든 인류에게 도움이 된다는 내용을 적절하게 서술했다.	
제시된 문장 형식에 맞게 서술했다.	

10 〈보기〉에는 영국이 인도의 면화를 원료로 가공한 면직물을 다시 인도에 수출하는 과정에서 인도의 섬유 산업이 파괴된 상황이 나타나 있다. 즉 외국에서 수입한 상품을 사용하면서 인도의 경제가 무너진 것이다. 글쓴이는 이러한 상황에서 인도의 생존을 꾀하기 위해 자국의 물건에 결함이 있더라도 가까운 이웃이 생산한 물건을 사용해야 한다고 주장했을 것이다.

평가 요소	확인 ☑
외국 제품 사용이 인도의 경제 상황에 부정적인 영향을 미침을 적절하게 서술했다.	
제시된 문장 형식에 맞게 서술했다.	

11 일화란 세상에 널리 알려지지 아니한 흥미 있는 이야기이다. 이 글에 구체적인 일화는 제시되어 있지 않다.

오답 풀이
①, ④ 글쓴이는 '만약 우리가 이 땅을 팔 경우에는'과 같이 상황을 가정하여, 이 땅이 거룩하고 신성한 곳임을 깨닫고 이 땅을 사랑하고 아끼기를 독자에게 당부하고 있다.
② '개울과 강을 흐르는 이 반짝이는 물은 그저 물이 아니라 우리 조상들의 피다.', '물결의 속삭임은 우리 아버지의 아버지가 내는 목소리이다.' 등에서 하나의 대상을 그와 유사한 다른 대상에 빗대어 표현하는 비유법을 사용하여 자연이 지닌 의미를 강조하고 있다.
③ '물결의 속삭임', '강은 우리의 형제' 등에서 자연물에 인격을 부여하여 자연을 소중하고 친근하게 여기는 글쓴이의 태도를 드러내고 있다.

12 글쓴이는 '그대들' 즉 백인들의 제안을 어쩔 수 없이 받아들여 소중한 땅을 넘겨야 하는 상황에서 백인들에게 땅을 아끼고

사랑해 달라고 당부하고 있다. 글쓴이는 백인들의 제안을 받아들이려 하므로, 백인들을 이 땅에서 몰아낼 것이라는 ③의 진술은 적절하지 않다.

오답 풀이
①, ⑤ '그대들은 어떻게 저 하늘이나 …… 이상한 생각이다.'와 '우리 땅을 사겠다는 그대들의 제안을 …… 그것은 쉬운 일이 아니다.'에서 글쓴이는 땅은 거룩한 의미를 지닌 것으로 사고파는 대상이 아니며, 백인들의 제안을 받아들이는 것이 쉬운 일이 아님을 밝히고 있다.
② '저 강들이 우리와 그대들의 형제임을 잊지 말고'에서 우리와 '그대들(백인들)'이 모두 강, 즉 자연의 일부임을 드러내고 있다.

4일 기초 확인 문제

• 4단원 (3) 매체의 특성을 고려한 글 읽기

1 ㉠   **2** (1) ○ (2) × (3) ×   **3** ③   **4** 매체 문식성

1 디지털 매체는 인쇄 매체에 비해 글의 생산과 수용을 빠르고 자유롭게 하는데, 예를 들어 휴대 전화나 컴퓨터를 통해 간편하고 빠르게 글을 쓸 수 있고 자신의 글에 대한 반응도 즉시 확인할 수 있다. 그림 속 학생 역시 컴퓨터를 활용하여 인터넷에 글을 올리고, 댓글을 통해 자신의 글에 대한 반응을 빠르게 확인하고 있으므로 이와 가장 관련 깊은 디지털 매체의 특성은 ㉠이다.

2 (1) 기존의 대중 매체는 소수의 생산자가 만든 정보 내용물이 수많은 수용자에게 전달되며, 정보 내용물을 생산하는 사람과 소비하는 사람이 뚜렷이 구분된다고 했다.
(2) 인터넷 매체에서는 일반인들이 매체 정보 내용물의 생산뿐만 아니라 소셜 미디어 등을 통한 유통에도 참여한다고 했다.
(3) 매체 환경의 변화에 따라 검증되지 않은 내용이 무분별하게 생산·유통되는 부작용이 나타났다고 했다.

3 이 글에서는 언론사들이 경쟁적으로 생산하는 정보 내용물의 폐해 중 하나로 인터넷 들머리사이트에서 동일한 기사를 반복적으로 올려 조회 수를 조작하는 행위를 들고 있을 뿐, 조회 수가 높은 기사 자체를 문제 삼은 것은 아니다. 인터넷 기사를 접할 때에는 내용의 신뢰성과 객관성 등을 평가하며 비판적 태도를 지녀야 한다.

4 제시된 글은 인터넷상에 정보가 넘쳐나는 상황에서 더욱 중요해진 개념인 '매체 문식성'에 대해 설명하고 있다.

• 4단원 (3) 매체의 특성을 고려한 글 읽기

1 ⑤ **2** ⑤ **3** 매체를 똑바로 알고 제대로 이용하는 능력을 의미합니다. **4** ④ **5** ④ **6** ⑤ **7** ⑤ **8** '국내 미세 먼지 배출 원인' 도표의 출처가 없어서 신뢰성이 떨어진다. **9** ⑤ **10** ② **11** 매체 환경

1 이 글은 '기존의 대중 매체'와 '인터넷과 이를 기반으로 하여 운용되는 각종 서비스'라는 두 대상의 특징을 각각 제시하고 둘 사이의 차이점을 부각하고 있다.

> **오답 풀이**
> ③ 기존의 대중 매체와 인터넷 기반 매체의 특징을 제시하고 있을 뿐 상반되는 주장은 나타나지 않았다.

2 ⑤는 기존의 대중 매체의 특징에 해당한다. 인터넷 기반 매체는 정보 전달과 소통 방식의 측면에서 일방향성이 아닌 상호 작용성을 특징으로 한다.

> **오답 풀이**
> ② (나)의 '매체 환경이 달라지면서 …… 그에 따라 수용자의 실제 참여가 증가하였다.'에서 인터넷 기반 매체 환경에서는 수용자가 정보 내용물의 생산과 유통에 쉽게 참여할 수 있음을 알 수 있다.

3 (가)의 '그래서 매체를 …… 예전에도 중요했다.'에 매체 문식성의 개념이 나타나 있다.

평가 요소	확인 ✔
(가)에서 매체 문식성의 개념을 찾아 적절하게 서술했다.	
제시된 문장 형식에 맞게 서술했다.	

4 (라)에서 언론사 같은 전문 생산 조직 역시 매체 환경 변화에 따른 문제에서 자유로운 것은 아니며, 이들이 경쟁적으로 생산하는 정보 내용물 역시 여러 가지 폐해를 보이고 있다고 했다.

5 ④는 단순히 인터넷 기사를 찾아 읽은 사례이므로, 정보 내용물을 생산하거나 유통한 사례로 볼 수 없다.

> **오답 풀이**
> ① 게시물을 직접 작성하여 소셜 미디어를 통해 유통한 사례이다.
> ② 온라인 공간에서 이루어지는 토론에 참여한 사례이다.
> ③ 인터넷상의 정보 내용물에 댓글을 쓴 사례이다.
> ⑤ 인터넷상의 특정 정보 내용물을 공유한 사례이다.

6 (가)에 따르면 과거(㉠)에는 청소년의 매체 이용 시간이나 방식을 전반적으로 지도할 수 있었으나, 지금(㉡)은 개인이 노출되는 모든 매체 정보 내용물에 관해 누군가가 따라다니며 지도해 주는 것이 불가능한 환경이 되었다.

7 '매체 문식성'이란 정보에 대한 평가, 이해, 활용과 관련된 능력을 포괄하는 개념으로, 조회 수가 높은 매체 정보 내용물을 선별하는 능력은 아니다.

8 신뢰성이란 제시된 정보나 자료의 내용이 믿을 만하고 정확한가와 관련된 기준이다. 댓글을 참고할 때 이 게시물은 '국내 미세 먼지 배출 원인' 도표의 출처를 제시하지 않았다는 점에서 신뢰성이 떨어진다.

평가 요소	확인 ✔
제시된 도표에 자료의 출처가 제시되지 않아 신뢰성이 떨어진다는 점을 적절하게 서술했다.	
완결된 한 문장으로 서술했다.	

9 (가)의 '매체의 내용은 마치 …… 못하게 만든다고 한다.'에서 '매체의 내용'을 '고깃덩어리'에 빗대어 매체의 내용이 인간 경험에 무의식적으로 스며들어 그 편향성을 잘 의식하지 못하게 만든다는 특성을 드러내고 있다(ⓓ). (다)의 '예를 들어, …… 새로운 감각 비율을 만든다.'에서 구체적인 사례를 제시하는 예시의 방법으로 매체가 감각 간의 불균형을 일으킨다는 매클루언의 생각을 설명하고 있다(ⓒ).

> **오답 풀이**
> ⓐ 여러 전문가가 아니라 마셜 매클루언의 매체 이론을 중심으로 글을 전개하고 있다.
> ⓑ 이 글에서는 매체의 특성을 비유와 예시를 활용하여 구체적으로 설명하고 있을 뿐, 여러 종류의 대상을 공통적인 특성이나 특정 기준에 따라 분류하는 서술 방식은 나타나지 않는다.

10 (다)에 따르면 감각을 확장하는 매체는 감각 간의 불균형을 일으키고, 인간의 감각 기관은 이러한 불균형을 완화하며 평형 상태를 유지하기 위해 특정 감각의 마비 상태를 일으킨다. 즉 '매체'는 감각 간의 불균형을 일으키고, '인간의 감각 기관'은 이러한 불균형을 완화한다.

> **오답 풀이**
> ① (다)의 '매클루언은 매체를 …… 인간 감각을 확장한 것으로 본다.'에서 확인할 수 있다.
> ③, ⑤ (가)의 '매클루언은 매체를 특정한 목적이나 …… 인간의 지각과 의식에 영향을 끼친다고 한다.'에서 확인할 수 있다.
> ④ (나)의 '매클루언은 매체를 인간 경험의 규모와 형태를 형성하고 제어하는 배경으로 바라보면서'에서 확인할 수 있다.

11 ㉠은 물고기가 물의 존재를 모르듯이, 인간은 자신을 둘러싼 매체 환경을 의식하지 못하고 살아간다는 것을 나타내기 위해 인간과 매체 환경을 물고기와 물에 빗대어 설명한 것이다.

1 최재천의 서재 '통섭원'은 과학자의 서재라고는 상상하기 힘들 만큼 인문학책과 예술책들로 가득하다고 했으므로 ⑤의 진술은 적절하지 않다.

2 (1) 《우연과 필연》은 최재천이 대학 시절 영문책 읽기에 빠져 있을 즈음 만난 책으로 친구들, 교수님에게 빌려주며 함께 읽은 책이다.
(2) 《더 컴플리트 파 사이드》는 진화의 핵심을 찌르는 흥미로운 내용이 담겨 있는 책으로, 최재천이 강의할 때 자주 인용하는 책이다.

3 최재천의 서재에 진열된 책들에는 하나의 흐름이 나타난다. 그의 전문 분야인 진화론에 관한 책들에서 출발하여 진화의 각론을 다룬 책들, 진화와 종교와 사상에 관한 책들, 과학 전반에 관한 책들, 과학과 연결할 수 있는 인접 분야의 책들이 이어지고 인문학과 예술 관련 책들에서 마무리된다.

4 이 글에 따르면 최재천은 책을 접거나 구기지 않으며 책에 줄을 긋고 여기저기 쓰는 것을 싫어한다. 또한 쓸 것이 있을 때에는 쪽지에 써서 살짝 끼워 놓는다고 했다. 따라서 필요한 내용을 적은 쪽지를 책 사이에 끼워 둔 ㉢이 최재천의 서재에 있는 책의 모습으로 적절하다. 책에 필기도구로 표시를 해 둔 ㉠과 책의 한 귀퉁이를 접어 둔 ㉡은 최재천의 서재에 있는 책의 모습으로 적절하지 않다.

1 ④　**2** ⑤　**3** 서재는 최재천이 세상과 제자들과 소통하는 공간이기 때문이다. / 서재는 최재천이 자연 과학과 인문학이 벽을 깨고 통섭되기를 바라는 공간이기 때문이다. / 서재는 최재천이 학자들과 진리를 탐하고 서로의 학문에 빠져들기를 바라는 소망의 공간이기 때문이다.　**4** • 서재의 책은 여러 사람이 함께 보는 책이라고 생각하기 때문이다. • 후학들에게 도서관 역할을 해 주고 싶다고 생각하기 때문이다.　**5** ⑤　**6** ③

1 글쓴이는 관찰자의 입장에서 독서가인 최재천의 서재를 소개하고 여러 분야를 넘나드는 책, 인문학책과 예술책 등 다양한 분야와 종류의 책을 좋아하는 최재천의 독서 경향을 설명하고 있다.

2 ㉠(걸쳐 있는 책)은 여러 분야에 걸쳐 있는 책을 말한다. (가)에 따르면 최재천은 여러 분야의 학문이 서로의 분야를 넘나들며 얽히고설켜 새로운 것을 창조해 내는 책을 좋아한다.

3 (가)의 '그곳은 그가 세상과 …… 소망의 공간이다.'에 최재천이 자신의 서재를 통섭원이라고 부르는 이유가 나타나 있다.

평가 요소	확인☑
세상과 제자들과의 소통, 학문 간의 벽을 깬 통섭, 학자들이 진리를 탐하고 서로의 학문에 빠져들기 바라는 소망과 관련된 내용 중 하나를 완결된 한 문장으로 서술했다.	
제시된 문장 형식에 맞게 서술했다.	

4 (나)의 "여기 있는 책들은 …… 해 주어야 할 것 같아요."에 ㉠의 이유가 나타나 있다. 최재천은 자신의 서재에 있는 책이 혼자 보는 책이 아니라 많은 사람이 함께 보는 책이라고 생각하며 후학들에게 도서관 역할을 해 주고 싶다는 소망 때문에 책을 깨끗하게 사용한다.

평가 요소	확인☑
서재의 책은 많은 사람이 함께 보는 것이며, 자신이 후학들에게 도서관 역할을 해 주고 싶다고 말한 최재천의 생각이 드러나도록 서술했다.	
제시된 문장 형식에 맞게 서술했다.	

5 (가)에 따르면, 최재천의 서재에 배열된 책들은 그의 전문 분야와 관련된 일반적인 진화론 책들에서 출발하여 인문학과 예술 관련 책에서 마침표를 찍는다고 했으므로, 인문학과 예술 관련 책이 서로 멀리 떨어진 곳에 꽂혀 있다는 설명은 적절하지 않다.

6 이 글은 문학 비평가이자 교수였던 글쓴이의 독서 일기이다. 글쓴이는 중국의 《산해경》이나 스탕달의 《적과 흑》 등 외국 서적에도 관심을 보이고 있으므로, 주로 국내 소설 분야에 관심을 보이고 있다는 진술은 적절하지 않다.

오답 풀이

① '중국인들이 상상하는 …… 희귀한 동식물 등'에서 책의 내용과 소재에 대해 언급하고 있다.
② 《적과 흑》의 번역자에 대한 비평을 드러내고 있다.
④ 《세 자매 이야기》와 《인형의 집을 나와서》를 관련지어 이해하고 있다.
⑤ 《세 자매 이야기》의 작가인 김원우의 글쓰기 방식을 '너스레가 적당한 힘을 발휘'한다고 평가하고 있다.

• 5단원 (2) 독서 활동에 참여하기

1 ⑤ **2** (1) ㉡ (2) ㉠ (3) ㉣ (4) ㉢ **3** (1) 아이들 (2) 주제별
4 ④

1 글쓴이는 중학생이 된 큰아이가 거의 모든 수업을 지겨워하고 삶의 이유를 모르겠다며 힘들어하자, 큰아이가 자신의 존재 가치를 발견하고 배움의 기쁨을 누릴 수 있는 일이 무엇일지 고민하다가 '도란도란 책 모임'을 시작하게 되었다.

2 (1) 책 모임을 통해 공부(배움)의 즐거움을 깨닫고 만남(인연)의 소중함을 깨달았다고 했으므로 ㉡이 적절하다.
(2) 사회 문제를 해결하고 더 나은 사회를 만들어 나가는 방법을 생각해 본 것이므로 ㉠이 적절하다.
(3) 다양한 생각을 듣고 사고를 넓힐 수 있었다는 의미이므로 ㉣이 적절하다.
(4) 언젠가 부딪칠 넘기 어려운 벽을 넘어설 힘이 생겼다는 의미이므로 ㉢이 적절하다.

3 (1) 얼마의 주기로 어디에서 모임을 할지, 어떤 규칙을 지킬지 등 모임의 방법과 계획을 아이들끼리 협의하여 결정했다.
(2) 처음 몇 달은 토론거리가 풍성한 책을 읽었고, 아이들이 독서 활동에 재미를 느끼고 자신감을 얻기 시작하면서부터는 3월은 성장, 4월은 과학 등과 같이 월별 주제를 정해서 책을 읽었다.

4 친구와 함께 하는 독서 활동에서는 협의를 통해 함께 읽을 책을 정해야 하므로, 자신이 읽고 싶은 책만 골라 읽을 수 없다. 이와 달리 혼자 하는 독서에서는 나눔과 만남의 기쁨을 누리기 어렵고 자칫 독단에 빠질 위험이 있다.

• 5단원 (2) 독서 활동에 참여하기

1 ③ **2** ① **3** (책 모임을 하면서) 몰라보게 밝아졌고 학교 공부가 더 이상 재미없다는 말도 하지 않게 되었어요. **4** ③ **5** • 노랑 애벌레: 독서[책] 모임 • 나비: 독서 모임을 통해 성장한 아이들 **6** ④

1 이 글은 가정 독서 모임을 만들어 아이들의 성장을 도모한 글쓴이의 경험을 담은 수필이다. 글쓴이는 '도란도란 책 모임'을 시작하게 된 계기와 모임의 진행 과정, 모임의 효과 등을 제시하며 사회적 독서를 실천한 경험을 소개하고 있다.

2 (다)의 '책 모임 아이들은 우리 집에서 매주 일요일 저녁에 모였다.'로 보아, ①의 진술은 적절하지 않다.

오답 풀이
② (다)에 따르면 책 속의 이야기를 자신의 이야기로 풀어내는 활동, 읽은 책과 관련된 현장으로 여행을 가는 활동, 주제를 정해 탐구한 후 보고서를 쓰고 발표하는 활동 등 다양한 방법의 독서 활동이 이루어졌다.
③ (다)의 '모임의 방법과 계획은 아이들끼리 협의해서 결정했다. 얼마의 주기로 모임을 할 것인지, 장소는 어디로 하고 어떤 활동을 할지, 어떤 규칙을 지켜 나갈지 등을 정했다.'에서 아이들이 주체적으로 활동 방법을 결정했음을 알 수 있다.
④ (나)의 '아이들은 활동한 지 2, 3년 만에 정서적으로나 지적으로 크게 성장했다.'를 통해 확인할 수 있다.
⑤ (나)의 '도란도란 책 모임은 말 그대로 친구와 함께 책을 읽으며 도란도란 얘기를 나누는 모임이라는 뜻이다.'를 통해 확인할 수 있다.

3 (나)의 '특히 우리 큰아이는 …… 하지 않았다.'를 통해 책 모임을 통한 '큰아이'의 변화를 파악할 수 있다.

평가 요소	확인 ☑
몰라보게 밝아진 큰아이의 모습과 큰아이가 더 이상 학교 공부가 재미없다는 말을 하지 않는다는 내용과 관련하여 서술했다.	
제시된 문장 형식에 맞게 서술했다.	

4 ③과 관련된 내용은 이 글에 제시되지 않았다.

오답 풀이
①, ⑤ (나)의 '지식 정보화 시대에 필요한 독서 능력과 자신만의 개성과 아이디어, 곧 창의성을 향상할 수 있을 것이다.'를 통해 알 수 있다.
② (나)의 '자신과 이웃, 세상에 대해 더 깊은 관심과 애정이 생겨날 것이다.'를 통해 알 수 있다.
④ (나)의 '인성을 위해서나 장차 닥칠 직업 문제를 위해서나 친구와 같이 하는 도란도란 책 모임만 한 것이 없다.'를 통해 알 수 있다.

5 노랑 애벌레는 호랑 애벌레의 성장을 돕는다는 점에서 방황하는 아이들의 성장을 이끄는 '독서 모임'을 의미한다. 나비는 노랑 애벌레의 도움으로 성장을 이루어 냈다는 점에서 '독서 모임을 통해 성장한 아이들'을 의미한다. 이에 덧붙여 나비가 되기 전의 애벌레가 방황하는 모습은 삶의 의미를 찾지 못하고 방황하는 아이의 모습과 관련이 있다고 볼 수 있다.

6 이 글은 독서 모임이 노력이나 비용, 시간의 측면에서 지나치게 부담이 되지 않는 것을 독서 모임을 오래 지속하기 위한 조건 중 하나로 제시했다. ④의 내용은 이 글에 나타나 있지 않다.

• 범위 3단원 (2) 사회·문화 분야의 글 읽기 ~ 4단원 (1) 시대의 특성을 고려한 글 읽기

1 ④   **2** ④   **3** 삼류 소설, 불의의 극치, 어처구니없는 기소장

4 ②   **5** ③   **6** ③   **7** ⑤   **8** 분류 기준   **9** ②   **10** ③

1 (가)는 정치인과 경제인의 일반적인 특징을 비교하며 두 대상의 차이점을 밝히고 있다.

2 경제인은 경제 행위에 대한 전문 지식과 분석 기술을 보유한 자들로, 정치인의 결정에 도움이 되는 대안을 제시할 수 있으나 주권자를 대신해 사회적 의사 결정을 할 권한도 없고 합법성도 없다.

오답 풀이

① (가)의 '이러한 의미에서 이들은 자연인이라기보다 권력 기관들이다.'에서 정치인은 국민에게 권력을 위임받은 사람들이므로 일종의 권력 기관에 해당한다는 점을 알 수 있다.

② (가)의 '정치 논리는 '누구에게 얼마를'이라는 식의 자원 배분의 논리로서 주로 분배 측면을 중시한다.'에서 알 수 있다.

③ (가)의 '국민 투표 사안을 제외한 모든 사회적 의사 결정에서 주권자를 대신할 권한을 지닌다.'에서 알 수 있다.

⑤ (가)의 '반면에 경제 논리는 효율성 혹은 '최소의 비용으로 최대의 효과'를 얻고자 하는 경제 원칙에 입각한 자원 배분의 논리이다.'에서 알 수 있다.

3 (나)의 글쓴이는 '삼류 소설', '불의의 극치', '어처구니없는 기소장' 등의 표현을 통해 드레퓌스가 유죄 선고를 받은 일에 대한 부정적 관점을 직접적으로 드러내고 있다.

4 칼메트와 게랭은 이미 알려져 있는 천연두 예방법을 바탕으로 하여 결핵 예방법을 연구했다. 이들이 천연두 예방법을 발견한 것은 아니다.

오답 풀이

① (가)의 첫 문장에서 수천 년 전의 것으로 짐작되는 사람의 뼈에서 결핵의 흔적이 발견되었다고 했다.

③ (가)의 '영국의 채드윅은 …… 중요성을 환기했고'에서 확인할 수 있다.

④ (가)의 '그리고 1882년 독일의 코흐가 결핵의 원인균을 분리하는 데 성공함으로써'에서 확인할 수 있다.

⑤ (가)의 '프랑스의 뷔유맹은 …… 결핵이 감염병임을 증명했다.'에서 확인할 수 있다.

5 왁스먼은 토양에 있는 미생물들의 경쟁에서 결핵균이 살아남지 못한다는 경험적 사실을 바탕으로 하여 토양에 결핵균을 사멸하는 물질을 분비하는 미생물이 있을 것이라는 가설을 세웠다.

6 (나)의 마지막 문장에서 퍼셉트론은 보통의 컴퓨터나 인간이 쉽게 푸는 기본적인 논리 문제조차 제대로 풀지 못했으며 퍼셉트론으로 학습할 수 있는 정보는 매우 제한적이었다는 한계를 알 수 있다. 따라서 퍼셉트론이 인간의 신경망처럼 매우 복잡한 문제도 풀 수 있었다는 ③의 내용은 이 글의 내용과 일치하지 않는다.

오답 풀이

② (가)의 '매컬러와 피츠는 생물학적인 신경망 이론을 단순화해서 …… 신경망 이론을 제시하였다.'에서 확인할 수 있다.

④ (다)의 '많은 학자들은 기계가 좀 더 복잡한 문제를 …… 중간층을 삽입하고'에서 확인할 수 있다.

⑤ (가)의 '그들은 마치 전기 스위치처럼 …… 이론적으로 증명하였다.'에서 확인할 수 있다.

7 ㉠은 다층 퍼셉트론에서 신경망의 층수를 늘렸을 때의 문제점이다. (마)에 따르면 '힌턴'은 다층 퍼셉트론의 층수가 많을수록 학습 수행에 지장이 생기는 문제를 '사전 훈련'을 통해 극복할 수 있다고 했다. 사전 훈련이란 연산 과정에 여러 층을 두고 컴퓨터 스스로 정보를 잘게 조각내어 작은 판단을 내리게 하는 과정이다.

8 기계 학습에 적용된 데이터의 분류 방식은 컴퓨터에 먼저 분류 기준을 입력한 후에 컴퓨터에 정보를 가르치는 방식인 지도 학습과 분류 기준 없이 정보를 입력하고 컴퓨터가 알아서 분류하게 하는 비지도 학습으로 나뉜다.

9 '맹가'와 '풍당'은 모두 지혜로운 현인들이지만, 제때에 인재로 등용되지 못해 뜻을 펼치지 못한 사람을 가리킨다. 따라서 ②는 적절하지 않다.

10 (나)의 글쓴이는 중국 사람들이 비록 '옷깃을 왼편으로 여미는 오랑캐'이더라도 법이 좋고 제도가 아름답다면 나아가 본받아야 한다고 했다. 옷깃을 왼편으로 여미는 풍습을 배울 점이라고 여긴 것은 아니다.

오답 풀이

② '하물며 그 규모의 광대함과 …… 옛 법을 보존하고 있음에랴?'에서 글쓴이는 중국이 삼대 이래의 옛 법과 제도를 보존하고 있으므로 중국의 문물과 문화를 본받아야 함을 강조하고 있다.

④ '그 땅 안에 살고 있는 사람들이 …… 어찌 아니겠는가?'에서 글쓴이는 지금의 중국 땅에 살고 있는 사람들이 한·당·송·명의 후손임을 강조하고 있다.

6일 누구나 100점 테스트 2회

60~63쪽

• 범위 4단원 (2) 지역의 특성을 고려한 글 읽기 ~ 5단원 (2) 독서 활동에 참여하기

1 ① **2** ③ **3** 결점을 고쳐 가면서라도 우리의 고대 종교를 믿는다. **4** ⑤ **5** ① **6** ① **7** ④ **8** ③ **9** ② **10** 지식 정보화 시대에 필요한 독서 능력과 창의성(개성과 아이디어)을 기를 수 있습니다.

1 (가)에서 글쓴이는 현명한 군주는 자신을 두려운 존재로 만들어야 한다고 주장하며 비인간적인 잔인함으로 군대를 성공적으로 통솔한 한니발의 사례를 들고 있다. 따라서 (가)의 중심 화제로는 '군주의 자질'이 가장 적절하다.

2 글쓴이는 조국이 분열되고 외세에 시달리는 상황에서 강력한 권력을 갖춘 두려운 지도자가 나타나 현실을 극복해 주기를 바랐을 것이다. 글쓴이가 ③과 같은 생각을 했을 것이라고 볼 만한 근거는 이 글에 나타나지 않았다.

3 스와데시 정신이란 가까운 주변에 모든 힘을 기울이는 것이다. 글쓴이는 이를 종교에서 실천하기 위해 자신에게 가까운 종교인 '우리의 고대 종교'를 믿을 것이며, 고대 종교에 결점이 있다면 그것을 고쳐 가면서라도 고대 종교를 믿겠다고 밝히고 있다.

평가 요소	확인 ✔
결점을 고쳐 가면서라도 고대 종교를 믿어야 한다는 내용을 중심으로 서술했다.	
'우리의 고대 종교', '결점'을 포함하여 서술했다.	
제시된 문장 형식에 맞게 서술했다.	

4 이 글과 〈보기〉의 내용을 통해 영국에서 대량으로 생산한 값싼 면제품이 인도에 수입품으로 들어오면서 경쟁력이 떨어지는 인도의 섬유 산업이 붕괴하고 결과적으로 인도 민중이 가난해지는 결과를 낳았음을 알 수 있다.

5 (가)에 따르면, 기존의 대중 매체는 생산하는 사람과 소비하는 사람이 뚜렷이 구분된다.

> **오답 풀이**
> ②, ③ 인터넷 기반 매체의 특징에 해당한다. 인터넷 기반 매체는 일방향성이 아닌 '상호 작용성'을 특징으로 하며, 매체 환경이 변화하면서 수용자가 정보 내용물의 생산에 참여할 수 있는 손쉬운 방법들이 많이 생겨났다고 했다.
> ④, ⑤ 기존의 대중 매체의 특징에 해당한다. 기존의 대중 매체는 소수의 생산자가 정보 내용물을 만들고, 생산자에게 의사소통의 주도권이 부여되는 것이 일반적이라고 했다.

6 (나)에서 매체 환경 변화에 따른 부작용 사례로 문제 삼은 것은 특정 기업이나 조직 등에서 대가를 받고 홍보하는 내용의 기사를 써 주는 '광고성' 기사이다. 특정 기업을 홍보하는 '광고' 자체를 부작용으로 제시하지는 않았다.

7 (나)에서 생물학자 최재천의 서재에서는 그가 오랫동안 문학도로서 열병을 앓았을 법한 흔적들을 찾아볼 수 있다고 했다. 그러나 그가 서재에서 문학도로서의 꿈을 이루고 싶어 한다는 내용은 이 글에 제시되지 않았다.

> **오답 풀이**
> ① (나)의 '책은 그의 청춘과 함께 …… 동반자이다.'에서 확인할 수 있다.
> ② (가)의 '그곳은 그가 세상과 제자들과 소통하는 장이자'에서 확인할 수 있다.
> ③ (라)의 '그에게 서재는 그만의 공간이 아니다. 모두가 공유하는 서재 …… 사유의 숲이다.'에서 확인할 수 있다.
> ⑤ (가)의 '자연 과학과 인문학이 벽을 깨고 통섭되기를 바라는 공간이며'에서 확인할 수 있다.

8 (나)에 따르면, ㉠(통섭원)은 과학자의 서재라고는 상상하기 힘들 만큼 인문학책과 예술책, 사상이나 철학에 관한 서적들까지 여러 분야의 책들로 가득하다. 따라서 ③은 적절하지 않다.

> **오답 풀이**
> ① (나)의 '바닥부터 천장까지 책으로 빼곡한 그의 서재'에서 확인할 수 있다.
> ② (라)의 '모두가 공유하는 서재, 모두가 함께 나누고 세상을 탐구할 수 있는 창조의 공간이자 사유의 숲이다.'에서 확인할 수 있다.
> ④ (나)의 '그래서 그의 서재에 있는 책 한 권 한 권에는 이야기가 있고 추억이 묻어 있다.'에서 확인할 수 있다.
> ⑤ (다)의 '서재에 있는 책은 어느 것 하나를 골라잡아 펼쳐도 새것 같지 않은 것이 없다.'에서 확인할 수 있다.

9 ②와 같은 활동은 이 글에 제시되어 있지 않다.

> **오답 풀이**
> ①, ③, ④, ⑤ '도란도란 책 모임'에서 이루어진 독서 활동으로, (나)~(다)에 그 내용이 제시되어 있다.

10 (마)의 끝부분에 독서 모임, 즉 사회적 독서의 장점이 제시되어 있다.

평가 요소	확인 ✔
(마)를 바탕으로 하여 독서 능력 향상과 창의성(개성과 아이디어) 향상과 관련된 내용을 포함하여 서술했다.	
제시된 문장 형식에 맞게 서술했다.	

• **범위** 3단원 (2) 사회·문화 분야의 글 읽기 ~ 5단원 (2) 독서 활동에 참여하기

1 공공 선택 이론의 관점에서 정치인이 ㉠처럼 행동함으로써 얻는 이익이 무엇인지를 따져 보아야 한다. 이 글에 따르면 정치인은 자신의 지지 기반이 되는 유권자의 요구를 우선적으로 고려하기 때문에, 공공 정책이 사회 전체에 미치는 영향보다는 특정 개인이나 집단에 미치는 영향에 더욱 민감하게 반응하는 경향이 있다. 이를 통해 정치인이 특정 지역이나 계층에게만 유리한 정책을 선택하는 이유가 유권자의 표를 얻기 위해서임을 알 수 있다.

평가 요소	확인☑
정치인이 ㉠처럼 행동함으로써 얻는 이익이 투표에서의 이익임을 밝혔다.	
제시된 문장 형식에 맞게 서술했다.	

✏️ **예시 답안**
정치인이 자신의 지지 기반이 되는 특정 지역이나 계층에 이익을 주는 정책을 선택하는 것이 투표에서 유리하여 정치인 자신에게 이익이 되기 때문이다.

2 생활 보호 대상자에 대한 지원은 사회 전체의 효율성을 기준으로 판단할 때 '지출에 비해 효과가 적어' 효율성이 낮은 정책이므로, 경제인은 '복지 예산'이라는 한정된 자원을 효율적으로 분배하기 위해 복지 예산을 줄이는 법안을 시행해야 한다고 주장할 것이다.

평가 요소	확인☑
'효율적 분배'라는 말을 포함하여 서술했다.	
'복지 예산'이 '한정된 자원'에 해당하는 말임을 밝혔다.	
제시된 문장 형식에 맞게 서술했다.	

✏️ **예시 답안**
이 법안은 복지 예산이라는 한정된 자원의 효율적 분배를 고려할 때 시행되어야 합니다.

3 기자는 과로나 스트레스, 영양 결핍 등이 유발하는 면역력 저하를 '잠복 결핵'의 발병 확률을 높이는 요인으로 제시하고 있다. 따라서 개인적 차원에서 ㉠(인류와 결핵의 전쟁)을 끝내기 위해 실천할 수 있는 방안으로는 과로와 스트레스, 영양 결핍을 줄이고 면역력을 높이는 것을 들 수 있을 것이다.

평가 요소	확인☑
각각 '과로', '스트레스', '영양 결핍', '면역력' 중 하나와 관련한 내용을 서술했다.	
개인적 차원에서 실천할 수 있는 방안을 제시했다.	
제시된 문장 형식에 맞게 서술했다.	

✏️ **예시 답안**
과로하지 않아야 합니다. / 스트레스를 줄여야 합니다. / 충분한 영양을 섭취하고 면역력을 높여야 합니다. 등

4 글쓴이는 우리나라 선비들이 편협하고 배우고 물을 줄 몰라 이용후생이 날로 어렵고 구차해졌음을 지적하면서, 중국에게 배우고 물어 좋은 법과 아름다운 제도를 본받아야 한다고 주장하고 있다.

평가 요소	확인☑
'법', '제도', '이용후생'이라는 단어를 포함하여 서술했다.	
중국의 법과 제도를 배우고 물어 이용후생을 이루어야 한다는 내용을 중심으로 서술했다.	
제시된 문장 형식에 맞게 서술했다.	

✏️ **예시 답안**
중국의 법과 제도를 배우고 물어 이용후생을 이루어야 한다.

5 (나)는 관리들의 횡포와 수탈에 시달리는 백성의 모습을 사실적으로 표현한 정약용의 한시이다. (가)의 글쓴이는 군주가 미움을 받지 않기 위해서 시민과 신민들의 재산에 손대는 일을 삼가야 한다고 언급하고 있는데, 이는 (나)에서 이방과 황두, 즉 탐관오리가 백성이 새로 짜 낸 무명을 빼앗고 누전 세금을 독촉하는 상황과 연관 지어 이해할 수 있다. 따라서 (나)에서 무명을 빼앗긴 백성은 군주가 미움을 받지 않기 위해서는 시민과 신민들의 재산에 손대지 말아야 한다는 (가)의 글쓴이의 견해에 공감할 수 있을 것이다.

평가 요소	확인☑
(가)의 글쓴이를 '당신'으로, (나)의 '새로 짜 낸 무명'을 빼앗긴 백성을 '나'로 설정했다.	
(나)에 나타난 상황을 밝혔다.	
(가)의 글쓴이의 견해에 공감하는 내용으로 서술했다.	
군주가 시민과 신민(백성)의 재산을 빼앗지 말아야 한다는 내용을 포함했다.	

✏️ **예시 답안**
나는 새로 짜 낸 무명을 관리들에게 빼앗기고 세금 독촉에 시달리고 있습니다. 그래서 나는 군주는 미움을 받지 않기 위해 시민과 신민들의 재산에 손을 대지 말아야 한다는 당신의 견해에 공감합니다.

6 (가)는 영국의 식민 지배에 저항하는 인도의 정치인이자 사상가인 간디가 쓴 글로, 스와데시 정신을 내세워 비록 결함이 있을지라도 인도인이 생산한 물건만을 사용하고 필수품을 인도의 마을 내에서 자급자족하며 살아가야 한다고 주장하고 있다. (나)는 조선 물산 장려회의 궐기문으로, 일제의 식민 지배를 벗어나기 위해 국산품을 애용함으로써 경제적으로 자립할 것을 대중에게 호소하고 있다. (가)와 (나)는 외국의 식민 지배

를 받는 상황에서 국산품을 애용하자는 주장을 한다는 점에서 유사하다.

평가 요소	확인 ✔
(가)와 (나)가 쓰인 목적이 모두 국산품 애용과 관련되어 있음을 밝혔다.	
(가)와 (나)가 각각 인도와 조선이 식민 지배를 받고 있는 상황에서 쓰였음을 밝혔다.	

✎ **예시 답안**

(가)는 영국의 식민 지배를 받고 있는 인도에서 쓰인 글이고, (나)는 일제의 식민 지배를 받고 있는 조선에서 쓰인 글이다. (가)와 (나)는 이러한 상황에서 국산품 애용을 장려하기 위해 쓰였다는 점에서 유사하다.

7 [A]의 "여기 있는 책들은 저 혼자 보는 책이 아니거든요.", "제 뒤에 걸어오는 후학들에게 그 도서관 역할을 해 주고 싶어요."에서 '그'는 많은 사람들과 함께 보기 위해 책을 깨끗하게 다루고 있다고 밝히고 있다. 이를 통해 '그'가 서재를 모두가 공유하는 공간으로 여기고 있음을 알 수 있다.

평가 요소	확인 ✔
서재가 다른 사람과 공유하는 공간이라는 내용을 포함하여 서술했다.	
제시된 문장 형식에 맞게 서술했다.	

✎ **예시 답안**

저는 서재를 모두가 공유하는 공간이라고 생각합니다.

8 (가)에서 혼자 하는 독서는 나눔과 만남의 기쁨을 누리기 쉽지 않으며 자칫하면 독단에 빠질 위험이 있다고 했다. (나)에서 여럿이 함께 읽을 책을 선정할 때에는 각자의 취향이나 수준을 살리는 데 어려움이 있다고 했다.

평가 요소	확인 ✔
㉠은 (가)에서, ㉡은 (나)에서 찾아 서술했다.	
㉠은 독단에 빠질 위험이 있다는 내용을, ㉡은 각자의 취향이나 수준을 살리는 데 어려움이 있다는 내용을 포함하여 서술했다.	
각각 한 문장으로 서술했다.	

✎ **예시 답안**

㉠ 독단에 빠질 위험이 있다.
㉡ 각자의 취향이나 수준을 살리는 데 어려움이 있다.

7일 기말고사 기본 테스트 1회   68~75쪽

• **범위** 3단원 (2) 사회·문화 분야의 글 읽기 ~ 5단원 (2) 독서 활동에 참여하기

1 ⑤   **2** ④   **3** ⑤   **4** (그 자신이) 정의를 구현해야 할 책임자인데도 아무것도 하지 않았기 때문입니다.   **5** ⑤   **6** ①   **7** ⑤   **8** ③
9 ①   **10** 충언[간언]   **11** ②   **12** ④   **13** ④   **14** ③
15 영국의 식민 지배에서 벗어나기 위해 국산품을 애용해야 한다.   **16** ⑤   **17** ①   **18** ④   **19** ②   **20** ⑤   **21** ②   **22** 창의성

1 (가)와 (나)는 모두 인간이 모여 구성하는 사회와 그 사회 안에서 이루어지는 다양한 현상을 탐구하는 사회·문화 분야의 글이지만, 사회 문제를 해결하기 위한 대안을 새롭게 제시하는 내용은 나타나지 않는다.

오답 풀이

①, ② (나)는 잘못된 군사 재판에 책임이 있는 자들을 비판하는 편지글이다. (나)의 글쓴이는 군의 이익을 위해 드레퓌스 사건의 진실을 밝히지 않은 비요 장군과 그를 비롯한 국방부 관계자들의 행위를 지적하고 있다.
③ (가)는 정치 논리와 경제 논리의 특성을 비교하고 분석하고 있다.
④ (가)는 '정치인은 이들의 요구를 모두 충족해 줄 수 없으므로 …… 우선적으로 고려한다.'와 같은 내용에서, (나)는 '그렇지만 아마도 여론에 대한 공포 때문에 …… 그렇게 하지 못했습니다.' 등에서 인과 관계가 드러나는 내용 전개 방식이 나타난다.

2 (가)에 따르면 정치인은 정책을 도출하는 과정에서 협상, 타협, 교섭 등 정치적 기술을 무기로 삼는다. 한편 경제인은 정책을 제시하기 위해 전문 지식과 분석 기술을 활용한다.

오답 풀이

① 정치 논리에서는 공평성을, 경제 논리에서는 효율성을 중시한다.
② 정치인은 상호 경쟁 관계에 있는 정책 목표들은 되도록 명확하게 규정하지 않고 여지를 남겨 둔 상태에서 정치적 과정을 통해 합의를 도출하고자 한다. 이와 달리 경제인은 명확하게 규정된 목표에 초점을 둔다.
③ 모두 경제인(경제 논리)과 관련된 설명이다. 경제인은 정치인과 달리 조직되지 않은 다수의 이해관계를 중시하기 때문에 되도록 객관적·거시적 입장에서 사회적 필요성이 있는 정책을 수행하려는 경향이 있다.
⑤ 정치인은 공공 정책을 결정할 때 그 결정이 사회 전체에 미치는 영향보다 특정 개인이나 집단에 미치는 영향에 중점을 둔다. 이와 달리 경제인은 한정된 자원의 효율적 분배를 중시하므로 정책에 수반되는 사회 전체의 효율성에 중점을 둔다.

3 '한 정치인'은 정치 논리에 따라 정책을 결정할 것이다. (가)에 따르면, 정치인은 이해관계가 각기 다른 국민의 요구를 모두 충족해 줄 수 없으므로 자신의 지지 기반이 되는 유권자의 요구를 우선적으로 고려한다. 따라서 정치인의 목표가 국민 모두의 요구를 충족하는 것이라는 ⑤의 진술은 적절하지 않다.

오답 풀이

① (가)에 따르면, 경제인은 정치인과 달리 조직되지 않은 다수의 이해관...

계를 중시한다. 〈보기〉의 '모 경제 연구소'가 해당 정책에 드는 사회적 비용이 편익을 초과하므로 투자의 유보 또는 취소를 건의한 것은 특정 지역민의 이익이 아닌 다수의 이해관계를 중시한 결정으로 볼 수 있다.
③ 〈보기〉에서 '한 정치인'이 해당 정책이 비효율적임에도 불구하고 자신을 지지하는 지역민들의 강력한 요구임을 감안하여 정책을 입안하기로 한 것은 자신의 지지 기반이 되는 유권자의 요구를 우선적으로 고려한 결정으로 볼 수 있다.

4 글쓴이는 비요 장군이 드레퓌스가 무죄임을 밝혀야 할 책임이 있음에도 불구하고 군의 이익을 우선시하여 진실을 숨겼음을 비판하고 있다.

평가 요소	확인 ☑
비요 장군에게 정의를 구현해야 할 책임이 있음에도 그렇게 하지 않았다는 내용과 관련하여 서술했다.	
제시된 문장 형식에 맞게 서술했다.	

5 〈보기〉에 따르면 베르나도트가 복무한 프랑스 군대는 권위를 존중했다. 이러한 사고방식을 지니고 있던 베르나도트는 취임 연설에서 스웨덴 말을 더듬는 자신을 보고 웃고 떠드는 스웨덴 국민들의 모습에 큰 충격을 받았다. 이를 통해 프랑스와 스웨덴의 권력 거리 지수에 차이가 있음을 확인할 수 있다.

6 채드윅은 결핵과 같은 각종 감염병 유행의 원인으로 위생 상태를 지목했다. 결핵이 감염병임을 증명한 사람은 뷔유맹이다.

7 위생 상태가 결핵과 같은 감염병 유행의 원인임을 지목한 것은 감염된 동물에게서 다시 동일한 병원균이 분리 배양 되어야 한다는 원칙과 거리가 멀다. 또한 채드윅의 지적은 코흐의 4원칙이 발표되기 이전이므로 ⑤는 적절하지 않다.

8 (나)에서는 당대의 글쓰기 관습에 따라 순임금의 고사와 공자의 말을 인용하여 배움의 중요성을 강조하고 있다. 공자를 중심으로 한 전통적인 유학이 무너지던 시기임을 짐작할 수 있는 내용은 글에 나타나지 않는다.

〔오답 풀이〕
② 성현은 성인(지혜와 덕이 매우 뛰어나 길이 우러러 본받을 만한 사람)과 현인(어질고 총명하여 성인에 다음가는 사람)을 아울러 이르는 말이다. (나)에는 순임금의 행동과 공자의 말이 제시되어 있는데, 이를 통해 당대에 성현의 말이나 행동을 제시하는 글쓰기 관습이 있었음을 추측할 수 있다.

9 '어떤 장부'는 자신이 사는 곳(서울 바깥 큰길가)과 이름(백두옹)을 밝히며 말을 시작하고 있다(ⓐ). 또 실과 마로 짠 베가 있다 해도 거적이나 띠풀 같은 물건을 버리지 않는다는 옛말을 인용하여 자신을 등용할 것을 바라는 뜻을 넌지시 전하고 있다(ⓑ).

10 ㉠(독한 침)은 비록 독하지만 임금의 몸에 병을 일으키는 독기를 없애 주는 효과가 있는 침으로, 신하의 충직하고 바른 말, 즉 충언이나 간언을 의미한다.

11 글쓴이는 역사적 인물인 '한니발'이 비인간적인 잔인함으로 군대를 성공적으로 통솔한 사례를 들어 군주는 두려움의 대상이 되어야 한다는 자신의 주장을 뒷받침하고 있다.

12 (나)에서 현명한 군주는 자신을 두려운 존재로 만들되, 비록 사랑을 받지 못하더라도 미움을 받는 일은 피해야 한다고 했다.

〔오답 풀이〕
① (나)에서 군주가 미움을 받지 않으려면 시민과 신민들의 재산과 그들의 부녀자에게 손을 대는 일을 삼가야 한다고 했다.
② (가)에서 인간은 악하기 때문에 이익을 취할 기회가 생기면 언제나 감사의 상호 관계를 팽개쳐 버린다고 했다.
③ (가)의 마지막 문장에서 두려움은 항상 효과적인 처벌에 대한 공포로써 유지된다고 했다.
⑤ (가)의 '인간은 악하기 때문에 자신의 이익을 취할 기회가 생기면 언제나 그 감사의 상호 관계를 팽개'친다는 내용과 (나)의 '인간이란 어버이의 죽음은 쉽게 잊어도 재산의 상실은 좀처럼 잊지 못한다'는 내용으로 보아, 글쓴이가 인간을 도덕성보다 이해관계를 우선시하는 이기적인 존재로 여기고 있음을 알 수 있다.

13 이 글과 〈보기〉에는 외세와 친교를 맺는 능력이 뛰어난 지도자에 관련한 내용이 없다.

〔오답 풀이〕
①, ②, ③, ⑤ 〈보기〉에는 반대파를 제압할 역량이 없는 지도자가 권력을 잃고, 나라가 여럿으로 분열되어 외세의 간섭을 받았던 당시 글쓴이의 조국(이탈리아)의 사회·문화적 상황이 나타나 있다. 군주가 두려움의 대상이 되어야 한다는 글쓴이의 주장에는 권력을 갖춘 강력한 지도자가 나타나 이러한 현실을 극복하기를 바라는 의도가 담겨 있을 것이다.

14 결함이 있더라도 자국 물건을 이용해야 한다는 내용만이 나타나 있을 뿐, 외국의 선진 기술을 배워 자국의 발전을 꾀해야 한다는 내용은 (가)에 제시되어 있지 않다.

15 (가)에서 글쓴이는 물건에 결함이 있더라도 가까운 이웃이 생산한 물건만을 사용해야 하며, 품질이 훌륭하더라도 다른 나라에서 생산한 면직물은 구입하지 않겠다고 말하고 있다. 글쓴이가 영국의 식민 지배에 저항하는 정치가이자 사상가였으며 이 글을 쓸 당시 인도가 영국의 식민 지배 아래서 경제적 어려움을 겪고 있었다는 〈보기〉의 내용을 고려할 때, 글쓴이는 영국의 식민 지배를 벗어나기 위해 국산품을 애용해야 함을 주장하고 있음을 알 수 있다.

평가 요소	확인 ☑
식민 지배에서 벗어나는 것을 목적으로 국산품을 애용한다는 내용을 중심으로 서술했다.	
'식민 지배'와 '국산품'이라는 말을 포함하여 서술했다.	
제시된 문장 형식에 맞게 서술했다.	

16 (나)에 따르면 매체 환경 변화에 따라 정보의 생산과 유통에 대한 일반인의 참여가 광범위한 영역에서 발생하고 있다. 이는 소수의 생산자가 정보 내용물의 대부분을 만들어 내던 과거와 달라진 모습이다. ⑤의 내용은 매체 환경 변화 이전의 모습이므로 적절하지 않다.

17 이 글은 관찰자의 입장에서 대상 인물(생물학자 최재천)의 독서 특징을 소개하고 있다. 글쓴이는 (나)의 "저는 걸쳐 있는 책이 …… 굉장히 많아요.", (다)의 "여기 있는 책들은 …… 할 것 같아요."와 같이 대상 인물을 인터뷰한 내용을 중간에 삽입했다.

18 (나)에서 최재천은 서로 다른 분야가 얽히고설켜 새로운 것을 창조해 내는 책을 좋아하며 자신의 서재에 그런 책들이 굉장히 많다고 했다. 이를 통해 그가 자발적인 태도로 좋아하는 책을 찾아 읽는다는 것을 알 수 있다.

19 (다)에서 최재천은 책을 읽다가 적어 둘 내용이 있을 때에는 쪽지에 써서 살짝 끼워 둔다고 했다. 따라서 ②의 내용은 적절하지 않다.

20 (나)에는 도란도란 책 모임에서 아이들이 특정 주제에 관한 책을 몇 권씩 가져와 함께 검토하면서 읽을 책을 정했다는 내용이 나타나 있다. 이로 볼 때 책 모임에서 함께 읽을 책을 선정하는 문제에 대한 조언으로 가장 적절한 것은 ⑤이다.

21 ㉠(도란도란 책 모임)은 여럿이 함께 하는 독서이다. (가)에서 여럿이 함께 하는 독서는 혼자서 하는 독서와 달리 책을 다양하게 읽을 수 있다고 했으므로 ②는 적절하지 않다.

22 ㉡(이러한 능력)은 독서 토론 활동을 통해 기를 수 있는 것으로, 풍부한 지식과 정보를 토대로 하여 새로운 것을 창조하는 능력이다. 즉 ㉡은 (다)의 마지막 문장에 언급된 '창의성'을 가리킨다.

• **범위** 3단원 (2) 사회·문화 분야의 글 읽기 ~ 5단원 (2) 독서 활동에 참여하기

1 ③   **2** ④   **3** ④   **4** 묻고 배우는 태도를 지녀야 한다. 그런데 우리나라 선비들은 편협한 기질을 타고나 묻고 배울 줄 모른다.   **5** ③   **6** ①   **7** ⑤   **8** ②   **9** ⓐ 다층 구조의 신경망   ⓑ 다층 퍼셉트론   ⓒ 사전 훈련   **10** ③   **11** ④   **12** ⑤   **13** 스와데시 정신은 조국에만 관심을 기울이는 배타성과 경쟁적이거나 절대적인 성질이 없는 포괄성을 동시에 지녔다는 점에서 역설적이다.   **14** ②   **15** ①   **16** ⑤   **17** ②   **18** ③   **19** ①   **20** 이분법적 사고에 갇혀 있던 내가 다차원의 논리를 만나고 느끼게 되었어.

1 (가)에서 경제인은 '효율성 원칙에 따라 여러 가지 정책을 수립하고 예상되는 정책 효과를 기준으로 하여 그 정책의 우선순위를 정한'다고 했다. 따라서 경제인은 〈보기〉의 표에서 정책의 효과(방역 성공 가구 수)를 기준으로 삼아, 정책의 효과가 가장 큰 '방법 2'를 제일 선호할 것이다. 효율성을 중시하는 경제인이 정책의 효과가 아닌 가구당 비용이 가장 큰 방법을 선호할 것으로 보기도 어려우며, 〈보기〉의 표에서 가구당 비용이 가장 큰 방법은 '방법 1'이므로 ③의 진술은 적절하지 않다.

오답 풀이

①, ⑤ (가)에서 정치인은 정책을 투입의 관점에서 보며, 유권자에게 제시하기 쉬운 투입을 기준으로 하여 정책을 결정하는 경향이 있다고 했다. 따라서 정치인은 〈보기〉의 표에서 예산 투입 대상(수혜 가구)을 기준으로 삼아 정책을 결정할 것이며, 그중에서도 예산 투입 대상이 가장 많은 '방법 3'을 선호할 것이다.

④ 정치인은 예산 투입 대상(수혜 가구)이 제일 적은 '방법 1'을 가장 선호하지 않을 것이며, 경제인은 정책의 효과(방역 성공 가구 수)가 제일 작은 '방법 3'을 가장 선호하지 않을 것이다.

2 필적 전문가들의 의견이 일치하지 않았다는 것은 명세서의 필적을 드레퓌스의 것이라고 단정하기 어려움을 의미한다.

3 미인을 얻기 어렵다고 말하는 화왕의 모습은 왕이 충언하는 충신보다 아첨하는 간신에게 더 이끌리는 모습을 나타낸다. 따라서 인재를 등용하기 어려운 현실을 한탄한 것과 거리가 멀다.

4 (나)의 글쓴이는 편협한 기질을 타고나 묻고 배울 줄 모르는 우리나라 선비들의 태도를 비판하고 북경에 가 이용후생과 관련된 일을 묻고 배운 박제가의 학문적 태도를 언급하며 박제가가 책을 쓴 의도와 자신이 《열하일기》를 쓴 의도가 같다고 밝혔다. 이를 통해 실학자인 두 사람 모두 학문하는 자라면 백성의 실생활에 도움이 되는 선진 문물과 제도를 묻고 배워야 한다고 생각했을 것임을 짐작할 수 있다.

평가 요소	확인 ☑
학문하는 자는 묻고 배우는 태도를 지녀야 한다는 점, 우리나라 선비들은 묻고 배울 줄 모른다는 점을 중심으로 서술했다.	
'편협한 기질'을 포함하여 서술했다.	
제시된 문장 형식에 맞게 서술했다.	

5 (나)에 따르면 힌턴은 다층 퍼셉트론의 한계를 극복하기 위해 사전 훈련 과정을 활용한 심층 학습을 제안했다. 심층 학습의 한계나 심층 학습의 한계를 극복하기 위한 방법과 관련된 내용은 (나)에서 찾을 수 없다.

오답 풀이
① (가)의 '결핵은 원래 동물에게서 발생한 질병'에서 확인할 수 있다.
② (가)의 '수천 년 전의 것으로 …… 결핵에 관한 내용으로 추정되는 기록을 남겨 놓았다.'에서 확인할 수 있다.
④ (가)에서 결핵은 중세를 멸망시켰다는 말을 듣는 페스트에 빗댄 '백색의 페스트'라는 별명을 얻게 되었다고 했다.
⑤ (나)의 '퍼셉트론은 보통의 컴퓨터나 인간이 쉽게 푸는 기본적인 …… 학습할 수 있는 정보는 매우 제한적이었다.'에서 확인할 수 있다.

6 (가)는 결핵의 발병 양상을, (나)는 기계 학습의 발전 과정을 시간의 흐름에 따라 서술하고 있다.

7 ⓔ은 산업화와 도시화에 따른 대기 오염, 거주지의 위생 상태, 열악한 노동 조건 등으로 상류층보다 하류층에서 결핵이 더 유행했음을 의미할 뿐, 상류층에서 결핵이 발병하지 않았음을 의미하는 것은 아니다.

오답 풀이
② 아리스토텔레스가 결핵이 공기를 통해 전파된다고 주장한 것을 보아, 옛날 사람들도 결핵이 감염성 질환임을 알고 있었다고 짐작할 수 있다.
③ 상류층의 '집단적인 사교 생활'이 결핵의 전염 확률을 높였다고 했으므로, 여러 사람이 함께 활동하는 환경이 결핵 환자 증가에 영향을 미친다는 점을 짐작할 수 있다.
④ '미처 준비가 안 된 도시'에서 '위생 상태가 불량한 가운데 집단생활이 이루어졌다'는 내용으로 보아, 산업 혁명 직후 도시의 위생 상태가 집단생활에 적합하지 않았음을 짐작할 수 있다.

8 〈보기〉는 지도 학습과 비지도 학습의 과정을 보여 주는 자료이다. [학습 1]은 컴퓨터에 사진을 주고 "이 사진은 토끼임.", "이 사진은 고양이임."이라고 알려 주는 과정을 거친 후 토끼 사진을 보여 주자 컴퓨터가 사진을 구분한 지도 학습에 해당한다. [학습 2]는 분류 기준 없이 토끼 사진과 고양이 사진을 입력하니 컴퓨터가 알아서 토끼 사진과 고양이 사진을 분류한 비지도 학습에 해당한다. 비지도 학습은 '분류 기준 없이 정보를 입력하고 컴퓨터가 알아서 분류하게 하는 방식'이므로 분류 기준을 입력하는 과정을 거치지 않는다.

9 제프리 힌턴이 고안한 심층 학습은 '다층 구조의 신경망(ⓐ)을 기반으로 하는 기계 학습의 한 분야'로, 퍼셉트론의 문제를 해결하기 위해 제안된 다층 퍼셉트론(ⓑ)의 한계를 사전 훈련(ⓒ) 과정을 통해 극복했다.

10 (가)의 글쓴이는 비인간적인 잔인함 덕분에 군대를 성공적으로 이끈 '한니발'과 자비로운 성격 때문에 부하들의 반란을 초래하고 로마 군대를 부패시킨 '스키피오'의 사례를 대조하고 있다. 이를 통해 군주는 잔인함이라는 자질을 갖추고 잔인하다는 평판에 개의치 말아야 한다는 주장을 강화하고 있다.

11 (가)의 글쓴이는 '그의 군대 지휘 방식이 견제받지 않고 방임되었더라면, …… 이처럼 유해한 성품이 적절히 억제되었을 뿐만 아니라 나아가 그의 명성에 이바지했습니다.'에서 그가 원로원의 통제 덕분에 유해한 성품(자비로운 성품)을 적절히 억제하고 명성과 영광을 유지할 수 있었다는 생각을 밝히고 있다.

오답 풀이
⑤ (가)에서 스키피오가 그의 자비로운 성품 때문에 로크리 지방을 약탈한 지방 장관을 제대로 처벌하지 않았다는 글쓴이의 생각을 확인할 수 있다.

12 〈보기〉를 통해 영국에서 들여온 값싼 면제품 때문에 섬유 산업이 파괴되고 경제적 어려움에 처한 인도의 상황을 확인할 수 있다. (나)의 글쓴이는 인도에서 생산한 물건을 사용해야 한다고 주장하고 있는데, 〈보기〉를 고려할 때 글쓴이는 국산품 애용을 통해 경제적 어려움을 극복하고 영국의 경제적 지배에서 벗어나기 위해 이 글을 썼음을 짐작할 수 있다.

13 글쓴이는 (나)의 '그것은 내가 조국에만 관심을 기울인다는 의미에서 배타적이다. 그러나 그것은 나의 정신이 경쟁적이거나 절대적인 성질을 갖고 있지 않다는 의미에서 포괄적이다.'에서 스와데시 정신의 역설적 성격을 제시했다.

평가 요소	확인 ☑
스와데시 정신이 조국에만 관심을 기울인다는 점에서 배타적이고, 경쟁적이거나 절대적인 성질을 갖고 있지 않다는 의미(다른 사람의 권리를 침해하지 않는다는 의미)에서 포괄적이라는 내용을 중심으로 서술했다.	
'배타성'과 '포괄성'이라는 말을 포함하여 서술했다.	
제시된 문장 형식에 맞게 서술했다.	

14 (가)에 따르면 인터넷의 영향으로 언론사를 포함하여 정보 내용물을 전문적으로 생산하는 조직의 수가 늘어났으며, 이들이 경쟁적으로 정보 내용물을 생산하면서 여러 가지 폐해가 나타나고 있다. 정보 내용물 생산 조직의 증가 자체를 매체 환경 변화의 폐해로 지적한 것은 아니다.

15 정보 내용물을 빠르게 유통하는 능력과 관련된 내용은 (나)에 나타나지 않는다.

16 (가)에 '생물학자 최재천'의 서재에는 인문학책과 예술책, 사상·철학 서적이 가득하다고 제시되어 있을 뿐, 그가 전공 분야인 생물학보다 인문·사상·철학이 더 중요한 학문이라고 생각하는지는 (가)에서 알 수 없다.

17 (가)에서 최재천의 서재에는 '《화첩 기행》부터 인문 서적들과 사상·철학 서적들까지 여러 분야의 책들'이 있는데, 이는 최재천이 '꽤 오랫동안 문학도로서의 열병을 앓았을 법한 흔적들'이라고 했다. 그렇지만 최재천이 《화첩 기행》(㉠)을 간직해 온 기간이 오래되었는지는 (가)에서 확인할 수 없다.

> **오답 풀이**
> ① '화첩 기행'이라는 책의 제목을 통해 《화첩 기행》(㉠)이 예술 분야의 책임을 짐작할 수 있다. 이는 여러 분야의 책들을 고루 읽는 최재천의 독서 태도를 보여 준다.
> ④ 최재천은 《더 컴플리트 파 사이드》(㉢)가 자연 과학자의 마음을 기가 막히게 잘 표현했다며 강의에 이 책의 만화를 자주 인용한다고 했다.

18 (나)의 글쓴이는 삶의 위기를 겪고 있는 큰아이가 자신을 '있는 그대로' 존중하고 사랑하기를 바랐고, 삶을 마무리하는 순간까지 배워 나가는 사람이 되기를 바랐다.

19 거의 모든 수업을 지겨워하던 '큰아이'는 모임을 통해 몰라보게 밝아졌고 학교 공부가 더 이상 재미없다는 말도 하지 않게 되었다. 그렇지만 체육 활동에 흥미를 갖게 되었다는 내용은 (나)에 나타나지 않는다.

> **오답 풀이**
> ②, ③ '아이들은 활동한 지 2, 3년 만에 정서적으로나 지적으로 크게 성장했다.'에서 확인할 수 있다.
> ④ '사춘기의 한복판에서 휘청대던 아이들은 책 모임을 하면서 내면이 단단해졌다.'에서 확인할 수 있다.
> ⑤ '특히 우리 큰아이는 몰라보게 밝아졌고 학교 공부가 더 이상 재미없다는 말도 하지 않았다. "배운다는 게 재미있는 일이었군요. 작가의 길을 걸으며 평생 공부하는 사람이 되고 싶어요."라고 고백할 정도였다.'에서 확인할 수 있다.

20 '권○○(ⓐ)'은 책 모임에 참여함으로써 이분법적 사고에서 벗어나 다차원의 논리를 만나고 느끼게 되었다는, 즉 다양한 관점에서 생각할 수 있게 되었다는 소감을 밝혔다.

평가 요소	확인 ☑
이분법적 사고에 갇혀 있던 모습을 책 모임에 참여하기 전의 모습으로, 다차원의 논리를 만나고 느끼게 된 것을 책 모임에 참여한 후의 변화로 밝혔다.	
'논리'라는 말을 포함하여 서술했다.	
친구의 문자 메시지에 답하는 형식으로 서술했다.	

7일 끝!

필수 어휘
모아 보기

 필수 어휘 모아 보기 활용 안내

◈ 쉽고 재미있는 문제로 **제재별 필수 어휘** 익히기!

◈ **교과서에서 뽑은 예시 문장으로 어휘 학습에, 내용
  학습까지 한 번 더!**

1 〈정치 논리와 경제 논리〉

1 빈칸에 들어갈 말을 찾아 바르게 연결하시오.

1 정치 논리에서는 공평성을 중시하고 경제 논리에서는   을 중시한다.   •   ㉠ 배제
　　　　　　들인 노력과 얻은 결과의 비율이 높은 특성.

2 정치인은 선거를 통해 국민에게 권력을   받은 사람들이다.   •   ㉡ 위임
　　　　　　어떤 일을 책임 지워 맡김.

3 경제인은 정책을 결정하는   가 아니다.   •   ㉢ 투입
　　　　　　어떤 일이나 사건에 직접 관계가 있거나 관계한 사람.

4 정치인은 정책을   의 관점에서 보는 반면, 경제인은 효과의 측면에서 본다.   •   ㉣ 당사자
　　　　　　사람이나 물자, 자본 따위를 필요한 곳에 넣음.

5 경제인은 정책을 분석하고 수립할 때 유권자의 영향력을   하고자 한다.   •   ㉤ 효율성
　　　　　　받아들이지 아니하고 물리쳐 제외함.

2 풀이된 뜻에 해당하는 어휘를 고르시오.

1 해내기 어렵거나 곤란한 일을 푸는 방법. | 해결 | 해법 |

2 서로 다투는 중심이 되는 점. | 쟁점 | 현안 |

3 법이 권리의 주체가 될 수 있는 자격을 인정하는 자연적 생활체로서의 인간. | 자연인 | 권력 기관 |

4 사물이나 현상을 전체적으로 분석·파악하는 것. | 미시적 | 거시적 |

5 서로 의견이 일치함. 또는 그 의견. | 협력 | 합의 |

6 어떤 일을 이루기 위하여 서로 의논하고 절충함. | 교섭 | 유보 |

정답 **1** 1 ㉤ 2 ㉡ 3 ㉣ 4 ㉢ 5 ㉠   **2** 1 해법 2 쟁점 3 자연인 4 거시적 5 합의 6 교섭

〈나는 고발한다〉

1 빈칸에 들어갈 말을 찾아 바르게 연결하시오.

1 기상천외한 삼류 소설을 실화로 만들기 위해 그는 모든 것을 ＿＿＿＿＿ 했습니다.　　　　　　·
　　　 사실이 아닌 것을 사실인 것처럼 거짓으로 꾸밈.

　　　　　　　　　　　　　　　　　　　　　　　　　　　　　　　·　㉠ 날조

2 군사 법정에서 낭독된 ＿＿＿＿＿ 을 주의 깊게 살펴보면, 이 사실은 금방 드러납니다.　·
　　 검사가 특정한 형사 사건에 대하여 법원에 심판을 요구하기 위해 법원에 제출하는 문서.

　　　　　　　　　　　　　　　　　　　　　　　　　　　　　　　·　㉡ 물증

3 명세서가 유일한 ＿＿＿＿＿ 이었지만 필적 전문가들조차 의견 일치를 보지 못한 상태　·
였습니다.　 '물적 증거'를 줄여 이르는 말.

　　　　　　　　　　　　　　　　　　　　　　　　　　　　　　　·　㉢ 입증

4 양심적인 많은 사람이 마침내 드레퓌스의 무죄를 ＿＿＿＿＿ 하게 되었습니다.　　·
　　　　　　　　　　　　　 굳게 믿음.

　　　　　　　　　　　　　　　　　　　　　　　　　　　　　　　·　㉣ 확신

5 피카르 중령의 조사는 이런 사실을 명백히 ＿＿＿＿＿ 했습니다.　　　　　·
　　　　　　　어떤 증거 따위를 내세워 증명함.

　　　　　　　　　　　　　　　　　　　　　　　　　　　　　　　·　㉤ 기소장

2 빈칸에 들어갈 알맞은 어휘를 〈보기〉에서 찾아 쓰시오.

> ─ 보기 ─
> 　　구현　　　　돌발　　　　폭발　　　　정당화

1 참모 본부가 유죄 선고를 ＿＿＿＿＿ 하기 위해 한 장의 기밀 서류의 존재를 주장하기 시작한 것은 바로 그때부
터입니다.　 정당성이 없거나 정당성에 의문이 있는 것을 무엇으로 둘러대어 정당한 것으로 만듦.

2 그가 이 사건을 탐구하는 동안 참모 본부에서 일어난 주요 ＿＿＿＿＿ 사태를 모르고 있었다는 것만은 밝혀 두
겠습니다.　　　　　　　　　　　　　 뜻밖의 일이 갑자기 일어남.

3 왜냐하면 그 자신이 정의를 ＿＿＿＿＿ 해야 할 책임자인데도 아무것도 하지 않았기 때문입니다.
　　　　　　　　　　　　 어떤 내용이 구체적인 사실로 나타나게 함.

4 오늘 저의 행위는 진실과 정의의 ＿＿＿＿＿ 을 앞당기기 위한 혁명적 수단일 뿐입니다.
　　　　　　　　　　　　 힘이나 열기 따위가 갑작스럽게 퍼지거나 일어남.

정답 **1** **1** ㉠ **2** ㉤ **3** ㉡ **4** ㉣ **5** ㉢　　**2** **1** 정당화 **2** 돌발 **3** 구현 **4** 폭발

〈인류 역사와 함께한 질병, 결핵〉

① 빈칸에 들어갈 말을 찾아 바르게 연결하시오.

1 채드윅은 노동자들의 _____ 상태가 감염병 유행의 가장 큰 원인임을 지적했다. •
건강에 유익하도록 조건을 갖추거나 대책을 세우는 일.

• ㉠ 배양

2 뷔유맹은 결핵으로 사망한 사람의 _____ 를 토끼의 몸에 주입하는 실험을 통해 •
결핵이 감염병을 증명했다.　병원균이 모여 있어 조직에 병적 변화를 일으키는 자리.

• ㉡ 백신

3 코흐는 감염병을 일으키는 병원균을 순수 _____ 하는 방법을 정립했다. •
인공적인 환경을 만들어 동식물 세포와 조직의 일부나 미생물 따위를 가꾸어 기름.

• ㉢ 병터

4 승승장구하던 코흐에게 결핵 치료제 개발 실패는 _____ 에 빠지는 계기가 되었다. •
어떤 현상이나 사물이 진전하지 못하고 제자리에 머무름.

• ㉣ 위생

5 프랑스의 칼메트와 게랭은 _____ 을 개발함으로써 결핵 예방의 길을 텄다. •
전염병에 대하여 인공적으로 면역을 주기 위해 생체에 투여하는 항원의 하나.

• ㉤ 침체

② 빈칸에 들어갈 알맞은 어휘를 〈보기〉에서 찾아 쓰시오.

┌─────────────────────────────────── • 보기
│　　검증　　　항균　　　약리　　　예방법
└───────────────────────────────────

1 결핵의 원인균과 _____ 을 알아냈지만, 결핵을 치료하기까지는 좀 더 기다려야 했다.
질병이나 재해 따위가 일어나지 아니하도록 미리 막는 방법.

2 왁스먼은 가설을 _____ 하기 위한 연구를 진행했다.
검사하여 증명함.

3 방선균이 생산하는 물질 가운데 _____ 효과를 지닌 물질은 스무 가지가 넘었다.
균에 저항함.

4 왁스먼이 찾아낸 추출물로 동물 실험을 한 결과 _____ 효과는 아주 낮게 나타났다.
생체에 들어간 약품이 일으키는 생리적인 변화.

정답 ① 1 ㉣ 2 ㉢ 3 ㉠ 4 ㉤ 5 ㉡ ② 1 예방법 2 검증 3 항균 4 약리

4

〈인공 지능과 심층 학습〉

1 빈칸에 들어갈 말을 찾아 바르게 연결하시오.

1 ＿＿＿＿＿ 연구의 목표는 사람처럼 생각하는 기계를 개발하는 것이다. ・
인간의 지능이 가지는 학습, 추리, 적응, 논증 따위의 기능을 갖춘 컴퓨터 시스템.

・ ㉠ 지도

2 퍼셉트론으로 학습할 수 있는 정보는 매우 ＿＿＿＿＿ 이었다. ・
일정한 한도를 정하거나 그 한도를 넘지 못하게 막는 것.

・ ㉡ 제한적

3 ＿＿＿＿＿ 학습은 컴퓨터에 먼저 분류 기준을 입력한 후에 정보를 가르치는 방식이다. ・
어떤 목적이나 방향으로 남을 가르쳐 이끎.

・ ㉢ 최적화

4 힌턴은 필기체 디지털 이미지의 분류 작업에 이 심층 신뢰망 ＿＿＿＿＿ 을 적용했다. ・
어떤 문제의 해결을 위하여, 입력된 자료를 토대로 하여 원하는 출력을 유도하는 규칙의 집합.

・ ㉣ 알고리즘

5 심층 학습은 비지도 학습을 사용한 사전 훈련 과정으로 데이터를 손질해 인공 신경망 ・
＿＿＿＿＿ 를 수행한다.
어떤 조건 아래에서 주어진 함수를 가능한 최대 또는 최소로 하는 일.

・ ㉤ 인공 지능

2 풀이된 뜻에 해당하는 어휘를 고르시오.

1 일반 사회에서 자연히 발생하여 쓰이는 언어.

자연 언어 ｜ 인공 언어

2 어떤 일이나 사태에 맞추어 태도나 행동을 취함.

대비 ｜ 대응

3 예로부터 해 오던 방식이나 수법을 좇아 그대로 행함.

답보 ｜ 답습

4 서로 맞서거나 비교되는 관계에 있는 것.

상대적 ｜ 절대적

5 옳고 그름이나 좋고 나쁨을 판단하여 구별함. 또는 그런 구별.

판명 ｜ 판별

6 지위나 수준 따위가 갑자기 빠른 속도로 높아지거나 향상되는 것.

독보적 ｜ 비약적

정답 **1** 1 ㉤ 2 ㉡ 3 ㉠ 4 ㉣ 5 ㉢ **2** 1 자연 언어 2 대응 3 답습 4 상대적 5 판별 6 비약적

〈설총〉

① 빈칸에 들어갈 말을 찾아 바르게 연결하시오.

1 원효는 처음에 승려가 되어 불경에 ░░░░░ 했다.
여러 방면으로 학식이 넓음.

• ㉠ 비명

2 설총은 방언으로 구경을 읽어서 ░░░░░ 들을 가르쳤다.
학문에서의 후배.

• ㉡ 알현

3 설총이 지은 ░░░░░ 이 있지만 종내 어떠했는지를 알 수 없게 되었다.
비석에 새긴 글자.

• ㉢ 후학

4 ░░░░░ 이야기와 유쾌한 해학으로 울적한 마음을 푸는 것만은 못하리라.
뜻이나 품격 따위가 높고 우아한.

• ㉣ 해박

5 곱디곱고 아름다운 꽃의 정령들이 바삐 달려와 화왕을 ░░░░░ 하고자 하였다.
지체가 높고 귀한 사람을 찾아가 뵘.

• ㉤ 고아한

② 빈칸에 들어갈 알맞은 어휘를 〈보기〉에서 찾아 쓰시오.

╴• 보기

| 경계 | 불우 | 병독 | 추증 |

1 좋은 약으로는 원기를 북돋우고 독한 침으로는 ░░░░░ 을 없애야 하는 것입니다.
병을 일으키는 독기.

2 이 때문에 맹가가 ░░░░░ 하게 일생을 마쳤고 풍당은 낭서 따위로 썩어 흰머리가 되었던 것입니다.
재능이나 포부를 가지고 있으면서도 때를 만나지 못하여 출세를 못함.

3 설총의 이야기를 들은 왕이, 글로 써서 왕 된 이들의 ░░░░░ 로 삼아야겠다고 말하였다.
옳지 않은 일이나 잘못된 일들을 하지 않도록 타일러서 주의하게 함.

4 현종 임금께서 왕위에 있으신 지 13년에 설총에게 홍유후를 ░░░░░ 하였다.
나라에 공로가 있는 벼슬아치가 죽은 뒤에 품계를 높여 주던 일.

정답 **①** 1 ㉣ 2 ㉢ 3 ㉠ 4 ㉤ 5 ㉡ **②** 1 병독 2 불우 3 경계 4 추증

〈북학의 참뜻〉

1 빈칸에 들어갈 말을 찾아 바르게 연결하시오.

1 우리나라 선비들은 한쪽 모퉁이 땅에 〔　〕 기질을 타고났다.
한쪽으로 치우쳐 도량이 좁고 너그럽지 못한.
• • ㉠ 국경

2 태어나 늙고 병들어 죽기까지 〔　〕 안을 떠나 본 적이 없다.
나라와 나라의 영역을 가르는 경계.
• • ㉡ 제도

3 우리나라 선비들은 〔　〕 것을 검소한 것이라고 인식했다.
지저분하고 더러운.
• • ㉢ 누추한

4 중국의 옛 법마저 싸잡아 천하고 〔　〕 이라 여긴다.
미개하여 문화 수준이 낮은 것.
• • ㉣ 야만적

5 법이 종고 〔　〕 가 아름답다면 진실로 오랑캐라도 나아가 본받아야 한다.
관습이나 도덕. 법률 따위의 규범이나 사회 구조의 체계.
• • ㉤ 편협한

2 풀이된 뜻에 해당하는 어휘를 고르시오.

1 낡은 관념이나 습관에 젖어 고집이 세고 새로운 것을 잘 받아들이지 아니하다.
〔 고루하다 〕 〔 고수하다 〕

2 말이나 행동이 떳떳하거나 버젓하지 못하다.
〔 구차하다 〕 〔 의연하다 〕

3 헤아리기 어려울 만큼 깊다.
〔 경박하다 〕 〔 심원하다 〕

4 잘 보호하고 간수하여 남김.
〔 보존 〕 〔 보위 〕

5 따돌리거나 거부하여 밀어 내침.
〔 배척 〕 〔 지향 〕

6 기구를 편리하게 쓰고 먹을 것과 입을 것을 넉넉하게 하여 국민의 생활을 나아지게 함.
〔 사농공상 〕 〔 이용후생 〕

[정답] ❶ 1 ㉤ 2 ㉠ 3 ㉢ 4 ㉣ 5 ㉡ ❷ 1 고루하다 2 구차하다 3 심원하다 4 보존 5 배척 6 이용후생

〈군주론〉

1 빈칸에 들어갈 말을 찾아 바르게 연결하시오.

1 인간이란 은혜를 모르고 변덕스러우며 _____인 데다 기만에 능하다.　　　　•　　•　ㄱ 명분
　　겉으로만 착한 체하는 것.

2 그들의 약속을 믿고 다른 대책을 소홀히 한 군주는 몰락을 _____할 뿐이다.　　•　　•　ㄴ 성취
　　어떤 결과를 자기가 생기게 함. 또는 제 스스로 끌어들임.

3 신민들의 재산과 그들의 부녀자들에게 손을 대는 일을 삼가면 _____할 수 있다.　　•　　•　ㄷ 자초
　　목적한 바를 이룸.

4 누군가를 처형할 때에는 적절한 _____과 명백한 이유가 있어야 한다.　　•　　•　ㄹ 통솔
　　일을 꾀할 때 내세우는 구실이나 이유 따위.

5 군주는 자신의 군대를 _____할 때, 잔인하다는 평판쯤은 개의치 말아야 한다.　　•　　•　ㅁ 위선적
　　무리를 거느려 다스림.

2 빈칸에 들어갈 알맞은 어휘를 〈보기〉에서 찾아 쓰시오.

　　　　　　　　　　　　　　　　　　　　　　　　　　　　　● 보기

부패	성과	이역	자비

1 한니발은 대군을 거느리고 _____에서 싸웠지만 군 내부에서 어떠한 분란도 일어나지 않았다.
　　다른 나라의 땅. 또는 고향이 아닌 딴 곳.

2 그가 그토록 잔인하지 않았더라면, 그의 다른 역량 역시 그러한 _____를 거두는 데 충분하지 않았을 것이다.
　　이루어 낸 결실.

3 스키피오의 군대가 그에게 반란을 일으킨 이유는 스키피오가 너무 _____로웠기 때문이다.
　　남을 깊이 사랑하고 가엾게 여김. 또는 그렇게 여겨서 베푸는 혜택.

4 파비우스 막시무스는 그를 탄핵하면서 로마 군대를 _____시킨 장본인이라고 비난했다.
　　정치. 사상. 의식 따위가 타락함.

정답 **1** 1 ㅁ 2 ㄷ 3 ㄴ 4 ㄱ 5 ㄹ　**2** 1 이역 2 성과 3 자비 4 부패

〈곁에 있는 것을 사랑하라〉

1 빈칸에 들어갈 말을 찾아 바르게 연결하시오.

1 스와데시의 정신이란 우리가 가까운 주변에 모든 힘을 기울이기 위해 더욱 먼 곳은 •
⬜⬜⬜ 하지 않는 것을 말한다.
어떤 일에 관계하여 참여함.

⬤ ㉠ 개혁

2 물건에 ⬜⬜⬜ 이 있다 해도 가까운 이웃이 생산한 물건만을 사용해야 한다. •
부족하거나 완전하지 못하여 흠이 되는 부분.

⬤ ㉡ 결함

3 스와데시 정신을 가진 힌두인이 종교를 바꾸지 않는 것은 힌두교를 ⬜⬜⬜ 할 수 •
있다고 생각하기 때문이다.   제도나 기구 따위를 새롭게 뜯어고침.

⬤ ㉢ 관여

4 우리는 ⬜⬜⬜ 과 단절되어 있었다. •
국가나 사회를 구성하는 일반 국민. 피지배 계급으로서의 일반 대중을 이른다.

⬤ ㉣ 민중

5 나는 이웃에 도움이 되는 일은 모든 인류에게 도움이 된다고 ⬜⬜⬜ 하게 믿는다. •
태도나 상황 따위가 튼튼하고 굳음.

⬤ ㉤ 확고

2 빈칸에 들어갈 알맞은 어휘를 〈보기〉에서 찾아 쓰시오.

┌─────────────────────────────────────── • 보기 •
│   근본   한계   포괄적   자급자족
└───────────────────────────────────────

1 민중이 가난한 ⬜⬜⬜ 원인은 경제생활과 산업이 스와데시 정신에서 완전히 벗어났기 때문이다.
사물의 본질이나 본바탕.

2 스와데시의 원리를 따른다면 인도의 마을은 모두 ⬜⬜⬜ 적인 경제 단위가 될 것이다.
필요한 물자를 스스로 생산하여 충당함.

3 스와데시 운동은 봉사할 수 있는 인간의 ⬜⬜⬜ 를 명확히 인식할 따름이다.
사물이나 능력, 책임 따위가 실제 작용할 수 있는 범위. 또는 그런 범위를 나타내는 선.

4 나의 애국심은 배타적이면서 동시에 ⬜⬜⬜ 이다.
일정한 대상이나 현상 따위를 어떤 범위나 한계 안에 모두 끌어넣는 것.

(정답) **1** 1 ㉡ 2 ㉡ 3 ㉠ 4 ㉣ 5 ㉤ **2** 1 근본 2 자급자족 3 한계 4 포괄적

〈현대의 매체 환경과 매체 문식성〉

① 빈칸에 들어갈 말을 찾아 바르게 연결하시오.

1 기존 대중 매체는 동시에   다수에게 대량으로 정보 내용물을 전송한다.   •
특별히 정하지 아니함.

      • ㉠ 무한대

2 지금은 거의   에 가까운 정보 내용물이 인터넷상에 존재한다.   •
한없이 큼.

      • ㉡ 분별력

3 매체 정보 내용물에 대한   은 반드시 갖춰야 할 능력이다.   •
세상 물정에 대하여 옳고 그른 것을 판단하는 능력.

      • ㉢ 불특정

4 매체   은 정보에 대한 평가, 이해, 활용과 관련된 능력을 포괄하는 개념이다.   •
문자 언어를 읽고 지식과 정보를 획득하고 이해할 수 있는 능력을 뜻하는 말.

      • ㉣ 일방향성

5 인터넷과 이를 기반으로 운용되는 각종 서비스들은   이 아닌 '상호 작용성'
을 특징으로 한다.   어느 한쪽으로만 향하는 성질.   •

      • ㉤ 문식성

② 풀이된 뜻에 해당하는 어휘를 고르시오.

1 글이나 사진 따위를 전류나 전파를 이용하여 먼 곳에 보냄. | 전달 | 전송 |

2 자신의 생각이나 뜻에 따라 행동하거나 그런 행동이 다른 것에 작용하는 성질. | 능동성 | 수동성 |

3 새롭고 산뜻하다. | 신기하다 | 참신하다 |

4 잇따라 나옴. | 속단 | 속출 |

5 어떠한 사건이나 소식을 그릇되게 전하여 알려 줌. 또는 그 사건이나 소식. | 오보 | 편파 |

6 오래전부터 해 오는 대로 함. 또는 관례에 따라서 함. | 관습 | 관행 |

(정답) ① 1 ㉢ 2 ㉠ 3 ㉡ 4 ㉤ 5 ㉣   ② 1 전송 2 능동성 3 참신하다 4 속출 5 오보 6 관행

〈모든 학문이 소통하는 서재〉

① 빈칸에 들어갈 말을 찾아 바르게 연결하시오.

1 최재천은 그의 서재에서 자연 과학과 인문학이 벽을 깨고 [   ] 되기를 바란다. •
  사물에 널리 통함. 또는 서로 사귀어 오감.

• ㉠ 영감

2 읽으면 읽을수록 자크 모노의 책에 [   ] 했다. •
  너무 기쁘거나 흥분하여 미친 듯이 날뜀. 또는 그런 상태.

• ㉡ 열광

3 책은 그의 청춘과 함께 30년이 훌쩍 넘는 세월을 함께 보내 온 [   ] 이다. •
  어떤 행동을 할 때 짝이 되어 함께하는 사람.

• ㉢ 진화

4 최재천은 게리 라슨의 책에서 많은 [   ] 을 얻었다고 했다. •
  창조적인 일의 계기가 되는 기발한 착상이나 자극.

• ㉣ 통섭

5 언뜻 보면 만화책 같지만, 그 안에는 [   ] 의 핵심을 찌르는 흥미로운 내용이 • 담겨 있다.
  생물이 생명의 기원 이후부터 점진적으로 변해 가는 현상.

• ㉤ 동반자

② 빈칸에 들어갈 알맞은 어휘를 〈보기〉에서 찾아 쓰시오.

┌─────────────────────────────────── 보기 ───┐
│   열병   직성   사유   소통 │
└──┘

1 그는 책을 통해 또 다른 학문과 [   ] 하는 것을 시도한다.
  막히지 아니하고 잘 통함.

2 그가 꽤 오랫동안 문학도로서의 [   ] 을 앓았을 법한 흔적들이다.
  어떤 일에 몹시 흥분한 상태를 비유적으로 이르는 말.

3 책을 꽂을 때에는 똑바로 세워 꽂아야 [   ] 이 풀린다.
  타고난 성질이나 성미.

4 그에게 서재는 모두가 함께 나누고 세상을 탐구할 수 있는 창조의 공간이자 [   ] 의 숲이다.
  대상을 두루 생각하는 일.

정답 **①** 1 ㉣ 2 ㉡ 3 ㉤ 4 ㉠ 5 ㉢ **②** 1 소통 2 열병 3 직성 4 사유

〈도란도란 책 모임〉

1 빈칸에 들어갈 말을 찾아 바르게 연결하시오.

1 나는 우리 아이가 자신을 '있는 그대로' ⬚⬚⬚⬚ 하고 사랑하기를 바랐다.
높이어 귀중하게 대함.   •   • ㉠ 존중

2 아이들이 묻고 이야기하고 ⬚⬚⬚⬚ 하면서 배움의 즐거움을 느꼈다.
진리, 학문 따위를 파고들어 깊이 연구함.   •   • ㉡ 취향

3 여럿이 함께 하는 독서는 각자의 ⬚⬚⬚⬚ 이나 수준을 살리는 데 어려움이 있다.
하고 싶은 마음이 생기는 방향. 또는 그런 경향.   •   • ㉢ 탐구

4 여러 선진국은 1980년대부터 이미 ⬚⬚⬚⬚ 인 교육 방식에서 탈피하고 있다.
모두가 한결같아서 다름이 없는 것.   •   • ㉣ 창의성

5 지식 정보화 시대에 필요한 독서 능력과 ⬚⬚⬚⬚ 을 향상할 수 있을 것이다.
새로운 것을 생각해 내는 특성.   •   • ㉤ 획일적

2 풀이된 뜻에 해당하는 어휘를 고르시오.

1 일이나 사건을 풀어 나갈 수 있는 첫머리.   실마리   실랑이

2 아는 것이 없다.   무지하다   무례하다

3 물건의 생김새나 그 바탕이 되는 몸체.   형세   형체

4 서로 반대되는 두 부분으로 나누는 논리적 구분의 방법.   이분법   연역법

5 남과 상의하지 않고 혼자서 판단하거나 결정함.   독단   독선

6 스스로 자기를 소중히 대하며 품위를 지키려는 감정.   자신감   자존감

정답 **1** **1** ㉠ **2** ㉢ **3** ㉡ **4** ㉤ **5** ㉣ **2** **1** 실마리 **2** 무지하다 **3** 형체 **4** 이분법 **5** 독단 **6** 자존감

[관련 단원] 3단원 (2) 사회·문화 분야의 글 읽기

◉ 제재 정리

갈래	설명문	성격	분석적, ❶ ㄷㅈㅈ
제재	정치 논리와 경제 논리		
주제	정치 논리와 경제 논리의 차이점 및 적절한 활용의 필요성		
특징	① 정치 논리와 경제 논리의 이해를 돕기 위해 정치인과 경제인의 속성을 ❷ ㅂㅅ 함. ② 정치인과 경제인, 정치 논리와 경제 논리를 대조하여 설명함.		

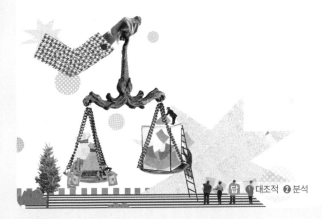

답 ❶ 대조적 ❷ 분석

[관련 단원] 3단원 (2) 사회·문화 분야의 글 읽기

◉ 제재 정리

갈래	기고문, 편지문	성격	설득적, 논리적, ❶ ㅂㅍㅈ
제재	프랑스 군 당국의 잘못된 사법 행위		
주제	잘못된 군사 재판에 책임이 있는 자들에 대한 고발		
특징	① 수신자를 특정하고 그를 ❷ ㅅㄷ 하는 형식을 취함. ② 구체적인 사실을 근거로 제시하여 주장의 정당성을 높임.		

▲ 에밀 졸라와 1898년 1월 13일 자 《로로르》 신문에 실린 〈나는 고발한다〉

답 ❶ 비판적 ❷ 설득

[관련 단원] 3단원 (3) 과학·기술 분야의 글 읽기

◉ 제재 정리

갈래	❶ ㅅㅁㅁ	성격	객관적, 분석적, 순차적
제재	결핵		
주제	결핵 치료법을 찾아내기 위한 과학자들의 치열한 연구		
특징	① 시간의 흐름에 따라 글의 내용을 전개함. ② 과학자들의 연구 과정을 ❷ ㅇㄱㄱㄱ 에 따라 분석적으로 제시함.		

▲ 미생물을 연구하고 있는 왁스먼

답 ❶ 설명문 ❷ 인과 관계

[관련 단원] 3단원 (3) 과학·기술 분야의 글 읽기

◉ 제재 정리

갈래	설명문	성격	객관적, 해설적
제재	인공 지능		
주제	인공 지능 기술의 ❶ ㅂㅈㄱㅈ		
특징	① 인공 지능 기술에 응용된 과학적 이론과 기술적 한계를 설명함. ② 인공 지능의 기술적 ❷ ㅎㄱ 를 극복하기 위한 심층 학습 방법을 소개함.		

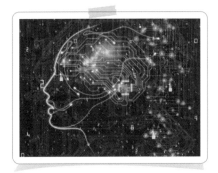

답 ❶ 발전 과정 ❷ 한계

이것만은 꼭!

◎ 글쓴이가 드레퓌스의 유죄 판결이 부당하다고 본 근거

근거 —
- 기소장에 밝힌 유죄의 근거들이 타당하지 않음.
- 유일한 물증인 **❶ ㅁ ㅅ ㅅ** 마저 드레퓌스의 필적 여부를 확인할 수 없어 신뢰하기 어려움.
- 23명의 증언자가 전부 국방부 소속 장교임.
- 실체를 확인할 수 없는 '기밀 서류'가 존재함.

✪ 드레퓌스 사건 당시 프랑스의 사회·문화적 상황

사회·문화적 상황
• 독일과의 전쟁에서 패배한 후 애국주의 광풍이 불고 있었음. • 반유대주의가 널리 퍼져 있었음. • 보수적 성향의 군부는 계급적 유대감으로 결속되어 있었음.

↓

- **❷ ㅂ ㅇ ㄷ ㅈ ㅇ** 가 팽배한 사회적 분위기에 휩쓸려 많은 사람이 드레퓌스에게 유죄 판결을 내린 군사 법정을 지지했음.
- 군부는 군의 이익 때문에 드레퓌스 재판의 잘못을 바로잡지 않음.

답 ❶ 명세서 ❷ 반유대주의

이것만은 꼭!

◎ 정치 논리와 경제 논리의 차이

정치 논리	경제 논리
• 공평성 중시 • '누구에게 얼마를'을 기준으로 하는 자원 배분	• **❶ ㅎ ㅇ ㅅ** 중시 • '최소의 비용으로 최대의 효과'를 얻고자 하는 자원 배분

✪ 정치인과 경제인의 차이

정치인	경제인
• 주권자를 대신하여 사회적 의사 결정을 내림. • 투입을 기준으로 정책을 결정하는 경향이 있음. • 자신의 지지 기반이 되는 **❷ ㅇ ㄱ ㅈ** 의 요구를 우선적으로 고려함. • 협상·타협·교섭 등의 정치적 기술 활용	• 의사 결정 권한이 없으나 정치인의 결정에 도움이 되는 대안을 제시함. • 예상되는 정책 효과를 기준으로 정책의 우선순위를 결정함. • 객관적·거시적 입장에서 사회적 필요성이 있는 정책을 수행하려는 경향이 있음. • 전문 지식과 분석 기술 활용

답 ❶ 효율성 ❷ 유권자

이것만은 꼭!

◎ 퍼셉트론의 한계를 극복하기 위한 노력

 퍼셉트론의 특징과 한계
- 인공 신경망을 실제로 구현한 최초의 모델
- 보통의 컴퓨터나 인간이 쉽게 푸는 기본적인 논리 문제조차 제대로 풀지 못함.
- 학습할 수 있는 정보가 매우 제한적임.

↓

다층 퍼셉트론의 특징과 한계
- 기존 퍼셉트론의 입력층과 출력층 사이에 **❶ ㅈ ㄱ ㅊ** 을 삽입하고, 중간층의 신경망 층수를 늘려 나감.
- 신경망의 층수를 늘릴수록 기계가 판별을 제대로 하지 못하는 오류가 발생함.

↓

심층 학습
- 연산 과정에 여러 층을 두어 컴퓨터 스스로 정보를 조각내어 작은 판단을 내리게 하는 과정인 **❷ ㅅ ㅈ ㅎ ㄹ** 을 통한 학습
- ✪ 비지도 학습 방법을 사용한 사전 훈련 과정으로 인공 신경망 최적화를 수행함.

답 ❶ 중간층 ❷ 사전 훈련

이것만은 꼭!

◎ 칼메트와 게랭의 백신 개발 과정과 왁스먼의 치료제 개발 과정

	칼메트와 게랭의 백신	왁스먼의 치료제
경험적 사실	우두를 앓으면 천연두가 예방됨.	토양에서는 이에 가장 잘 적응한 미생물들만이 살아남는데, **❶ ㄱ ㅎ ㄱ** 은 토양에서 살아남지 못함.
가설	소 결핵을 가볍게 앓으면 결핵에 대한 면역력을 얻을 수 있을 것임.	토양의 미생물 가운데 결핵균과 같은 병원균을 사멸시키는 미생물이 존재할 것임.
실험 및 관찰	소 결핵균을 연속 배양하여 독성을 완전히 제거한 소 결핵균(BCG)을 배양함.	토양을 채취해 완충 용액에 혼합한 다음 토양 속 미생물을 멸균하고, 그 생성물에서 **❷ ㅎ ㅅ ㅈ** 능력을 지닌 물질을 분리함.
결과	BCG를 결핵 예방 접종에 사용할 수 있게 됨.	결핵 치료에 사용되는 스트렙토마이신을 개발함.

답 ❶ 결핵균 ❷ 항생제

〈설총〉_김부식

[관련 단원] 4단원 (1) 시대의 특성을 고려한 글 읽기

◎ 제재 정리

갈래	❶ ㅇㅈ	성격	전기적, 우의적, 풍자적, 교훈적
제재	설총의 전기(傳記)		
주제	설총의 행적 및 후대의 평가		
특징	① 역사적 기록과 창작 우화가 결합되어 있음. ② 열전의 형식에서 당대의 ❷ ㄱㅆㄱㄱㅅ 이 나타남. ③ 제왕의 올바른 도리를 일깨우는 내용을 통해 당대의 사회·문화적 특성을 엿볼 수 있음.		

답 ❶ 열전 ❷ 글쓰기 관습

〈북학의 참뜻〉_박지원

[관련 단원] 4단원 (1) 시대의 특성을 고려한 글 읽기

◎ 제재 정리

갈래	책 서문, 논설문	성격	비판적, 설득적
제재	북학의 의미		
주제	• 청나라의 ❶ ㅅㅈㅁㅁ 의 도입 및 수용의 필요성 • 청나라를 배척하는 지식인들에 대한 비판		
특징	① 박제가가 쓴 《북학의》의 머리말로, 한문 문체인 서(序)의 형식이 나타남. ② 성현의 고사를 ❷ ㅇㅇ 하여 주장의 정당성을 강화하는 당대의 글쓰기 관습이 나타남.		

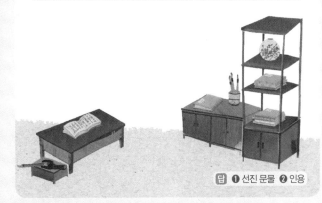

답 ❶ 선진 문물 ❷ 인용

〈군주론〉_니콜로 마키아벨리

[관련 단원] 4단원 (2) 지역의 특성을 고려한 글 읽기

◎ 제재 정리

갈래	논설문	성격	설득적, 현실적, 예시적
제재	군주의 자질		
주제	군주는 두려운 존재가 되어야 함.		
특징	① 군주가 갖추어야 할 ❶ ㅈㅈ 을 설득력 있는 태도로 밝힘. ② 인간의 본성을 냉정하고 객관적으로 분석함. ③ 역사적 인물인 ❷ ㅎㄴㅂ 과 스키피오의 사례를 근거로 들어 자신의 주장을 뒷받침함.		

▲ 마키아벨리 초상

답 ❶ 자질 ❷ 한니발

〈곁에 있는 것을 사랑하라〉_모한다스 카람찬드 간디

[관련 단원] 4단원 (2) 지역의 특성을 고려한 글 읽기

◎ 제재 정리

갈래	수필	성격	철학적, 역설적
제재	스와데시 운동		
주제	❶ ㅅㅇㄷㅅ 정신의 의미 및 실천		
특징	① 역설적 진술을 통해 스와데시 운동의 ❷ ㅂㄷㅅ 과 포괄성을 설명함. ② 스와데시의 정신을 종교, 교육, 경제생활 등 다양한 분야에 적용하여 구체적으로 설명함.		

답 ❶ 스와데시 ❷ 배타성

이것만은 꼭!

◎ 이 글에 반영된 사회·문화적 상황

18~19
세기
조선

- 병자호란 이후 조선의 지배층에서는 청나라를 멸시하며 배척하는 풍조가 지배적이었음.
- 백성들의 실생활을 나아지게 하는 이용후생의 **❶** ㅅㅎㅅㅅ 이 등장함.

◎ 글쓴이의 견해 전개 방식

| 전제 | 학문의 길은 묻고 배우는 것에 있음. |

↓

| 현실의 문제 | 조선의 선비들은 편협한 기질을 타고나 새로운 것을 알려고도 배우려고도 하지 않음. |

↓

| 주장 | 삼대의 법과 제도를 보존하고 있는 중국의 선진 문물을 받아들여 **❷** ㅇㅇㅎㅅ 을 이루어야 함. |

답 ❶실학사상 ❷이용후생

이것만은 꼭!

◎ 이 글에 반영된 사회·문화적 상황

고려 인종 때

| **❶** ㅇㄱㅈ 통치 이념을 굳건하게 하고 국가의 기강을 세우기 위해 설총의 열전을 편찬함. |

◎ 이 글에 반영된 글쓰기 관습

열전의 형식

- 후대에 권계가 될 만한 인물의 행적을 서술함.
- 뛰어난 유학자로 '충'이라는 유교적 덕목에 부합하는 설총을 열전의 인물로 선정함.

우화의 형식

우의적 기법을 사용해 인간 세상을 풍자하고 교훈을 제시함.

✪ 〈화왕계〉에 등장하는 인물의 의미

| 장미 | → | 화왕 | ← | 백두옹 |
| 간신 | 알현 | 군왕, 임금 | 알현 | **❷** ㅊㅅ |

답 ❶유교적 ❷충신

이것만은 꼭!

✪ '스와데시 정신'의 의미

❶ ㄱㄲㅇ 곳에 모든 힘을 기울이기 위해 먼 곳은 관여하지 않는 정신

◎ 글을 쓸 당시 인도의 지역적 상황과 글쓴이의 생각

	지역적 상황	스와데시 정신의 실천
종교	힌두교가 전통 종교임.	결점을 고쳐서라도 전통 종교를 믿어야 함.
교육	외국어로 공부한 지식인이 민중과 단절됨.	지식인들이 모국어로 공부하여 전통을 발전시켜야 함.
경제	수입품 때문에 인도의 민중이 가난해짐.	결함이 있더라도 인도에서 생산한 물건만 사용해야 함.

◎ '스와데시 정신'의 특징

배타적		**❷** ㅍㄱㅈ
조국인 인도에만 관심을 기울임.	↔ 역설적	경쟁적이거나 절대적이지 않음.

답 ❶가까운 ❷포괄적

이것만은 꼭!

✪ 군주의 자질에 대한 글쓴이의 주장과 근거

주장	군주는 사랑을 받기보다 **❶** ㄷㄹㅇ 의 대상이 되어야 함. 다만 사람들에게 미움을 사서는 안 됨.
근거 (인간의 특성)	- 인간은 이기적이고 변덕스러우며 위선적임. - 인간에게는 처벌에 대한 공포와 두려움이 있음. - 인간은 어버이의 죽음은 쉽게 잊어도 재산의 상실은 쉽게 잊지 못함.

◎ 글쓴이의 주장에 담긴 의도

글을 쓸 당시 이탈리아의 지역적 상황
여러 도시 국가로 나뉘어 강대국의 침략과 지배, 간섭을 받았음.

↓

| 강력한 지도자가 나타나 당시 현실을 **❷** ㄱㅂ 하기를 바람. |

답 ❶두려움 ❷극복

[관련 단원] 4단원 (3) 매체의 특성을 고려한 글 읽기

○ 제재 정리

갈래	설명문	성격	대조적, 예시적, 비판적
제재	현대의 매체 환경		
주제	현대의 매체 환경의 문제점과 매체 **❶** ㅁ ㅅ ㅅ 의 필요성		
특징	① 정의, 대조, 예시 등 다양한 설명 방법을 활용하여 독자의 이해를 도움. ② 현대의 인터넷 기반 매체 환경의 속성 및 **❷** ㅈ ㄷ ㅈ 을 상세하게 설명함. ③ 매체 환경의 문제에 대한 대처 방안으로 매체 문식성의 중요성을 강조함.		

답 ❶ 문식성 ❷ 장단점

[관련 단원] 5단원 (1) 자발적 독서의 계획과 실천

○ 제재 정리

갈래	수필	성격	체험적, 개성적
제재	생물학자 최재천의 서재		
주제	학자와 학문의 융합·소통을 꿈꾸는 생물학자 최재천의 **❶** ㅅ ㅈ		
특징	① 관찰자의 입장에서 최재천의 독서 특징을 소개함. ② 글 중간중간에 최재천과의 인터뷰 내용을 삽입함. ③ 특별히 다루어 기록할 만한 책 몇 가지를 예로 들어 소개함. ④ 서재와 **❷** ㅊ 을 중심으로 최재천의 독서 태도와 가치관을 자연스럽게 이끌어 냄.		

답 ❶ 서재 ❷ 책

[관련 단원] 5단원 (2) 독서 활동에 참여하기

○ 제재 정리

갈래	수필	성격	회고적, 체험적, 설득적
제재	가정 독서 모임		
주제	독자 간의 **❶** ㅅ ㅌ 이 이루어지는 독서 모임의 가치와 필요성		
특징	① **❷** ㅅ ㅎ ㅈ 독서를 실천한 실제 경험을 소개함. ② 독서 모임의 진행 과정과 독서 활동의 구체적 모습을 상세히 서술함. ③ 사회적 독서의 가치와 의의 및 유용성을 강조함.		

답 ❶ 소통 ❷ 사회적

[관련 단원] 3단원 (2) _ 더 읽어 보기

○ 제재 정리

갈래	설명문	성격	예시적, 학술적
제재	국가별 '**❶** ㄱ ㄹ ㄱ ㄹ'의 차이		
주제	불평등 수용도에 따른 **❷** ㅁ ㅎ 의 차이		
특징	① 사례를 들어 설명함으로써 내용의 이해를 도움. ② 사회·문화적 측면에서 연구 결과를 해석함.		

답 ❶ 권력 거리 ❷ 문화

10 [관련 단원] 5단원 (1) 자발적 독서의 계획과 실천

이것만은 꼭!

최재천의 서재 '통섭원'의 의미

통섭원
- 세상과 제자들과 소통하는 장
- 자연 과학과 인문학이 벽을 깨고 ❶ ㅌ ㅅ 되기를 바라는 공간
- 학자들과 진리를 탐하고 서로의 학문에 빠져들기를 바라는 소망의 공간

최재천이 책을 관리하는 습관

- 책과 책 사이에 빈틈을 허용하지 않고 책을 똑바르게 세워 꽂음.
- 책을 접거나 구기지 않으며 책에 메모를 하지 않음.
- 많은 사람이 ❷ ㅎ ㄲ 보는 책이므로 소중히 다룸.

최재천의 독서 태도

자발적 독서	자신의 연구·관심 분야를 중심으로 서재를 꾸밈.
평생 독서	30년 넘게 책과 함께하고 책을 읽어 옴.

답 ❶ 통섭 ❷ 함께

09 [관련 단원] 4단원 (3) 매체의 특성을 고려한 글 읽기

이것만은 꼭!

기존의 대중 매체와 인터넷 기반 매체의 특성

기존의 대중 매체	• 일방향적 정보 전달 • 생산자와 소비자가 뚜렷하게 구분되며, 생산자에게 의사소통의 주도권이 부여됨.
인터넷 기반 매체	• 상호 작용성 • 생산자와 소비자 간의 경계가 ❶ ㅁ ㅎ 함. • 정보의 생산 및 유통에 참여하는 방법이 다양해짐.

매체 환경의 변화에 따른 장단점

장점	• 정보의 생산과 유통이 민주적이고 투명해짐. • 정보 내용물에 접근하는 방식이 참신하고 다양해짐.
단점	• 검증되지 않은 정보가 무분별하게 생산·유통됨. • 선정적이고 저급한 내용의 정보가 무수히 생산됨.

매체 문식성의 개념

- **좁은 의미**: 매체 정보 내용물에 대한 해독 능력
- **넓은 의미**: 매체가 작동하는 원리와 매체 정보 내용물에 대한 ❷ ㅂ ㅍ ㅈ 이해·활용 및 창조적 생산 능력

답 ❶ 모호 ❷ 비판적

12 [관련 단원] 3단원 (2) _더 읽어 보기

이것만은 꼭!

'권력 거리'의 개념

- **마우크 뮐더르의 정의**: 부하들이 ❶ ㅅ ㄱ (권력자)에 대해 갖고 있는 감정적인 거리
- **사회·문화적 측면에서의 정의**: 한 나라의 제도나 조직의 힘없는 구성원들이 권력의 불평등한 분포를 기대하고 수용하는 정도. 힘없는 사람들에게 내면화된 가치 체계

권력 거리 지수가 보여 주는 문화 차이

권력 거리 지수가 큰 나라		권력 거리 지수가 작은 나라
• 부하 직원이 상사에게 의존하는 정도가 높음. • 상사와 부하 간의 심리적 ❷ ㄱ ㄹ 가 멂. • 불평등을 쉽게 수용함.	⟷	• 상사와 부하 직원 간의 상호 의존을 선호함. • 감정적 거리가 가까움. • 불평등을 쉽게 수용하지 않음.

답 ❶ 상관 ❷ 거리

11 [관련 단원] 5단원 (2) 독서 활동에 참여하기

이것만은 꼭!

'도란도란 책 모임'을 통한 아이들의 변화

- 아이들이 정서적·지적으로 크게 ❶ ㅅ ㅈ 함.
- 공부를 싫어하던 아이들이 묻고 이야기하고 탐구하면서 배움의 기쁨을 느낌.

혼자 하는 독서와 친구와 함께하는 독서의 차이

혼자 하는 독서	• 나눔과 만남의 기쁨을 누리기 어려움. • 자칫하면 독단에 빠질 수 있음.
친구와 함께하는 독서	• 사고가 활짝 열리고 나눔과 만남의 ❷ ㄱ ㅃ 을 누릴 수 있음. • 자존감을 회복하고 관계와 학습에 대한 자신감을 얻을 수 있음.

독서 모임의 가치

- 자신과 이웃, 세상에 대한 더 깊은 관심과 애정이 생겨남.
- 지식 정보화 시대에 필요한 독서 능력과 자신만의 개성과 아이디어, 창의성을 향상할 수 있음.

답 ❶ 성장 ❷ 기쁨

자르는 선

[관련 단원] 3단원 (3) _ 더 읽어 보기

◉ 제재 정리

갈래	설명문	성격	객관적, 해설적
제재	케플러 법칙		
주제	케플러가 **❶ ㅎ ㅅ** 의 운행 법칙을 발견한 과정과 그 의의		
특징	① 과학 법칙을 발견한 **❷ ㅇ ㄱ** 과정을 제시함. ② 보조 자료를 제시하여 케플러 법칙의 이해를 도움.		

답 ❶ 행성 ❷ 연구

[관련 단원] 4단원 (1) _ 더 읽어 보기 | 4단원 (2) _ 더 읽어 보기

◉ 〈책 읽는 소리〉 제재 정리

갈래	수필	성격	회고적, 성찰적, 대비적
제재	옛사람들의 책 읽기		
주제	옛사람들의 책 읽기 방식		
특징	① 다양한 **❶ ㅇ ㅎ** 와 자료를 통해 옛사람들의 글 읽기의 특징을 제시함. ② 과거와 현재의 읽기의 차이를 성찰적인 자세로 돌아봄.		

◉ 〈우리는 모두 형제들이다〉 제재 정리

갈래	연설문	성격	교훈적, 설득적, 서정적, 비유적
제재	땅(자연)을 팔라는 백인들의 제안		
주제	신성하고 거룩한 자연에 대한 사랑과 **❷ ㅈ ㅈ**		
특징	① 인디언 부족의 자연관과 백인의 자연관이 대조적으로 드러남. ② 핵심 어구를 반복하고 시적 표현을 사용하여 서정적인 분위기를 형성함.		

답 ❶ 일화 ❷ 존중

[관련 단원] 4단원 (3) _ 더 읽어 보기

◉ 제재 정리

갈래	설명문	성격	예시적, 비유적
제재	매클루언의 매체 이론		
주제	**❶ ㅁ ㅊ** 는 인간의 지각과 의식에 영향을 끼치는 환경임.		
특징	① 전문가의 이론을 요약적으로 제시함. ② **❷ ㅂ ㅇ** 와 예시의 방법을 사용하여 매체 이론에 대한 이해를 도움.		

▶ 마셜 매클루언

답 ❶ 매체 ❷ 비유

[관련 단원] 5단원 (1) _ 더 읽어 보기 | 5단원 (2) _ 더 읽어 보기

◉ 〈행복한 책 읽기〉 제재 정리

갈래	일기	성격	독백적, 비평적
제재	독서 체험		
주제	독서 활동의 기록과 비평		
특징	① 자신의 독서 경험을 일기의 형식으로 서술함. ② 책의 내용을 소개하고 이를 **❶ ㅂ ㅍ** 함.		

◉ 〈독서 동호회 활동에 관한 면담〉 제재 정리

갈래	면담 기록	성격	상호 작용적, 탐색적
제재	독서 동호회 활동		
주제	독서 동호회의 활동 방법과 내용, 의의		
특징	① 면담자와 면담 대상자의 **❷ ㅈ ㅁ** 과 대답의 형식을 취함. ② 면담자의 질문을 통해 면담 대상자의 독서 경험에 대한 탐색이 이루어짐.		

답 ❶ 비평 ❷ 질문

이것만은 꼭!

○ 〈책 읽는 소리〉_ 일화에 나타난 옛사람들의 읽기 방법

김득신	조광조	알베르토 망구엘의 《독서의 역사》
글 읽는 ❶ ㅅ ㄹ 를 듣고 배우지 않은 글을 외울 수 있음.	글 읽는 소리를 통해 듣는 이의 마음을 설레게 할 수 있음.	중세 유럽에서도 소리 내어 글을 읽었음.

○ 〈우리는 모두 형제들이다〉_ 자연을 대하는 인디언 부족과 백인들의 관점

인디언 부족(시애틀 추장)
- 인간을 ❷ ㅈ ㅇ 의 일부로 보고 자연을 가족처럼 여김.
- 땅은 거룩하고 신성하여 사고파는 대상이 될 수 없다고 여김.

↔

백인들
- 땅을 인간의 소유물로 여김.
- 땅을 사고팔 수 있는 대상으로 여김.

답 ❶ 소리 ❷ 자연

이것만은 꼭!

○ 케플러가 모든 행성의 궤도가 타원형임을 발견하게 된 과정

행성 궤도가 ❶ ㅇ ㅎ 이라고 생각하고 계산을 때, 케플러의 계산이 브라헤의 관측 자료와 오차가 생김.

↓

타원 궤도를 적용할 경우 케플러의 계산값이 브라헤의 관측 자료와 일치함.

○ 케플러 법칙의 과학사적 의미

케플러 법칙
- 우주는 단순한 자연의 법칙에 따라 움직인다는 것을 밝힘으로써 ❷ ㅈ ㅅ ㅈ 세계관을 동요시킴.
- 수학이 천문 계산에 이용되고 그 결과를 수식으로 표현함으로써 자연 연구 방법에 변화를 가져옴.
- 조화의 법칙은 뉴턴의 만유인력 법칙을 끌어내는 바탕이 됨.

답 ❶ 원형 ❷ 중세적

이것만은 꼭!

○ 〈행복한 책 읽기〉_ 글쓴이가 읽은 책과 일기의 내용

날짜	읽은 책	일기의 내용
1986. 2. 12.	정재서 역, 《산해경》	고대 중국인이 상상한 인간 중심적 세계를 느낄 수 있음.
1986. 10. 18.	조정래, 《태백산맥 1, 2, 3》	작가가 지향하는 인물은 민족주의자 김범우이며, 현실을 냉정하게 분석하는 인물은 거의 보이지 않음.
1987. 1. 16.	스탕달, 김붕구 역, 《적과 흑》	• 번역자의 ❶ ㅁ ㅊ 를 그대로 느낄 수 있음. • 자존심이 근간인 사랑 이야기임.
1988. 4. 8.	김원우, 《세 자매 이야기》	채만식의 《인형의 집을 나와서》와 함께 여성 문제의 본질을 보여 줌.
1988. 4. 25.	신간 시집들	김영현의 《겨울 바다》, 박덕규의 《꿈꾸는 보초》에 대해 비평함.
1988. 9. 27.	조혜정, 《한국의 여성과 남성》	저자가 자신의 지적 이력을 반성한 대목이 ❷ ㄱ ㄷ ㅈ 임.

답 ❶ 문체 ❷ 감동적

이것만은 꼭!

○ "매체는 메시지이다."의 의미

"매체는 메시지이다."

↓

매체가 전달하는 내용보다 매체의 ❶ ㅂ ㄱ ㅇ ㅊ 에 주목함.

○ 매체에 대한 매클루언의 관점

매체
- 매체는 특정한 목적이나 필요를 만족시키는 중립적인 도구가 아니라 '보이지 않는 배경 원칙'을 지닌 ❷ ㅎ ㄱ 임.
- 매체는 인간 경험의 규모와 형태를 형성하고 제어하는 배경임.
- 매체는 인간의 눈, 귀, 근육, 신경 조직 등 인간 감각을 확장한 것임.
- 감각을 확장하는 매체는 감각 간의 불균형을 일으킴.

답 ❶ 배경 원칙 ❷ 환경